高等院校教育教学研究优秀论文集

2022年度

中国人民解放军战略支援部队航天工程大学 组编

内 容 提 要

本论文集主要围绕高等院校教育教学改革研究与教学质量提升，从教学实践出发，反映教员进行教学创新和教学实践的教学感悟，以及个人在教学理念更新、教育教学新技术应用、教学模式改革创新、教学效果评估、教学能力提高等方面的所思所想和实践做法。这是新时代院校教育教学成果的展示，为教育教学提供参考。

图书在版编目（CIP）数据

高等院校教育教学研究优秀论文集．2022 年度/中国人民解放军战略支援部队航天工程大学组编．—北京：中国电力出版社，2023.6

ISBN 978-7-5198-7611-1

Ⅰ.①高… Ⅱ.①中… Ⅲ.①高等学校—教学研究—文集 Ⅳ.①G642.0-53

中国国家版本馆 CIP 数据核字（2023）第 077397 号

出版发行：中国电力出版社
地　　址：北京市东城区北京站西街 19 号（邮政编码 100005）
网　　址：http://www.cepp.sgcc.com.cn
责任编辑：周巧玲（010-63412539）
责任校对：黄　蓓　常燕昆
装帧设计：赵姗姗
责任印制：吴　迪

印　　刷：固安县铭成印刷有限公司
版　　次：2023 年 6 月第一版
印　　次：2023 年 6 月北京第一次印刷
开　　本：787 毫米×1092 毫米　16 开本
印　　张：21.5
字　　数：537 千字
定　　价：98.00 元

目　　录

教学模式与方法

课程与教学内容改革

人才培养特点规律

课程思政和思政课

教学管理与其他

教学模式与方法

依托学科竞赛培养“强军新工科”新型军事人才的思考

王琳静
（基础部数学教研室）

摘　要：学科竞赛是以竞赛的方式考查学员学科基本理论与知识掌握程度，以及利用这些理论与知识解决实际问题的综合能力的一项科技活动，它可以激发学员学习理论与知识的积极性，培养学员的创新能力，提高学员的综合素质。为此，探索在“强军新工科”建设背景下，以学科竞赛作为培养“强军新工科”新型军事人才的载体，为战育人，培养应用型、创新型、复合型人才的新模式，推动我军向高素质发展，赢得军事竞争和未来战争的胜利。

关键词：强军新工科；学科竞赛；工程教育

1　引言

人才是推动我军高素质发展、赢得军事竞争和未来战争胜利的关键因素。在战争形态加速演变、军事变革风起云涌、人才竞争日趋激烈的今天，贯彻习近平强军思想，贯彻新时代军事战略方针，实施新时代人才强军战略，聚焦实现建军一百年奋斗目标，锻造德才兼备的高素质、专业化新型军事人才，加强新时代军队人才培养，是军队院校教育的首要任务。着眼建设信息化军队，打赢信息化战争，培养指技融合的军事人才成为军队院校教育的根本目标。

工程教育在我国高等教育中具有重要地位。工程教育与武器装备、军队信息化建设水平联系紧密、相互支撑，国防和军队建设发展依靠工程教育提供人才支撑和智力支持。进入21世纪后，科技革命和产业革命发生了巨大变革，而在未来的几十年，新一轮革命更将翻天覆地。面对当前急需和未来产业的发展，提前进行人才布局，培养具有创新创业意识、数字化思维和跨界整合能力的“新工科”人才。2017年2月18日，教育部在复旦大学召开高等工程教育发展战略研讨会，“新工科”理念被正式提出；4月8日，教育部在天津大学召开新工科建设研讨会；6月9日，教育部又在北京召开新工科研究与实践专家组成立暨第一次工作会议，这标志着“新工科”建设的全面启动与系统部署。从此各地高校纷纷行动起来，积极响应教育部倡议，开展新工科研究活动，推进新工科建设与发展。

未来新产业和新经济需要工程实践与创新能力强、具备国际竞争力的新型人才。而人才的培养应以多元化、创新型为方向，以继承与创新、交叉与融合为驱动力[1]。而在军队院校，国防科技大学汤俊等人提出“强军新工科”建设，旨在主动布局、设置和建设服务强军目标、满足部队需求、面向未来的工程学科与专业，培养造就一批军事素养高，强军使命浓厚，具有创新力、适应力、领导力、跨界整合能力的交叉复合型融合人才[2]。

军队院校学科竞赛是培养学员创新精神和实践动手能力的有效载体，“以战领赛，以赛谋战，为战育人”，对培养学员的创新意识、创新思维和团队合作精神，提高学员的分析问题与解决实际问题的能力，特别是利用所学知识，解决部队备战演训中实际问题的能力具有极其重要的作用。

2 学科竞赛及其现状

2.1 学科竞赛基本情况

学科竞赛是以竞赛的方式考查学员对学科基本理论与知识掌握的程度，以及利用这些理论与知识解决实际问题的综合能力的一项科技活动，面向的群体主要是大学生与研究生。学科竞赛作为课堂教学的延伸和第二课堂的重要阵地，对提升学员创新创业能力起着举足轻重的作用，从而受到教育部门和教育工作者的高度重视。在《国家中长期教育改革和发展规划纲要（2010—2020年）》中，教育部明确把“加强学科竞赛工作纳入实践教学与人才培养模式改革创新”的质量工程中，对人才培养模式也提出了要求，即将实践教学与学科竞赛相结合，提高实践教学和人才培养质量，为国家培养应用型创新人才。

学科竞赛形式多样，根据竞赛主办单位级别的不同，可以分为国家级、军队级、省（市）级及校级；按照学科门类的不同，全国普通高校工科类学科竞赛包括全国大学生数学建模竞赛、中国研究生数学建模竞赛、全国大学生电子设计竞赛、全国大学生计算机设计大赛、全国大学生物理实验竞赛等，综合类学科竞赛主要包括中国研究生未来飞行器设计大赛、全国大学生“挑战杯”创业大赛、全国大学生机器人大赛、全国大学生英语系列竞赛等。除此之外，各高校根据各自的办学需求、专业特色、人才培养的要求等，定期举办各类学科竞赛，以提高学生的综合素质能力。

近几年，随着军队群众性练兵比武的开展，军事类学科竞赛，如全军军事建模竞赛、全国兵器推演大赛、“精武杯”军事比武竞赛、“八一杯”模拟联合国大会等竞赛，受到广大军校学员的青睐，参赛人数与规模逐年上升。

2.2 大学参加学科竞赛现状

自2017年以来，军队院校学员参加各类学科竞赛，包括中国研究生数学建模竞赛、未来飞行器大赛，全国大学生数学建模竞赛、数学竞赛、物理竞赛、英语演讲比赛，iCAN全国大学生创新创业大赛，国际数学建模竞赛，全军军事建模竞赛，军队院校模拟联合国大会等竞赛，均取得了较为优异的成绩。在组织竞赛过程中也积累了一些经验。

（1）利用各学科专业课堂教学，如充分利用高等数学课程教学，营造浓厚的数学学习、应用氛围，培养学员数学学习兴趣，挖掘发现人才，提前布局，因材施教，全面培养，提高学员学习能力是搞好学科竞赛的前提。

（2）在大学机关的直接领导下，指导教师与学员队密切配合，三方结合形成合力是竞赛活动正常有序开展的保证。近年来我们与学员大队、学员队在竞赛组织实施过程中建立了良好高效的沟通渠道，有效保障各类竞赛的开展。

（3）有重点地培养学员参加竞赛。大三、大四学员侧重于参加数学建模竞赛；大一、大二学员重点在学习数学知识，先培训他们参加数学竞赛，再培养他们的数学建模意识，为参加数学、军事建模竞赛做准备。

（4）成立学科竞赛兴趣小组，学员提前组队成立竞赛小组，并采用“以老队员带新队员”的方式，将模拟演练与校级选拔赛、日常竞赛训练与强化竞赛训练相结合，在不断竞赛式训练中提高参赛水平。

3　以学科竞赛为载体的人才培养新模式

作为人才培养的载体之一，学科竞赛对于拓展学员的知识面，培养学员的创新意识、协作精神和实践能力等有着不可替代的作用。为此，应以学科竞赛活动为契机，结合自身的专业特色，通过构建校、院两级联动的学科竞赛组织体系，构建学科竞赛与创新实践平台，设立学科竞赛培育与创新实验中心，推动“强军新工科”专业建设，推动大学教学体系、内容、方法的改革，探索“强军新工科”背景下新型军事人才培养的新模式。

3.1　构建校、院（部系）两级联动的学科竞赛组织体系

为了推动学科建设和专业建设，促进教学内容和方法改革，培养学员的创新能力，大学组织学员参加各类学科竞赛活动。在保障竞赛秩序、质量的同时，大学机关做好竞赛的顶层设计，出台相关管理文件，制订相关制度，构建校、院（部系）两级联动的学科竞赛组织体系。学院负责具体管理工作，做好赛事宣传、组织动员和后勤保障等工作，组建教师指导团队，制订训练计划和设计方案，形成创新实践与理论教学相结合的学科竞赛组织培训体系。学员大队负责接收传达竞赛报名信息，并组织学员报名参加竞赛，以及竞赛培训、竞赛期间的学员管理及后勤保障工作，负责赛后学员的总结评估、表彰奖励等管理工作。

3.2　构建学科竞赛与创新实践平台

培养创新型人才仅仅依靠理论性知识传授的课堂教学是无法完成的，还需要进行实践性教学的补充，将理论与实践结合起来。建设学科竞赛与创新实践平台，引导学员积极参加创新创业活动，协助教师从事科研开发等工作。建立创新实践基地，联合机关、基地、部队等校外优秀资源，组织实施相关培训，使更多的学员投入创新实践活动中。此外，学科竞赛与创新实践平台还可以为学员提供创新创业项目，为优秀科研团队的孕育和发展提供资金支持，也为重大学科竞赛提供技术和人才储备。

3.3　设立学科竞赛培育与科技创新中心

设立学科竞赛与科技创新培育中心，统筹大学各类学科竞赛活动，保证学科竞赛活动的规范化、科学化、制度化，对于提升学科竞赛培育水平，培养学员的科技创新能力，提升教育教学和人才培养质量，营造和丰富校园科技文化氛围具有重要意义。设立创新实验

室，配备专业教师指导，开放大学的一部分科研资源，使学员成为实验主体，给学员提供主动获取知识技能的良好环境。创新实验室的设立不仅能充分发挥设备资源的作用，更能锻炼学生充分发挥独立思考、分析问题和解决问题的能力。

3.4 完成从学科“知识学习”到“实践应用”的转变

参加学科竞赛，可以培养学员具有较强的工程实践能力和创新能力，具备一定的开发新产品的能力。参加学科竞赛还可以很好地锻炼学生查阅文献，自主学习，发现问题、分析问题、解决问题的能力，这是创新的基础。通过这样的竞赛，大多数学员的综合能力得到进一步加强，毕业后考上研究生或到部队岗位任职，得到导师的认可和用人单位的好评。因此，将学科知识与实践结合，将单纯的学科竞赛和专业技能训练转变为创新创业的教育实践，意义重大，切实可行。

4 结语

学科竞赛作为研究性教学模式的一种延伸，能有效发挥学员主观能动性，提升学员对知识的实际运用能力，使培养出来的人才能够建设服务强军目标，满足部队需求，培养造就一大批军事素养高，强军使命浓厚，具有创新能力、适应力、领导力、跨界整合能力的各类交叉复合型的卓越的指技融合人才，推动我军向高素质发展，赢得军事竞争和未来战争的胜利。

参考文献

[1] 张凤宝．工科建设的路径与方法刍论，天津大学的探索与实践［J］．中国大学教学，2017（7）：8-12.

[2] 汤俊，江小平，老松杨，等．强军新工科专业休系设置研究［J］．高等教育研究学报，2022（1）：75－80.

军队工科院校数学课程线上线下混合式教学研究

周盛华　王煜晶　刘　丹
（基础部数学教研室）

摘　要： 网络科技的发展对高等教育产生了非常深刻的影响，如何更好地利用网络来进行工科院校数学课程的教学引发了广泛讨论。本文从分析研究线下传统教学的优缺点和线上网络教学的优缺点出发，提出构建数学课程线上线下混合式教学的构想，通过阐述混合式教学的意义、优缺点和具体的实施方案，彻底解决线下和线上教学的缺陷，为人才培养提供了新的思路。

关键词： 混合式教学；线上线下；数学课程

1　引言

随着我国网络科技的发展和 4G、5G、6G 等技术的应用，网络科技对各行各业都产生了深远的影响。高等院校作为培养专业人才的基地，直接影响着中华民族伟大复兴及国家弯道超车的成败。为了顺应这一时代潮流，《教育部在关于加强高等学校在线开放课程建设应用与管理的意见》明确提出要推动信息技术与教育教学的深度融合，提升广大教师将信息技术与高等教育深度融合的意识。随后，教育部在四川大学举办的新时代全国高等学校本科教育工作会议上再次强调持续推进现代信息技术与教育教学深度融合，期望通过两者的深度融合，加快实现从以“教”为中心向以“学”为中心转变，从“知识传授”为主向“能力培养”为主转变，从课堂学习为主向多种学习方式转变。这一时代背景促使高校不断改革教育教学模式，创新人才培养方式。线上线下“混合式”教学模式[1,2]因此进入广大高校从业人员的视野，并且迅速在各学科的教学中得到了推广和应用。军队院校是培养军队人才的主要阵地，是我军军事人才的主要来源渠道，军队院校人才培养的质量直接决定了我军未来的建设高度。在工科院校，本科数学课程在整个人才培养体系中起着非常关键的作用。一定程度上说，本科数学课程培养质量达到优秀，本科人才培养就成功了一半。实行线上线下混合式教学是提高本科数学课程教学质量的一条重要途径。

2　传统线下本科数学课程教学优劣分析

大学本科四年的学习成长对于军校学员来说是其人生中非常重要的一个时间段。军校本科生一进校门，就面临着军政训练和文化课学习。在文化课学习中，第一门非常难的课程就是高等数学，这门课是工科学员学习后续课程的基础。那么，如何更好地进行本科数学课程教学，使学员在这些课程上的学习感受好起来、教学质量高起来就有非常大的研究价值。现在全军各大院校数学课程的教学普遍还是采用传统的教学模式，以讲授式教学为主，采取“口授＋板书＋PPT”模式，教学的主要特点就是传递-接受，通常都是教师占主导地位，学员坐在教室里被动地接受知识。这种模式在我国教育教学中延续多年，有优势，但是也有缺点，总结归纳如下。

2.1 传统教学模式的优点

（1）传统教学模式已经在军队院校应用很长时间，体系成熟、运行通畅，不管是教员的备课试讲，还是机关的教学辅助设施设备建设都非常成熟，实施起来非常有经验，大学的教学活动开展能够顺利进行，授课质量不会比原来差。

（2）传统教学模式注重知识的系统性，课程知识体系完整，教师能够充分组织教学、把握教学内容和驾驭课堂，并结合采用多种教学方式，如启发式教学[3]、问题式教学[4]、任务驱动式教学[5]、参与式教学[6]等方式调动学员学习积极性，便于学员系统接受知识。而这些教学方式和教学方法都是历经多年，由众多高校老师和从业人员精心研究、总结，学员广泛参与并证明了的非常有用的方法，其教学效果和教学质量能够达到教育部的人才培养要求。

（3）由于传统教学基本上都固定在教室和实验室里，老师和学员几乎天天见面，老师在上课时，课堂上的每一分钟都能观察到学员的学习状况，通过批改作业和课堂提问，很容易清楚学员对所学知识的掌握情况，并且课堂上可以面对面和学员进行沟通，使学员在课程的系统学习方面得到有效保证。

2.2 传统教学模式的不足

尽管传统线下教学具有系统性强，便于学员的管理，教学模式成熟等优点，但是传统线下教学往往容易忽略学员的主体地位，不重视学员的个性特点和学员接受知识的差异性。其不足之处主要体现在以下几个方面：

（1）学习方式单一。学员在整个数学课程的学习中，听和记成了主要的学习方式，教师与学员之间的沟通和互动非常少，学员没有机会去表达自己对知识点的理解，久而久之，学员对学习的兴趣在逐渐下降。

（2）难以及时跟进了解学员学习情况。课堂上教师以“注入式”讲授为主，偶尔的提问和走下讲台与学员的简单交流都难以实时全面了解学员对知识点的掌握情况，针对性地跟进辅导答疑也比较困难。课堂实时考勤及课后作业批改环节工作量大，教师要及时掌握每一位学员的学习动态比较困难。

（3）学习时间安排固定，缺乏灵活性。大学数学课程系统性强、知识点连贯，如果学员不能根据自身情况合理安排学习时间，一节课的缺勤可能对后续学习造成较大的影响。

（4）考核方式单一，过程性考核流于形式。目前根据教学大纲规定，学员的课程学习成绩主要由两部分构成：一是平时成绩，其比例可以是20％～50％；二是期末考试卷面成绩，其比例可以是50％～80％。然而，各个教学班级由于平时平行考试困难（授课进度等不一致等原因），大多数是自行测验，这就会使得平时成绩的赋与出现“人情分”现象，缺乏真正有效的过程性和多元性考核。

3 本科数学课程线上网络教学优劣分析

任何事物都具有两面性，以 MOOC 为首的在线课程教学虽然迎合了网络时代教育教学的发展规律，体现了时代创新性，但也有其自身的局限性。通过分析发现，几乎传统教学的优点就是现在网络教学的缺点，而传统教学的缺点就是线上网络教学的优势。

3.1 线上网络教学的优势

(1) 线上网络教学是真正地对学员赋权。它充分尊重学员的学习自主权，使学员能够自由选择优质教育资源和喜欢的方式进行学习[7]，做到了真正以学员为中心组织教学活动。

(2) 线上网络教学的内容均来自国内外知名高校的名师名课，并附有丰富的网络学习资料，可以满足不同水平学习者的众多需求，克服了传统教学资源以教材、讲义或课件为主的弊端，避免了老师自身素质的高低决定学员的学习高度。

(3) 线上教学内容前沿、权威，多为完整独立模块，适合移动化、碎片化学习，这样非常适合学员利用课余碎片化时间。同时，由于线上教学设立的模块具有独立性，所以可以避免学员因为一节课的缺勤而导致后续课程跟不上的现象发生。

3.2 线上网络教学的不足

传统课程教学具有线上教学所不具备的许多特质。

(1) 线上网络教学依托网络进行，教员和学员不直接见面，尽管克服了教学模式单一、固定的问题，但是带来了教师对整个教学过程不易监控、不易达成预期教学目标的新问题。对于学员来说，由于缺乏监管，自我放纵，甚至有放弃学习的现象发生[8]。

(2) 线上网络教学的在线实时互动多为生生互动，而教员因为不了解学员的个性、学习习惯及偏好等很难进行分类分才教学，互动氛围和效果远不及超强现实感的传统教学。

(3) 线上网络教学在虚拟网络环境里进行，学员缺少了校园生活经历和校园文化熏陶，无法建立现实的人际网络，也很难获得真实的学习体验。特别是学员的德育培养方面，线上网络教学充分暴露了其短板，如何把社会主义核心价值观、老一辈艰苦奋斗的红色基因真正种进学员的心田，在实施线上网络教学时教员们还在探索中。

4 本科数学课程线上线下混合式教学模式的构想

由前文分析可以清晰地发现，传统教学的不足即为在线教学的优势，而在线教学的弊端却又是传统教学的长处。故将两者深入融合，使之优势互补，才能为军队高校人才培养做出更大的贡献，也为在线教育发展和高校课程教学改革找到新的出路。

4.1 线上线下混合式教学模式的意义

线上线下混合式教学是将网络平台互动教学和传统教学完整结起来的新型教学模式。

这两种教学模式优势互补、充分融合，可以把学员变成学习的主体，教员起到引导、组织、指导的作用，使学员能准确把握所学知识的重难点，融会贯通，创新发展。

这里的融合并非是两种教学模式简单的组合。线下教学始终是教学活动的主体，教员在备课时需要充分收集整理线上教学中学员存在的疑难点和兴趣点，在此基础上分析总结，将课堂教学的形式及内容设计得更为精准。线下教学绝对不是对传统课堂教学的照搬，而是通过线上的前期自主学习成果及学员存在的疑难点，开展更加深入的教学活动。线上教学是线下教学的重要补充，需要以教学内容为中心，全方位展开教学设计，教员随时可以查看教学进度，并对知识点进行回顾和讨论。

4.2 线上线下混合式教学模式的优势

线上线下混合式教学模式具有灵活性、针对性、不受时空限制等特点。线上学习的优势在于学员可以灵活掌握学习时间，随时随地利用碎片化时间学习，让学习变得轻松高效。线下教学则在线上学习的基础上，通过掌握学员的学习情况，对教学预设进行调整，能及时有效地开展师生互动，引导学员突破教学重点、难点，尤其是对实操性较强的教学内容帮助更大。教员根据本科教育教学规律，针对教学对象的特点，依托信息化资源，借助网络教学平台，精心设计教学资源，开展线上或线下的教学活动。在线上，教员围绕课题新建讨论，要求学员针对讨论的主题积极发言，并对发言的内容及时回复与总结，充分调动学员的积极性和参与性。

学员利用智能手机、网络智能终端等根据自身实际选择何时学、学什么、在哪学，课后还可对没有学习透彻的内容继续学习，并进行拓展与提高，以提升自身能力。

4.3 线上线下混合式教学模式的实施

线上线下混合式教学模式（见图 1）主要包括三个层面的意思，即“教”的混合、“学”的混合、“学”与“习”的混合。需指出的是，混合式教学模式的核心是学员的“学”，“教”为“学”服务，教员可以引导学员从众多学习理论中寻找适合的学习策略。在以上三个层面的混合中，要特别注意“学”与“习”的混合，学员不仅要通过“学”来接受、理解知识，更要通过复习、练习、实习等，将所学知识加以实践和应用，这才是最终目的。实施过程主要包括四个方面。

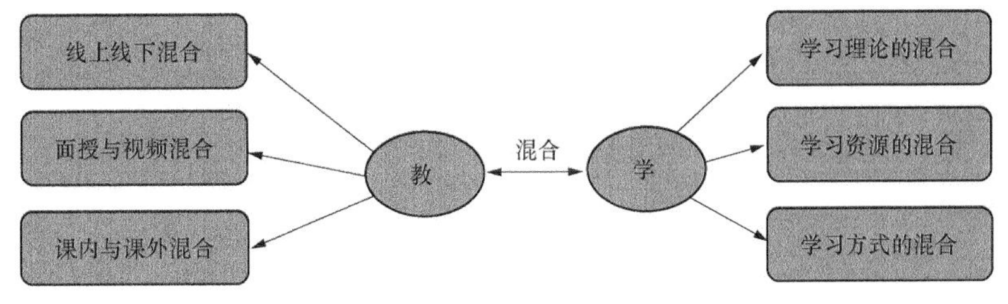

图 1　线上线下混合式教学模式

4.3.1 网络方面

学员可以在平台上自主选择视频，也可以通过平台与教员互动，如果教员不在线，可以预先提出问题，待教员在线之后对其进行解答。教员能根据学员的实际学习情况来提供科学完善的学习建议。同时，在平台使用过程中还要配备专业的工作人员来处理平台上的一些突发问题，定期对平台进行维护，确保平台的运行不受影响。

4. 3. 2 教员方面

（1）数学教员要改变教学思维模式，积极掌握数字时代的教学理论，并将其运用到数学教学活动中，提升教学效率和教学质量。除此之外，教员还要掌握混合式教学模式中能够运用到的软件和硬件设施，制订混合式教学资料，选择与混合式教学模式相适应的教材，起到方便学员在线学习的作用。

（2）数学教员要合理安排课堂面授内容，弥补学员自主学习过程中存在的问题。对学员进行课堂基础知识讲解是非常有必要的，数学教员要将教学重心放在学员自主学习的重点、难点上，引导学员正确应用所学知识，避免出现理论知识与实践相脱节的现象。

（3）数学教员要与学员建立和谐的师生关系，做好与学员的线上线下互动工作，了解学员的真实想法，根据学员的实际情况来制订相应的教学内容，平衡教学进度，提升学员的综合水平。

4. 3. 3 学员方面

（1）牢固树立自主学习意识，按照学校的相关要求来进行学习，提高自我约束能力，不断培养自主学习能力。

（2）积极参与在线学习的相关培训活动，并掌握在线平台的操作流程。

（3）以小组为单位，以好友、室友的方式组成一个学习团队，明确分工团队成员，轮流担任学习角色，并在学习过程中通过在线平台自测评估自己的学习成果，根据所掌握的知识量选择科学合理的学习方式，提升自己的学习水平。

4. 3. 4 教学评价方面

（1）在开展教学评价的时候，要注意学员的个体差异，重点是全体学员都必须参与评价，并将评价环节落实到学员的学习过程中，将学员的作业完成情况以及在线测试等学习过程作为最终的教学评价内容。

（2）将学员的自我评价与教员的评价结合在一起。学员通过对自身学习情况的认识，意识到还有哪些方面存在不足，知道如何运用在线平台来增强自身的综合能力。

（3）学员学习的积极性和主动性可能不会达到理想状态，需要数学教员及时了解学员的学习动态，对学员进行及时的监督和评价。

5 结语

军校数学课程线上线下混合式教学不是传统教学与网络教学的简单堆砌，在改革的过程中应从教与学的初衷出发，真正做到以学为中心、教为学服务。所有的过程和方法都是一种服务教学的手段，要充分发挥线上线下教学的优势，使“1＋1＞2”。线上教学和线下教学没有优劣之分，通过线上线下的融合，把学员培养成具有扎实的数学基础、坚定正确的思想观念、勇于探索和创新的新时代高素质军队人才。

参考文献

[1] 李月峰．“移动互联网＋”时代混合式教学模式探讨与实践［J］．中国教育信息化基础教育，2018（6）：50－52．

[2] 杨文霞，何郎，万源．面向能力培养和计算思维训练的线性代数混合式教学改革与实践［J］．大学数学，2018，34（6）：45－51．

[3] 陶沼灵．启发式教学方法研究综述［J］．中国成人教育，2007（7）：139－140．

[4] 高晓雁．问题式教学模式的创新与实施［J］．中国高等教育，2008（24）：43－44．

[5] 孟桂芝，赵辉，李兴华．任务驱动教学法在复变函数与积分变换课程中的应用［J］．高师理科学刊，2015（2）：63－65．

[6] 过增元．倡导参与式教学法培养创新型人才［J］．中国高等教育，2003（20）：25－26．

[7] 吴伟龙．MOOC 对传统教育的冲击［J］．高教论坛，2014（6）：20－21．

[8] 丁琳，王颖，马淑萍．MOOC 支撑下的以计算思维为导向的大学计算机课程教学模式研究［J］．计算机教育，2014（9）：30－33．

基于雨课堂的大学物理混合式教学改革初探

苗　琦　范奕泽　邹月心
（基础部理化教研室）

摘　要：本文在分析大学物理课程开展混合式教学的条件的基础上，引入线上 MOOC 资源和雨课堂智慧教学工具，开展线上线下混合式教学试点改革。并且以教学实践为例，介绍了该模式在我校实施教学实践的具体流程，以期在提高教学效果和育人水平上发挥作用。
关键词：雨课堂；大学物理；混合式教学

1　引言

2019 年 10 月，《教育部关于一流本科课程建设的实施意见》（教高〔2019〕8 号）提出，强化现代信息技术与教育教学深度融合，解决好教与学模式创新的问题，强化师生互动、生生互动，积极引导学生进行探究式与个性化学习。2020 年 4 月颁发的《军队院校智慧校园建设技术指南（试行）》，为推动信息技术与军校教育教学深度融合、开展课堂教学变革提供了良好的条件基础。线上线下混合式教学模式是一种以信息化技术为基础，将线上优质课程资源与线下课堂有机结合，充分发挥两者优势、提升教学效果的教学模式[1]。

我校于 2021 年启动了精品课建设项目，大学物理课程成为我校首批立项培育的线上线下混合式精品课课程。大学物理教学团队从 2022 年春季学期开始在 2021 级本科学员的两个教学班试点混合式教学模式改革。希望通过小范围的改革试点，探索一种集启发式、探究式、参与式、合作式等多种教学方式于一体的混合式教学模式和一套具有指导意义的混合式教学操作流程，为线上线下混合式教学模式在军队院校本科教学中的实施提供参考信息。

2　大学物理课程在军校实施混合式教学改革的条件

2.1　大学物理课程的特点

大学物理是军校本科教育各专业学员的通用基础课，它不仅为后续专业课程的学习奠定必要的基础，更致力于培养学员的科学素养、探索精神和创新意识。在我国工科专业全面启动工程教育认证的大背景下，工程认证标准中的“学生为本、成果导向、持续改进”理念，对大学物理课程教学提出了更高的要求[2]。

大学物理课程内容抽象，逻辑性强，公式繁多，系统性强。传统的教学模式以课堂讲授为主，辅以课堂提问，教员与学员之间的交流和互动不充分，学员不能成为课堂的积极参与者。另外，物理学的发展日新月异，各种新概念、新理论不断涌现，由此催生的军事和航天新技术新装备不断问世，物理学的知识存量迅速增加。由于课时限制，这些丰富的现代物理知识无法很好地融入课堂；以期末考试为主的结果性考核也不能很好地激发学员学习的主观能动性，学员更倾向于考前突击学习。由此可见，在传统的教学模式下，大学物理课程在人才培养中的独特优势未能得到很好的体现。大学物理教学改革势在必行。

2.2 线上课程资源日益丰富

近几年，随着教育信息化的快速发展，MOOC 资源在教育领域的主流地位也日益凸显[3]。在中国大学 MOOC 和学堂在线等平台上有数百门大学物理在线开放课程，其中不乏国家精品课，各大视频平台上也有着大量的与物理现象和原理相关的微视频，这些资源不仅为大学物理课程开展混合式教学提供了优质的线上资源保障，更符合 00 后学员使用网络学习的思维方式和学习习惯。

目前的线上线下混合式教学有多种模式，有完全线上线下混合式、部分线上线下混合式及迷你翻转式[4]。具体采用哪种模式应根据课程类型和授课对象的特点来定。一般来说，完全线上线下混合式适合精品小班，部分线上线下混合式适合人数较多的大容量课堂。大学物理是通用基础课，多为大班教学，我校的班级人数一般为 40～60 人。由于学员多，学员的基础和兴趣差异较大，不适合实行完全的线上线下混合式教学。同时，大学物理课程内容难度较高，让学生完全自学有一定困难。因此，采用传统课堂与线上线下混合式相结合的模式，具体教学实施计划如图 1 所示。

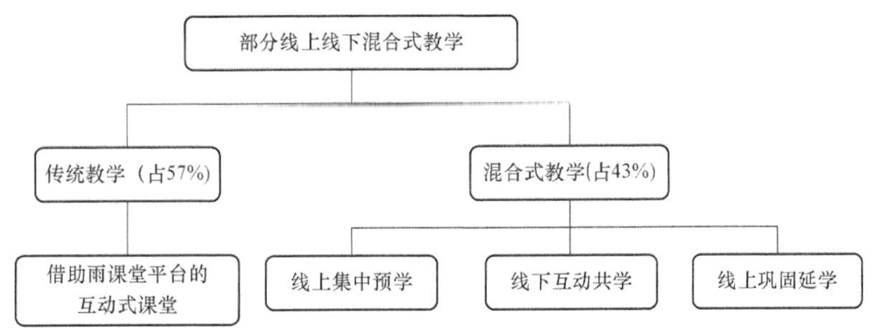

图 1　大学物理部分混合式教学实施计划

2.3 利用雨课堂智慧教学平台打造互动讨论式课堂

雨课堂等智慧教学工具的出现为混合式教学模式的实施提供了一个有序、易操作的教与学交互平台。“雨课堂”以师生熟悉的 PPT 和手机微信为载体，在高校教育教学中应用广泛。教师通过在雨课堂上创建、管理班级，将 MOOC 资源、习题、语音等嵌入课件推送给学员；学员使用手机微信即可接收相应的任务完成预习或课后作业；课堂上利用限时答题、弹幕互动、投票、投稿、私信、“不懂”标记等功能实现师生之间的实时互动。雨课堂覆盖了“课前 - 课上 - 课后”的每个教学环节，为教学提供全过程数据支持，教师可以实时地精细化地分析学员的学习情况，针对性地调整教学计划。

3 大学物理课程混合式教学改革的思路和教学设计

大学物理教学团队实施线上线下混合式教学模式的理念是：贯彻“以学为中心”，坚持“先学后教”“少教多学”，重讨论、重总结，营造学员主动学习、深度参与、合作探究、即时反馈的混合式教学形态。

3.1 同伴合作式的学习模式

为促进学员间的交流讨论、合作学习，混合式教学实施采用任务驱动、小组协作的方式，促使学员形成学习共同体。教员在学期初依据课程内容设计并发布创新性研究与拓展实践项目，包含与军事和航天应用相关的 10 个项目，学员根据个人兴趣和专业背景自由选择形成 4 人或 5 人的项目团队，这也是大学物理课程学习小组，混合式教学的实施全部以小组为单元。

课前，小组成员共同讨论完成课前任务。课中，教员通过雨课堂随机点名，确定小组汇报人展示课前讨论成果，并接受小组间提问挑战，通过挑战的汇报组得分，未能通过挑战的提问组得分。课后，单元测试由小组互换批改，每个小组需要对批改情况进行详细总结，并在习题课上展示。小组展示成绩计入小组得分，由小组成员共享；以此激发学员的合作意识和探究意识，达到透彻理解和应用知识的目的。

3.2 混合式教学的组织和实施

3.2.1 课前线上集中预学

这是知识传递阶段，是混合式教学的起点。根据教学基本要求，教员提前设计出任务清晰的“导学案和课前学习任务单”并做成“预学课件”发布在雨课堂上，内容包括 MOOC 视频、概念检测题、小组作业。

概念检测题一般为选择题和判断题，要求学员个人完成。小组作业则为主观题，要求小组通过讨论完成、课中展示；每次课的小组作业中都有一道梳理 MOOC 学习内容且用 XMind 软件绘制思维导图的题目，以培养学员挖掘知识点、建立知识点间联系的能力。

在地方高校教员并不现场参与课前环节，但军校学员的活动（包括自习）都是集中统一的。基于这一特点，针对一次 2 个课时的课，安排第 1 个课时为线上集中预学。在这一环节，学员自主学习 MOOC、完成概念检测题、面对面讨论完成小组作业；教员现场参与，实时查看雨课堂预学情况，对学员进行差异化辅导，引导小组讨论。实践表明，集中组织课前线上预学，是军校实施混合式教学的关键和优势。

3.2.2 课中线下互动共学

这是知识探究阶段，在线下课堂中通过师生、生生间的互动讨论完成。课堂教学以多个任务串联：课前学习内容梳理、重难点辨析，课中检测、典型习题解析、拓展探究、课堂总结。

首先，随机点名选择汇报小组，展示课前小组完成的思维导图。然后，由教员点评，依据思维导图和雨课堂预学数据，引导学员抓取重点和难点；就这些重点和难点，教员有的放矢地讲解，适时引导讨论，采用启发、引导、讨论、合作等多种教学手段，帮助学员破解重难点。最后，由教员总结。整个课堂重讨论、重总结、重思辨。

课堂上对课前检测中正确率偏低的题目进行再检测，图 2 显示了就同一知识点设计的类似题目在课前检测和经课中讨论后学员作答情况。

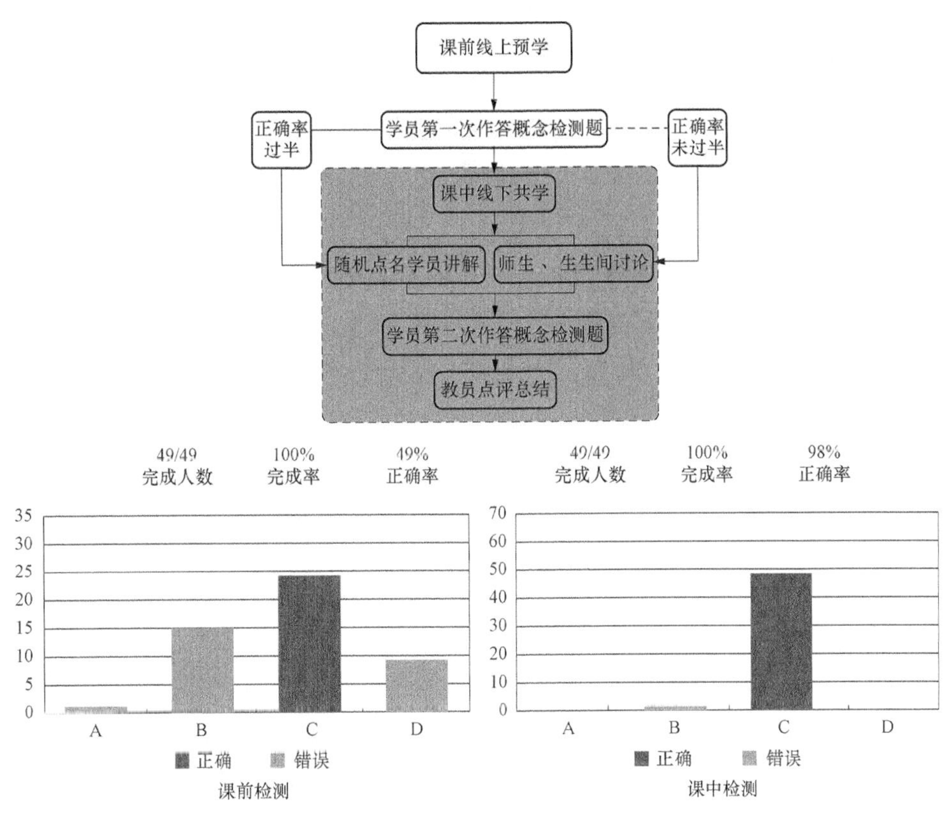

图 2　概念检测在混合式教学中的处理流程

3.2.3　课后线下巩固延学

这是知识内化巩固阶段，是针对课堂学习进行的作业训练，分为知识巩固训练和知识拓展训练两部分。

知识巩固训练主要针对重点、难点问题设计，考察和强化学员对基本知识的理解和掌握，题目难度高于课前检测题，主要任务有导学测试、思维导图绘制，典型习题训练、单元测试等。不同于课前小组完成的思维导图，课后思维导图属于个人作业，要求学员独立完成对学习内容的总结梳理和复习，实现知识内化。知识拓展训练是在学员已有知识储备的基础上，拓展课堂学习的深度和广度，主要任务如下：进一步修改、完善、提炼课堂拓展探究任务；阅读新理论新技术等延伸材料；针对学期初布置的创新性研究和拓展实践项目，开展创新性设计和项目实践；提供大学物理竞赛辅导资料，实施模块化学习。

3.3 基于数据的全过程评价改革

我们的混合式教学实践充分利用雨课堂智慧教学平台的大数据支撑，实现过程中即时化、精细化的考核，从而建立“线上过程化考核＋线下结果性考核”的混合式全过程考核方式，促使学员养成过程化学习习惯，对待课程学习的态度从“记忆知识”向“理解概念、掌握规律、学会应用、能够创新”转变。表 1 列出大学物理课程的混合式全过程考核评价方式。为方便对照研究，在试点改革期间，混合式教学的过程性考核与结果性考核的权重仍和传统教学保持一致，即分别占总成绩的 40％和 60％。

表 1　大学物理课程混合式全过程教学考核成绩构成

<table>
<tr><th colspan="2">成绩构成</th><th>成绩分值</th><th>评定细则</th><th>考核地点和评分方式</th><th>考核目的</th></tr>
<tr><td rowspan="8">过程性评价占比 40％</td><td rowspan="3">线上学习</td><td>15</td><td>观看视频基础分 15 分，未看视频一次扣 1 分</td><td rowspan="3">线上雨课堂数据反馈</td><td rowspan="3">自主学习能力，团队合作能力</td></tr>
<tr><td>10</td><td>完成课前检测基础分 10 分，没有完成或少做题目一次扣 1 分</td></tr>
<tr><td>5</td><td>课前小组讨论作业，满分 5 分；小组得分计入个人平时成绩</td></tr>
<tr><td rowspan="2">课堂活动</td><td>20</td><td>课堂讨论互动，满分 20 分</td><td rowspan="2">线下课堂雨课堂数据＋教员评分＋小组互评</td><td rowspan="2">知识理解能力，团队合作能力</td></tr>
<tr><td>10</td><td>小组汇报，最高记 10 分、其次 8 分、最少 6 分；小组得分计入个人平时成绩</td></tr>
<tr><td>线上作业</td><td>20</td><td>个人作业，满分 20 分，不交作业、少交或雷同一次扣 5 分</td><td>线上雨课堂数据＋教员批阅</td><td>知识掌握和运用能力</td></tr>
<tr><td>单元测验</td><td>20</td><td>两次，每次成绩以满分 10 分计入平时成绩</td><td>线下教员学员共同批阅评分</td><td>阶段性知识掌握和运用能力</td></tr>
<tr><td colspan="2">终结性评价占比 60％</td><td>100</td><td>期末考试</td><td>线下考场教员共同批阅评分</td><td>知识掌握和运用能力</td></tr>
</table>

4　混合式教学实践案例——以机械能守恒定律和碰撞为例

为了具体说明大学物理课程在我校开展混合式教学实践过程，以“机械能守恒定律和碰撞”教学为例进行分析。

机械能守恒定律是能量守恒定律在机械运动中的体现，利用该定律可以方便地处理碰撞等实际问题。本次课是质点力学教学中的重点内容和难点内容。本次课的教学目标是：理解并会运用动能定理、功能原理和机械能守恒定律；了解碰撞模型，并会使用动量守恒和机械能守恒定律处理完全弹性碰撞。

由于本次课教学内容比较丰富，传统式教学用 2 个课时完成预定教学目标的难度还是比较大的。因此，在实施这次课的教学时，借助线上 MOOC 资源，将基础知识放在课前利用 1 个课时开展集中自主学习；第 2 个课时进行线下课堂讨论共学，部分拓展内容放在课后进行自学。本次课的导学案和课前学习任务单及实施过程分别如图 3 和图 4 所示。在这次课中，还设计了动手实验环节：要求学员利用手边的物品（如篮球和矿泉水瓶）实现超级碰撞。

大学物理导学案和课前学习任务单

教材内容：3.6机械能守恒定律3.7碰撞

教学要求：理解并会运用动能定理、功能原埋和机械能守恒定律：

了解碰撞模型，并会使用动量守恒和机械能守恒定律处理完全弹性碰撞。

根据预学课件自主观看课程视频，找出视频中知识点并完成以下问题：

1.内力做功会改变质点系的总能量吗?请结合视频学习说明。

2.“系统所受的外力矢量和为零,外力对系统做功一定为零。”请判断这种说法是否正确，举例说明原因。(小组讨论课中展示)

3.一辆车匀速直线运动,车厢顶部悬挂着一个摆动的单摆。取单摆和地球为研究系统，对于地而参照系，系统的机械能是否保持不变?对于车厢参照系，系统的机械能是否保持不变?请说明理由。

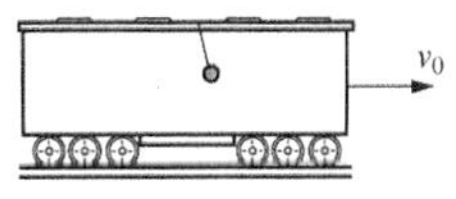

4.结合课前学习的利用功能原理和机械能守恒求解的两个例题,总结利用功能原理和机械能守恒定律求解问题的方法步骤。

5.超级碰撞实验设计：两个质量相差很大的球对心叠放在一起，小球在上、大球在下，从某一高度自由释放，会发现与地面碰撞后，小球反弹很高。请利用生活中的物品验证该实验，录制视频课堂展示，并解释原因。(小组完成，录制视频课中展示)

6.拓展探究：“引力弹弓”，请利用完全弹性碰撞解释引力给卫星加速的原理。(小组讨论)

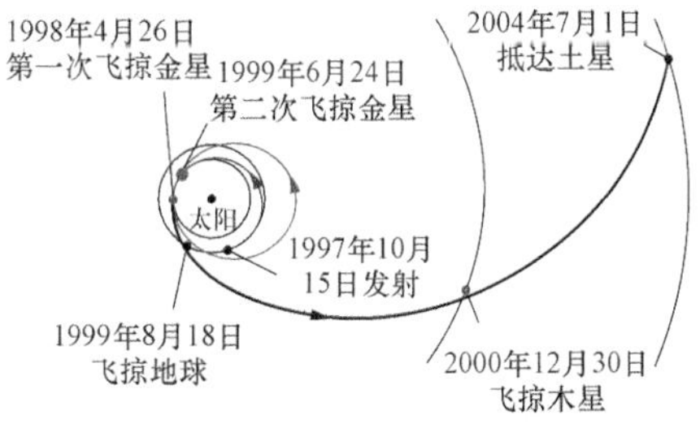

7.请解释理想条件下的牛顿摆实验。

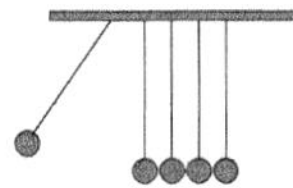

8.请梳理并绘制本次课内容的思维导图。(小组讨论并用XMind软件绘制、课中随机点名展示)

图 3　“机械能守恒与碰撞”导学案和课前学习任务单

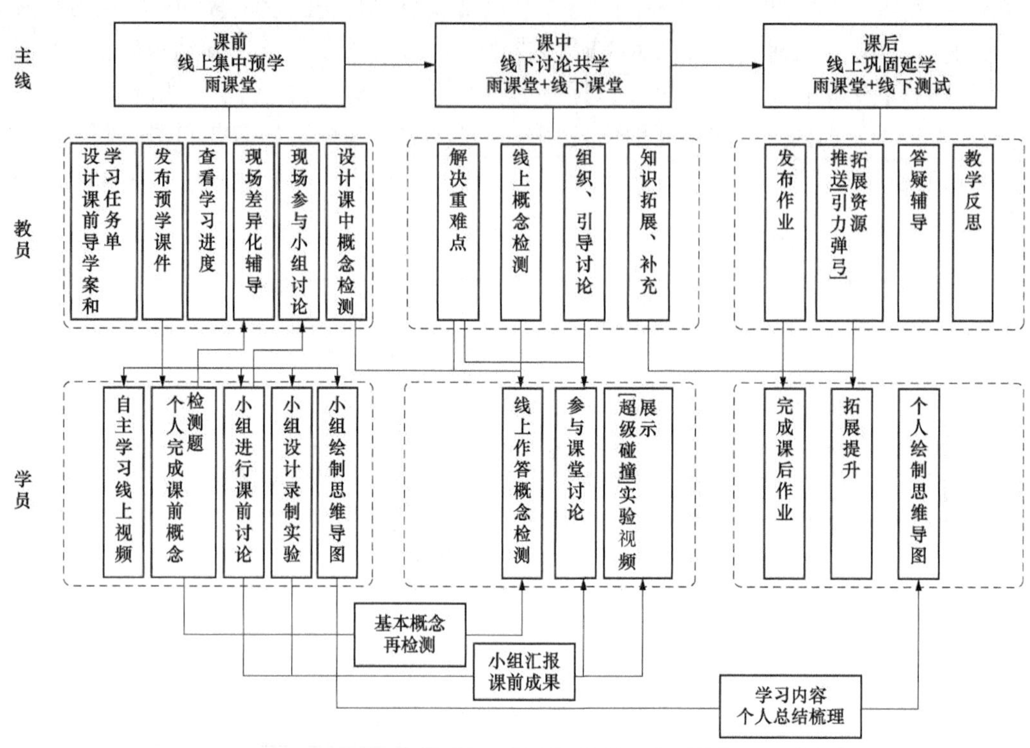

图4　机械能守恒定律和碰撞混合式教学设计

5　结语

大学物理线上线下混合式教学从教学设计、教学方法、考核方式等方面进行了试点改革，探索了一条目标明确的、由浅入深的进阶式教学路径，建立了基于雨课堂的“课前线上集中预学-课中线下互动共学-课后线上巩固延学”适合军校教学的混合式教学流程。该教学改革的实践还在继续，但随着不断实践、总结经验、改进教学策略，混合式教学模式定会在提高军队院校本科教育的教学效果和育人水平上发挥更大的作用。

参考文献

[1] 聂风华，徐铁英．混合式学习用颠覆式创新推动教育革命［M］．北京：机械工业出版社，2019.

[2] 冯明库．面向新工科的光电技术人才培养探索与研究［J］．教育教学论坛，2020（7）：189-192.

[3] 段炼，张静，徐大海．基于MOOC资源的地方高校混合式教学模式个案研究［J］．长江大学学报（社会科学版），2019，42（4）：115-120.

[4] 于歆杰．论混合式教学的六大关系［J］．中国大学教学，2019（5）：14-18.

混合式教学在军事基础课程教学中的思考

毛　凯　王　瑞　党传奇
（基础部军事教研室）

摘　要： 在军事基础课程中开展混合式教学，是将线上教学优势融入传统军事基础课程教学过程，通过网络手段推送相关学习资料，辅助案例教学，提供数据分析，实时监控教学效果，能有效辅助传统教学训练模式，有效激发学员学习积极性，从而提升学员学习效果。

关键词： 军队院校；军事基础课程；混合式教学

1　引言

《军事职业教育改革实施方案》指出，军事职业教育要积极运用“网络＋教育”的理念方法，建立“需求牵引、平台统一、资源共享、立足岗位、自主学习”的军事职业教育运行模式。混合式教学是将传统线下教学与线上网络教学相结合的教学新模式，既能发挥教员把控教学重点、启发学员思考、督导学习进度的主导作用，又能充分调动学员的学习积极性、主动性、创造性，对于克服传统教学模式弊端、提升教学质量，具有重大意义。

2　传统教学模式下军事基础课程教学存在的主要问题

军事基础课程由军事基础训练、军事基础理论、军事基本技能和军事体育四个版块组成，是提升广大学员军事素质的基础、核心课程，是部队战斗力生成的重要基石。近年来，随着教育训练模式的不断创新发展，军事基础课程教学存在的问题愈加凸显。

2.1　学员在规定课时内学习成效整体欠佳

传统教学模式下学员学习成效欠佳的因素主要有三个。一是教学方式上，“灌输式”教学模式普遍存在，学员在被动接受的过程中很难有较高的主动性和积极性。二是教学实施过程中，教员只能把握主体学员，很难兼顾到每个学员。学员间的固有个体差异逐渐显现，导致学习效果出现分化。三是课程设置上，当前军事基础课程教学要求向实战靠拢，但是规定教学班规模一般不得超过 60 人，且单项课程的课时被不同程度地压缩，在原有教学训练模式不变的情况下，很难保证良好的教学效果。

2.2　教员备课重点对焦学员短板弱项不准

教员在课前全面准确了解学员的相关知识储备、体技能基础水平、个人意志品质等情况，是开展教学训练的重要基点，有助于找准教学训练重点难点、选择合适的教学方法。但是，在传统教学训练模式下，对学员个体差异的了解和把握只能通过短暂的教学准备会或简单的课堂提问进行摸底，根本无法全面准确掌握。为稳妥起见，教员一般会从基础知识教起，按经验推进教学进程，再根据学员接受情况适当调整进度。这种情况下，教员只能从总体上把握教学进度和重点，很难兼顾到每个学员，“一锅煮”“一刀切”的现象长期存在。

2.3 灌输式教学模式下师生交流感不强

教员和学员之间的有效沟通是建立良好师生关系的重要途径。沟通过程中，教员可以通过了解学员学习情况，不断完善教学计划；学员也能提出想法，在思想碰撞中创造出新的教学或学习思路。传统教学中虽一直强调以学员为主体，但在实际授课中，教员多数情况下仍“灌输式”教学[1]，形成教员讲、学生练的模式，学生主动思考、提问、交流的机会较少，很大程度上减少了师生交流，出现学员即使有问题也很少提问、教员不能准确掌握学员真实情况的现象。

3 混合式教学模式在军事基础课程教学中的优势

混合式教学利用互联网、云计算、大数据等信息技术，将数字化、网络化教学的优势与传统教学方式的优势有机结合起来，从而实现由“以教为主”向“以学为本”转变。在军事基础课程中采用混合式教学，有以下三方面显著特点。

3.1 学员线上学习灵活性强

教员将课程知识以视频、音频、动画等形式打造成精品慕课、微课上传到网络，同时打包上传辅助学习资料和测试题库。有了网络学习资源的保障，不管是课前自主学习阶段，还是课后学习巩固阶段，学员都能够随时随地在线上学习，也可以根据个人基础情况对不同内容进行“加速”或“回放”。这种方式下学员主动高效学习，在提高学习效果的同时，也把教员从重复备课讲解中解放出来，将更多精力放到解答学员的疑难困惑上。

3.2 教员线下面授针对性强

通过线上自学自测，学员对课程知识的掌握情况能直观反映在测试成绩上，系统自动统计的数据能帮助教员准确定位学员普遍掌握不牢的知识点，教员也可以进入后台通过查看学员线上自学的时长、频次，完成个人自测的时间来了解不同学员的学习情况，结合学员自测成绩，找准备课的重点，为针对性地进行线下面授、释疑解惑提供依据。另外，对于学员体技能基础情况等不便于通过测试完成的，可以通过网上问卷调查等方式进行。

3.3 师生教学全程互动度大

混合式教学的一个核心理念是充分调动学员的积极性，培养学员自主学习能力。即使在线下面授环节，也主要通过小组研讨、分组练习、现场答疑的形式进行，实现了“点对点”的师生互动、生生互动，与“大班额”“满堂灌”的模式相比，相关知识可以被“精准投送”到相应的学员身上[2]。利用雨课堂、学习通等线上教学软件，学员也能建立网上“社区”“研讨群”，对研讨问题能够直接连线教员寻求解答，从而实现师生线上实时互动。

4 推进军事基础课程混合式教学中应把握的重点

4.1 教员方面

4.1.1 转变观念，强化思想认识

（1）要清醒看到我军已进入机械化、信息化和智能化融合式发展的轨道，未来战争的信息化程度会越来越高[3]。破除传统观念，在军事基础课程中融入信息技术元素，推进混合式教学，不仅是现实形势所迫，还是锻炼提高学员科技素养和意识的客观需要。

（2）要明确在军事基础课程中采用混合式教学是提高教育训练质效的手段，其目的是培养适应未来战争、部队切实好用、军事素质过硬的新型军事人才，要紧盯目标不断优化手段措施，不可本末倒置。

（3）要清楚学员军事素质的提升归根结底要通过线下实践锻炼、反复磨砺，师生一起挥汗如雨、摸爬滚打带给学员关于部队备战打仗的感性认知，是线上学习无法获得的，线上教学只是辅助措施，不能主次错位。

4.1.2 自主学习，提高信息素养

教员应该清醒看到，当前搞好混合式教学的能力还不足。从主观上讲，雨课堂、学习通等 APP 线上平台的使用，线上教学与线下面授的巧妙结合，新媒体课件的设计和制作等，对很多教员来说都是需要掌握、提升的新课题[4]。从客观上讲，当前线上教学的硬件和软件还不够完善，未来将持续处于不断更新换代中，而且不同单位的执行标准各异，这就需要教员通过自学不断丰富知识储备、提高技能水平，从而提高驾驭各种软硬件条件的能力，为推进混合式教学打下坚实基础。

4.1.3 精心准备，优化课程设计

混合式教学是线上教学和线下教学的有机结合，是学员自主学习与教员课堂面授的有机结合。要合理设置线上线下教学内容的混合比例，搞好融合。应把握以下原则：线上学习阶段，学员能利用教员提供的资料自学，掌握课程基础知识，完成作业和测试，通过网络平台及时向教员请教；线下面授阶段，通过多种方式的课堂互动，学员能消化吸收线上学习内容、展示学习程度、反馈疑难问题，教员则根据学员反馈情况，针对性地讲解重难点问题、实时解答学员问题，在实践中检验学员的理论掌握程度，帮助学员提高军事技能的实战能力转化率[5]。

4.2 学员方面

4.2.1 解放思想，打破思维定式

学员的思维和想法都趋于成熟。学员毕业后进入工作岗位，其学习基本都将靠自学完成，混合式教学能帮助学员完成由被动学习到自主学习的转变，为学员终身学习打下良好

基础。

4.2.2 自我监督，增强自控能力

在混合式教学中，学员利用电脑自主学习，要求学员严于律己，主动对网络中丰富的信息建立好隔绝屏障，自觉提高学习主动性。

4.2.3 以我为主，提升学习能力

无论是传统教学方法还是混合式教学方法，以学员为主体，教员为主导的教育理念不会变。学员要认清自己才是学习的主体，在混合式教学中积极思考问题、讨论问题，认真研究后仍然不懂的问题主动向教员询问学习，经过教员的提醒与指导，深刻了解知识内涵，获得扎实的理论基础，能更灵活地应用于实践。

5 结语

混合式教学模式的有效利用会对军事基础教学产生积极的影响，可以极大地调动学员上课的积极性，不仅可以提升课堂教学效果，还可以促进教员的教学水平。充分发挥混合式教学模式在军事基础课程教学中的优势，有效避免传统教学模式下军事基础课程教学存在的问题，充分发挥教员和学员在混合式教学模式中的角色作用，不断创新发展教育训练模式，实现学员个性化、自主性学习。

参考文献

[1] 李杰兵．混合式教学在士兵训练机构教学中的应用［J］．海军军事学术，2018（3）：50-52.

[2] 张其亮，王爱春．基于“翻转课堂”的新型混合式教学模式研究［J］．现代教育技术，2014（4）：27-32.

[3] 邓亮．基于“雨课堂”混合式教学模式设计与实践［J］．中国人民公安大学学报，2017（2）：105-108.

[4] 张刚，李福海，蒋德志．基于 VR 技术的机舱资源管理课程混合式教学设计［J］．航海教育研究，2017（2）：65-70.

[5] 靳自学，杨凯．任职教育中教员“转型”问题研究［J］．现代炮兵学报，2005（7）：15-17.

高效课堂教学应把握的三个环节

田随意　王代强　蔡金胜
（基础部军事教研室）

摘　要：课堂教学是实现人才培养的主要环节之一，授课质量直接影响着人才培养质量。因此，课堂教学显得尤为重要，如何讲好一堂课、如何提高授课质量，就成了广大军校教员亟待解决的问题。本文结合教学比武、教学督导、大学教员培训班教员关注的问题和多年教学经验，进行了认真梳理，就高效课堂教学的准备、实施、总结三个环节的具体内容进行总结，以期能够对广大年轻教员提高授课质量起到一定的借鉴作用。

关键词：课堂教学；教学准备；教学实施；教学总结

1　引言

高效课堂是指课堂教学的高效率、高效益、高效果，具体来讲就是要以尽量少的时间来物化师生之间的双边活动，以 45 分钟“教”与“学”的效率实现教学效果最佳、效益最大。那么，高效课堂具备什么样的特征呢？就是以“教为主导，学为主体”，最大限度地把课堂“还给”学员，发挥学员的主体性、主动性和创造性，让学员“身动、心动、神动”，最通俗地说就是让学习、进步和成长“发生”在学员身上。

2　教学准备——不打无准备无把握之仗

孙子曰：“知彼知己百战不殆”。教学同样如此，要想提高课堂教学效果，必须从“知己”和“知彼”两个方面来做准备。“知己”就是要了解教员自身的能力；“知彼”就是要了解学员。为此，在教学准备阶段应从以下几个方面入手。

2.1　研究政策，按纲施教

研究和学习教学相关政策和规定是施教的基础。研究学习政策，可以了解人才培养的方向，以及特色人才必备的知识和技能，能够有效地避免因人设课，避免课堂教学的随意性。

《人才培养方案》是院校为落实军队关于人才培养的总体要求、保证教学质量和人才培养规格制订的基本教学文件，是组织教学过程、安排教学任务、确定教学编制的基本依据，是对人才培养目标、培养模式以及培养过程和方式的总体设计，是实施人才培养和开展教学质量评价的基本依据。

《教学大纲》是落实培养目标和人才培养方案的基本教学文件，是安排教学内容、教学方式，选编教材和保证教学质量的主要依据，是教员进行课程教学的依据和指南，是编订教材、测量和评价课程教学质量的基本依据。

可见，《人才培养方案》和《教学大纲》既规范了人才培养的方向，又规定了人才培养所必备的知识基础和能力，是实施教学的纲领性文件和政策依据。研究《人才培养方案》，可以把握人才培养的方向和岗位需求，设计课堂思政内容，着力培养具有特色的人才；研究《教学大纲》，可以把握课程教学内容的难易程度和知识体系。因此，在教学准备阶段必须认真研究和学习《人才培养方案》和《教学大纲》，以此来确定培养人才的方向和知识架构，以及实现人才培养目标的过程和方式。

2.2 研读教材，理清思路

教材是研究成果或教学经验的总结，具有知识结构的完整性、知识顺序的逻辑性，为课程教学搭建了比较科学合理的框架结构，能够有效缩小使能目标。研究和学习教材可以进一步了解先修与后续课程的关系，了解学科、知识结构的逻辑关系，宏观把握学员的使能目标，有效实施课程内容的划分，避免教学内容的重复和缺失，便于学科建设和知识的传授记忆。

另外，研究和学习教材还是建立课程体系、避免内容重复和缺失的重要一环。但不能完全拘泥于教材，需要在教材的基础上拓展新知识、新信息，进一步完善知识体系和理论架构。

2.3 了解学情，选定教法

要想积极开展高效课堂教学，在教学设计中必须注重对教学对象的分析，实现“三备”：一备教学内容、二备教学方法、三备教学对象。了解学情主要从起始能力、生活背景、学习态度与兴趣、家庭背景、年龄特征等方面进行。为使课堂教学效率的最大化，必须对学情进行认真分析。

（1）分析学员的准备情况。包括学员的知识准备和心理准备，对学员已经具备的知识基础、智力水平和学习能力的分析，以及对影响学员学习的心理特点和环境条件的分析。

（2）分析学员学习风格。学习风格是学员持续一贯的、带有个性特征的学习方式，是学习策略和学习倾向的总和。学习策略指学习方法；学习倾向指学员的学习情绪、态度、动机、坚持性，以及对学习环境、内容等方面的偏爱。

（3）分析学习任务。确定从学员的原有水平达到教学目标之间所需要的、从属的知识和技能，以及它们之间的层次关系。学习任务分析，是确定终点目标和使能目标的前提条件。

（4）分析学法。教员应帮助学员重温与问题解决有关的旧知识，给予学员思考的时间和表达的机会，共同对（解题）过程进行反思等，在教员与学员（学员与学员）互动中，给予学员启发和鼓励，在心理上、认知上予以帮助。这样，在教法上确立的学法，能帮助学员更好地获得完整的认知结构，使学员思维、能力等得到和谐发展。

分析学员的准备情况、学习风格、学习任务，就可以确定教学起点、学习任务、教学难点、目标体系，为教学内容的组织与安排、教学策略的选择与运用、教学媒体的选择与使用、教学评价设计等提供依据。

2.4 编写教案，设计过程

教案是指教学实施的方案，主要包括教学目标（目的）、教学内容、教学手段和方法、教学重难点、教学过程、板书设计等。概括起来就是通常所说的三维目标，即知识与技能（教学内容）、过程与方法（进程和方法手段）、情感态度价值观（思政）。这三维目标的顺序是不能变动的。其中，知识与技能是重要的教学目标，应放在突出地位，后面两个目标则充分体现课程以学员发展为本的特征。为此，在编写教案时应处理好教案与教材、教案与讲稿、内容与思政、讲授与PPT等方面的关系，以期避免复制教材、思政脱节、照本宣科的现象。

3 教学实施——按照计划有序进行

“教学有法，法无定法”。不管采取什么样的教学方法，都应从“教为主导，学为主体”出发，努力提高学员的自主性、合作性、探究性，确保教学环节的完整性。

3.1 引人入胜的“开场”——激发自主

（1）情景导入法。根据教学内容，充分发挥学员的主观能动性，利用一切有利条件，创设情景，刺激学员的想象力，激发学员的情感，让学员去思考问题，愉快地导入新课。

（2）设疑导入法。教员围绕教学主题，设疑问难，制造悬念，引发思维，以此导入新课。

（3）新闻导入法。根据教学内容，用最新发生的国内外大事件和当地热点新闻，启迪学员心灵，激发学员的情感和探究欲望，导入新课。

此外，还有任务牵引式、问题牵引式、开门见山式、案例引入式等。总之，引入方式很多，但最重要的是根据教学内容的需要巧妙设计，旨在激发学员学习的自主性。

3.2 跌宕起伏的“过程”——促进师生、学员之间的合作

针对不同的教学对象应设置不同的教学内容。例如，生长军官应注重讲授“是什么”——打牢基础；任职培训对象应注重讲授“怎么做”——提高工作效率；研究生应注重讲授“为什么”——提高探究兴趣。这样就可以避免不同层次教学对象内容的重复。教学内容要有一定的“嚼劲”，将学与思有机结合，引导学员树立“摘苹果”的意识。

（1）内容设置要完整。在内容设置时注意内容的完整性，尽可能地确保90分钟内讲授内容的完整性，如果内容复杂可以将内容拆分为若干小的内容。

（2）互动设计要有感而发。所谓教学互动，是指教员与学员之间、学员与学员之间，通过信息交换而产生的相互影响的一种方式和过程，其意义在于充分发挥师生的积极性。教员的互动设计，要能激发学员的思考，从而产生新的想法，形成真正“身动、心动和神动”的教学互动。

（3）时间分配要侧重“注意”。心理学家舒尔特研究发现，一般人的注意力保持在30

分钟左右，30 分钟后注意力就会随时间的推移而减弱，受到刺激后可以引起注意力的再次集中。为了在教学中让学员能够持续保持注意力，可以有效地运用这一规律，将 45 分钟的一堂课拆分为 3 个时间单元实施教学（可分为 0～20 分钟、21～35 分钟、36～45 分钟三个时间单元），并在各时间单元的衔接处给予一定的刺激（比如可采取举例、习题、案例、视频、典故等教学活动），再次激发学员的兴奋点，以便学员的注意力持续保持。

（4）思政设计要把握时机。课堂思政的设计有灌输与渗透相结合、理论与实际相结合、历史与现实相结合、显性教育与隐性教育相结合、共性与个性相结合、正面教育与纪律约束相结合等方式。对于课堂思政，要把握好时机，将教学内容与思政内容有机结合，巧妙切入，实现教学内容与思政内容的融会贯通。

3.3 发人深思的“小结”——思考中探究

课堂小结是教员对所学知识在课堂学习即将结束时进行针对性的回顾与归纳。能帮助学员总结重点、理清脉络、加深记忆、巩固知识、活跃思维、发展兴趣。它能对该节课起到加深巩固的作用，还能收到画龙点睛、唤起思维、激发求知欲、发挥想象、启迪灵感等良好效果。为此，课堂教学小结必须有计划性、针对性、趣味性、简明性，并本着目的性原则、重点原则、针对性原则、结构性原则、灵活性原则有效进行。

4 教学总结——打一仗进一步，不断提高课堂教学效果

课堂教学是教员的实践活动，需要有一个“认识—实践—再认识”的不断完善的过程，需要进行教学总结，以不断提高课堂教学效果。教学总结应从以下几个方面进行：

4.1 课后自我评价

自我评价应从以下方面进行：教学设计是否可行（包括教学对象分析是否到位），重难点设计是否合理，以及解决方法和手段是否有效，学时分配是否合理，思政设计是否达到预期效果，互动设计是否激起学员的辨析，课堂教学效果是否达到编写教案时的期望值。

4.2 完善学情分析

学情是动态发展的，但又具有相对稳定性，会随环境变化发生一定的波动，如课程繁多（学员出现烦躁，难以有良好的心境投入学习）、大型活动多（会出现上课精力不集中、体力不支）、集中考试期（学员会出现时间分配不合理现象）等。对这些方面，教员应随学情的动态变化及时进行学情的再分析。

4.3 完善教学内容

依据《教学大纲》和《人才培养方案》可做针对性的调整，以期查漏补缺、搭建完善的知识架构，应做到“三讲四坚决”。“三讲”即讲易混点、讲易错点、讲易漏点。“讲”不等于讲解，而是点拨。“四坚决”：学员自学会的坚决不教；学员通过讨论会的坚决不多讲；学员需要动手的教员坚决不包办；课堂作业坚决当堂完成。

4.4 完善课堂设计

由于课前的课堂设计是从前任教员、学员队领导、教学联席会等渠道获得的间接了解，加之教员态度、教学内容会引起学情变化，课前的教学设计与实际学情会有一定的出入，为此必须在课后不断完善教学设计。比如，完善重难点的解决方法和措施，完善思政内容的设计和切入，进一步了解学员未来岗位需求，调整课堂教学进程时间分配等。

5 结语

课堂教学是一门艺术，只要用心对待，“一切为了学员，为了一切学员，为了学员的一切”，就能精心设计好每堂课，提高课堂教学效果，真正把课堂还给学员，发挥学员的主体性、主动性和创造性，让学员“身动、心动、神动”起来，让学习、进步和成长真正地“发生”在学员身上，从而实现高效课堂教学。

航天特色大学物理课堂设计的探索实践
——以刚体进动为例

宋铁岭[1] 任 元[2] 姚宏林[1]
（1. 基础部理化教研室；2. 基础部）

摘 要：为深入贯彻习近平强军思想，遵循教育部金课要求，课堂教学模式应体现教为主导、学为主体的特征。本文以“刚体进动”为例，探索具有航天特色的大学物理课程的课堂设计方案，搭建知识-应用-前沿的课程内容体系，梳理思政元素，归正向战为战价值导向。落实教研融合，将最新科技成果引入课堂，启迪学员创新思维和探索意识，突出教学的场景化和学员的参与度，助力学员知识、能力、素质三位一体全面发展。

关键词：航天特色；大学物理；课堂设计；教研融合；进动

1 引言

大学物理课程作为我校各专业学员的必修课、基础课，兼具覆盖面广、信息量大、辐射力强的特点，同时课程开设于一年级第二学期到二年级第一学期，正是塑造学员的军人价值观和家国情怀的关键时期。因此，把大学物理打造成有高度有深度有温度的好课具有重要意义。结合大学物理课程特点[1]，针对本校实际，我们的课程教学按以下思路：

首先，明确两条主线：知识线、思政线。两条主线相辅相成，知识是思政的载体，在知识讲授中自然地融入思政，潜移默化地提升学员的政治思想觉悟；思政是知识的升华，思政的开展可以避免知识的讲授陷于枯燥乏味的窠臼，从而激发学员的能动性和学习兴趣，提升学习效果。然后，在充分做好学情分析，梳理物理知识和军事应用的前提下，紧贴教学大纲设计教学目标。最后，在教学实施阶段，坚持“教为主导，学为主体”，按照“导入有趣，讲解有物，总结有力”的原则开展教学；同时，注重“场景化”和“参与度”，借助实验设备，将学员带入实际应用的场景中，将知识点形象化、直观化，加强“学”与“思”的互动，使学员切实参与到学习的过程中来。此外，课程教学中突出航天特色和教研融合，向学员展示科技前沿成果尤其是本校在航天科技领域取得的重大突破，开阔学员视野，启迪创新思维。课后，布置学员独立构建知识框架，处理实际问题，提高探索意识。

本文以“刚体进动”[2]为例探讨大学物理课堂设计的具体实施（见图1）。

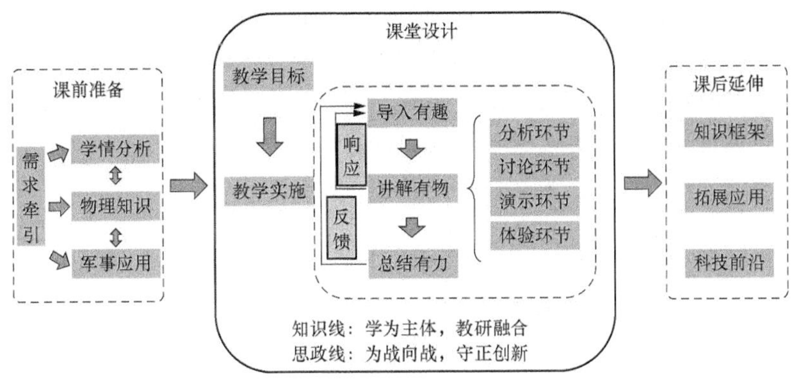

图1 课堂设计流程

2 课堂设计

2.1 教学目标

遵循“传播知识、厚植情怀”的教学理念，在知识、能力、素质三个层面上设定教学目标。知识层面，掌握刚体进动的基本原理；能力层面，掌握航天器导航和调姿的方法，培育创新思维；素质层面，感受我国航天领域的巨大挑战、成就以及前辈科学家的爱国奉献精神，增强独立自主的民族自信、矢志航天的坚定信念和开拓创新的科学理念。

2.2 教学实施

大学物理课程教学需突破传统课堂上讲授知识体系的模式，有意识地引导学员思考物理学知识的应用范畴。在教学内容和策略上，充分贴合本校学员的专业和未来工作的特点，从而调动学员的积极性和主动性[3]。

2.2.1 问题导入

“导入有趣”是指引入教学内容的设计要巧妙，能够引起学员的兴趣，使其有听下去的意愿。实践表明，问题导入法能够创设一个有效的学习情境，推动学员形成期望、产生兴趣，进而达成良好的学习效果[4]。本堂课以“航天器在浩瀚太空飞行时如何确定自身方位以及如何调姿”为问题导入。这两个问题与课堂内容——刚体转动的定轴性和进动密切相关，又紧密贴合本校航天特色和学员们的专业需求。从实际效果来看，学员们既对航天器的导航、调姿的实现极感兴趣，又惊讶于如此复杂的工程问题仅基于一个并不复杂的物理原理，极大地提高了学员们的探索欲和参与度。

2.2.2 实施进程

“讲解有物”是指在讲授环节，力求做到内容设置充实饱满、讲解逻辑清晰有序，思政融入自然深刻。讲授环节是一堂课的中心，内容充实是学员学有所得的基础，根据教学大纲和教材，明确课堂上需要讲授的知识点、重难点，并在此基础上加以适当的拓展；逻辑清晰是学员学有所得的保证，明确各个知识点之间的内在关联，使学员课上能够理清知识脉络、课下能够构建知识框架，从而对所学知识有高屋建瓴的把握；思政自然是学员学有所得的支撑，在课程讲授的合适时机嵌入思政环节，既要与课堂内容相融合，又要达到立德树人、为战育人的效果[5]。这就要求教员提高思想站位，准确把握思政的内涵实质和课程定位，落实立德树人根本任务、夯实为战向战的思想根基。

同时，在实施进程中，要注意把握各个环节的时间和衔接。心理学和大数据研究均表明[6]，一个人注意力集中的持续时间只有十几分钟，而大学物理的内容本身连贯性较强，学员一旦走神，就很难再跟上教员的讲课节奏。因此可以在适当的节点设置一些课堂活动，把学员的注意力集中到实施进程中来。

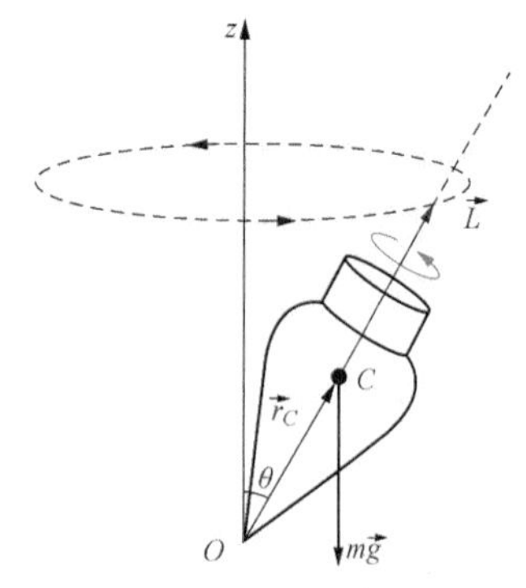

图 2　陀螺进动示意图

基于上述认知，对本堂课的实施进程做如下安排：

（1）分析环节——进动的定性分析。为回答导入环节的两个问题，在“刚体定轴转动”的基础上，采用案例法，以陀螺定点转动为例，分析刚体所受外力矩与角动量不共轴的情况下，陀螺的回转效应。如图 2 所示，陀螺自转轴与竖直方向的夹角为 θ，陀螺绕自转轴 OC 高速旋转的角动量为 $\vec{L}$，方向沿 OC 向上，陀螺所受重力对 O 点的力矩 $\vec{M}=\vec{r}_C\times m\vec{g}$ 垂直于 OC，即垂直于陀螺的角动量 $\vec{L}$，根据角动量定理 $\vec{M}=\frac{\mathrm{d}\vec{L}}{\mathrm{d}t}$ 和矢量合成遵循的平行四边形法则，在 $\mathrm{d}t$ 时间间隔内，$\vec{L}$ 的大小保持不变，但其方向绕竖直轴 Oz 转过一个角度 $\mathrm{d}\varphi$，此即陀螺自转轴沿此方向的进动。

在该部分的讲解中，侧重矢量的外积运算和平行四边形法则的应用。学习该部分时，学员刚刚接触矢量的外积，应用并不熟练，可采用“引导法”，启发学员将 $\vec{M}=\frac{\mathrm{d}\vec{L}}{\mathrm{d}t}$ 与熟悉的 $\vec{F}=\frac{\mathrm{d}\vec{p}}{\mathrm{d}t}$ 类比。在匀速率圆周运动中，质点所受合外力（向心力）的方向垂直于动量方向，故合外力只改变动量的方向而不改变其大小。类似地，陀螺所受力矩的方向垂直于角动量的方向，亦只改变角动量的方向而不改变其大小。

同时，为了使学员理解陀螺的进动并准确判断出进动方向，提出了一个形象而简便的方法。在数学上，矢量对时间的导数就是矢量末端的瞬时速度，由 $\vec{M}=\frac{\mathrm{d}\vec{L}}{\mathrm{d}t}$ 可知，角动量矢量末端瞬时速度的大小和方向就是外力矩的大小和方向。可以形象地认为，外力矩矢量牵引着角动量矢量的末端运动（见图 3）。这就帮助学员在头脑中构建了进动的物理图像。物理图像的构建往往比公式的记忆和推导更有价值，它赋予了一种不借助于数学又能表达物理量之间关联的方式，既可以帮助我们深刻理解公式的适用条件，又可以引导我们用精确地数学演绎来分析物理问题。此时，以物理学中的科学思维作为思政资源，通过向学员们展示类比、推理、归纳等方法，强调处理新问题要从联系的观点出发，并善于透过现象抓本质，强化认知思辨。

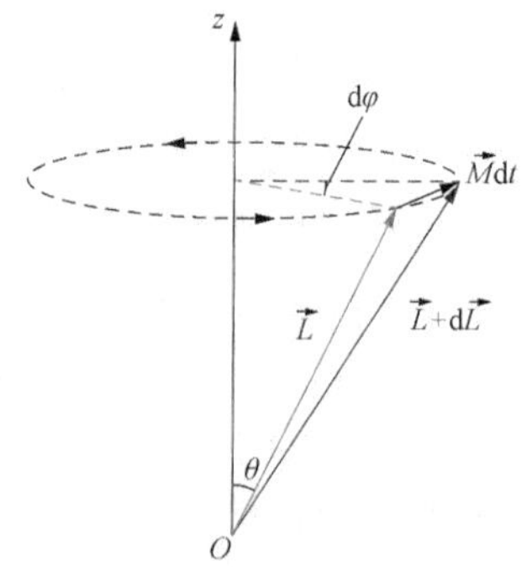

图 3　陀螺进动的动力学分析

（2）讨论环节。为阶段性地集中学员注意力，设置了一个小型的讨论环节。请学员讨论上述关于刚体进动的推导是否严谨。该环节的设置不仅是课堂教学从以教为主转变为以学为主的体现，更重要的是，在引导学员以批判性的眼光审视上述推导的过程中，学员们对角动量定理、陀螺进动的理解更加透彻，也进一步提升了严谨的思辨能力。实践表明，经过 5～8 分钟的讨论，学员们往往可以发现上述推导过程中的近似点，即刚体一旦产生进动，其总角动量就不再是自转角动量 $\vec{L}$，还包括进动角动量 $\vec{L}'$，此时角动量定理应写作 $\vec{M}=\dfrac{\mathrm{d}(\vec{L}+\vec{L}')}{\mathrm{d}t}$。若要上一环节中的推导成立，需要满足以下前提条件：刚体自转角动量足够大，远大于进动角动量。而这恰恰是在问题设置之初就明确了陀螺绕自转轴高速旋转的原因。

（3）再次设置分析环节——进动的定量分析。利用讨论环节得到的结论，引出两个方向：①上述推导需要在 $\vec{L}\gg\vec{L}'$ 的条件下成立，需要验证一下进动角动量是否确实远小于自转角动量；②若不考虑近似，陀螺如何运动。

根据陀螺进动的物理图像——外力矩矢量牵引着角动量矢量的末端运动，以及角动量定理 $\vec{M}=\dfrac{\mathrm{d}\vec{L}}{\mathrm{d}t}$，外力矩等于角动量矢量末端的瞬时速度 v_L，由图 3 可得，$M=v_L=\omega L\sin\theta$，计及矢量方向，则有 $\vec{\omega}\times\vec{L}=\vec{M}$。

显然，自转角动量（角速度）越大，进动角速度（角动量）越小。当陀螺高速旋转时，确实满足自转角动量远大于进动角动量的条件，此时陀螺几乎不发生进动，即陀螺指向近似恒定。

（4）演示环节——陀螺章动。对于无近似情况下陀螺的实际运动，采用演示法向学员展示，如图 4 所示。在演示过程中，请学员根据陀螺的不同自转方向判断进动方向，同时观察陀螺自转轴俯仰角 θ 的变化，引出“章动”的概念。章动部分不在大纲要求之内，重点强调章动一词的由来，可以引导学员感受前辈科学家的传统文化修养和人文情怀，鼓励学员传承文化积淀，坚定文化自信。

图 4　陀螺章动——不同位置处自转轴的俯仰角不同

（5）体验环节——响应课堂导入的问题。基于上述讲解，可以回答课堂导入时的两个问题。

1）陀螺仪绕自转轴高速旋转时，外力矩引起的角动量的改变相对于初始角动量来说比较小，角动量近似守恒，此时无论如何改变陀螺仪外框架的方向，都不改变陀螺仪自转轴的指向，而且角动量（自转角速度）越大，定向性越好。陀螺仪的这一特性可以用来作为航天器的方向标准，控制航向。

这里导入陀螺精神——专注、不懈。陀螺仪用于导航定向，陀螺转得越快，定位精度越高。同样，我们选择了航天事业，选择了强军报国，就要像陀螺一样，一旦确定了方向，就要矢志不渝、坚持不懈地努力。正是一代代航天人坚持发愤图强、刻苦攻关、自主创新，才取得了“嫦娥”“天宫”“天问”“北斗”等一系列举世瞩目的成就。

图 5　波粒涡旋量子陀螺原理验证装置

同时，启发学员思考可否将宏观领域的进动引入到微观领域，利用微观粒子的进动实现超高精度检测，以启迪学员的科学思维。进一步向学员们介绍我校量子陀螺创新团队在波粒涡旋量子陀螺等前沿技术方向上的首创及突破（见图 5），强化学员对前沿科技的认知。

2）关于航天器调姿的问题，在课堂上采取体验法强化学习体验。陀螺受到进动力矩产生的进动角速度满足 $\vec{\omega} \times \vec{L} = \vec{M}$。反之，当陀螺具有进动角速度 $\vec{\omega}$ 时，必然可向外提供一个 $\vec{M}' = \vec{L} \times \vec{\omega}$ 的力矩。基于此，请学员们设计方法实现航天器调姿，并亲手操纵陀螺仪，体验并展示调姿原理及效果，如图 6 所示。实践表明，学员对操纵陀螺仪体验调姿表现出极大的兴趣和参与热情，切身体会到了物理学原理在航天领域的应用，真正做到学以致用。

图 6　航天器调姿体验

陀螺自转轴具有角速度时，向外提供力矩，引起陀螺仪内环（承担航天器角色）姿态相应改变。在此基础上，进一步启发学员思考是否可以利用陀螺进动，将力矩输出与姿态角速率敏感一体化，即实现“控制”与“敏感”的结合。随后介绍我校量子陀螺创新团队在磁悬浮控制敏感陀螺上的研究成果（见图 7），以引导学员开拓创新思路，激发探索热情。

2.2.3 总结部分

“总结有力”是指对课堂内容的总结要简洁明了，富有表现力、针对性和启发性。课堂总结是课堂结尾部分对课堂内容的回顾，但不仅仅是知识点的简单罗列，更应当侧重于帮助学员理清脉络、巩固知识、突出重点、激发灵感。

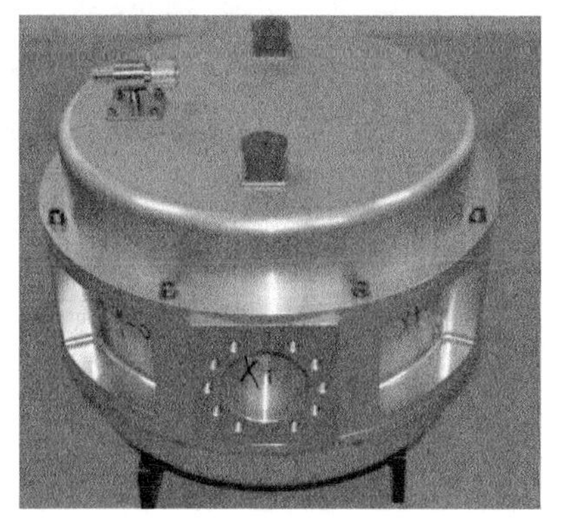

图 7　我校研制的磁悬浮控制敏感陀螺

在本堂课中，我们从刚体所受力矩与角动量不共轴出发，推导了陀螺的进动角速度，诠释回转效应，由此讨论陀螺仪的导航定向功能和航天器调姿的实现方式。作为课堂内容的拓展，我们布置了两个题目：炮膛中螺旋形来复线的作用，以及不同陀螺仪的原理和发展趋势。按照学期初的分组，由相应组别的学员在讨论课上以汇报的形式向全体学员解读。各小组成员在课后分工合作，在文献查阅、综合分析、资料整理过程中，充分调动起学员对物理探索的积极性、主动性和创造性，提升自身的逻辑思辨能力和团队合作意识。

3　结语

本文以刚体进动为例，探讨了凸显航天特色的大学物理课堂设计的方案，并给出了具体的教学进程。按照理论知识-军事应用-科技前沿的构架搭建课程内容体系；按照贴合部队、凸显航天、守正创新的原则融入思政元素；按照导入有趣、讲解有物、总结有力的要求实施课堂教学。课堂教学模式倡导教为主导、学为主体，教学过程中注重学员的参与度，有机融合启发式、讨论式、体验式等教学方法，充分结合知识的深化、拓展、应用，形成完整的闭环教学过程，提升课堂的高阶性、创新性、挑战度以及军队院校教育中的铸魂性、为战性，从而达到良好的教学效果。

参考文献

[1] 张睿，王祖源，张志华，等. 同济大学普通物理混合式教学的研究与实践 [J]. 物理与工程，2021，31 (6)：144-147+152.

[2] 马文蔚，周雨青，谢希顺. 物理学 [M]. 7版. 北京：高等教育出版社，2020.

[3] 高兰香，许丹华. 以学生为中心的大学物理教学探索与实践 [J]. 大学物理，2022，41 (1)：43-49+60.

[4] 安宇. 基于SPOC混合式学习模式的大学物理学习指导 [M]. 北京：清华大学出版社，2018.

[5] 杨开巍，李旭光，孙锡良. 大学物理教学中导入课程思政元素的技巧与方法 [J]. 物理与工程，2021，31 (6)：109-113.

[6] 叶奕乾，何存道，梁宁建. 普通心理学 [M]. 6版. 上海：华东师范大学出版社，2021.

CBI 模式下的军事英语教学探索与实践

王加为　张　洁
（基础部外语教研室）

摘　要： CBI 是一种在国外广泛应用的外语教学理念，特别适于专业外语的教学，且在国外已经得到了肯定性的实证结果，但在国内尚处于实验阶段。本文简述了国内外 CBI 教学理念在外语教学尤其是在专业外语教学中的应用，指出军事英语教学尤其适用 CBI 中的主题依托式教学，介绍了航天工程大学 CBI 军事英语教学实践。研究表明，CBI 模式下的军事英语教学对于学员军事素养、语言技能具有明显的提升作用，学员在专业知识、语言技能和情感方面的获得感明显强于传统英语教学法。

关键词： CBI；主题依托；军事英语；外语教学；大学英语

1　引言

按照目前军队院校大学英语教学大纲的要求，军队院校大学英语教学在完成通用英语的教学之后，还必须进行军事英语的教学，其目的不言而喻：一，军事英语是通用英语的延伸，可以进一步巩固学员的通用英语能力，在听说、阅读、写作和翻译方面继续提升，并继续提升学员的批判性思维能力；二，军事英语课程作为 ESP 的一个种类，是后期专业英语的基础，其目的是为未来的军事研究和专业交流做好铺垫。从外语教学的一般规律来看，军事英语既然属于 ESP 的范畴，对学员的分析能力、归纳能力和写作翻译能力的要求也就更高，因此在军事英语的教学策略上应当不同于通用英语。

2　国内和航天工程大学英语教学现状

按全军外语教学要求，航天工程大学英语总学时为 220 学时，包括通用英语、军事英语和航天英语三个模块，其学时分别为 144、40、36 学时。如何在有限的 40 学时内最大限度地提高学员的军事英语能力，是外语教研室面临的一个重要问题。

目前，地方和军队院校大学英语教学主要采取以语言为驱动的教学方式，根据教材内容，围绕听、说、读、写、译就语言本身进行操练，学员在学习过程中主要通过听讲实现对内容的掌握，在教学活动中扮演的是被动的角色。

从国内现有公共外语考试（大学英语四级考试）模式来看，学员在短期内通过突击性背诵和题海战术基本可以通过考试，而通过大学英语四级考试之后，部分学员学习动力严重不足。有关分析指出，部分大学生将学习目标与某种考试（如英语四六级）对等起来，在英语学习方面存在五大障碍：学习目标不明确、没有学习兴趣、没有学习压力、缺少正确的学习方法和过分依赖课本[1]。

3 CBI 简介

CBI 外语教学，即 content-based instruction，始于 20 世纪 60 年代在加拿大进行的沉浸式教学（immersion programme），其理论基础是 Krashen（1985 年）的“有意义的输入”理论。该理论认为，当学习者通过略高于自身水平的目标语言接收到可以理解的信息，而他此时把注意力集中到对信息的理解，而不是对语言形式的理解时，就产生了对目标语言的自然习得[2]。CBI 教学理念就是在这个基础上产生的，并从 20 世纪 80 年代开始在国外外语教学中得到广泛应用。

CBI 作为一种教学理念，认为外语可以作为学习学科知识的媒介，而学科内容则成为学习的动力，语言能力的获得则是理解学科内容的副产品。Met（1998）把 CBI 的教学模式描述成一个连续体（continuum），语言的沉浸程度从左到右依次降低，分别是完全沉浸（total immersion）、部分沉浸（partial immersion）、保护式课程（sheltered courses）。辅助模式（adjunct model）、主题依托式课程（theme-based courses）和经常用内容进行语言操练的语言课程（language classes with frequent use of content for language practice）[3]。

其中，完全沉浸和部分沉浸指的是完全或用 50％的目标语/母语比例学习某一门学科，对学习者的年龄要求比较严格，一般在幼年时期适用。保护式课程指的是将非母语学员与母语学员隔离开来，专业教师采用一种简化的英语讲授专业知识，学习者的目标是完成学术任务。虽然它也是通过目标语进行内容学习，但是需要对语言进行调整，辅以身体语言或图片等，使其困难程度低于真正的目标语。辅助模式要求专业教师和语言教师结对授课，专业教师负责专业知识的讲授，而语言教师则负责语言的讲解。主题依托式课程指的是通过选取特定主题，教师提供真实语言素材，通过完成主题相关的专业任务，达到语言水平综合提高的目的。经常用内容进行语言操练的语言课程与传统意义上的外语教学类似，师生注重语言规则的学习和操练，内容仅是语言规则的载体，是低层次外语学习的主要方式。

CBI 教学理念与国内传统教学理念的差异见表 1。

表 1　　CBI 与传统教学法的对比

Content-Based Instruction	
Content-Driven	Language-Driven
<------------------------------	------------------------------>
Content is taught in L2. 二语用于讲授内容。	Content is used to learn L2. 内容用于学习二语。
Content learning is priority. 内容学习为主要目的。	Language learning is priority. 语言学习为主要目的。
Language learning is secondary. 语言学习为次要目的。	Content learning is incidental. 内容学习为附带收获。
Content objectives determined by course goals or curriculum. 内容目标由课程目标或课程决定。	Language objectives determined by L2 course goals or curriculum. 语言目标由二语课程目标或课程决定。
Teachers must select language objectives. 必须由教师选择语言目标。	Students evaluated on content to be integrated. 学习者通过对所学内容的测试进行评估。
Students evaluated on content mastery. 通过测试对内容的掌握对学习者进行评估。	Students evaluated on language skills/proficiency. 通过测试对学习者语言技能、熟练程度进行评估。

从表 1 可看出，CBI 教学与传统英语教学的主要区别就是以内容驱动还是以语言驱动。CBI 模式强调的是内容的学习而不是语言的学习，通过专业内容的学习掌握语言；而传统教学模式强调的是语言的学习，通过语言的学习掌握语言技能，内容的学习只是一种偶得。

3.1 国外 CBI 发展情况

CBI 教学模式在国外发展得非常迅速，不仅在英语国家，在非英语国家，如印度、新加坡、日本、以色列等都有了广泛应用，而且已经取得了许多成功经验。2002 年出版的《高等教育环境下的 CBI 教学模式》列出了不同国家的典型案例，对于我国的外语教学具有很大的启示作用。以下是 4 个比较典型的案例：①日本宫琦国际大学的 Merging Expertise: Developing Partnerships between Language and Content Specialists；②泰国亚洲科技大学的 Content-Based English for Academic Purposes in a Thai University;③以色列特拉维夫大学的 English for Students of Mathematics and Computer Science: A Content - Based Instruction Course；④美国北亚利桑那大学的 Promoting the Acquisition of Knowledge in a Content - Based Course[5]。

3.2 国内 CBI 应用现状

国内的 CBI 公认始于王士先于 1994 年的首次理论引入，介绍了 CBI 在国外的实施情况，指出未来结合专业进行语言学习可能是专业英语的发展方向[6]。随后又有多人针对英语的不同学习阶段，如大学英语四级考试之后的专业英语学习、英语专业的英语文化教学进行了研究。杨爱研（2021 年）通过对科技英语课程的实证研究指出，CBI 指导下的 ESP 教学能够实现语言教学与学科内容的有效结合，从而提高学员的语言学习积极性，并为学员将来用英语进行行业内交流奠定基础[7]。俞理明、袁笃平指出，双语教学是使大学英语教学摆脱应试教学的最好途径，而 CBI 模式则可以消除学员英语学习的障碍。

3.3 CBI 主题依托式与军事英语的适用关系

国外一般认为通过专业学习提高语言水平是二语学习的最佳途径，与俞理明、袁笃平的看法不谋而合。从目前我国教师和学员的实际外语水平看，Met 所分六种教学模式中的前四种均不适用，后两种与我国国情比较相符，因为在完成 EGP 阶段的学习后，ESP 阶段的学习更加强调语言与专业学科的联系，因此这个“专业学科”知识与主题依托式学习模式具有对应性。军事英语从其性质看显然属于 ESP 范畴，是一门军事通识性课程，虽然对于教员和学员来说都具有一定的难度（主要表现在专业词汇上），但教员和学员都不会因为这些困难而将注意力放在语言自身，符合 CBI 的应用条件。

4 CBI 的主题依托模式在军事英语中的运用

Stroller 和 Crabe 针对主题依托式的 CBI 提出了 6T 原则，即主题（theme）、话题（topic）、文本（text）、线索（thread）、任务（task）和过渡（transition）。

我们在军事英语的讲授过程中竭力体现 6T 原则，发现 6T 原则确实是教学质量的有力保障。

主题在军事英语教学中体现为各个单元的主题。也就是说，单元题目就是某个阶段的学习主题。以全军通用《军事英语》教材为例，航天工程大学选取其中的 10 个单元进行学习，确立了“Boot Camp”“Service Branches of the US Military”“War Games”等 10 个主题。这 10 个主题与军校生活息息相关，可以激发学员的兴趣。

话题是主题的延伸，在每一单元一般设置一至两个与主题相关的话题为本单元的“深度问题”，在授课过程中此环节被称为“谈兵”环节。关于这些深度问题，教员会在课上以 brainstorm 的方式加以引导，从各个方面对学员进行提示，然后在第二次上课时要求学员根据课堂提示以及在网上查阅的资料，在全班就此问题做报告。学员在准备这些问题的过程中，需要从多角度思考问题，同时需要查阅大量资料并对相关资料进行梳理总结。因此，准备这样的问题，其实也是一个完成小型科研的过程，对其阅读、写作和演讲水平都有一定的要求。

文本在 CBI 模式下泛指与专业内容相关的所有资料，甚至包括音频、视频。在以 CBI 进行军事英语教学时，学员可以利用的不仅有教材，还有教师提供的视频和网上海量的相关资料。

线索体现在每一单元贯穿始终的一个或一组问题。如第一册第三单元“Service Branches of the US Military”有一个核心问题始终存在：描述某个军种时，一般会从哪些方面进行描述？从常识看应当包括历史、组织、武器、人员、功能等。于是在每一个军种都会设立这样的问题：在描述该军种时出现了哪些因素？是怎样描述的？要求学员利用教材相关信息对每一个军种进行描述。这样的描述可以充分利用教材信息，使其在完成任务的过程中锤炼语言技能。

任务在军事英语的教学中体现为与主题相关的各个小型任务。这些小型任务不同于前面提到的深度问题（Topic）。Topic 是与主题相关的大而深的问题，是学员谈兵论剑的内容，需要学员广泛查阅资料、整理成报告并上台发言；而这些小的任务则与教材内容相关，需要学员仔细阅读教材，然后根据教材内容组织语言完成问题的回答。在授课过程中，教师在每一节都设置了一定量的任务。所有任务都通过任务单的形式事先发放给学员，要求学员按照各个任务准备答案，在课堂上回答。

过渡指的是在教学过程中从一个话题向另一个话题，或者从一个任务向另一个任务的过渡。过渡在授课过程中往往需要教员完成，由教员把各个主题或各个任务串联起来，往往通过几句话便可完成。如 We have explained the function，organization，equipment and strength of the Army. Is it possible for the Army to implement air attacks? The answer is yes，because it has Army Aviation Corps. 于是下一步就自然过渡到了陆军航空兵的内容上。

5 教学过程中如何进行思政

在军事英语的教学过程中，思政必定是一个如盐化水、自然而然的过程。军事英语与EGP相比有一个非常明显的优势，那就是可随时与中国元素、国际局势、中外关系、西方政策、跨域斗争、太空安全等相结合，对学员进行各种针对性思政活动。这些思政环节隐身于教学活动中，是教学活动的一部分。

在CBI主题依托式的军事英语教学过程中，教员设计的思政活动类型主要如下：①在完成教材阶段性学习和词汇回顾之后，利用教材中出现的词语编写中国元素相关内容的汉译英练习，以检验词汇掌握情况；②每一单元的深度问题，也就是CBI中的Topic，除了需要结合专业技术内容，还要通过查阅大量资料对西方国家的对华政策、中外军事力量对比、中国国力及航天相关等信息进行综合分析；③在课文讲解过程中，根据教材内容及时进行中外对比，采取视频、图片等方式讲解中国相关情况或者当作一个任务布置给学员。

6 CBI主题依托式军事英语教学反馈

航天工程大学外语教研室从2020级的14个班中选出8个班实施CBI主题依托式教学，完成了40课时的教学任务。实验班的选择依据是任课教师是否愿意尝试CBI式教学，与学员成绩无关。在选取的8个班中有4个快班和4个慢班，大学英语成绩总体来说在全年级处于偏前端位置，全年级英语成绩最低的四个班为对照班。

完成授课任务的当天对所有CBI学员发放了调查问卷。在设计调查问卷时，主要考虑了以下因素：①基本情况（性别，四六级是否通过）；②对教学过程中应用的教学手段的印象，涉及任务单、课堂小活动和课堂报告。针对学员的情感因素还设计了喜欢或不喜欢的原因，未尽原因可自行写出。

通过对学员反馈的总结，得出以下结论：

（1）以CBI主题依托式进行军事英语教学是非常有效的教学方式。学员认为CBI主题依托式的教学方法比传统EGP的教学方式灵活，参与意愿明显增强，也有了展示个人研究能力（表现在书面报告上）、艺术创作能力（表现在课件制作上）和语言表达能力（表现在报告宣讲上）的机会；通过四六级考试的学员在课堂上的参与程度明显高于未通过的学员，而性别则与参与程度关系不大；大多数学员表示通过CBI军事英语教学，不仅提高了自己的军事素养，还提高了综合分析能力、演讲能力、阅读能力，提高了对国际形势和军事知识的兴趣。

（2）CBI各班的平均分为83.78分，对照班的平均分为60.37分，前者平均分比后者高23分之多。但由于选取的CBI教学班在全年级的英语成绩中总体靠前，成绩最低的4个班均为对照班，因此本次成绩并不能证明CBI教学对于传统课程考试成绩的提升作用，但起码可以证明CBI教学对于笔试成绩没有不良影响。

（3）CBI主题依托式教学也存在一些不尽如人意的地方。在翻转课堂过程中，教员如果因为没有事先做出时间上的规定，会使某些学员的个人时间过长，进而影响他人的发言时间；学员的语言水平并不一致，分析到位、语言规范、发言效果好的学员毕竟不是大多数。上述问题在很大程度上可通过以下方式解决：对学员发言时间做出严格规定；强调小组成绩，在分组时即强调组内轮流发言，轮到表达能力弱的学员发言时，其他组员有义务进行帮扶；教师对于质量不高的发言进行补救，对于学员讲解不清的地方进行再解释；减少教学班人数，使学员轮流上台的轮转频率更高，给学员提供更多的研究、发言的机会。

（4）如果采用 CBI 的教学方式，对于学员的考核方式和形成性成绩占比应做适当调整，学员形成性成绩占比应当提高到 50%以上（占 70%左右比较合理）；课终成绩占 50%以下。但从目前来看，做出这样的调整尚需时日。

（5）教员非常看好的某些教学手段可能在学员那里并不受欢迎，最为典型的例子就是教师每次课前针对 6T 中的任务而发放的任务单。

7 结语

CBI 军事英语教学对教师和学员的要求都高于传统教学方式。对于教员来说，要具有一定的专业知识，对主题相关专业有一定的了解，否则无法实现话题也就是深度问题的设计，也无法对学员进行多方面的提示，课堂活动只能停留在浅表，思政内容也会显得比较生硬；对于学员来说，要摒弃等吃等喂的心态，要具有一定的词汇量和阅读、分析、归纳能力，还要有多角度思考的能力和愿望，否则通过解决专业问题实现语言能力的提高不太可能。

参考文献

[1] 俞理明，袁笃平．双语教学与大学英语教学改革［J］．高等教育研究，2005，26（3）：74－78.

[2] KRASHEN S D. The Input Hypothesis：Issues and Implications［M］．New York：Longman，1985.

[3] MET M. Content-Based Instruction：Defining Terms，Making Decisions［R］．Washington，D. C：the National Foreign Language Center，1999.

[4] BRINTON D M，SNOW M A，WESCHE M B. Content-Based Second Language Instruction［M］．New York：Harper & Row，1989.

[5] 杨秀松．CBI 教学理念在国内外高校英语教学中的应用，科技信息［J］．2009（14）：471－472.

[6] 王士先．CBI——专业英语阅读教学的方向［J］．外语界，1994（2）：27－31.

[7] 杨爱研．CBI 主题依托模式在 ESP 教学中的应用［J］．上海理工大学学报（社会科学版），2021，43（2）：107－113.

[8] SCROLLER F L，CRABE W A. Six-T's Approach to Context-Based Instruction［M］．New York：Longman，1997.

图式理论和元认知理论下军校英语听力的教学策略

雷旭丹　毛筠鑫　王加为
（基础部外语教研室）

摘　要： 与地方高校非英语专业本科大学生相比，军校学员因其身份的特殊性，在英语听力学习上往往面临更多困难。本文将挖掘心理语言学中图式理论和元认知理论，再从军校学员的特性出发，分析英语听力学习障碍，随后针对这些障碍提出对策，即教师如何结合心理语言学中相关理论，有效进行英语听力的教学实践，以求改善军校学员英语听力学习情况。

关键词： 图式理论；元认知理论；军校英语听力教学

1　引言

美国语言学家保罗·兰金（Paul Rankin）教授曾统计过，听、说、读、写在人们日常语言活动中占据的比例分别为 45％、30％、16％、9％。可见听是人类交流中的重要一环，听力在外语学习中尤为重要。而心理语言学主要研究语言使用时心理机制和心理加工过程，对研究外语听力教学至关重要。

心理语言学家倾向于把语言理解视为一种信息处理过程。而听力理解作为最普遍的言语理解方式，则是听者对输入信息的声学信号积极进行诸如分辨、筛选、组合、记忆、释义、储存、预测等语义构建的心理过程[1]。心理学家 Anderson[2] 将听力理解简单划分为感知处理（perceptual processing）、切分（parsing）和运用（utilization）三个阶段，即听者“接收、分析、理解”声学信息的过程。而在听力理解这一过程中听者的“图式”和“元认知”扮演了重要角色。

目前，国内关于心理语言学在英语教学中的应用主要集中于研究普通高等院校的本科生群体，而对于军校学员这类身兼军人和大学生双重身份的特殊群体较少关注。军校英语教学大纲规定，军校生长干部学员应完成至少 220 课时的大学英语课程（含通用英语及专门用途英语），贯穿学员大一、大二全年，甚至包括大三上半年。而其中通用英语往往只上一年或一年半，少于地方高校非英语专业本科学生的两年。同时，学员又不能自由使用电子移动设备（如手机、电脑等），极大限制了学员的英语听力学习途径。因此在实际学习中，军校学员英语听力的学习效果往往不尽如人意。由此可见，研究图式理论和元认知理论指导下的军校英语听力教学策略有其必要性。

2 理论背景

2.1 图式理论

图式（schema）最早由德国哲学家康德提出，是一种先验的范畴[3]。此概念一经提出后，便引起心理学家的浓厚兴趣。英国心理学家巴特莱特在其著作《记忆》（Remembering）中提出了图式理论，标志着“图式”概念首次以心理学术语出现。巴特莱特将“图式”定义为“过去反应或过去经验”的一种主动的组织方式，它不仅使个别成分一个连一个地发生作用，而且使之组织并成为一个整体。他认为，人们所学的知识必然是某种抽象的系统或图式，而不是漫无边际的简单事例的罗列[4]。简单来说，图式是人们过去生活、学习、工作等活动中积累的经验经过归纳总结后形成一种知识体系，为个人所独有。

20 世纪 70 年代以来，在人工智能专家鲁梅尔哈特的努力下，图式理论得到进一步完善。他认为人脑中所保存的一切知识经过加工都能分成单元、构成“组块”和组成系统，而这些单元、组块和系统就是图式。图式是认知的建筑构件，是认知活动的基础。人们处理外部信息都需要调用大脑中的图式，依照相关图式来解释、预测、组织和吸收外部信息。同时，鲁梅尔哈特还强调图式不仅包含背景或先验知识本身，还包含关于这些知识如何被运用的信息。鲁梅尔哈特将图式的类型分为三类，即语言图式（linguistic schema）、内容图式（content schema）和形式图式（formal schema）[5]。

20 世纪 80 年代末，人们还试图用图式理论来解释母语阅读和听力的心理过程。基于母语研究的成果，图式阅读理论和图式听力理论便应运而生。随后众多语言学家及心理学家将研究范围扩展到二语、外语阅读和听力的心理过程。图式是组织我们感知世界的内在结构，我们对世界的感知以图式的形式储存在我们的长时记忆中[6]。图式听力理论认为，背景知识在听力理解中扮演着极其重要的角色；听者头脑中的固有图式则是决定听力理解成功与否的关键因素。

在英语听力教学中，教师应通过听力训练有意识加固和丰富学生的语言图式、内容图式及形式图式。针对听力理解过程而言，语言图式是基础与前提，内容图式是依据，形式图式是调动听力内容的能力。听者大脑中的三类图式与听力材料中的信息相互作用，最终完成信息处理和听力理解。在听力活动中，任何一种图式的缺乏，都会影响听者对材料的理解[7]。

2.2 元认知理论

20 世纪 70 年代，美国心理学家 Flavell 提出“元认知”这一全新概念，他将其定义为反映或调节认知活动任一方面的知识或者认知活动[8]。Brown 等人认为元认知是个人对认知领域的知识和控制[9]。Sternber 则将元认知简要定义为“关于认知的认知”，涉及对个人知识和策略的理解、监测及控制[10]。对学生而言，在实际学习过程中，元认知指对自己认知活动的自我意识管理、自我体验以及自我调节和监控的动态过程。简而言之，元认知主要包含对认知过程的管理及对认知结果的评价。

元认知理论在大学英语听力教学中的应用主要通过“元认知策略”进行体现，共有计划、监控、调节三种策略形式。计划策略一般需在学习前制订，即围绕如何更好完成学习任务而进行可行性计划制订，包括目标、实施步骤、预期效果、评价标准等方面。监控策略则需贯穿整个学习过程，强调学生的自主性，全面监管学习过程中的相关活动，以便优化学习过程，顺利完成学习目标。调节策略通常与监控策略密切相关，要求学生及时纠正偏离学习目标的行为，并弥补学习理解上的偏差与不足[11]。若监控策略完成较好，则可对学习活动结果进行标准化评价，确认是否达成既定目标[12]。

3 军校学员英语听力学习障碍分析

3.1 英语听力图式不足

除文化课外，军校学员需进行体能训练、内务整理、站哨执勤、迎检等活动，甚至自习课、周末和去图书馆都需要服从统一安排，不得擅自行动。这就导致学员较难根据自身学习情况来制订学习计划。另外，大部分学员在大学一年级被严格限制使用手机，这也减少了学员学习英语的途径，限制其个人听力训练时间。以上情况在一定程度上限制了学员的自主学习，从而不利于学员自主积累和扩充与英语听力相关的已有图式。由此可见，军校学员英语听力图式的丰富更多依靠教员设计合理的教学环节来实现。

3.2 缺乏元认知策略

学员缺乏成熟完备的元认知策略，尤其不知该如何监控和调节自己的英语听力认知过程和行为。主要表现为课后不知道如何练习听力，缺乏自主学习的能力。例如，很多学员认为听力就是做题，听完对答案，然后进行下一模块的训练。在练习听力的过程中一遇到生词就发慌，导致生词后面的信息也没来得及听，反应过来时听力已经结束。同时，大部分学员不了解英语单词的发音规则，发音不准。即使认识某个生词，由于发音不正确，也未能在听力理解中准确辨识。另外，学员对于听后该如何有效评价自己英语听力学习情况，导致英语学习事倍功半的情况频频出现，与之相伴随的焦虑情绪有人在某种程度上也妨碍了其英语听力理解和学习。由此可见，军校教员尤其需要注意培养学员的元认知策略。

4 教学对策探索

4.1 丰富学员图式知识

教员可将图式理论应用于听前、听中、听后三个阶段，构建出包括“听前热身，激活已有图式”“听中理解，构建新图式”“听后巩固，强化扩展图式”的英语听力教学模式[7]。在这种教学模式中，教员可根据图式类型，分类丰富学员图式知识。

在英语听力教学的初级阶段，教员应尤其注意丰富学生的语言图式，即语言、词汇、俚语、习语等方面的语言基本知识。教员应使学生了解英语中重读、弱读、失去爆破、连读、同化、升降调等现象，通过模仿和听写等手段培养学生对语流的适应能力和感知能力。这些微技能如不能运用自如，在理解对话、短文或新闻等复杂内容时，必将成为障碍。同时，应帮助学生有意识归纳某类听力材料中的高频词汇，必要时可进行操练，使其成为学生脑中的长期记忆。

内容图式主要指日常生活尝试和社会文化背景知识。大学英语四级考试听力部分的题型为新闻报道、长对话、短文共三种类型。对话一般来自人们日常生活的典型情景，如图书馆、学校、银行、医院、邮局、宾馆、机场等。在这些典型的场景中，对话男女双方的关系及行为模式应该也相对固定，此类日常生活常识储存在学生脑中。而社会文化背景知识很难从生活中获得，需学生有意识进行学习和积累。因此，教员可在课堂上补充课外新闻内容，引导学生对热点新闻进行小组讨论，也可利用课前和课间的碎片时间给学生播放英文新闻听力（如 CGTN，China Daily，VOA，CNN，BBC）等，并鼓励和指导学生利用课余时间阅读英文报纸，上网搜索英文新闻，进行内容图式的积累。只有学员的新闻背景知识不断丰富，知识面不断拓宽，大脑中图式不断增多，他们才能在听英语新闻时，快速激活大脑中的相关图式，对外部信息做出正确的预测和判断，从而准确把握新闻的内容。

形式图式又称修辞图式，指听者所掌握的有关听力材料的体裁结构、修辞手法等方面的知识。它在英语听力中也起着重要作用，尤其体现在新闻听力上。新闻英语的特点是“倒三角”结构，即最重要的内容排在最前面，形成新闻导语，次要内容紧随导语之后，对其进行补充说明，而最不重要的信息一般放到最后。这种安排是因为新闻篇幅短，并且新闻必须在第一时间抓住听者的注意力。具备足够的形式图式有助于学生在听力理解中有针对性抓取关键信息。

4.2 培养学员元认知策略

心理语言学家们发现，人们可有效地获取口头信息的重要原因便是他们不自觉地对进入听觉系统的信息进行了积极的预测、筛选、释义和总结等一系列心理加工。如果预测说话人接下来要说的话包含有重要信息，人们则会集中注意力去听。由此可见，对要听的内容进行初步筛选，可减轻大脑处理信息的负担。预测有助于学生激活脑中图式，为即将听到的材料做好准备，促成更有效的听力理解。在具体教学过程中，教员引导学员在正式听录音前，预先扫读各个小题的选项，快速画出关键词，合理推测听力材料的主要内容和可能的问题。同时，为保证学员的注意力始终关注在关键信息上，教员应要求学员在听录音时进行必要的笔记，可采用数字、缩略语、符号等速记手段，尽可能多地掌握关键信息。

元认知策略意识有助于英语听力理解，具体表现为学员在听力学习中进行的自我监控、调整及选择性注意。教员应加强学员听力理解过程中元认知意识的培养，引导学员运用储存于大脑中的既有图式对所接收的声学信息进行选择、整理和加工，提高他们分析、推理、判断、选择性注意及逆向思维等方面的能力。听录音中，教员引导学员根据对听力内容的预测，把注意力有选择性地集中在已确定为重点或应该留意的语言点和信息点上，以便在听力过程中能够合理分配注意力。此外，教员要充分发挥元认知教学策略的优势作用，在学员结束英语听力学习活动之后指导学员对学习过程进行有效的自我评价和总结，帮助完善其监控策略和调节策略。

5 结语

学员在英语听力学习中会面临诸多困难，而教员能做的便是通过学习心理语言学，了解军校学员学习语言时的心理机制和心理加工过程，更高效地通过课堂教学来丰富学员的语言图式、内容图式及形式图式；同时培养学员元认知策略意识，引导其更新对自身学习模式的认知，并发挥主观能动性，对其英语听力学习进行有效监控和调节。然而，军校英语听力教学效果受多方面因素影响，需要学校、队干部、教员、学员四方的共同努力，才能真正改善目前军校学员英语听力学习的现状。

参考文献

[1] 王瑞昀，梅德明．听力理解的认知与听力课教学［J］．外语电化教学，2004（1）：18-20.

[2] ANDERSON J R. Cognitive Psychology and its Implications［M］. New York：W. H. Freeman and Company，1985.

[3] 唐芳贵．图式研究的历史演变［J］．重庆教育学院学报，2003（1）：52-54.

[4] BARLETT F C. Remembering：A Study in Experimental and Social Psychology［M］. Cambridge：Cambridge University Press，1932.

[5] RUMELHART D E. Schemata：the building blocks of cognition［C］//In R. J. Spiro，B. C. Bruce，and W. F. Brewere（eds.），Theoretical Issues in Reading Comprehension. Hillsdale，NJ：Lawrence Erlbaum Associates，1980.

[6] 陈雪．心理语言学在大学英语听力教学中的应用现状［J］．黑龙江高教研究，2009（6）：164-166.

[7] 宋瑶．图式理论指导下的大学英语听力教学［J］．武汉工程职业技术学院学报，2019（1）：75-78.

[8] FLAVELL J H. Metacognition and cognitive monitoring：A new area of cognitive-developmental inquiry［J］. American Psychologist，1979.

[9] 汪玲，郭德俊．元认知的本质与要素［J］．心理学报，2000（4）：458-463.

[10] STERNBERG R J. Encyclopedia of Human Intelligence. Vol. 2［M］. Macmillan Publishing House，1994.

[11] 朱晗．元认知理论下的大学英语听力教学策略研究［J］．校园英语，2022（5）：60-62.

[12] 宋纯花．元认知策略在大学英语听力教学中的应用探究［J］．中国教育技术装备，2021（11）：60-61.

科学计算可视化在大学物理电磁学教学中的应用

陶明杰
(基础部理化教研室)

摘　要: 科学计算可视化是将海量数据转化为直观的图像，使数值研究转化为图像研究。在大学物理课程的教学过程中，许多物理现象和概念是比较抽象和难以理解的，将这些现象和概念进行可视化，会更利于学员学习。因此，科学计算可视化是物理教学的一种有效方法。本文用 Python 软件对电场线和等势线的实例进行编程操作，获得了电场线和等势线图样，将物理图像形象展现出来，对物理电磁学教学中的复杂内容可视化具有很好效果，有利于学员更好地建立物理图像。
关键词: 科学计算可视化；电场线；等势线

1　引言

从图形学的发展史可以看到，科学计算可视化的迫切需求是图形学快速发展的动力来源之一。图形其实就是可视化的数据集，它把数据文字信息变换成图像视觉信息，直观地甚至是动态地展示数据相互关系、数据的发展趋势及数据的变化规律，是人们研究与管理海量数据最有效的方式，是科学计算中计算阶段完成以后的后续研究手段。

物理学对今天乃至未来的人类生活和科技发展都有着重要、紧密的联系，是其他自然科学的基础，也是理工科学员必修的一门基础课。但是，目前大学物理的教学手段相对落后于现代教学技术，在大学物理知识的讲授方面还是处于比较原始的、抽象的想象处理方法中。随着科学技术的发展，作为大学物理教员，应该充分把先进教育技术和大学物理结合起来，培养学员利用现代科学技术的能力[1-3]。

本文用 Python 软件以物理电磁学中电场线和等势线为例介绍我们的经验。物理电磁学以电场和磁场为研究对象，从电和磁两个角度，研究电磁场中的力、电势能和传播等性质。在教学中，由于物理电磁学抽象难懂，所描述的物理现象和过程很难在正常条件下显现，学员只有凭想象去理解，影响学员从理论知识到实际应用的转化[1]。科学计算可视化则运用计算机图形学或者一般图形学的原理和方法，将科学与工程计算等产生的大规模数据转换为图形、图像，以直观的形式表示出来。

2　Python 在物理电磁学中的可视化应用实例

一般静电场计算的依据是库仑定律和泊松方程。静电场的表示方法，除了用电场强度和电势之外，还有一种直观的辅助方法，即采用电场线表示电场分布的方向性。电场线是表示电场分布的一种数学上的线，并不是真实存在的可以触摸的线。按规定，电场线上每一点的切线方向就是该点电场强度矢量的方向。

在电磁学的学习过程中，学员在书本和考卷上一定见过一些电场线的图形，可能也画过电场线，这些图形往往有对称性，若画得好，还很美丽。但是，书上的很多电场线的图形并不是真实计算出来的电场线。下面介绍的方法可以解答学员的疑问——书上那些电场线的图形对吗？它们是怎样画出来的？

2.1 静电场方程与电场线方程

要画电场线，首先要知道电场是怎样分布的。电场是由电荷分布决定的，在静电场的情况下，电荷没有流动，其电场的电势分布满足泊松方程，在通常的三维直角坐标系中，其形式为[4,5]

$$\nabla^2\phi(x,y,z)=\frac{\partial^2\phi}{\partial x^2}+\frac{\partial^2\phi}{\partial y^2}+\frac{\partial^2\phi}{\partial z^2}=\frac{\rho(x,y,z)}{\varepsilon_0} \tag{1}$$

在方程（1）中，$\phi(x,y,z)$ 表示电位分布，$\rho(x,y,z)$ 为电荷密度，ε_0 为真空介电常数。如果是在电介质中，ε_0 要换成该介质的介电常数 ε。求解方程（1），就知道电场是如何分布的了。

然而，方程（1）的解法与求解牛顿力学方程的方法大不一样，因为不能使用“初始条件”，而是要使用“边界条件”。边界条件唯一地决定方程的解，它反映了电场的非定域（不是点对点的决定关系）。因为事先不知电荷的分布，只能根据一些特殊条件来近似地定边界条件，所以边界条件很难确定。

如果一个区域的电荷密度为 0，则泊松方程就变成了拉普拉斯方程：

$$\nabla^2\phi(x,y,z)=\frac{\partial^2\phi}{\partial x^2}+\frac{\partial^2\phi}{\partial y^2}+\frac{\partial^2\phi}{\partial z^2}=0 \tag{2}$$

通过求解泊松方程或拉普拉斯方程，得到系统的电位分布，然后根据电场强度与电位的梯度关系来求电场分布：

$$\vec{E}=-\nabla\phi=-\left(\frac{\partial\phi}{\partial x}\vec{i}+\frac{\partial\phi}{\partial y}\vec{j}+\frac{\partial\phi}{\partial z}\vec{k}\right) \tag{3}$$

其中，$\vec{i}$、$\vec{j}$、$\vec{k}$ 表示三个坐标方向的单位矢量。

根据定义，电场线的方向与该点处电场强度的方向一致。也就是说，如果把电场线看成空间的一条曲线，则曲线的斜率等于电场强度的斜率。若用图形表示这句话，则在三维空间的情况下不直观，下面以二维情况（平面电场）为例来说明。根据数学的研究，平面曲线可以表示为

$$f(x,y)=0$$

它的斜率可以表示为 $\mathrm{d}y/\mathrm{d}x$，而电场强度的斜率可以表示为 E_y/E_x，因此，决定电场线的方程为

$$\frac{\mathrm{d}y}{\mathrm{d}x}=\frac{E_y(x,y)}{E_x(x,y)} \tag{4}$$

若已知电场强度的分布函数，根据方程（4）原则上可以求出电场线。这是因为方程（4）是一个普通的一阶微分方程，给出一个初始位置，就可以计算出一条电场线；给出几

个初始位置，就可以计算出一簇电场线。

2.2 两个等量异种电荷电场线和等势面的可视化图像

下面用一个最简单的例子来说明上述思想。设两个位于坐标原点两侧的带有等量异号点电荷在平面空间中所产生的电势分布为（略去其他系数）[4]

$$\phi=\frac{q_1}{\sqrt{(x-a)^2+y^2}}+\frac{q_2}{\sqrt{(x+a)^2+y^2}}$$

在计算中，限定了电场线所波及的最大范围，到此范围的边界，该条电场线的计算就停止。因此，如果单纯地从正电荷出发，有些电场线就到不了负电荷，负电荷一方的电场线条数将减少，看起来不对。同时，计算也不能从电荷所在的位置出发或终止，而是要离开此位置一点点距离；否则，场函数将为∞，计算无法进行。采用 Python 语言编程的真空中两个等量异种电荷的电场线和等势线如图 1 所示。

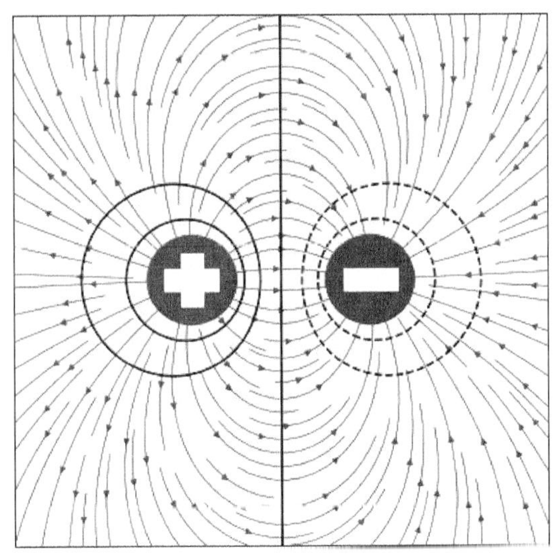

图 1　两个等量异种电荷的电场线和等势线

图 1 中，相应的带电量为 $q_1=1\text{C}$，$q_2=-1\text{C}$，带箭头线为电场线，不带箭头的黑色实线和虚线均为等势面。图 1 显示有的电场线是完整的，有的只计算了一部分。但是，这个结果已经很好地显示了两个点电荷的电场线和等势面的分布，便于学生很好地理解电场线和等势面的概念。

2.3 两个等量同种电荷电场线和等势面的可视化图像

Python 语言编程的真空中两个等量同种电荷的电场线和等势线分别如图 2 和图 3 所示。

图 2 中两个电荷的带电量均 $q_1=q_2=1\text{C}$，其中，箭头代表电场强度的方向，灰度代表电场强度的大小。

图 3 中两个电荷的带电量为 $q_1=q_2=1\text{C}$，其中，箭头代表电场强度的方向，闭合实线代表等势面。为了更清楚地显示两个等量同种电荷电场线和等势面的可视化图像，将图 2

和图 3 的信息放在一起显示，见图 4。

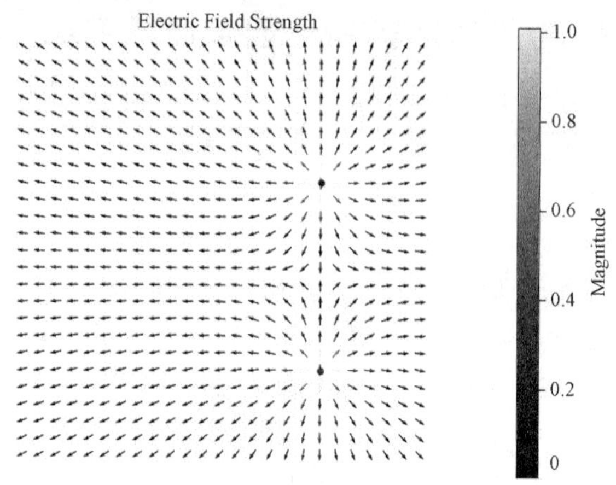

图 2　两个等量正电荷的电场强度

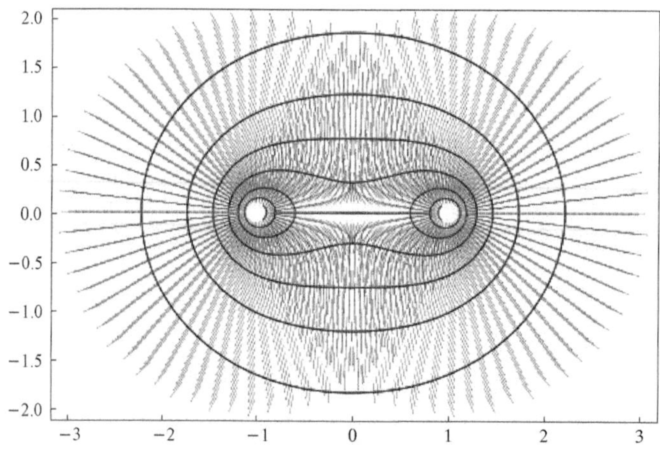

图 3　两个等量正电荷的电场线和等势面Ⅰ

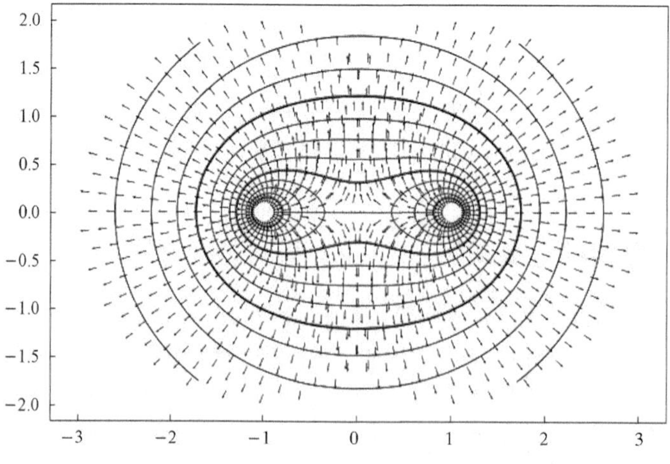

图 4　两个等量正电荷的电场线和等势面Ⅱ

2.4 两个不等量异种电荷电场线的可视化图像

Python 语言编程的中两个电荷的数值可以随意修改，两个不等量异种电荷电场线的可视化图像如图 5 所示。其中，两个电荷的带电量为 $q_1=1C$，$q_2=-3C$，曲线代表电场线，右侧图点代表正电荷，蓝色点代表负电荷。

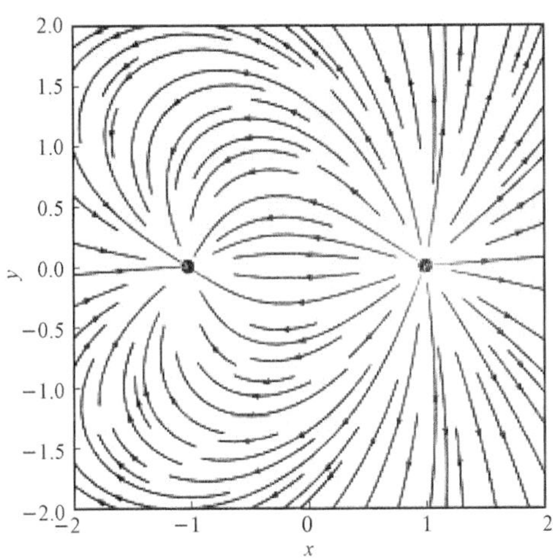

图 5 两个不等量异种电荷的电场线和等势面

3 结语

通过上述实例可以发现，Python 具有很强的图形表现功能，可以作出二维和三维的各种形式的图形。在物理电磁学的教学过程中，教师通过该软件可以形象将电场线和等势面的物理现象可视化展现出来，有助于学员对抽象的电场线和等势面等抽象物理问题更直观、更形象地了解，同时拓展了学员的学习思路，也激发了学员的学习兴趣。

参考文献

[1] 彭芳麟，梁颖．科学计算可视化与计算物理学［J］．大学物理，2013，32（7）：2-9.

[2] 陶传义．科学计算可视化在物理光学教学中的应用［J］．科教文汇，2013（22）：57+66.

[3] 崔连敏．MATLAB 可视化在大学物理实验教学中的应用［J］．信息技术，2016（1）：104-107.

[4] 董键．Mathematica 与大学物理计算［M］．2 版．北京：清华大学出版社，2013.

[5] 周群益，侯兆阳，刘让苏．MATLAB 可视化大学物理学［M］．2 版．北京：清华大学，2015.

浅谈 CBI 模式下军事英语教学中背景文化知识的作用及其补充策略

李　阳　王加为
（基础部外语教研室）

摘　要： 军校英语教学不仅要传授英语语言知识，还要在新型军事环境下培养精外语、懂军事、知作战、晓部队的军事人才。军事英语作为军校英语教学的重要组成部分，与通用英语区别较大，属于专门用途英语（English for special purpose，ESP）。本文结合笔者教学实践，探究发现 CBI 模式下（content-based instruction）背景文化知识在军事英语教学中起到激发学员学习动机、增进对学习内容的理解、引导学员关注时事、树立国际格局、提高综合分析能力、提升军人身份认同感的积极作用。为发挥此积极作用军事英语教员需要不断提升自身军事文化素养，适时适量适切地补充军事文化背景知识和相关时事新闻；学员需要连接已有背景知识和实际生活经历并主动查阅获取相关信息，从而实现军事英语教学目标。

关键词： 军事英语教学；CBI 教学模式；专门用途英语；背景文化知识

1　引言

我校英语教学主要划分为通用英语、军事英语和航天英语三个模块，其中军事英语和航天英语属于专门用途英语。笔者通过军事英语教学任务发现，在通用英语的教学中，教员可以有的放矢地补充扩展单元话题相关的背景文化知识，并且自然地补充到教学内容中；学员也能够结合自身的生活学习经验和背景知识，对单元话题产生共鸣，进而激发学习热情，提升学习效果。然而，在军事英语的教学过程中，教员由于军事素养不足，对于是否补充背景文化知识、何时补充、如何补充以及补充多少把握不到位；同时学员由于预习准备不足，缺乏相关军事经验，对话题熟悉度不高，从而导致参与积极性低，课堂产出效率低。《大学英语教学指南（2020 版）》指出，专门用途英语课程将特定的学科内容与语言教学目标相结合，语言教学活动着重解决学生在专业学习过程中遇到的语言问题，以培养与专业相关的英语能力为教学重点。因而，基于 CBI 模式，教员补充话题相关的背景文化知识能够有效增强学员对课文的理解，提高教学效率。例如，讲授“新兵训练营”时，除讲授课本上提到的训练项目外，补充一些学员日常的训练科目，如三公里跑、仰卧起坐、引体向上和屈臂悬垂、按图行进、拉练等，补充的背景知识能够帮助学员把所学知识与自身实际相结合，降低了学员对于陌生知识的紧张感，激发了学习热情。同时，课下布置学员查阅相关军事背景信息，如著名军事案例、武器装备、军事科技等内容，并在课上与全班分享。学员通过此类教学活动，在掌握军事知识的同时，其语言知识和技能也得到了提升。

2 CBI 教学模式及其特点

CBI 模式起源于 1965 年在加拿大蒙特利尔开展的沉浸式（immersion instruction）语言学习项目[1]，随后在发达国家受到广泛关注和应用。我国外语教学于 20 世纪 90 年代中期引进 CBI 模式。该教学模式的引进促进了我国英语教学方法和教学模式改革的尝试和探索，为 ESP 教学提供了有益借鉴。该教学模式重视学员的学习兴趣与需求，增强学员学习的动力和热情，同时强调让学员接触与实际生活息息相关的真实语言材料。在这样的教学过程中，学员不仅能利用头脑中已有背景文化知识增进对新知识的理解，促进学习，还能在此过程中提高分析问题、获取信息、解决问题的能力。CBI 模式是以学科的内容为依托达到语言教学目标的，而非仅仅讲解语言形式，为军事英语教学提供了有效借鉴。

3 背景知识的补充补充的重要性

军事英语的性质和运用规律都有别于通用英语所以具有其独有的句法、篇章、文体等方面的语言特点[2]。与通用英语相比，军事英语文本具有语言简练、专业性强、背景文化点多的特点。在一定程度上阻碍了学员对于文章整体内容的理解，这样的阻碍可能会增加学员对于军事英语学习的紧张感和焦虑感，从而打消学习的热情和积极性。然而，在 CBI 模式的指导下，学员需要在军事英语课程中完成一系列专业任务，包括战例分析、装备分析、技术应用、战术应用、军事编成、发展趋势分析等。学员需要根据教材主题查阅相关资料，形成书面或口头报告在全班分享，教员再进行反馈和补充。在此过程中，学员的参与度得到提升，激发学员学习军事英语的学习热情，进而提升本课程的教学效果，学员不仅了解了相关军事知识，这达到了提高语言技能的目的，综合分析的能力也得到了增强。

因此，背景文化知识的补充在军事英语教学中十分必要，具体体现在以下几个方面：

3.1 激活学员已有背景文化知识， 激发学习动机

CBI 模式重视学员的学习兴趣与需求，然而由于军事英语课程内容的特殊性，学员难免会产生畏难情绪。在这种情况下，适当渗入一些相关的背景文化知识，可以收到激活课堂、增强学习兴趣的效果。而且一些军迷学员对于相关军事文化知识感兴趣，可以发挥这部分学员在课堂上的作用。这样的分享活动不仅能够增强分享学员的自信心，激发其学习积极性，而且产生了生生互动，与师生互动相配合，对于课堂气氛起到了很好的调节作用，也带动了其他学员的学习主动性。此外，这样的分享互动还可以起到教学相长的作用，英语教员可能缺乏一些军事相关的背景知识，而学员的分享恰好起到弥补作用。

3.2 链接学员自身经历， 产生共情与联动， 增进对学习内容的理解

大二的学员在校两年期间积累了相当多的军事知识和军事相关体验、经历，在军事英语课堂上利用这部分知识，能够促使学员产生知识的联动，从而促进军事英语的教学效果。例如，学员前往中国人民抗日战争纪念馆参与现地教学，参观过程中发现了展出的台儿庄

战役中，中国军队用过的马克沁重机枪。学员联想到军事英语课上学过的马克沁机枪发展历史，于是欣喜地与教师分享，笔者把学员分享的图片在课堂上与其他学员共享，形成了教学反馈的良性循环。随后很多同学开始主动联结军事英语课内容与其他军事相关课程内容以及自身经验相链接。例如，讲授个人装备涉及如何进行武器装弹，学员能够主动联系所学的武器操作技能课有关知识并进行迁移，能够描述出武器装弹的基本步骤，与平时训练学习进行知识的联动，有助于对于军事英语内容的理解。

3.3 融合相关新闻热点和最新动态，引导学员关注时事、建立全球视野和格局

CBI 模式强调让学员接触真实的语言材料，然而军事英语教材内容相对固定、更新较慢，而军事类相关新闻热点和最新动态可以提供宝贵的军事英语素材，是军事英语课程的重要补充，是提高军事英语教学质量和军事人员语言综合应用能力的重要渠道之一[3]。例如，讲授“联合国维和行动”话题时，引入发布于 2020 年的白皮书《中国军队参加联合国维和行动 30 年》，选取其中部分结合课本内容，说明“中国军队参加联合国维和行动，源于中华民族的和平基因、源于中国人民的天下情怀、源于人民军队的根本宗旨、源于中国的大国担当”。协助学员理解维和行动的意义，以及中国在联合国维和行动中的重要作用。此外，《新时代的中国国防》《2021 中国的航天》等白皮书也是很好的补充。同时，军事类新闻热点的引入能够引起学员共鸣。例如 2022 年发布的人民海军首部航母宣传片，笔者在讲授航母相关话题时引入该视频，学员观看视频时全神贯注，教学效果显著。我国军事科学技术发展、军队建设改革、军事交流合作已成为国内外主流媒体关注的焦点，军事类时事新闻的补充体现了社会和时代发展的脉搏，此类背景文化知识的引入不仅是对军事英语教材的有力补充，还能够启发学员关心国家大事、树立国际视野。

3.4 通过专业任务启发学员思维，提高学员综合分析能力

CBI 模式下，学员不仅要学习语言知识，还需要了解掌握相关军事知识并提高对于军事话题的综合分析能力。例如课上引导学员进行趋势分析，未来战争中会采用什么武器？会呈现什么样的结果？又如进行技术分析，人民海军首部航母宣传片结尾彩蛋展示我国第三艘航母的亮相指日可待，那么中国航母的发展方向如何？需要在哪些方向上有所改进？莱市花园战役中美军为什么大败？学员通过教员补充的军事话题综合分析任务，在查阅资料、话题研讨、报告分享的过程中思维更加活跃，综合分析能力和问题解决能力都得到了有效提升。另外，整个过程都需要语言作为支撑，因而学员语言能力也得到了加强。

3.5 提升学员的意志力和志向，增强学员军人身份认同感

军事英语的教学对象是军校学员，其身份具有特殊性，因此在教学过程中除了教授语言知识，提升学员的军人身份认同感也是重要组成部分。例如，讲授“新兵训练营”时，引导学员回想两个至关重要的转变，即从高中生向军校学员的转变和从一名地方青年向军人的转变；结合课本提到的美国陆军核心价值观，引导学员复述我国革命军人核心价值观。又如，讲授“科技在战争中的应用”时，补充我国歼 - 20 飞机发展的相关视频，展现我国

一代又一代国防科研人员攻坚克难完成时代接力，增强学员民族自豪感，促使树立科技强军，科技兴军的理念。军事背景文化知识的补充为军事英语教学提供了思政切入点，能够促进文本本身思政元素的挖掘，有助于正确筑牢学员思想根基。

4 补充策略及注意事项

（1）教员要努力提升自身的军事知识素养。张金生[4]提出军事英语课程对教员有双重要求：英语水平高且军事知识丰富。目前，军事英语课程的教学主要由英语教员承担，但由于其缺乏相关的军事知识，教学效果大打折扣，无法体现军事外语的特点。因此，军事英语教员除了掌握扎实的语言知识，还需要掌握广泛而深厚学习军事文化，确保课堂上能够补充标准、适切的军事背景文化知识。

（2）学员要自觉学习，培养关注时事的良好习惯，树立全球视野和格局。通过教员的传授和引导，学员需要主动从“要我学”向“我要学”转变，提升对军事英语相关话题的理解能力，为真正成为具有国际视野、全球眼光、世界格局的新型军事人才储备语言和军事文化知识。

（3）发挥军事相关时事新闻的重要作用。我国参与的国际军事合作和交流日益增多，相关话题的新闻报道也呈现迅速发展趋势，许多权威报道渠道的相关报道都在很大程度上为军事英语教学提供了与时俱进、鲜活生动的补充材料。

（4）补充的背景文化知识需要符合教学目标。教学目标是整个教学过程的起点，也是终点，要着眼于我国军队当下对英语能力的实际需求，考虑未来军事领域对英语素质的新要求，促使军事英语教学更好地服务于国家、军队和时代的需要。

5 结语

军事英语属于 ESP，CBI 模式为军事英语教学提供了有益借鉴，而 CBI 模式下的军事英语课程教学目标不仅是教授学员军事术语的英语表达，还是补充军事英语通识，提高学员的军事素养，在此基础上继续提高通用英语阶段掌握的语言技能，并且提高综合分析能力，更要提升学员的军人身份认同感，因此军事背景文化知识的补充十分重要。这需要军事英语教员从自身做起，不断提升自己的语言素养和军事文化素养，学员自觉提升学习主动性和理解力，采取多方面的资源信息获取途径、整合时事新闻，从而更好地实现教学目标，培养新型军事人才所需的语言能力、军事文化素养和综合分析问题、解决问题的能力。

参考文献

［1］俞理明，韩建侠．渥太华依托式课程教学及其启示［J］．外语教学与研究，2003（6）：66－69.

［2］周大军，李公昭，季压西．军队院校外语教育军事转型之路——关于军事英语课程体系建构的思考［J］．海军工程大学学报（综合版），2012，9（3）：90－93.

［3］汪静静，黄莹，刘树勇．军事英语新闻在军事英语听说教学中的应用研究——以《军事应用英语》课程的 RIMPAC 专题教学为例［J］．大学英语（学术版），2016（02）：1－6.

［4］张金生．军事英语教学：成就与问题［J］．解放军外国语学院学报，2009（3）：37－41.

基于workshop的交互式教学模式探析
——以军队院校航天专业实践课程为例

芦 雪[1] 来嘉哲[2] 李纪莲[1]
（1. 航天指挥学院蓝军作战研究室；2. 航天指挥学院作战实验中心）

摘 要：航天专业课程对实践性和应用性有很高的要求，合理的教学模式设计是实现高质量人才培养的重要保障。军队院校航天专业实践课程的教学模式改革，对于践行实践育人、实战育人、定向育人具有重要意义。针对实践课程教学模式陈旧、教学手段单一、学员参与度不高等问题，提出基于workshop的交互式教学模式。通过对教学模式改革前后对比分析，改革后的教学模式有助于提高学员学习成绩、激发学习热情、提升实践效果，并在其他实践课程中进行了推广应用。

关键词：军队院校；航天专业；实践课程；教学模式

1 引言

航天技术是捍卫国家安全、领土完整的重要战略手段。近年来，世界各航天强国不断调整发展思路，从注重装备建设向注重人才培养转变。人才是第一资源，航天事业的发展更要重视航天人才的培养，要尊重人才成长的规律，也要研究培养人才的方法。

军队院校作为军事人才培养的高地，不仅担负着普通高校知识传授、技能培塑、素质提升的职能使命，还要着力提升学员的军事素养、战斗精神、团队协作能力、主动攻关能力以及在特殊环境下分析解决问题的能力。尤其是航天技术具有系统复杂、技术密集、风险大、实践性和应用性强等特点，航天专业不仅要求学员掌握过硬的航天专业知识和技能，还要求学员具备一定的设计能力、创新能力、分析解决问题的能力和工程实践能力。作为理论课堂的延伸和拓展，实践课程肩负着理论知识与实际应用的桥梁作用，是由理论化知识向应用型技术转化的关键。

近年来，高等院校围绕人才培养的教育教学改革一直在如火如荼地进行着。层出不穷的新理念支持着体制性大变革，这些变革往往关注于“格局、体制、机制、系统”，而真正进入微观、使学员直接受益的“课堂教学改革”，则无论在学术研究还是改革实践方面，均远远滞后于宏观层面的教育改革[1]。传统课堂“灌输式”“填鸭式”的教学模式很难满足航天专业实践课程的教学要求，急需教员转变教学思路、创新教学模式。如何调动学员学习的积极主动性，培养学员的实践能力和动手能力，落实教育教学改革进课堂的“最后一公里”，是教学过程中必须解决的问题[2]。

2 军队院校航天专业实践课程教学模式改革的意义

实践课程教学模式改革是军队院校航天专业教学质量提升的有效途径，对于践行实践育人、实战育人、定向育人具有重要意义。

2.1 践行实践育人

《国家中长期教育改革和发展规划纲要（2010—2020 年）》从认识高校实践育人的重要性、统筹推进实践育人工作、加强实践育人组织领导三个方面，持续推行高等教育实践育人工作。我国高校最重要的社会职能是为国家经济发展培养并输送大量应用型专业人才，为社会经济发展服务。作为军队院校，同样也需要履行培养应用型人才的职能，瞄准应用型人才培养目标，积极践行实践育人的国家教育方针。

2.2 践行实战育人

在军队信息化建设的大背景下，军队院校的教育教学改革也在进一步探索和实践，总体向着教育训练要面向“实战化”的总要求发展，为战而练、为战而教。实践课程教学模式的改革，促进了军校、教员、教学管理人员对课程延伸到战场理念转变、手段创新的不断思考，有助于落实教育训练“实战化”的总要求。

2.3 践行定向育人

军队院校人才培养的目标要积极对接部队岗位任职的具体需求，向着更加“贴近作战、贴近部队、贴近装备”的方向发展。航天技术专业性、应用性很强，军校教育不仅要求学生掌握专业理论知识，更要强调理论知识向专业技能的转化，将所学知识、技能真正用于部队急需、作战急需。实践课程是航天专业知识理论向应用技能内化的主要路径，而实践课程教学模式改革，更是为专业理论向实践应用过渡铺就了高速路，使航天人才的培养更加专业化、定制化、定向化。

3 军队院校航天专业实践课程教学模式改革的实施

3.1 教学模式改革动因

本科毕业实习是航天专业的学员走向工作岗位之前必须要完成的一门综合性的实践课程，要求学员结合本科阶段所学专业知识，分组合作完成一个小型航天模拟系统软件的研发。这对于本科学员来说具有一定的难度和挑战性，需要 4～6 人用时 6 周的时间完成从系统设计、代码编写到功能实现的系列任务，最后以小组汇报的方式对系统进行演示，并撰写毕业实习报告。

这门实践课程已开设了十余年，但仍存在一些问题：①教学模式陈旧，缺乏以学生为主体的教学模式；②教学手段单一，以讲授为主，缺少信息化手段的支撑，缺少师生之间、学员之间的有效互动；③学员的参与度不高。

通过多方调研和交流，以上问题并非此门实践课程单独存在的问题，而是实践课程较为共性的问题，急需通过教学模式改革，对标新课改要求和部队实际，重新设计适合航天专业实践课程的教学模式。

3.2 教学模式重塑

针对实践课程教学模式陈旧、教学手段单一、学员参与度不高等问题，提出了基于workshop的交互式教学模式。

3.2.1 相关概念

实践教学一直是备受国内外教育界学者们关注的重要课题，也是推动高等教育发展的重要动力。近年来，国外高校通过积极践行实践教学思想，产生了诸多具有影响力的实践教学模式，其中workshop和交互式教学是应用效果比较好的形式。

workshop一词起源于欧洲的包豪斯学院，既可以指培训班、研讨班，还具有车间、作坊、工作坊等意思，是一种技术与艺术并重的实践教学形式。workshop应用于教育及心理学研究领域时，由一位具有专业理论和实践经验的人员为核心，以讨论、演讲、组织活动等方式，通过组织其他成员进行某个话题或知识点的探讨，逐渐演变为一种团体参与，或开展某特定专题研究的学习方式，其后发展为一种教学实践方式。workshop以建构主义的教育思想为理论依据，其基本方式是发现式和参与式教学，强调多人参与，以互动的方式共同探讨、研究，进而分析问题并解决问题。

交互式教学的概念最早由美国教育心理学家Palinscar于1982年提出，该教学方式旨在通过教学互动转变教师、学生、教具三者之间的关系，改善学生的阅读理解和自我控制能力[3]。随着科技的发展，交互式教学的含义不断完善和革新。这种教学模式以教师为主导、学生为主体，充分利用多个获取知识的资源渠道，以最大限度地超越教师本身的知识水平及其所提供资源的局限，在教师与学生、学生与学生、教师与教师之间，形成教学对象、教学内容、教学媒体等多重教学要素的融合发展。

3.2.2 基于workshop的交互式教学模式

结合军校学员及航天专业实践课程的特点，提出了基于workshop的交互式教学模式。将学员按照4人或5人进行分组，并由组内成员讨论选定一名组长，每个小组即为一个workshop。课程组根据教学目标制订教学计划，并将教学任务划分为方案设计、上机编程、系统演示、报告撰写等分任务，每个分任务指定1名或2名指导教员。除了每个分任务环节必要的知识点讲授外，教员将全程充当“引导员”的角色，完全以学员为中心，充分发挥学员的自我学习能力。

该模式的“交互式”体现在三个方面：第一，学员通过互联网、校园网、图书馆、MOOC课程等多渠道资源获取所需知识，对新旧知识进行总结、概括来完善自己的知识体系，实现学员与教学内容的交互；第二，以workshop为组织的学习模式，可以让学员感受到学习团体的温暖，在学习过程中能够不断得到同伴或他人的鼓励，教员必要的指导、帮助、评价和反馈，也能实现教员与学员、学员与学员间人际沟通的交互影响，形成鲜活的教学场域；第三，课程还安排了课堂教授、上机操作、图书馆查阅资料、实地参观、系统演示、汇报总结等多种教学途径，以实现教员、学员与教学媒体的交互。

学员以 workshop 为核心，在三条交互链路的相互作用下，可以全身心地投入到实践课程中，凸显了学员的主体地位，实现了学员、教员、教学内容、教学媒体等多方的交互。

3.3 教学模式改革效果评价

3.3.1 样本数据

教学效果评价以学员六年（2014—2019 年）的实践课程成果为样本数据。其中，2014、2015、2016 年为传统教学模式，即采用教员讲授、跟班辅导的教学模式；2017、2018、2019 年为改革后的教学模式，即基于 workshop 的交互式教学模式。

由于每届学员的知识水平、能力素质都有差异，且实践课程最终成绩不具有纵向可比性，因此选取每届学员实践课程中具有共性要求和代表性的成果作为评价内容，包括每个 workshop 设计、开发完成的一套航天模拟系统及其设计方案，以及每个学员的学习总结报告，见表 1。

表 1　2014—2019 年学员实践课程成果数据

序号	实践时间	分组数量	航天模拟系统数量（套）	总结报告数量（份）
1	2014 年	4	4	12
2	2015 年	4	4	12
3	2016 年	4	4	13
4	2017 年	6	6	24
5	2018 年	6	6	24
6	2019 年	8	8	32

3.3.2 评价方法

采用定性和定量相结合的方法，对学员的学习成果和学习效果进行多方位评价。

（1）系统测试法。针对学员设计开发的航天模拟系统，采用系统测试的方法进行评价打分。将 2014—2019 年收集到的 32 套航天模拟系统数据分别打包并打乱顺序，邀请两名没有参与过实践课程教学的教员对这些系统进行测试打分，其中一人为测试员，一人为监督员。满分为 100 分，按照功能点（50%）、性能指标（30%）、界面设计（20%）等进行加权打分，并计算每届学员开发系统的分组得分和平均得分。得分情况见表 2。

表 2　航天模拟系统得分情况

序号	实践时间	分组数量	航天模拟系统分组得分	平均得分
1	2014 年	4	72，65，78，80	73.75
2	2015 年	4	79，75，82，81	79.25
3	2016 年	4	75，80，85，78	79.50
4	2017 年	6	81，83，78，82，79，80	80.50
5	2018 年	6	85，88，92，85，78，90	86.33
6	2019 年	8	78，85，80，75，88，88	82.33

（2）德尔菲法。对于 2014—2019 年学员撰写的共 117 份总结报告，采用德尔菲法，邀请 3 名没有参与过实践课程教学的教员分别进行打分，并计算每届学员报告的平均分和总平均分。报告得分情况见表 3。

表 3 **总结报告得分情况**

序号	实践时间	报告数量	专家一平均分	专家二平均分	专家三平均分	总平均分
1	2014 年	12	71.25	72.50	74.00	72.58
2	2015 年	12	76.50	78.00	75.25	76.58
3	2016 年	13	78.50	80.50	78.00	79.00
4	2017 年	24	79.00	81.50	80.00	80.16
5	2018 年	24	83.00	84.50	82.00	83.16
6	2019 年	32	82.25	80.50	81.50	81.41

（3）问卷调查法。对全程参与 2014—2019 年学员实践课程教学的 3 名教员进行关于学员学习效果评价的问卷调查，调查内容包括学员的学习积极性和主动性、掌握学习内容的程度、解决问题的能力、团队协作能力、创新能力等五个方面。

3.3.3 评价结果

根据航天模拟系统和总结报告的得分可以看出，2014、2015、2016 三年的平均得分低于 80 分，2017、2018、2019 三年的平均得分高于 80 分，且 2018 年平均得分最高。

根据问卷调查的反馈结果，3 名教员均反映：2017、2018、2019 这三年，学员在学习积极性主动性、掌握课程内容、解决学习中遇到的问题、团队协作和创新等方面的表现均好于 2014、2015、2016 三年。尤其是 2018 年学员的各项表现优于历年。

综上，从定量和定性多个维度对 2014—2019 年学员的实践课程学习情况进行评估，2017、2018、2019 年优于 2014、2015、2016 年，且 2018 年学员得分最高。

由于 2014、2015、2016 年采用传统教学模式，2017、2018、2019 年采用改革后的教学模式，说明在实践课程教学中，采用基于 workshop 的交互式教学模式可有效提高学员成绩，并在一定程度上能激发学员的学习热情、提升学员解决问题、团队协作、创新等方面的能力，有助于学员更好地掌握实践课程的内容。

3.4 推广应用

基于 workshop 的交互式教学模式在毕业实习这一门实践课程中进行了很好的应用，应用效果得到了学员和教员的多方认可。后续又在信息检索技术、遥感图像判读等几门课程的实践环节进行了应用探索，应用效果良好。因此，该模式可在其他实践课程中进行推广应用。

4 结语

4.1 基于 workshop 的合作式学习有利于激发学员的学习热情

协作解决问题的学习过程，为学员创造了相互了解、相互信任的机会[4]。学员首先学会了在合作小组内的沟通交流，从适应小集体的小范围合作逐渐过渡到适应大集体的团队协作，从而培养了学员广泛的岗位任职适应性和强烈的集体意识。同时，合作式学习营造了一个可以自由表达、充分展示自我能力的氛围，学员在被他人认识和客观评价中体会到了更多自我价值的实现，可以有效激发学生的学习热情，有助于增强自信和自尊，在以后的工作中不畏艰难、充满干劲。

4.2 交互式教学方法凸显了学员在教学中的主体地位

交互式教学方法突出了学员在教学中的主体地位。以问题为主线、以任务为驱动，通过引导学员进行自主分析、判断，提高其实践动手能力和逻辑思维能力，将课程教学由被动接受转化为主动参与，从而实现师生角色的互换和转变。在交互式教学过程中，问题既是学习的起点和主线，也可以通过不断学习生成更多问题[5]，并进一步分析、解决问题，使教和学真正能够形成螺旋迭代的良性循环。

4.3 交互式教学方法有利于提高学员的创新、实践能力

通过交互式教学的实施，合作小组内会就一个或多个共同的问题进行不断的交流和讨论，学员在不同观点和思想的碰撞中迸发出新的思维火花，有利于形成新的思维视角，培养学员的创新意识和兴趣，提高其实践能力和科学素养。同时，合作小组间还会形成一定的竞争态势，反过来会激发学员的团队意识[6]，为学员探究精神的塑造和整体素质的提升提供有利环境。

因此，基于 workshop 的交互式教学模式探索出了一条提高实践课程课堂教学效率的可行路径，也为军队院校课程教学改革提供了一个新的参考角度。

参考文献

[1] 唐冬卉，刘丹丹，王柏，等．证券投资实践课程教学模式的现状、问题与对策研究 [J]．黑龙江科学，2022 (7)：144 - 146.

[2] 陈少昌，尹明，卫泽，等．《模拟电子线路》课程“讨论式教学法”改革的缘起和初探 [J]．海军杂志，2018 (1)：34 - 36.

[3] 赵华春．谈交互式教学模式在飞行教学实践中的应用 [J]．海军飞行教育，2010 (1)：61 - 62.

[4] 陈勇．以问题为主导的交互式教学方法探究 [J]．海军士官，2014 (5)：35 - 36.

[5] 王立华．三步法工作坊在管理类本科教学中的应用 [J]．教育教学论坛，2016 (2)：149 - 150.

[6] 曾明星，蔡国民，姚小云．翻转课堂课前交互式教学模式研究 [J]．现代教育技术，2015 (3)：57 - 61.

军队院校“课程思战”研究

高玉保[1]　曾德贤[1]　姜　伟[2]
（1. 航天指挥学院联合作战教研室；2. 航天指挥学院教学科研处）

摘　要：“课程思战”实质上是一种课程观，不是增开一门课，也不是增设一项活动，而是将思战、向战、为战、备战思想融入课程教学的各方面、全过程。课程教学中，可围绕危机威胁、联合作战、全时备战、对抗制约和变量影响，区分课程对象灵活“思战”，结合课程思政协同“思战”，对接演训一线抵近“思战”，审视现实战争对标“思战”，关注技术发展前瞻“思战”。

关键词：军队院校；课程思战；备战打仗

1　引言

军队院校作为军事教育“三位一体”主阵地之一，需紧紧围绕使命任务，对标“立德树人，为战育人”，深入搞好“课程思政”和“课程思战”，切实把军队院校育人标准鲜明立起来、扎实落下去。本文主要就开展“课程思战”相关问题谈几点思考。

2　“课程思战”概述

2.1　“课程思战”的定义

“课程思战”就是紧紧扭住为战育人这条主线，以课程为载体，把备战打仗思想贯穿军队院校教育全过程、各专业，实现非作战类课程与作战类课程同向同行、同频共振，形成为战育人协同效应。它是军队院校课程改革的现实需求，也是提升课程教学“含战量”的积极尝试[1]。

2.2　“课程思战”的本质内涵

“课程思战”是相对“课程思政”而言的，其实质是一种课程观，不是增开一门课，也不是增设一项活动，而是将思战、向战、为战、备战思想融入全课程教学的各方面、全过程，潜移默化地强化学员危机意识、备战意识和打仗意识，实现为战育人润物无声。

2.3　“课程思战”的必要性

由于军队院校“立德树人，为战育人”使命任务所系，所设课程天然具有“姓党名军为战"根本属性。"思政"和"思战"对于军队院校教学而言，犹如鸟之两翼，车之双轮，缺一不可。"课程思政"主要是涵养"红思想"，确保"枪杆子永远掌握在忠于党的可靠的人手中"；而"课程思战"主要是强化"备战打仗意识"，确保"忠于党的可靠的人始终心念备战打仗"。当前，"课程思政"已建立相对成熟稳定的运行机制和理论体系，也形成了实用高效的方法举措，为立德树人提供了强力支撑。而对于"课程思战"，明确提及的还不多见。即使部分课程教学含有"思战"的成分，也非"有意为之"，更多的是零敲碎打、蜻蜓点水，既不系统，也不深入，相对"课程思政"还存在一定差距，亟须科学筹划、充分论证、紧前实施。

3 "课程思战"思什么

3.1 思危机威胁

当今世界正处于百年未有之大变局，国际环境波谲云诡，风险挑战暗流涌荡，战火冲突接连不断，距安甚远，忘战甚危。拜登就任美国总统以来，"重返亚太"和"遏制中国影响力"依旧是美国战略决策的重心。2022 年 2 月，美众议院通过了《2022 年美国竞争法》，其间充斥着对华实施全面遏制的众多条款；美与东盟联合发表 2022 年《共同愿景声明》，承诺在 2022 年 11 月将双方关系升级为"全面战略伙伴关系"，在我周边构建了稳固"亲美疏华圈子"，加之"五眼联盟""美日印澳四国机制"等，美全面遏华战略布局更加严密，手段更加丰富。其已不满足幕后煽风点火，开始跳到前台公然挑衅，强敌磨刀霍霍、獠牙毕现，周边群狼环伺、蠢蠢欲动。我们与强敌的对抗，不是意识形态孰优孰劣之争，不是经济发展孰快孰慢之争，而是超越胜败的生死存亡之争。在此情势下，懈怠战备、疏于备战的后果可想而知。"课程思战"，须首思、多思、常思战略危机，将强敌及其盟友对我实施的战略挤压、战略围遏等行径，以及可能触发战事的热敏地区、热敏事件等融入课程教学，有效培养学员战略思维，不断强化学员的忧患意识和备战打仗思想。

3.2 思联合作战

联合作战是信息化战争的基本作战形式，各作战要素、作战力量在联合作战背景下发挥作用，依托联合作战体系强化各种保障和综合防护。学历教育、任职教育教学中均设有联合作战类课程，课程的实施就是"思联合作战"的过程。对于其他课程，则需精心设计"课程思联合作战"。通过"思战"，助力学员深化对联合作战的理解，引导学员了解本课程教学内容与联合作战的关系，掌握如何融入联合作战，可为联合作战体系贡献什么以及对联合作战体系的需要等内容，帮助学员树牢联合作战思想，强化联合作战理念，不断提高联合作战素养。

3.3 思全时备战

《孙子兵法》强调，作战要"攻其不备，出其不意，此兵家之胜，不可先传也"。吴起论将道，曾提出"出门如见敌"，就是随时保持警觉，做到置箭弦上、引而待发，枕戈待旦、随时应战。潜在强敌对手同样深谙此道，战事“不经意间”爆发的可能大大增加。“课程思战”的重要任务之一，就是围绕战事猝发和全时备战，对学员进行思想启迪和观念强化，帮助学员树立“工作有假日、备战无闲天”的理念。同时，结合课程教学内容搞好思想发动，促使学员牢牢确立“学好课程内容就是最扎实的备战打仗”的理念，全程保持精力高度集中，有效提升授课效果。

3.4 思对抗制约

战争的本质是保存自己、消灭敌人，其最显著的特性就是对抗性。任何作战行动都在充满对抗性和不确定性的战场环境中展开，不仅受敌情威胁、战场环境和各种保障的制约，还受行动主体身心素质、战场适应能力、国际政治博弈、舆论法理斗争等因素的影响和制约。平时掌握的技术、战术难有“四平八稳”的实施环境，难有“有需必应”的保障条件，直接影响战斗力气生成、释放。基于此，“课程思战”时：一方面，须牢牢把握战争本质，着眼于政治、经济等其他对抗手段达成国家整体战的联动效应，提出竞争、斗争和战争等不同对抗烈度下的应对之策；另一方面，充分考虑可能的作战对手、复杂的作战环境和急难险重情势，研提“全己克敌”之法，避免战时应用战术生搬硬套、运用技术一厢情愿、实施保障顾此失彼，有效提升课程教学内容的“含战量”，扎实推动军事训练转型升级、促进战训深度耦合，一体联动[2]。

3.5 思变量影响

作战变量是战争中充满不确定性和易变多变性的因素，包括平时国家安全和军事斗争形势变化、各国武装力量变革发展、高技术手段迭代更新、军事训练创新突破和战争潜力的积蓄涵养等。这些“变量”影响和导致了战争触发难以及时预料、作战方向难以精准判断、新型作战力量和武器装备难以准确预知，新作战方式和战术手段难以有效应对。如果平时对诸多作战变量不予重视、不加追踪、不做深研，战时难免易遭敌“变量碾压”。这要求“课程思战”必须高度重视对作战变量的研究，结合课程教学内容，针对相关变量进行思研，从而在学员头脑中植入“跟变、研变和应变分子”，为强化“思变”意识和提升“应变”能力奠定基础。

4 “课程思战”如何思

4.1 区分课程对象灵活“思战”

对于不同的课程、不同的授课对象，“思战”内容和方式当各有侧重。对于公共课、基础课，主要讲清课程内容与备战打仗基础能力素质培养提升的关系，讲清课程内容在阅读战争、理解形势、筹划战争、组织指挥作战中发挥的作用；对于专业课，主要可从其对于学员战位操作能力、攻防战术素养的影响进行“思战”；对于实践课，主要是结合强对抗条件和复杂环境，围绕本专业领域融入和依靠联合作战、围绕技战术水平的有效发挥进行“思战”。对于生长干部学员，主要围绕“什么是战”，通过大量的感性认识输入，如理论阐释、战例介绍、军情解读等引导学员知战、识战；对于任职教育学员，主要结合学员工作单位、演训经历、岗位战位等，围绕课程知识的作战运用等进行“思战”，具体可由教员引导，也可由学员结合备战打仗工作经历进行现身说法；对于学历教育学员，主要从理论和实践两个方面，结合授课内容，对备战打仗相关理论和工作进行原理机制分析、特点规律总结、对策措施研提，往深里钻、往细里探，通过深研、精研来“思战”。

4.2 结合“课程思政”协同“思战”

“课程思政”与“课程思战”是辩证统一的，“思政”为“思战”提供正确的方向保证，“思战”是“思政”在备战打仗领域的展开和深化，两者统一于“立德树人为战育人”总体目标。结合“课程思政”进行“思战”不仅可行，更能聚焦目标、靶向中心。可在“课程思政”的基础上，进一步追问，如枪杆子与政权的关系、枪杆子如何才能硬起来、政治过硬与能战胜战的关系、如何在备战打仗中响应号召等，通过发问、研讨和引导等方式，把“思政”与“思战”有机衔接，协同推进，形成联动效应，实现“双思”效益的倍增。

4.3 对接演训一线抵近“思战”

演训一线是离备战打仗最近的地方，“课程思战”须全面对接，多思深思。根据课程教学内容，可视情邀请首长机关、部队指战员或“部队教官”直接参与课程教学，在方式上可采取远程网络授课，也可来到院校面对面开讲；在“思战”内容的选择上，可通过课件、视频介绍部队演训实践情况、存在的短板弱项等，也可通过现场“连麦”方式，将镜头直接对接备战打仗一线，向学员实况展示部队建设发展、备战打仗现状和具体的演训活动等；也可现场邀请或连线不同时期战斗模范、备战打仗先进典型进行“现实教战”，通过多法并用达成多维沉浸式“课程思战”。

4.4 审视现实战争对标“思战”

从世界范围内来看，地区性武装冲突久未间断，尤其近几年来，一些典型的武装冲突，如纳卡冲突、俄乌战争等，昭示了未来战争的无人化、智能化趋向。在课程教学中，需针对交战双方的作战指导、战术运用、新型武器装备弹药战场使用等进行介绍，将最新的战例引入教学，围绕双方战略目标、战役筹划、战术行动间的“铰合联动”，针对攻防转换、综合保障、行动得失，组织研讨交流，形成关于未来作战的理性认识。同时，结合学员下一步岗位、战位和使命任务，将其“摆进去”，使其形成抓好课程学习、抓好备战打仗的理性指导。

4.5 关注技术发展前瞻“思战”

技术决定战术，技术的发展及其在军事上的应用直接影响武器装备的更新换代，直接促进作战方式的变革，造成作战能力的级差。因此，在课程教学过程中，授课教员需聚焦军事科技，以及与之密切关联的民用科技的最前沿，围绕新技术在军事领域的可能应用、可能催生的武器装备，对指挥控制、综合保障和防护可能产生的影响进行前瞻式解读。不仅关注国内技术的发展，更要关注国外先进技术的发展及其军事运用，如美 Space 公司的

“星链星座”、各国无人机技术、高超声速武器研制试验运用情况等。通过拓展学员的“技术视域”，拓展学员的“思战域”。

5 搞好“课程思战”需重点把握的几个问题

5.1 统一“课程思战”思想认识

“课程思战”是一种新提法，不是一项全新工作，但在学术界尚未发现关于“课程思战”的系统论述。从实践论的角度来看，要搞好“课程思战”，首先需要解决认知和意识问题，不仅要从认知层面深入了解它，还要从思想意识层面真正接受它。一方面，军委机关层面成立专班搞好“课程思战”资料汇编，包括相关源起、法规依据等内容，而后下发军队院校全体人员进行学习，实现“课程思战”全面预热。另一方面，搞好思想发动，组织开展“课程思战”必要性大讨论，在院校首长机关、教员和学员中达成“课程思战”不仅必要而且紧迫的普遍共识。

5.2 抓好“课程思战”教学研究

各单位可视情遴选不同类型课程、不同专业授课老师，建立“课程思战”教学研究组。各组围绕“课程思战”的目标任务，针对不同专业领域自身特点及其作战运用，强敌对手强弱点分析等相关问题，进行集智研究，分析不同类型课程的“思战”切入点，研究“思战”方法手段，确定“思战”内容在课程教学中所占的比重等，为“课程思战”提供厚实的理论支持。对于优秀成果，可通过课题立项，进行深化研究和进一步培育；及时将典型研究成果提报上级机关，并纳入年度教学研究成果奖评比范围，有效激励广大教员研究和践行“课程思战”的积极性。

5.3 借鉴“课程思政”搞好“课程思战”建设

“课程思政”，是在思想政治教育实践中要全员全程全方位育人，使各类课程与思想政治理论课同向同行，在共同育人的道路上形成协同效应。军地院校以此为遵循，均开展了大量“课程思政”实践活动，形成了成熟的运行机制。“课程思战”刚刚起步，可充分发挥后发优势，全面借鉴“课程思政”经验做法，搞好自身建设。军队院校管理部门，把握“课程思战”宏观部署和顶层设计，尽早出台军队院校“课程思战”建设指导纲要，为军队院校“思战”提供行动指南；军队院校把握本单位“课程思战”整体部署和教学体系设计；军队院校所属院系根据自身的专业特色和资源优势，负责“课程思战”的统筹协调和组织实施，着力打造精品“课程思战”教育；各专业教研室，负责具体操作和创新落实，从“思战”的角度讲述好课程内容，定期组织“课程思战”经验交流会和学员反馈会，精准把握“课程思战”的教学动态、学生思想动态和实际效果，适时因势调整完善。

5.4 强化教员“课程思战”意识和能力

全面推行“课程思战”，教员是关键。无论是公共基础课教员，还是专业课教员，都肩负有“课程思战”的任务。每一位教员须找准课程教学与“战”的耦合点，确保“课程思战”落地落实、见行见效。一方面，要帮助教员树立“思战不可或缺、思战就是思政”的理念，把“思战”与“思政”结合起来一并实施，做到每次“思政”必“思战”。另一方面，加强教员“课程思战”能力建设。区分不同类型课程和不同专业，搭建“课程思战”交流平台，如经验交流会、教学示范观摩和教学培训等活动，有效打破教员沟通壁垒，实现相互启发、相互完善，促进“课程思战”优质资源共享共用。

5.5 完善“课程思战”的条件保障

搞好“课程思战”，除了加强顶层设计，体系规划、科学部署外，还要在条件保障上扎实做好功课。一方面，加强“课程思战”资源库建设。加强政策协调配套，拨付专项资金，支持资源库建设，将可用于“课程思战”的战例、案例、典型军事新闻、重大事件等资源进行整理，转化成文本、音视频等多种格式，供课程教员据需引用。另一方面，加强“课程思战”设备建设。引进先进的视听系统和远程播放系统，打破传统的课堂教、说、观、议模式。

5.6 处理好与课程教学的关系

“课程思战”内容多、范围广、形式多，是课程教学的重要组成部分，但不是主体内容。在组织实施“思战”时须把握好时机、内容、方式及其所占比重，不能“战无巨细”全面展开，避免造成对主体教学的冲击。课程负责教员在进行课程设计和教学设计时，需参照“课程思政”相关规定要求，结合本课程教学目标、内容和组织实施步骤，对“课程思战”进行系统安排。“思战”时机，一般可结合“思政”一并组织，也可根据课程内容和“思战”所需，单独组织；“思战”内容和方式，须紧密结合授课内容，围绕激发学员对课程学习的热情和对备战打仗的思考，科学设计，做到无缝融入、润物细无声，力避为“思战”而“思战”，力避强行“插入”、生硬对接。

6 结语

综上所述，“课程思战”直接对标“立德树人，为战育人”，直接服务于提升课程教学的“含战量”，提高学员思战、研战、务战、胜战能力，对于深化军队院校实战化教学改革和体系重塑具有积极意义和有力的助推作用。作为一种新提法，尚处于理论探讨阶段，亟须加紧宣讲普及，加快推广应用，早日体现出应有的价值。

参考文献

[1] 赵继伟．课程思政：涵义、理念、问题与对策 [J]. 湖北经济学院学报，2019，17 (2)，114-119.
[2] 杨志强．实战化训练与实践 [M]. 北京：解放军出版社，2013.

实物与虚拟仿真相融合的空气动力学课程实验教学

柴振霞[1]　林　伟[2]　王　鹏[2]

（1. 宇航科学与技术系航天发射试验训练中心；2. 宇航科学与技术系力学与推进技术教研室）

摘　要： 实验教学是空气动力学教学的重要环节，深入有效的实验教学能够加深学员对理论知识的理解，有助于锻炼学员的实践能力和创新能力。受限于风洞等实验设备价格昂贵、占地面积大、操作复杂、数量少等特点，学员很难得到充分锻炼，教学效果亟待提高。虚拟仿真实验教学依托虚拟仿真实验平台开展，具有直观性、低成本、高交互性等特点，能够弥补传统实物教学的不足。利用虚拟现实技术将大型设备置于计算机中，突破了时间空间限制，让学员得到更加充分的锻炼和实践。本文主要介绍了现有实验条件下空气动力学课程开展的特色实物实验教学，分析了传统教学手段的特点。为提高教学效果，建立了虚拟仿真实验室，将虚拟仿真实验引入空气动力学实验教学中，探索了虚实结合的空气动力学实验教学方法。

关键词： 空气动力学；实验教学；虚拟仿真；实验室实地教学

1　引言

空气动力学是流体力学的分支，是航空宇航领域重要的专业方向，是我校航天测发技术与指挥（飞行器动力工程、武器发射工程）专业本科生的专业基础课程，具有理论性强、难度大和实践性强等特点。实验教学是空气动力学教学的重要环节，通过将理论应用于实践加深学员对课堂知识的理解，有助于锻炼学员综合运用知识的能力、培养创新精神。

空气动力学实验教学以模型实验为主，典型的教学设备是风洞，包括低速风洞、超声速风洞、高超声速风洞等。但是，风洞设备通常体积比较庞大、价格昂贵、维修成本高、操作复杂，因此用于实验教学的风洞设备往往很少[1]，无法满足实验需求。另外，风洞实验涉及的内容较多，包括设备调试、模型安装、传感器安装等，对操作人员的要求比较高，且涉及高压等危险因素，学员不可能在有限的课堂时间参与全部操作流程，多以教员讲解原理和操作示范为主，学员则观看演示、课后处理数据。在整个过程中，学员看的时间多于做的时间，课堂效率不高，教学效果差。

随着计算机技术的发展，以信息技术应用为本质特征，依托多媒体技术、网络技术和虚拟现实等技术的虚拟仿真教学模式应运而生，并被引入各类课程的实验教学环节[2,3]。虚拟仿真教学为学员开展探究性学习、自主实验和创新实践提供了先进手段、开放式学习环境，改变了传统的以教师为中心的单向传递知识的课堂教学，能够弥补传统实验教学的不足[4,5]。结合大学现有实验条件及航天领域相关单位对应用型人才的需求现状，将虚拟仿真实验融入空气动力学实验教学，探索虚拟仿真实验与实验室实地教学的有机融合，通过优化设计实验内容，充分锻炼学员的实践能力和创新能力，有利于提升教学效果，提高人才培养质量。

2 实验室实地教学

目前，学校建有一套低速低湍流度风洞，用于低速翼型测压实验等，可为学员提供真实的、直观的实验体验。另外，充分利用现有实验条件，巧妙设计了基于音速喷嘴的激波/膨胀波相交与反射实验，并采用纹影设备对流动图像进行采集和显示。对于运动学部分所涉及的流体运动，可以借助演示仪进行演示实验，加深学员对抽象概念的理解，如翼型绕流中的流线、迹线、三维旋涡等。

2.1 基于低速风洞的翼型表面压力测量实验

在课程低速翼型课堂理论讲解之后，基于低速风洞（见图 1）设计并实施了低速翼型表面压力测量实验，将理论知识用于工程实践中，帮助学员消化再吸收。具体内容包括：实验目的和要求、实验装置介绍、实验原理及数据处理。该实验的主要目的是带领学员认识低速风洞的基本结构和工作原理，熟悉两种测定风速的方法（热线风速仪和风速管），熟悉压力测量系统的工作原理，最终测量不同攻角下翼型表面压强的压力分布，绘制表面压力分布图。

(a)整体结构

(b)试验段

图 1　直流开口低湍流度风洞实验平台

实验模型采用的是 S1223 翼型，翼型表面中线处，斜向布有 32 个测压孔，上、下翼面各 16 个对称分布，翼型表面测压孔沿弦向分布如图 2 所示，测压管外接电子压力扫描系统，实验过程中压力扫描系统会实时输出各孔位的压力值。

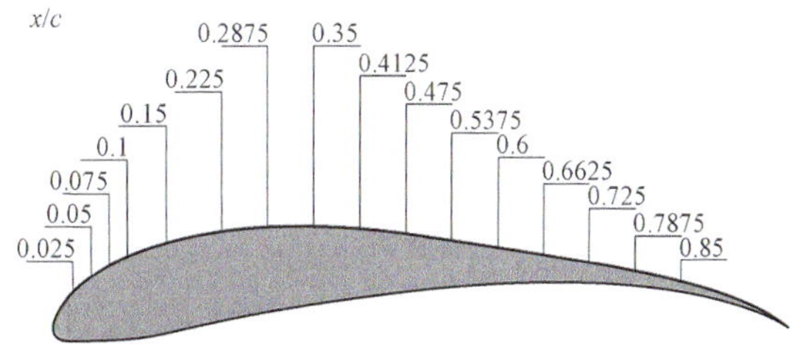

图 2　翼型测压管分布示意图

在翼型表面压力测量阶段。首先开启风洞，采用风速管和热线风速仪对风洞试验段的流速进行标定，同时让学员感受风洞中的风速。标定完成后，采集当前风速和攻角下的各点压力，记录数据。通过伺服机构可以改变攻角，获得不同攻角下的压力数据。课后进行数据处理，绘制表面压力分布图。

通过翼型测压实验室实地实验，学员直观地了解了风洞的基本结构、工作原理、速度和压力测量系统，熟悉了风洞实验的基本流程：风洞启动、速度标定、模型姿态调整、数据采集及风洞关闭。

2.2 激波、膨胀波的相交与反射实验

超声速气流中的小扰动波称为马赫波，包括压缩波和膨胀波。激波是由强扰动产生的压缩波，是超声速气流中存在的一种流动间断现象。超声速气流向内偏转时会产生斜激波，向外折转时会产生膨胀波。由于喷管出口压力与外界大气压不同，火箭发动机或者喷气发动机的排气羽流中，不断发生着激波与膨胀波的相交与反射，形成明亮的马赫盘。课堂讲授过程中，激波、膨胀波相交与反射、拉瓦尔工况的调节是教学难点。而要开展实验教学“激波、膨胀波的相交与反射实验”“拉瓦尔喷管多种运行工况的调试”则需要具备超声速气流环境，但是目前实验室没有配备超声速风洞，即使有超声速风洞其操作过程也比较复杂，难以实地开展。虽然调节模型火箭发动机工作过程也能够产生超声速气流甚至马赫盘现象，同样因实验过程带有高温、高压风险难以实地开展。

为了获得超声速气流，课程组巧妙利用高压气罐和超声速喷嘴，组成了一套超声速气流产生装置如图 3 所示，并加工了设计室压 1.5MPa、1.1MPa、0.7MPa 的 3 个不同口径的喷嘴用于对比实验。通过调节喷嘴入口处的压力，可以改变喷嘴出口处的流速，获得不同的流动结构。采用高速相机和纹影设备可以拍摄得到不同入口压力下的纹影图，如图 4 所示。

(a)实验装置整体结构

(b)喷嘴及压力调节装置

(c)喷嘴

图 3 激波、膨胀波相交与反射实验系统

(a)过膨胀工况

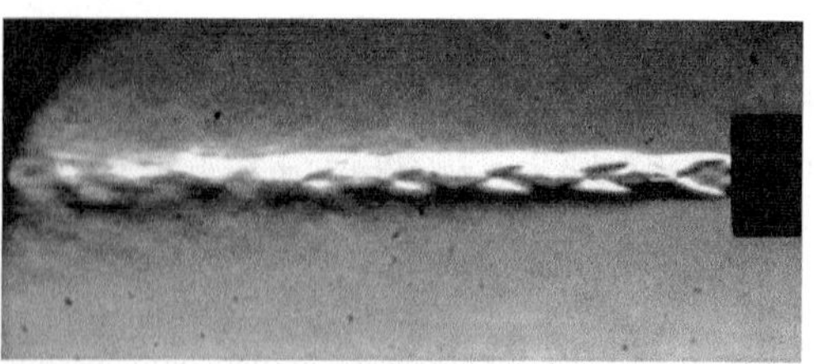

(b)欠膨胀工况

图 4 调整室压得到过膨胀和欠膨胀工况流动图像（$p_2>p_1$）

通过实验，学员切实感受到超声速流动带来的震撼，利用纹影显示技术清楚地观察了激波、膨胀波在不同设计压力下的流动状态，对拉瓦尔喷管的不同运行工况有了直观的认识，加深了对课堂知识的理解和掌握。

2.3 演示实验

2.3.1 流谱流线演示实验

在流体运动学部分学习了流体运动的几何描述——迹线和流线，给出了流场的定义，但是概念比较抽象，学员不容易理解。采用浙江大学毛根海教授设计的自循环流谱流线演示实验仪，可以清晰展示机翼绕流及升力方向的流线、迹线，演示十余种势流图谱与相关原理，如图 5 所示。该演示仪以自循环多流道组成显示屏，以化学溶液为工作流体，流、迹线由电控染色显示，经显示屏后，能自动消色，可长期自循环工作。通过流速调节器可以改变翼型的来流速度，观察不同流速下的流谱。

图 5 自循环流谱流线演示实验

2.3.2 三维旋涡实验

在有旋流动部分介绍了强迫涡和自由涡流动，根据数学推导可知刚性涡像刚体一样旋转，自由涡除原点外是无旋的，同样比较抽象，学员难以想象。采用图 6 所示三维涡演示实验仪可以直观地看到不同涡的流动特征，可以观察到强迫涡就像一刚体绕中心轴旋转，而自由涡与龙卷风的形态相似。而实际上龙卷风是以强迫涡为涡核、以自由涡为涡核外流场的组合涡，即兰金涡。

(a)强迫涡

(b)自由涡

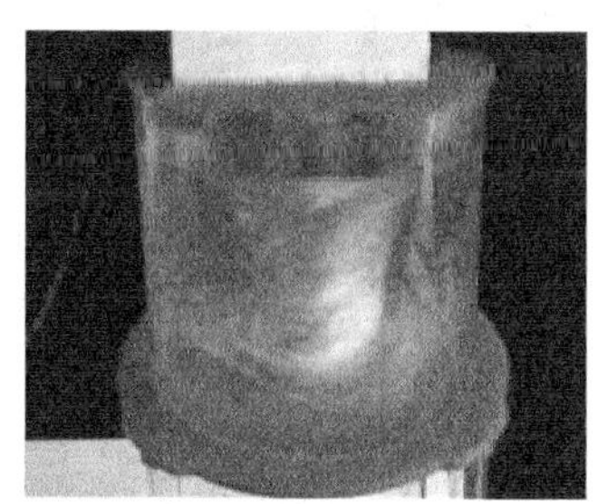

(c)兰金涡

图 6 三维涡演示实验

3 虚拟仿真实验教学

通过上述实验室实地教学发现，由于实验设备数量比较少，通过分组实验的方式效率比较低，大部分学员仍以观看为主，少部分能够进行设备操作，降低了教学效果。为此，在依托双重项目“动力系统使用工程实验室”支持下建设的虚拟仿真硬件环境和平台上，《空气动力学》开展了在线虚拟仿真实验教学，形成了对传统实地实验的良好补充，教学效果显著提升。

3.1 虚拟仿真实验平台的搭建和主要功能

3.1.1 虚拟仿真实验平台的搭建

空气动力学虚拟仿真实验依托宇航科学与技术系“动力系统使用工程”虚拟仿真硬件环境。硬件上配备有一块大屏、一排计算机和数套搭载着虚拟现实实验模块的崭新 VR 设备。其中，大屏用于虚拟实验讲授环节，教员通过平面演示软件，进行虚拟实验系统的演示操作、布置教学内容，讲授实验目的、原理、方法等。在虚拟实验实操环节，学员在个人电脑上按操作流程完成实验项目，并触发关键节点、完成随堂测验。每个学员都有机会在一座现实世界中价值数百至数千万元的风洞设备中开展实验，实验的流程、实验结果的呈现与真实场景完全一致，学员可以大胆尝试不怕犯错，不受实际供应条件的限制。

虚拟现实实验模块是搭建的核心内容，其中直观的三维立体场景基于流动数值仿真结果构建，风洞模型根据真实物理风洞建模，供学员了解风洞的关键部件，掌握风洞实验的操作步骤和测量方法。整个虚拟实验空间包括三个核心模块，即低速风洞虚拟仿真模块、常规高超风洞虚拟仿真模块和数值风洞流场认知模块，三者以虚拟实验大厅为载体，从实验大厅进入，完成相应内容的操作和学习。

3.1.2 虚拟仿真实验平台的主要功能

实验大厅是主界面，如图 7（a）所示，由此可便捷进入数值风洞、低速风洞和高超声速风洞三个区域开展学习。以高超声速测压实验为例，介绍虚拟实验仿真平台的主要功能。

(a)主界面

(b)高超声速风洞展示区

图 7 虚拟实验大厅

（1）实验场景漫游。学员点击高超声速风洞模型即可进入高超声速风洞实验室，如图 8 所示。以第一视角漫游实验场景和设备，触发关键装置旁的问号会弹出对应知识点讲解框。

（2）模型安装。点击试验段舱门可以将其打开，学员可在设备间找到模型并按照提示移动到风洞试验段内，如图 9 所示。

（3）启动风洞和调试。学员进入操作间操作台设有总电源开关、风洞启动快速阀、截止阀、真空罐阀门、攻角调节、压力调节、温度调节等按钮，如图 10 所示，按照提示按钮

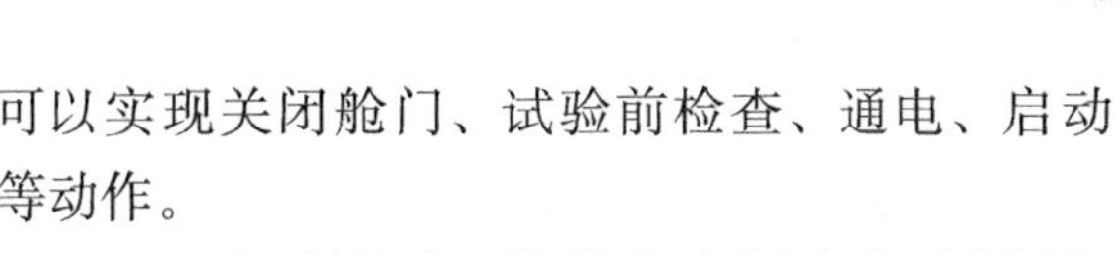

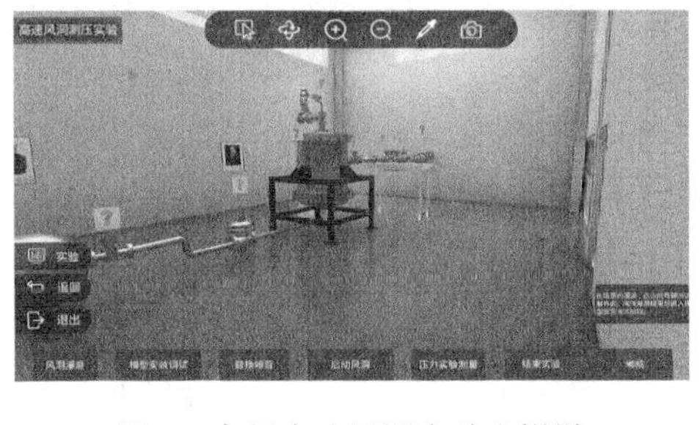

图 8　高超声速风洞实验室漫游

可以实现关闭舱门、试验前检查、通电、启动等动作。

（4）实验测试。学员点击压力实验测量，按照系统提示进行操作，获取压力等数据。

（5）数据显示和输出。所有测试数据预先以流体动力学计算结果的形式存储在虚拟系统内，实验结束后展示在场景中的会议平板上，如图 11 所示。

图 9　实验模型安装到试验段

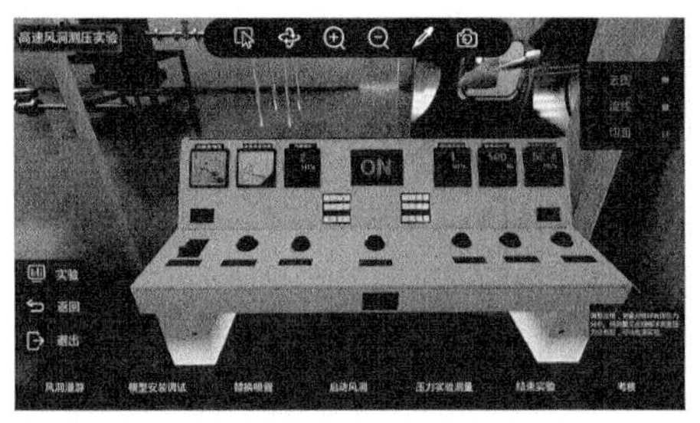

图 10　风洞启动与调试

（6）随堂测试。实验结束后学员通过虚拟场景中的会议平板完成随堂测验，如图 12 所示，考核学员对操作流程及相关知识的掌握情况。

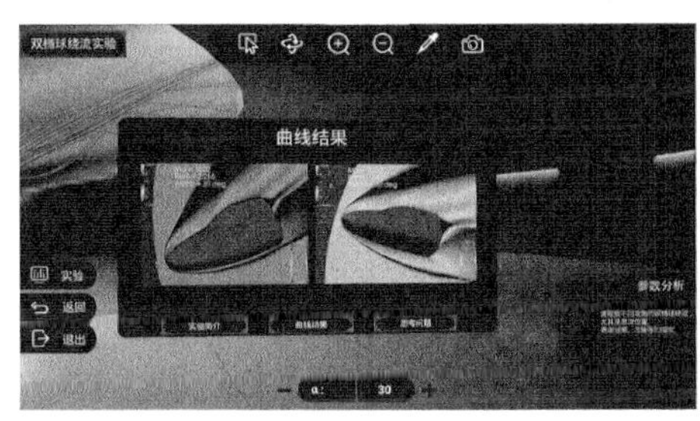

图 11　数据显示和输出

图 12　随堂测验

3.2　虚拟实验教学实践

目前，依托虚拟仿真实验室已经开展了两轮空气动力学虚拟实验教学，学员在探索和交互中学习风洞的设计原理和真实风洞基本操作流程，身临其境地观察风洞内部、翼型、三角翼、双椭球等典型流动特征，加深对气动现象的理解，巩固空气动力学课程的教学效果。与以往实验室实地教学不同的是，学员们面前不再是冷冰冰的气动仪器装备，而是大屏幕、计算机和崭新的 VR 设备。在虚拟实验讲授环节，教员通过大屏介绍虚拟仿真实验系统的总体建设情况和本次实验课的教学目的、原理和要求，并对三个实验模块的主要内容和功能进行了详细讲解和演示操作。

在虚拟实验实操环节，学员分两组在超大屏系统硬件的支持下开展高超声速风洞测压实验，遵循系统提示一步步开展具体操作：环绕检查风洞，进入设备间拿取模型，打开风洞测试段安装模型，更换喷管，关闭试验段舱门，进入控制间打开总电源、开启阀门，调节上游压力，改变来流温度，观察实验结果等。真实实验中的流程被逐一搬到了虚拟系统里，尤其是一些以往需要脑补或者大量后处理才能显示的结果，可以近乎实时地呈现到眼前。两组学员可以根据风洞实验要求选择对应的低速、高速和高超声速风洞，一组在高超声速风洞开展双椭球测压实验，另一组则在低速风洞开展低速翼型测压实验。

对于同一实验内容，学员还可以体验 VR 版本的操作。如果说屏幕前的裸眼实验还让人有着现实和虚拟的割裂感，戴上 VR 眼镜后，学员便置于一个完全独属于自己的实验室。在这个虚拟空间，学员可以进入风洞内部观看风洞结构，观察模型表面及周围的流动情况，大胆尝试各种实验操作，没有危险，不怕损坏实验设备，可以重复多次地开展相同试验操作，直至熟练。当眼睛疲倦了，还可以将目光转移到休息区，眼前可能是非洲的原始丛林，也可能是浪漫的热带雨林……场景随意变换。

在每个实验模块中，系统均会记录学员的关键操作步骤并上传至数据库。对有严格顺序关系的关键操作步骤采取出错提示并记录的方式，确保实验顺利进行，训练学员正确规范地使用风洞。实验结束后，学员进入随堂测验环节，以客观题的形式考核学员对空气动力学相关知识的掌握情况。实验报告由学员在课后撰写，主要考察报告内容的准确性、完整性以及学员认知的深刻性。

3.3 虚拟实验教学与实验室实地教学的有机结合

学员通过虚拟实验环节，认识了大型风洞设备的内部结构和运行原理，熟悉了整个实验操作流程，清楚地观察到流线、迹线、旋涡等流动现象，以及模型在流体中受力情况[6]。另外，在线虚拟仿真平台可便捷地使用个人计算机登录使用，没有时间空间限制，方便学员在课后多次熟悉和强化知识点和操作。在此基础上，组织学员到实验室开展实物实验操作，此阶段主要以提问形式回顾实验原理、目的和数据分析等内容，强调设备操作流程和注意事项，绝大部分的时间留给学员操作运行设备。

通过虚实结合，显著提升了教学质量，主要体现在：一是学员有更多的时间运行操作设备，充分锻炼了操作能力；二是虚拟实验能够让学员认识各种风洞设备的内部结构，有助于增强对设备运行原理和操作的认识；三是虚拟风洞和 CFD（计算流体力学）仿真使得流体流线可视化、直观化，加深了学员对实验流场的认识。

4 结语

大学空气动力学实验教学充分利用现有实验设备，开展了独具特色的实验室实地教学，锻炼了学员的动手操作能力。由于受设备数量、课堂时间的限制，学员难以完成全流程实验操作。虚拟仿真实验具有实验直观性、低成本、高互动性等优势，将其引入空气动力学实验教学中，课程组首次探索了虚实融合的空气动力学实验教学方法。教学过程中学员通过虚拟仿真实验平台可以充分了解风洞结构及其实验流程，评估改正实验操作，完成随堂测试和实验报告，为真实风洞实验打下坚实基础，保证学员有更多的时间运行操作设备，充分锻炼操作能力，切实提高了教学效果。同时在虚拟仿真实验过程中可引导学员发现问题，优化实验，充分调动了学员参与实验的积极性和主动性，从而更好地理论联系实际。

参考文献

[1] 冈敦殿，王东方. 基于在线虚拟风洞的空气动力学实验教学［J］. 科教导刊，2020（31）：116-117.

[2] 李文华，王景芹，赵靖英. 交互模式下虚拟仿真教学的探索和研究——以“电器可靠性技术”课程为例［J］. 教育教学论坛，2022（11）：117-120.

[3] 王卫国，胡今鸿，刘宏. 国外高校虚拟仿真实验教学现状与发展［J］. 实验室研究与探索，2015，34（5）：214-219.

[4] 杨秀萍，胡文华，徐晓秋. 液压专业课的虚拟仿真教学. 液压与气动［J］，2021，45（11）：112-116.

[5] 莫春美，李甜，杨汉宁. 基于虚拟仿真的“三层次四平台”力学类课程体系探索与实践［J］. 现代职业教育，2022（12）：94-96.

[6] 肖国权，尹泽裕，高存年. 基于虚拟风洞的流体力学实验教学实践研究［J］. 时代汽车，2021（22）：69-70.

航天发射推进剂保障应急处置虚拟训练系统与教学应用

刘党辉　段永胜　徐　杰
（宇航科学与技术系航天发射理论与技术教研室）

摘　要： 航天发射任务的主要风险来自推进剂保障工作中的运输、存储、加注和泄回等过程，通常要制订相应预案并开展针对性实装演练，以确保能够正确快速地处置各种突发情况，从而将损失或危害程度降到最低。针对军队院校实践教学缺乏实装训练环境的问题，采用虚拟仿真技术，设计开发一套航天发射推进剂保障应急处置虚拟训练系统，为军队院校教学实践提供一种方便、可行、有效、安全的新手段，也为发射场开展相应预案的模拟演练提供借鉴。

关键词： 航天发射；推进剂保障；应急处置；虚拟训练

1　引言

航天发射是一项高风险任务，发射场通常要针对预想到的各种情况制订应急预案，以便能够尽量避免事故的发生，并将相关损失或危害程度降到最低。我国 CZ-5、CZ-6、CZ-7、CZ-8 等新一代运载火箭采用液氧、液氢、煤油等无毒、无污染推进剂，虽然不像四氧化二氮、偏二甲肼等推进剂有毒且两者相遇容易着火爆炸，但是这类推进剂在其运输、存储、加注、泄回等过程中存在蒸发、泄漏等情况，关系人员的生命安全以及火箭、卫星、发射塔架、推挤剂库房等主要设施设备的安全，如果不能及时正确地进行处置，就可能导致人员窒息、着火甚至爆炸，造成发射任务终止乃至重大损失。因此，在每次发射任务前，发射场都会组织开展相应预案的应急处置模拟演练，特别是针对发射日的应急抢险演练。但是，这种真人实装的多岗位协同演练方式耗时、耗力、危险性高，而军队院校因无实装环境而难以开展针对性实践教学。随着虚拟仿真技术的快速发展，设计开发相应的虚拟仿真系统是一种方便、可行、有效、安全的手段，可以较好地满足开展推进剂保障虚拟协同训练实践教学需求。

2　应急处置教学训练需求

部队的实战化演训已成常态化，军队院校也在逐步加强实战化实践教学。按照航天测发与指挥专业的教学大纲和人才培养方案要求，针对本科生、生长干部任职教育、部队指挥等学员的教学需求，以新一代液体运载火箭发射推进剂保障应急处置训练为主，重点围绕液氧、液氢、煤油三类推进剂的运输、存储、加注、泄回、废液处理等过程，建设多种突发情况的应急处置虚拟训练系统，为相应指挥、操作、保障等岗位人员提供贴近实战的模拟训练，切实推进学员岗位任职能力。

通过梳理，对航天发射推进剂保障应急处置虚拟训练的主要需求如下：

(1) 提供运载火箭、发射塔架、推进剂加注库房、储罐、管道、岗位人员等三维模型。

(2) 构建三维场景，模拟推进剂加注过程、不同程度的泄漏、起火或爆炸等不同突发情况及变化过程。

(3) 按照不同突发情况应急处置流程，模拟报警、告警、预先处置、堵漏、消防、泄回、撤离等应急处置训练和新情况推演。

(4) 基于分布式仿真技术，根据不同突发情况，数名到数十名岗位人员可协同参加某一突发情况的应急处置训练，部分其他人员采用虚拟人方式以智能化方式参与训练[1]。

(5) 为参与突发情况应急处置的每个岗位人员提供专属的训练界面及辅助决策支持信息，虚拟场景清晰，视点可控，事件演变过程随处置方式不同而异，声效和画面效果逼真。

(6) 实时记录参训人员训练信息，可回放以进行复盘研究，可基于考核评价体系和指标自动给出考评成绩[2]。

3 系统组成及功能

航天发射推进剂保障应急处置模拟训练系统由服务端、客户端两部分组成，系统采用TCP/IP这种面向连接的、可靠的、基于字节流的传输层通信协议进行网络传输，可有效支撑起多岗位在训练场景中的各种信息交互。

3.1 服务端

服务端作为网络和数据交互基础，负责网络连接和数据库操作。服务端使用C/S网络架构，把客户端与服务端区分开来。数据库也架设在服务端上，每一个客户端软件的实例都可以向服务器发出请求，获取数据。

3.2 客户端

客户端包括主要设备设施及人员三维模型、突发事件模拟、应急处置推演训练、应急处置辅助决策支持、训练设置及评估、对外信息接口等6个分系统，每个分系统也可以独立运行。

(1) 主要设施设备及人员三维模型分系统。包括液体火箭、发射塔架、推进剂储存和加注库房、加注管道、发射控制室及设备、消防设施设备、主要岗位人员等三维模型，为突发情况的处置训练提供基本环境和操控对象。

(2) 推进剂突发事件模拟分系统。主要模拟液氧、液氢、煤油三类推进剂的运输、储存、加注、泄漏、堵漏、起火、消防、救生、泄回、爆炸等情况，突发事件可随时间和处置措施的不同而实时发展变化，为应急处置训练提供模拟训练科目。

（3）应急处置推演训练分系统。对于设定的突发情况训练科目，按照报警、告警、先期处置、报告、指挥员分析判断情况、下达处置命令、组织指挥抢险、完成善后处置的流程进行指挥、操作和保障的多岗位协同训练，并可以针对应急预案进行推演，从而进一步完善预案。

（4）应急处置辅助决策支持分系统。为指挥岗位提供突发情况应急处置所需信息，包括应急预案，以及当前的火箭状态、加注状态、风险级别、抢险进度、物资信息、人员信息等，并提供基于专家知识的推理和决策支持。

（5）训练设置与评估分系统。根据训练需要，可选择不同突发事件作为训练科目下发给学员，可对处置过程进行记录和回放，通过与预案比较，自动给出训练成绩评分。

（6）对外信息接口分系统。按照统一信息交互规范要求，设计通用化信息格式，预留与导调系统、火箭测试系统、发射指挥信息系统等接口。

4 关键建模仿真技术

为了提高虚拟场景的逼真度、降低对计算机硬件资源要求、满足多岗位虚拟协同训练的要求，在设计中采用了三维结构建模优化技术、高逼真度可视化技术、面向服务的分布式多线程技术等，并采用类似于三维游戏界面的操控方式。

4.1 三维结构建模技术

（1）模型简化和实例化技术。虚拟场景涉及发射场的厂房、储罐、管道、塔架、人员、设备、车辆、道路等大量三维模型，为了提高加载和显示效率，根据训练需要对各三维模型进行适当简化。一是去除冗余面，针对在实体外部观察模型时不可见的部分，去除冗余多边形表面并不影响实体的视觉效果，但可以很大程度上降低场景的复杂度。二是合并面片，在影响不大的情况下，尽量合并模型中相近的多边形。

当复杂场景中具有多个几何形状、属性都相同但是位置不同的对象模型时，可采用实例化技术节省计算机的运行开销。由于相同的几何体可以共享同一个模型数据，通过矩阵变换可以放置在不同的地方，从而大大节约模型存储空间，如在场景中不同地方放置相同的树模型。

（2）组件化建模技术。为了减少仿真模型开发和系统集成的耦合性，采用组件化技术提高系统开发和维护的灵活性。为提高仿真模型的可重用和可组合性，将发射场实体按照其功能部件组成及替换、重用的要求进行拆分，分别建立组件模型，再进一步组装为完整的设施装备实体。采用组件化建模、模型组装、组件调度的仿真支持技术实现可组合仿真，如图1所示。

（3）虚拟人建模技术。为提高模拟训练的逼真性，针对指挥、操作、保障等人员需要建立三维虚拟人模型，虚拟人可完成走、跑、爬、操作等常见动作，且动作比较自然。

对虚拟人的运动控制是关键[3-5]。根据骨骼运动原理，通过对虚拟人模型进行逐帧渲染实现虚拟人动画，根据运动控制需要更新骨骼层次结构，利用连续变换将上层骨骼运动传递到下层骨骼中。基于正向运动学，通过给定状态向量来确定各关节的位置，当人体模型

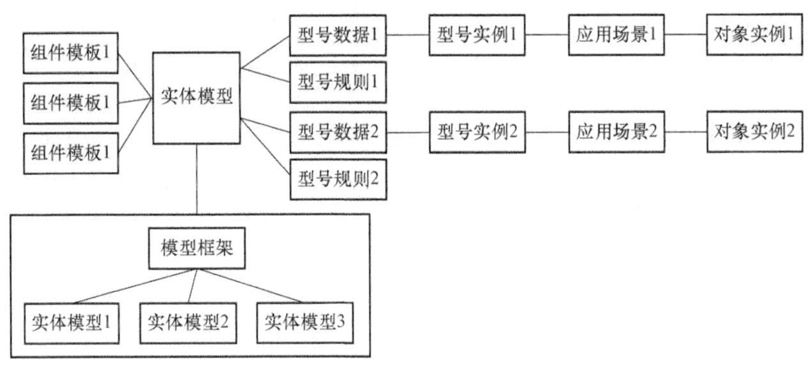

图 1　仿真组件、实体模型、对象实例的关系

姿态发生变化时，一块骨骼的位姿首先受到该块骨骼的组合旋转矩阵影响，还要受其所有父骨骼的组合旋转矩阵影响。

为了实现具有真实感的虚拟人动画，利用关键帧方法获取运动人体参数。首先录制真实的运动人体视频，然后提取关键帧，利用双目正交视频中人体关节角度测量的方法得到各个关节的角度参数；然后利用骨骼动画原理实现 3D 虚拟人肢体动画。其程序流程如图 2 所示。

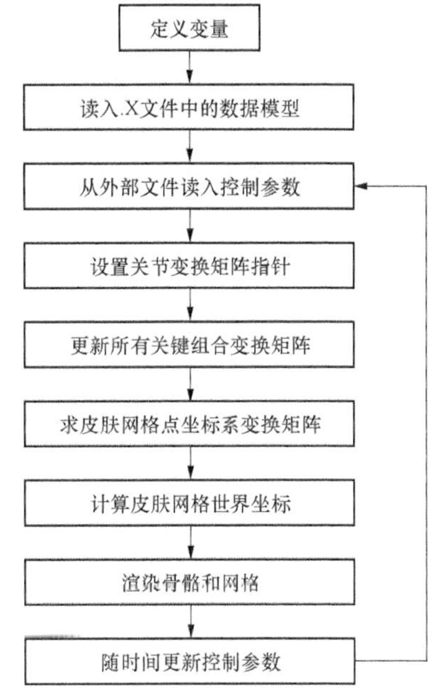

图 2　虚拟人肢体动画程序流程

基于虚拟人几何建模和运动控制技术，构建了具有高逼真效果的虚拟人体几何模型，并采用平移补偿技术消除了虚拟人操作飘移现象。通过采用基于视频关键帧技术的人体运动关节参数获取方法，基于 DirectX 和 VC 环境实现了具有逼真效果的虚拟人运动模型。

4.2　高逼真度可视化技术

发射场三维场景渲染效果的逼真性很重要，但大场景三维渲染计算量大、精细度高、大量模型需要同时展示，采用常规的逐级加载和分层显示等方式难以减轻渲染压力。为保证仿真建模的精确性和沉浸感，也不能简化模型、消减贴图及烘焙效果。为此，设计的渲染引擎采用多线程加载、Shader 优化、循环渲染等技术提高渲染效率，渲染模型采取点焊接、顶点渲染、曲面光滑等技术，贴图采用法线贴图、阴影烘焙等技术，在确保渲染效果前提下，大幅压缩模型数据量，实现了发射场三维场景的实时渲染，确保了系统运行效率。

采用的可视化建模仿真技术主要包括虚拟场景各类实体的建模及面向对象图形库的构造技术、虚拟景物的建模及其实时生成技术、环境特殊效应的建模及其实时处理技术、大型巡视场景的 3D 重建与实时生成技术、实体表面纹理的映射与反走样技术、模型的实时简化及其 LOD 自动生成技术、虚拟场景的运动控制与视点插值技术、基于设备仿真物理模型的运动控制与仿真系统集成技术等。

对于重要的场景特效，则是通过 Unity 3D 特效编辑器生成，然后把特效编辑结果用于三维可视化场景。粒子系统所模拟的物体或场景复杂多变、形态各异，根据粒子形态的不同，可将粒子系统分为流体粒子、烟雾粒子、破碎粒子等。流体粒子主要用来模拟流水、海浪、火焰、流动的岩浆等特效；烟雾粒子主要用来模拟随时间发展不断繁殖生长、消亡的动态粒子特效，如燃烧或爆炸过程中产生的烟雾、沙尘、云雾等；破碎粒子主要用来模拟物体碎裂、爆炸时的效果，一般伴有物体爆炸碎片的产生。

4.3 面向服务的多线程分布式技术

4.3.1 面向服务架构技术

为提高系统的可维护性、扩展性和可移植性，采用面向服务架构技术，使组件内部高内聚，组件之间低耦合。SOA（service-oriented architecture）也称为面向服务的体系结构面向服务架构，是指为了解决在 Internet 环境下业务集成的需要，通过连接能完成特定任务的独立功能实体实现的一种软件系统架构。SOA 是一个组件模型，它将应用程序的不同功能单元（称为服务）通过定义良好的接口联系起来。接口是采用中立的方式进行定义的，它独立于实现服务的硬件平台、操作系统和编程语言。这使系统中的各种服务能够以一种统一和通用的方式进行信息交互。

4.3.2 多线程技术

一个应用进程中默认的只有一个线程在执行任务，但系统中常执行信息收发、操作、显示、计算等多个并行任务，如果采用单一线程，系统整体性能就会下降。因此，系统中采用多线程技术，对于复杂任务启用新线程执行，可保证系统多任务并行执行性能。

4.3.3 分布式技术

为满足多人协同训练，采用 .Net Enterprise Service 实现分布式事务。隐式分布式事务最大的优点是无须手工控制事务，通过代码块申明一个事务范围，在该范围内的操作会自动进入事务，此类事务方式通过 .Net Enterprise Service 中的 Transaction Scope 对象实现。显示分布式事务手工得到一个事务，把事务与需要进入该事务的连接关联在一起，手工提交或回滚，此类事务方式通过 .Net Enterprise Service 中的 Committable Transaction 对象实现。

5 教学应用

通过构建虚拟文昌发射场相关设施设备及环境，航天发射推进剂保障应急处置虚拟训练系统可用于熟悉发射场设施设备组成和功能、推进剂保障突发事件效果模拟、国内外曾发生过的推进剂保障应急处置案例，以及组织推进剂运输、存储、加注、泄回等突发情况的应急处置训练。系统主要用于对指挥、操作和保障等岗位人员进行推进剂保障突发事件应急处置的多岗位虚拟协同训练。对于设定的突发情况，按照告警、先期处置、报告、分析判断、下达命令、组织抢险、善后处置的流程组织模拟训练。

5.1 模拟训练科目

目前系统主要包括 9 个训练科目：液氢运输蒸发泄漏；煤油存储泄漏和浓度超标；液

氧加注小量泄漏；液氧加注大量泄漏；液氧泄漏起火燃烧；液氧低温冰冻；液氢废液废气排放和爆炸；液氢加注指挥失误和液位异常；火箭发射紧急关机和推进剂泄回。

5.2 模拟训练示例

以液氧泄漏起火燃烧应急处置训练科目为例，虚拟训练场景主要为113氧氮库区，主要参训人员包括液氧加注系统指挥、液氧操作岗位、消防岗位。

应急处置的岗位协同训练界面如图3所示。主要训练流程如下：

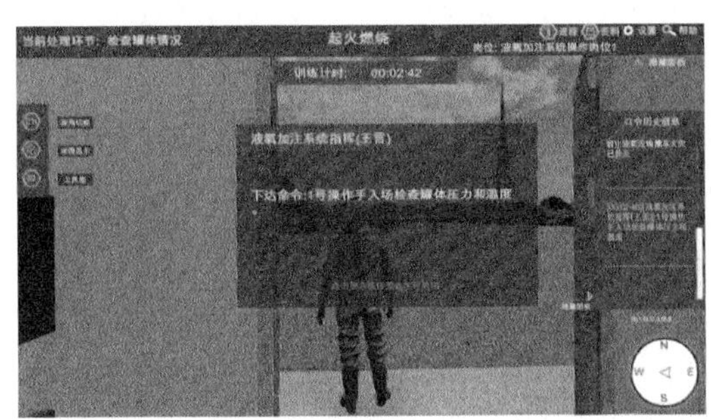

(a)指挥员岗位训练界面

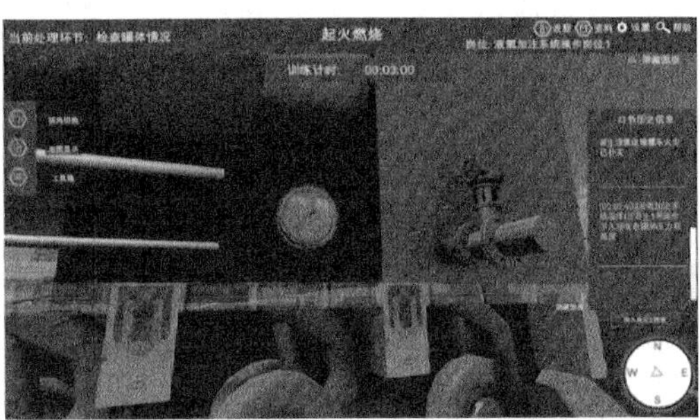

(b)液氧加注系统操作岗位训练界面

图3 应急处置多岗位协同训练界面

（1）在系统中设置起火燃烧突发事件。

（2）启动推演训练。

（3）背景设置在液氧转注过程中。

（4）液氧转注过程中，1号和2号操作手在巡查时，发现液氧运输车车头着火。

（5）1号操作手立刻向液氧加注指挥汇报，转注过程中液氧运输车的车头着火。

（6）液氧加注指挥收到消息后，立刻命令消防人员入场，使用高压喷水器对液氧加注车的车头进行灭火。

（7）消防人员将明火熄灭后，上报液氧加注指挥，明火已熄灭。

（8）液氧加注指挥收到消息后，命令1号操作手检查罐体的压力和温度。

（9）1号操作手检查完毕后，上报液氧加注指挥罐体压力正常，温度正常。

（10）液氧加注指挥收到消息后，命令2号操作手将车罐进行脱钩分离。

（11）2号操作手将车罐分离后，上报液氧加注指挥，车罐分离完毕。

（12）液氧加注指挥收到消息后命令吊车将液氧运输车和罐进行分离，并且脱离现场。

（13）破损的车辆脱离现场后，液氧加注指挥命令备份车入场，继续进行转注。

（14）起火燃烧训练结束。

（15）液氧加注系统指挥选择训练结束。

5.3 模拟训练评估

训练结束后，可在训练结果的详细信息面板中查询此次训练任务的名称、处置结果、开始时间、结束时间、综合分数、耗时排行、流程正确率和专家的评价。

6 结语

航天发射推进剂保障应急处置虚拟训练系统已经应用于生长干部任职培训航天发射技术课程实践教学。该系统具有训练科目可灵活选择，三维场景可自由漫游，突发事件现象模拟逼真，虚拟对象可操控，按照时间、状态等约束可导致不同处置后果，操控过程可记录，可多人协同完成指挥、操作、保障模拟训练，并能自动提供训练效果评估。在训练过程中，学员还可以相互发送信息，针对某一突发事件应急处置预案进行推演，发现问题，提出应对新措施。实践教学表明，学员通过操控自己扮演岗位的虚拟人完成模拟训练，更容易接受和掌握所学知识，也非常喜欢这种多人协同的虚拟训练方式。该系统也准备应用于航天测试技术与指挥专业的本科生测发控原理与实践、部队兵种指挥《综合演练》等课程的实践教学。目前，该系统可以模拟的突发情况还比较有限，后续需要进一步丰富训练科目，以便更好地满足实践教学需求。

参考文献

[1] 王康勃，侯岳，龚立，等．基于多智能体的舰艇消防虚拟仿真训练系统［J］．船舶工程，2021，43（4）：55-59+76.

[2] 罗博峰，谢常达，彭双震．虚拟仿真训练效果评估研究［J］．舰船电子工程，2019，39（11）：97-99+175.

[3] 何长鹏，侯进，王献．基于骨骼的三维虚拟人运动合成方法研究［J］．计算机工程与科学，2014，36（4）：737-740.

[4] 刘党辉，张振伟，尹云霞．虚拟人技术在航天发射仿真系统中的应用［J］．新技术新工艺，2014（12）：85-88.

[5] 吴珍发，赵皇进，郑国磊．人机任务仿真中虚拟人行为建模及仿真实现［J］．图学学报，2019，40（2）：410-415.

基于数据驱动的液体火箭发动机虚拟仿真课程实践及思考

仝毅恒　聂万胜　黄卫东　王　辉
（宇航科学与技术系力学与推进技术教研室）

摘　要：针对液体火箭发动机热试车过程中的高温高压、易燃易爆甚至有毒等危险，基于项目组长期的数值仿真研究结果，开发了基于降解模型的快速计算流体力学（CFD）方法，并将此成果应用于火箭推进原理课程虚拟仿真实验教学，取得了较好的实验教学效果。本文阐述了虚拟仿真在液体火箭发动机教学及设计方面的重要意义，给出了虚拟仿真教学过程中的一些实践经验以及思考，为能源及动力工程类虚拟仿真课程建设提出了建议。

关键词：数据驱动；快速 CFD；降解模型；虚拟仿真

1　引言

新工科教育背景下，工科学生的实践能力培养显得极其重要。伴随“互联网＋教育”的蓬勃发展，课堂教学逐渐呈现网络化、信息化、虚拟化的发展趋势，涌现出一批国家精品资源共享课程。但在线教学课程缺少实验教学环节的问题，日益引起国内广大教育工作者的关注[1,2]。而实践教学是高素质工程科技人才培养过程中的重要组成环节，是激发学生探索未知、培养学生实践能力与创新精神的必要途径，必须大力发展。

为了适应航天测试发射岗位的迫切需求，航天工程大学设置了航天测发技术与指挥及航天装备工程专业，并针对新一代运载火箭动力系统测试发射人才培养迫切需要开设了火箭推进原理、动力系统构造与测试等专业基础课，以及运载火箭综合测试、飞行器测试原理与技术等首次任职培训课程，以使学生深入理解低温动力系统工作原理，有效提升第一任职能力。

液体火箭发动机系统极为复杂，包括推进剂供应系统、燃气发生器涡轮本增压系统、控制系统和推力室系统，工作过程涉及剧烈的喷注雾化、液体推进剂蒸发掺混以及高温高压条件下的燃烧等物理化学过程[3]，工作过程极为抽象，影响发动机工作特性的工况参数、结构参数等错综复杂，工作原理难以理解，特别需要通过实验使学生直观认识发动机结构和工作过程，深入理解发动机工作原理。

液体火箭发动机工作过程中推进剂流量大（最大流量可达每秒几吨）、燃烧室内温度高（最高可达 3500K 以上）、压力高（最高可达几十兆帕）甚至有毒（偏二甲肼、四氧化二氮等有毒推进剂）等特点，无法在实验室环境下开展试车实验。因此，常采用模型发动机试验进行发动机工作过程演示，但模型发动机工作过程仍存在较高危险性，且实验准备周期长、消耗大、操作复杂、可变参数较少、可观测的数据极为有限，实际教学中只能通过认知实验系统的组成和观看实验结果来进行，学生参与度不够、学习积极性不高、学习效果不佳。

虚拟仿真实验是一种将逼真的具有视、听、触等多种感知的虚拟实验环境融入实验教学，能使学生产生身临其境的感觉，可拓展实验教学内容的广度和深度、延伸实验教学时间和空间的新型实验教学方式。随着虚拟实验技术的成熟，人们开始认识到虚拟仿真实验在教育领域的应用价值，它除了可以辅助高校的科研工作，在实验教学方面也具有利用率高、易维护等诸多优点[4]。虚拟仿真实验系统特别适合针对液体火箭发动机系统高温高压极端环境实验开展虚拟仿真教学。基于高精度数值仿真结果和实验数据库驱动，可实现火箭发动机内喷注雾化、高温高压燃烧等极端物理化学过程高精度复现，使学生身临其境，直观感受火箭发动机工作过程，深入理解发动机工作原理，明确发动机工作参数、结构参数等对发动机工作特性的影响规律。此外，虚拟仿真模型通用性强，实验周期短，成本低，无毒无危险，数字模型更新换代较快，可有效解决院校无实装的现实难题。

2 基于降解模型的快速CFD技术介绍

计算流体力学（computational fluid dynamics，CFD）是20世纪50年代以来，随着计算机的发展而产生的一个介于数学、流体力学和计算机之间的交叉学科，主要研究内容是通过计算机和数值方法来求解流体力学的控制方程，对流体力学问题进行模拟和分析。液体火箭发动机中的喷雾燃烧过程是典型的流体力学问题，涉及多相流体力学、燃烧学、传热学等多学科问题。

然而，基于CFD技术的液体火箭发动机喷雾燃烧过程仿真计算量非常大，不适合需要快速获得结果的虚拟仿真实验教学。为了解决或缓和计算效率和教学过程中计算精度要求相对较低，以及系统复杂性和易分析性、易设计性、多参变量之间的矛盾问题，基于大数据的降解模型得到了快速发展[5,6]。降解模型是指对于用状态空间方法表达的模型，采用模型集结的方法降低状态空间模型的阶数，所获得的低阶模型，或对于微分方程、差分方程或时间序列分析等方法建立的模型，忽略其高阶项而获得的低阶模型。计算流体力学中一般建立的降阶模型多采用是正交分解法，从时域或频域计算中提取结构的动力信息[6]。Hall[7,8]等曾提出一种利用谐波平衡方法在时域内求解非线性普通方程的降阶模型技术，并用于求解非线性计算流体力学问题。最近又有国外学者提出一种利用谐波平衡方法在时域内求解非线性普通方程的降阶模型技术，并用于求解非线性计算流体力学问题。

3 液体火箭发动机喷雾燃烧过程虚拟仿真系统功能介绍

3.1 课程实施的重要环节

虚拟仿真实验平台在实验教学环节设计上，设置了实验认知、虚拟实验、答疑与讨论、

考核和实验报告等环节。

（1）实验认知。包括实验任务、实验目的、实验要求、实验原理和注意事项等。学生在实验认知部分的停留时长作为学生综合评分的依据。

（2）虚拟实验。按照文字、声音和高亮等提示下，人机交互，按实验步骤顺序完成整个实验。

（3）答疑与讨论。根据学生在实验中遇到的问题进行答疑与讨论。强调小组内部的讨论与成果共享。

（4）实验报告。考核完成后，需撰写实验报告，包括实验目的、原理、实验数据处理和结果、实验结论以及对该实验设计的评价和建议，提交给教员评阅。

（5）综合评分。根据学生在实验认知、虚拟实验过程中练习时长，以及实验报告、考核推力水平下的发动机流量、混合比等参数设置，自动权重各因素后给出学生得分；若学生对自己得分不满，可继续进行发动机热试车和参数设置等操作。

3.2 仿真系统功能模块

基于数据驱动的降阶模型快速 CFD 技术，本虚拟实验内容共设置了三个模块（见图 1），主要包括实验介绍、特性探究实验及不稳定燃烧实验三部分。其中实验介绍主要介绍了本次课程中涉及的多个实验的实验目的、实验内容等，并对基础知识进行适当回顾，对拓展内容进行引导介绍（见图 2）。此外，还包括针对不同任务而设置的不同循环方式、不同推进剂组合的发动机（见图 3）供学生选择，根据任务设置选定发动机后便可开展实验。

图 1　虚拟仿真实验任务选择界面

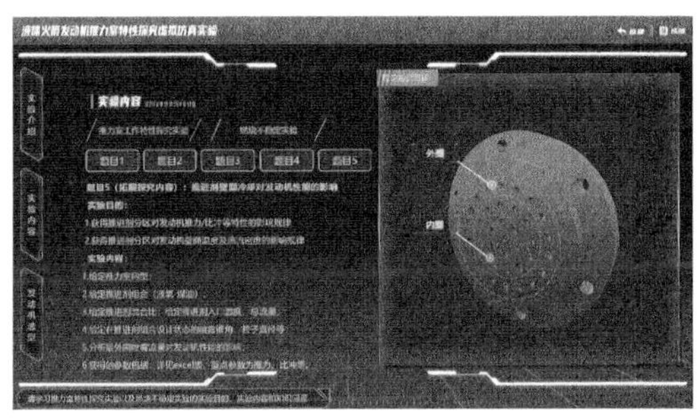

图 2　虚拟仿真实验介绍界面

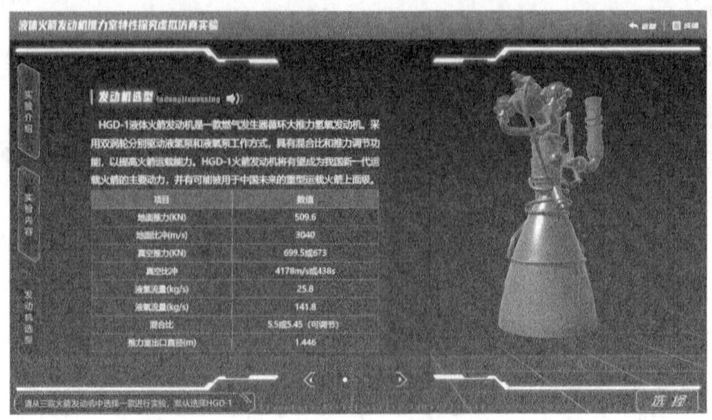

图 3　发动机选型界面

3.3　多层次实验设计

将影响液体火箭发动机工作特性的十多个主要工况参数，按照基本参数影响实验、拓展探究实验及不稳定燃烧实验构建了 3 个层次的 7 个实验（见表 1），可满足本科生、研究生的教学及科研探索需求。

表 1　虚拟仿真实验构架

<table>
<tr><th>三个层次</th><th>基础实验</th><th>拓展实验</th><th>探究实验</th></tr>
<tr><td rowspan="3">7 个实验</td><td>推进剂流量影响实验</td><td rowspan="2">推进剂雾化特性影响实验</td><td rowspan="2">燃烧不稳定探究</td></tr>
<tr><td>推进剂混合比影响实验</td></tr>
<tr><td>推进剂温度影响实验</td><td>壁面冷却影响实验</td><td>不稳定燃烧抑制实验</td></tr>
<tr><td rowspan="2">17 个可变参数</td><td>内、外圈喷嘴氧化剂的流量、温度</td><td>内、外圈喷嘴燃料喷雾角度、粒径大小、粒径尺寸分布规律</td><td rowspan="2">板高度</td></tr>
<tr><td>内、外圈燃料的流量、温度</td><td>内、外圈燃料流量的比例</td></tr>
<tr><td>学生层次</td><td>全部学生</td><td>学有余力的本科生和全部研究生</td><td>学有余力的研究生</td></tr>
</table>

3.3.1　基础实验

所建立的推进剂流量影响实验、推进剂混合比影响实验及推进剂温度影响实验属于基本参数影响实验。其中，可变参数包括将多喷嘴发动机喷注单元区分为内圈和外圈时，内、外圈喷嘴氧化剂、燃料的流量及温度等参数，学生可通过调节流量参数改变氧燃比，或者保持氧燃比改变推进剂总流量，虚拟热试车可获得的参数包括发动机推力、比冲、发动机出口速度、马赫数、温度，以及推力室内部三维组分场、速度场、温度场、压力场、涡量场、化学反应释热分布等参数，从而获得发动机关键设计参数对发动机工作性能的影响规律。本部分实验内容主要用于火箭推进原理课程中相关理论的复现及实验验证，加深学生对于理论知识的理解，针对的学生包括学习火箭推进原理的所有本科生，学生必须完成本部分实验内容。

3.3.2　拓展实验

拓展实验包括推进剂雾化特性影响实验、壁面冷却影响实验。其中，推进剂雾化特性具体指液体燃料雾化的锥角、粒径大小及粒径尺寸分布特征等，壁面冷却指外圈推进剂流量和氧燃比等参数。本层次的实验主要针对学有余力且对发动机设计等有兴趣的部分学生，对其他学生不做要求。本层次实验注重对液体推进剂雾化过程的进一步认识和理解，使学生明确喷雾参数及喷注器设计对发动机性能的影响规律，能够引起学生对于喷注器设计的兴趣；同时，结合传热学内容，引发学生对发动机壁面冷却的思考，获得发动机壁面冷却推进剂分布对发动机性能的影响规律，让学生思考保持发动机高性能和发动机壁面冷却之间的平衡关系。

3.3.3 探究实验

探究性实验主要包括液体火箭发动机燃烧不稳定探究以及不稳定燃烧的抑制实验，是将课题组长期科研结果融入课堂的具体表现。液体火箭发动机不稳定燃烧现象是困扰世界上液体火箭发动机研制工作者的重大技术难题，自 20 世纪 30 年代末在液体火箭发动机内发现燃烧不稳定性现象以来，每一种型号液体火箭发动机在研制过程中几乎都会遇到燃烧不稳定性问题。课题组在庄逢辰院士的带领下，长期从事液体火箭发动机燃烧不稳定研究，对不稳定燃烧现象有较为深入的认识，并承担了“973”“173”等国家级重大项目，本次虚拟仿真课程内容即是基于多年研究经验而凝练的成果。不稳定燃烧现象是在基础实验和拓展实验的基础上，在特定工况下出现的现象，是给学生设置的一个“彩蛋”：在特定工况下，学生点击热试车后发现发动机爆炸了，此时可以给学生引入不稳定燃烧的现象介绍，并再次强调发动机热试车的危险性和难度。而后，针对有兴趣的本科学生和部分研究生学生，可以探索不稳定燃烧的抑制措施，实验中给出了常见的三种抑制方法，即分区燃烧、隔板及发动机工况更改，其中隔板高度可以调节设置，还原了发动机设计—实验—改进—实验的过程。

4 授课注意事项及建议

为达到较好的教学效果，需要提前准备课程相关基础知识、基础操作等，教学中应注意学生虚拟实验系统操作与简单计算相结合，注意强调数据驱动的重要性和结果的可信度，注重学生的沟通交流及合作能力培养，还需要设计课程思政部分。

4.1 授课前准备

在正式授课之前，课程组对部分学生进行了虚拟实验系统操作的试用和培训，让这部分学生提出虚拟实验系统修改意见，发现虽然虚拟实验系统设计较为人性化，但是仍存在一些操作欠佳和容易引起误解之处。同时，对比试用过和未试用过虚拟实验系统的同学在课堂上的表现，可以发现试用过虚拟实验系统的同学对课程的理解更深，学习效果更佳。因此，建议在正式授课前，将学生分组并指派每组至少一人参加课前的虚拟实验系统试用，可明显加速学生对本次课内容的理解和掌握。

同时，课前应根据学生个人情况进行分组设置，其中重要分组标准是学生的性格和心理特征，通过本虚拟实验的实践建议根据迈尔斯 - 布里格斯（MBTI）性格类型分析，结合学生平时成绩和理论知识掌握情况将不同性格类型的学生组队在一起，更加适合开展组内讨论，激发学生学习兴趣和团队合作精神。

4.2 授课过程中的注意事项

在正式授课过程中，学生的常见困惑及解决措施见表2。

表2　授课过程中学生的常见困惑及解决措施

学生常见困惑	解决措施建议
对虚拟实验系统使用有困惑，上手困难	引导学生进行一次虚拟实验系统操作流程；课前组织部分学生试用虚拟实验系统并分入不同的小组，确保每个小组有一名同学已经掌握虚拟实验系统基本使用方法
对发动机内、外圈内容不熟悉	在开始进行虚拟实验前，重点对发动机壁面冷却知识进行回顾，并结合实验介绍部分讲解发动机内、外圈喷嘴的概念
对虚拟实验系统计算结果持怀疑态度	强调本虚拟实验是由基于降阶模型的快速CFD产生的数据驱动的，介绍CFD、降阶模型的相关知识以及课程组的积累情况
所有计算都由虚拟实验系统计算，个人参与度不够	虚拟仿真系统开发时，给学生设计一部分简单的工况计算内容，如：保持混合比的情况下，改变推进剂总流量时，需要分别计算内外圈燃料和氧化剂的流量，可采用普通计算器求解获得，需要学生先进行简单计算列出工况再进行实验，增强学生参与感
学生小组内的沟通合作不够	针对推进剂流量变化、推进剂混合比变化和推进剂温度对发动机推力变化和比冲变化的影响规律，建议将一组分为三个小组，每个小组做以上因素中的一个，最后汇总形成实验报告作为小组综合得分
部分学生能力较强，能够快速完成要求的实验内容，想进行高阶探索	设置高阶探索实验内容，如推进剂喷雾特性对发动机性能影响的探究等
操作过程机械重复，部分学生没有兴趣	设置不稳定燃烧这个“彩蛋”，设置不稳定燃烧引发的发动机爆炸现象，激发学生学习和探究的兴趣

4.3 课程思政设置

上述实验是课题组在长期从事液体火箭发动机燃烧稳定性研究的基础上自主开发的，课程思政可以从以下方面展开：

（1）在课程引入时，强调液体火箭发动机研发的重要性，结合实例分享我国自力更生进行航天推进研发的艰难历程，给出我国近几年追赶国际先进水平的快速发展过程，达到激发学生“认识差距，满怀自信，扎实奋进，迎头赶上”的思政目的。

（2）在回答学生关于数据驱动的快速CFD仿真技术问题和介绍不稳定燃烧现象时，通过介绍课题组庄逢辰院士的科研精神，心系国家重大安全需求，咬定青山不放松，针对一个问题持之以恒地深入钻研，激发学生“心系航天、不畏困难、持之以恒、创新超越”的思政目的。

5 结语

液体火箭发动机推力室特性虚拟仿真实验的建设和课程实施，达到了以下效果：

（1）学生在实验过程中对液体火箭发动机燃烧室喷雾燃烧过程有了更加深入全面的认识，对推进剂流量、混合比等参数对发动机推力、比冲等的影响等相关知识掌握得更加牢固，对喷嘴雾化特性、燃烧室壁面冷却等对发动机性能的影响有一定的了解。

（2）将科研成果融入教学，弥补了液体火箭发动机高温高压甚至有毒等极端环境下很难开设燃烧类实验课程的不足，拓展了学生的实验课程的深度与时空范围，同时激发了学生对液体火箭发动机内部燃烧特性的兴趣，唤起了本科生继续深入学习、投身航天动力相关研究的欲望。

（3）对学生第一任职有一定的帮助作用。

（4）培养了学生发现问题、分析问题、解决问题的能力，对学生的团队合作能力提升有较大帮助。

参考文献

[1] 岳利可，高文志，梁兴雨，等．内燃动力装置虚拟仿真实验研究与实践［J］．实验室科学，2021，24（6）：41-44.

[2] 李磊．虚拟仿真实验教学的必要性、存在问题及其可持续发展机制［J］．湖北开放职业学院学报，2019（7）：151-153.

[3] 杨立军，富庆飞．液体火箭发动机推力室设计［M］．北京：北京航空航天大学出版社，2013.

[4] 郭雅楠，王掩刚，牟蕾，等．航空动力系统虚拟仿真实验教学体系建设的探索与实践［J］．高教学刊，2019（3）：121-123.

[5] 张伟伟，叶正寅，杨青，等．基于 ROM 技术的阵风响应分析方法［J］．力学学报，2008，40（5）：593-598.

[6] 王瑞文．流体力学及海洋数值模拟基于 POD 技术的降维方法研究［D］．北京：首都师范大学，2007.

[7] HALL K，THOMAS J，CLARK W. Computation of unsteady nonlinear flows in cascades using a harmonic balance technique［J］．AIAA Journal，2002，40（5）：866-879.

[8] THOMAS J，DOWELL E，HALL K. Nonlinear inviscid aerodynamic effects on transonic divergence flutter and limit cycle oscillations［J］．AIAA Journal，2002，40（2）：638-646.

基于探究式教学方法的虚拟实验教学实践和效果分析

包　恒　仝毅恒　王　辉
（宇航科学与技术系力学与推进技术教研室）

摘　要：力学与推进技术教研室初步建成了液体火箭发动机特性探究虚拟实验系统，为开展探究式教学提供了理想的环境。课程组针对如何发挥虚拟实验优势、提升探究式教学水平的问题开展了教学实践。本文以“推力室特性探究”模块为例，阐述了虚拟实验教学的教学设计、组织过程和课程评价方法，并结合课堂观察和教学评价反馈，分析了虚拟实验教学的效果和不足。

关键词：虚拟实验；火箭推进原理；探究式教学；应用效果

1　引言

用于航天发射的液体火箭发动机结构及工作过程极为复杂，每秒燃烧少则几百千克、多则几吨以上推进剂，发动机工作过程存在高温高压、易燃易爆，甚至有毒污染等重大危险性，而且准备周期长、成本极高、测量数据有限。虚拟仿真技术具有低成本、便捷性、通用性、直观性等优点，特别适合针对火箭发动机推力室极端燃烧工作过程开展虚拟仿真实验教学。

2　液体火箭发动机虚拟实验现状

随着计算机技术的飞速发展，利用虚拟实验室开展教学已成为一种趋势，将会成为未来教学的重要途径和方式[1-3]。液体火箭发动机特性探究虚拟实验系统利用虚拟现实技术，真实呈现了工程发动机实验环境、热试车操作过程和实际实验现象。该虚拟实验系统在内容设计上，围绕航天发射回收中测发指挥员、技术工程师和动力系统总师三类人才的培养需求，分为三个部分。

实验一，结构原理探究。如图 1 和图 2 所示，通过 VR（虚拟现实）显示技术和桌面式虚拟实验室，学员可观察发动机外部结构，分解和剖切发动机主要部件，认识典型部件的内部结构和流动过程；通过三维漫游，认识发动机点火启动和关机过程，深化对火箭发动机工作原理的认识；实践发动机机械部件的虚拟拆装过程，认识发动机部件之间的装配关系。

实验二，推力室特性探究。学员根据任务要求，自主选择发动机型号，通过虚拟热试车，探究流量、混合比等十余种工况参数对推力室性能的影响，分析推力室的压力、温度、速度分布云图，得到满足任务要求的最佳工况参数；针对出现燃烧不稳定的工况，探究燃

烧不稳定的工程抑制方法。

图 1　火箭发动机总装结构

图 2　火箭发动机部件拆解

实验三，发动机系统性能探究。如图 3 和图 4 所示，学员以某型运载火箭为背景，自主设计发动机系统循环方式和总体参数，探索预燃室、涡轮泵、推力室等典型部件参数，对发动机系统性能的影响，并通过运载火箭模拟发射，分析发动机性能参数对运载能力的影响。

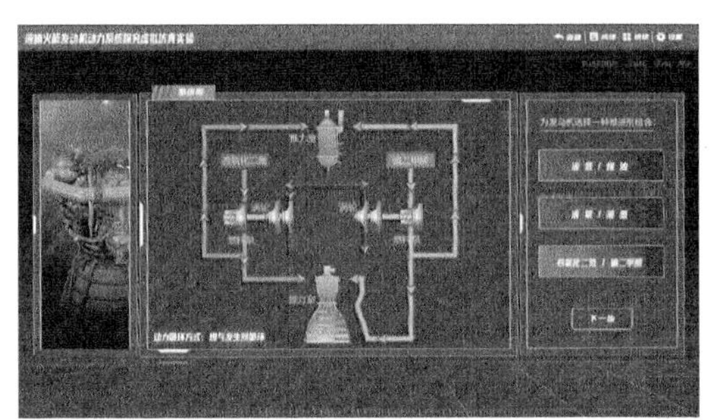

图 3　发动机系统循环设计

图 4　运载火箭模拟发射

以上三个部分的教学内容逐步递进深入，相互联系支撑。实验一构建了对动力系统的基本知识框架；实验二通过基于快速 CFD 的数字驱动让燃烧室工作过程“活起来”；实验三紧贴实战任务，把动力系统开放设计与航天发射任务的串联起来。

虚拟实验室为开展探究式教学提供了理想的环境，采用何种教学设计才能更好发挥虚拟实验室的优势、促进探究式教学的顺利开展是值得研究的问题。

3　探究式虚拟实验教学研究现状

探究式教学实质上是类似科学探究的一种模拟性的科学研究活动，是指在课堂教学中教员根据学员特点和知识结构，借鉴某些科学研究方法，指导学员通过发现问题、提出问题、实践探究等学习活动，掌握科学概念和规律，学习科学方法，发展科学探究能力，培养科学态度和科学精神的一种教学形式[4-6]。在这种课堂教学形式中，教员主要扮演指导者的角色，通过创设良好的问题情境，来调动学员的积极性，在学员开展探究活动时通过提供适切的指导，推动学员自己去发现问题、解决问题，以此来提高学员的探究能力。学员作为探究式课堂教学的主体，在教员的指导下自己制订探究实验方案，确定探究方法，通过自己的方式检验自己的猜想。在科学探究活动中，学员由传统课堂教学中被动接受知识向主动获取知识转化，通过经历科学探究的过程，学习知识与技能，体验科学探究的乐趣，学习科学探究方法，感悟科学的思想和精神。

从探究式教学的含义可以看出，探究式教学活动具有以下几点特征：①以学员主动参与为前提；②以问题或任务为起点；③自主探究或小组合作探究的形式开展；④探究过程注重学员的经历及能力的提升；⑤突显学员的主体地位及教员的主导地位。

4 “推力室特性探究”的虚拟教学实践

在对探究式虚拟实验教学设计要点进行分析后，本文以“推力室特性探究”实验作为案例，阐述探究式教学实践过程的设计。

4.1 教学内容分析

本实验是在学员学习了发动机推力基本公式、喷管理论、热力学关系式和推进剂性能分析后，对发动机推力室工作特性的进一步探究。推力室的主要工作特性包括推力、比冲、燃烧室压力、燃烧室温度等，应用科学探究的方法研究推进剂总流量、混合比、推进剂温度等工况参数对推力室主要工作特性的影响规律，有利于加深对推力室特性的理解，又可培养学员科学探究的能力。此外，学员自主设计实验的尝试，也锻炼了学员的动手能力和实验分析能力。

4.2 学习者特征分析

实验教学的对象是大三下学期的本科生学员。通过前面的理论学习，学员已经了解了推进剂燃烧的热力学过程，掌握了推力、比冲的概念，以及一定的实验方法，如控制变量法等。但虚拟实验中可调的工况参数还包括内圈推进剂流量、外圈推进剂流量、推进剂雾化特性、壁面冷却等非主要参数，学员在调节和选择中可能会遇到困难。因此，在教学中教员要鼓励学员积极探究、讨论、猜想，从中归纳出不同参数对推力室燃烧过程的影响规律。

4.3 教学目标分析

4.3.1 知识与技能

（1）掌握推力室主要工况参数对推力室性能的影响规律。

（2）了解推力室内的压力、温度、速度分布云图特征。

4.3.2 过程与方法

（1）能够基于发射任务对动力系统的性能需求，开展发动机工况参数设计。

（2）能够利用控制变量法探究多因素共同影响的复杂问题。

4.3.3 情感态度与价值观

（1）通过探究活动，激发学员的求知欲望和科学探究的兴趣。

（2）通过设计实验，感悟控制变量法在解决实际问题中的重要意义。

（3）通过实验研究，培养合作交流与团队互助的精神。

4.4 教学流程图

结合“火箭推进原理”课程特点和学员的认知规律，为提高学员的探究能力，改善学员的学习方式，凸显学员的主体地位和发挥教员的主导作用，将基于虚拟实验室开展发动机系统性能探究式教学分为以下四个环节：①创设情境，明确任务；②引导探究，小组协作；③成果展示，汇报交流；④评价总结，反思提升。根据这些环节将探究活动分为教员活动和学员活动，具体教学流程如图 5 所示。

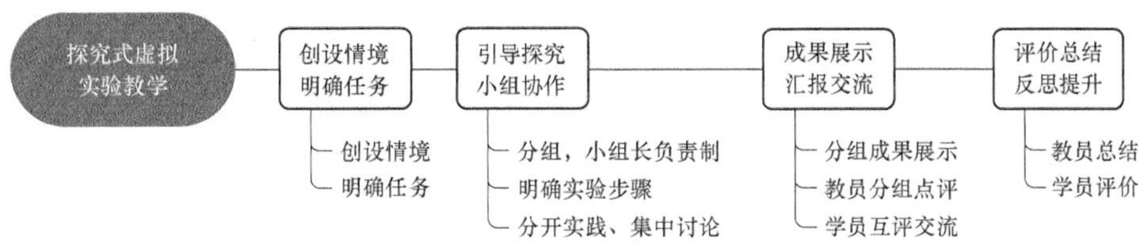

图 5　探究式虚拟实验教学流程

4.5 探究式任务和过程设计

4.5.1 创设情境，明确任务

在火箭飞行过程中，发动机会通过改变工况实现一定程度的变推力调节，进而满足复杂的任务需求。为保证航天发射任务的成功实施，需要在火箭装配前对发动机性能进行评估，以掌握发动机在不同工况下的工作状态，获得发动机的稳定性裕度。

评估发动机性能方法需要学员讨论。根据讨论结果，对不同方法的优缺点进行点评：真实实验方法，费用大，准备周期长，得到的数据有限；CFD 仿真计算方法，费用较小，得到的数据丰富，但计算时间仍然比较长。

发动机性能试验鉴定，本质上就是在改变发动机工况时，通过一定的方法，获得发动机的性能。需要学员选择一款发动机满足载人登月返回任务需求：载荷要求 15t，发动机变推力范围 60%～105%。

4.5.2 引导探究，小组协作

学员以小组为单位，需要按照教员提示依次完成以下任务：①从虚拟系统的三款发动机中选择一款合适的型号；②明确推进剂总流量、混合比、推进剂入口温度对发动机推力和比冲的影响规律；③设计出推力为 140kN 和 160kN 时的工况参数。

学员开展分组探究。虚拟系统可以对实践过程中的数据进行记录，并且得到不同因素对发动机性能的影响规律。最后，学员根据探究得到的规律，对推力 140kN 和 160kN 时的工况参数进行设计，可以侧重于比冲、燃烧压力、燃烧室温度、当量比等多个方面。

4.5.3 成果展示，汇报交流

通过探究实践，学员将获得的结果上传教学系统，形成实验报告。教员组织学员利用虚拟实验室，展示本小组的探究成果。成果汇报一方面可以提高学员的交流能力，另一方面有利于教员了解学员的探究学习效果，包括是否获得正确实验结果、探究实验方案是否可行、实验过程是否符合科学逻辑、影响学员探究成败的因素有哪些等。

4.5.4 评价总结，反思提升

学员成果展示结束后，教员对学员的探究过程和探究成果做出评价，使学员了解自身的不足。教员可通过评价，反思教学过程、改进教学方法、提升教学能力，做到教学相长。学员可以通过讨论交流和教员评价，反思自己探究成果的不足，加深对火箭发动机设计的认识，碰撞出新的设计思路。

4.6 评价设计

实验课程考核采用教员评价、学员自评和学员互评相结合的方式[7,8]，包括基础认知考核（15%）、方案设计考核（40%）、探究成果考核（30%）和汇报交流考核（15%）。

（1）基础认知考核：系统在虚拟操作间隙，随机抽取试题由学员回答，考察学员对发动机部件组成、工作原理、循环方式等基础知识的掌握程度。

（2）方案设计考核：学员根据创设场景和探究问题，提出合理猜想确定实验变量，进一步明确实验条件、研究自变量和观测因变量，制订实验步骤和设计实验表格。系统全程记录学员的操作过程，根据操作准确性和实践对过程进行计分。学员如果无法完成实验设计，可以请求系统提升引导，系统会根据学员请求提升情况进行扣分。

（3）探究成果考核：探究实践结束后，学员将探究成果上传到系统中，形成实验报告。系统将对探究成果，从多个角度进行加权评价。

（4）汇报交流考核：学员虚拟实践后，将组织进行小组讨论交流，分享学习和设计的心得体会，教员对学员探究成果做出评价，使学员能够通过反思获得提升。教员评价和学员自评、互评相结合，书面评价与学员口头报告、活动展示等评价相结合，对学员的口头表达能力、交流积极性和反思效果做出评价。

5 虚拟实验探究式教学效果分析

5.1 虚拟实验应用效果

从实践效果来看，基于探究式教学方法的虚拟实验受到了学员的广泛欢迎。相比理论教学，虚拟实验教学的形式相对生动有趣；相比实验室参观教学、现地教学等，虚拟实验教学能开展的教学内容更加丰富，学员的操作体验感更好。

5.1.1 激发学员学习兴趣

从教学设计应用效果中对探究任务的数据分析可以看出，学员对基于虚拟实验室开展探究式教学产生了极大的学习兴趣，课堂教学秩序好。学员普遍接受这种教学方式，喜欢利用虚拟实验室完成探究任务，说明虚拟实验室能够激发学员的探究兴趣。

5.1.2 有效支持学员开展探究

在探究过程中通过对学员的外显行为观察发现，对于刚接触火箭发动机性能测试的本科学员，虚拟实验室能够直观形象展示实验现象，帮助其理解一些较难的工程规律，并且虚拟实验室便于获得数据。学员在分析混合比对推力室比冲影响规律时，可以尽可能发挥

自己的猜想进行验证，而在真实实验室由于受到安全性、经费和准备周期的限制，只能开展一个工况的实验演示。虚拟实验室提供的环境更加有利于学员进行实验，实验参数学员可以自主设置，并且虚拟实验室还能形成实验数据图，这在真实实验室中学员是无法得到的。这说明虚拟实验室的高度仿真性、开放性能够有效支持学员开展探究。

5.1.3 培养学员协作意识、探究能力

从教学设计应用效果中对探究过程的数据分析发现，基于虚拟实验室开展探究式教学，学员在经历了提出猜想—设计实验方案—验证猜想—得出结论—成果汇报这一探究过程后，实验能力、合作意识普遍都能得到提高。尽管在探究过程中学员表现出对虚拟系统高自由度、多参数的不适应及向教员寻求帮助等现象，但观察时还是发现学员在利用虚拟实验室开展探究时慢慢懂得如何设计实验方案，如何与他人合作交流解决问题。尽管一次探究实践无法测量学员能力的提高，但探究过程锻炼了学员的交流能力，丰富了学员探究学习经验，促进其掌握学习的过程和方法，为今后的科研探究奠定基础。

5.2 教学反思和改进

课程组在利用虚拟实验室开展探究式教学后，对课堂教学模式和方法有更多的体会及认识。通过对学员评价反馈和课程组教员课堂观察的梳理，笔者总结了如下改进意见：

（1）虚拟实验教学的情境创建基于工程实践，而学员的知识来源于理论教学，两者之间存在一些鸿沟。学员进入系统后，会对虚拟系统中展示了多种可调参数感到无所适从。这说明在引入工程问题之前，需要为学员先补充工程背景知识。

（2）学员对探究过程的认识容易陷入唯一解的误区。比如，在要求提高燃烧室压力的实验中，学员单纯提高燃烧室压力，普遍忽略了需要提高涡轮泵的压力，否则会导致系统工作困难。需要教员不断提醒学员主要协同调整系统参数。

（3）探究式教学最需要重视评价环节，小组之间的评价和自我评价得到的数据不客观，评价环节很重要但实施却困难。教学实施中采取小组长负责制，组员一般会推举学习成绩较好的学员担任小组长。但存在小组长组织能力较差，两三人承担了所有探究任务。因此，在小组合作探究过程中，需要注意观察那些“搭便车”的学员，并进行监督管理，对小组长加强培养，提高其组织能力。

6 结语

课程组将设计的探究式教学案例应用于课堂教学中，通过课堂观察、学员反馈等方式调查虚拟实验室支持的火箭发动机探究式教学的应用效果。调查结果显示：

（1）基于虚拟实验室开展火箭推进原理教学，学员的学习兴趣很高，探究意识、合作意识及实验能力都得到了提高。这说明探索的教学方法能够达到较好的教学效果。

（2）虚拟实验的情境创建基于工程实践，需要及时为学员补充工程背景知识，使其更好地理解任务要求和完成工程设计。

（3）在小组合作探究过程中，仍有“搭便车”现象。教员需要提醒小组长，在布置任务时要清晰明确，任务的分配具体到个人。同时，在探究过程中需要加强对小组长的培养，

提高其组织能力。

（4）探究完成后，学员普遍不重视教学评价。探究式教学评价环节很重要，但如果想要取得较好的效果，就需要进行深入思考及反复实践。

参考文献

[1] 农春仕，孟国忠，周德群，等．“双一流”行业高校建设虚拟仿真实验教学项目的探究[J]．实验技术与管理，2021，38（5）：15-19.

[2] 杜月林，黄刚，王峰，等．建设虚拟仿真实验平台探索创新人才培养模式[J]．实验技术与管理，2015（12）：26-29.

[3] 常建宇．大学物理教学方法探讨[D]．大连：大连理工大学，2012.

[4] 魏娟．基于虚拟实验室的中学物理探究式教学方法研究[D]．兰州：西北师范大学，2015.

[5] 李展．具身认知视域下虚拟仿真实验的设计与开发[D]．济南：山东师范大学，2019.

[6] 韦艳娇．沉浸式虚拟现实课堂设计方案研究[D]．上海：上海师范大学，2017.

[7] 段扬．基于中职《电子技术基础》虚拟仿真实验教学设计的研究[D]．天津：天津职业技术师范大学，2020.

[8] 熊宏齐．国家虚拟仿真实验教学项目的新时代教学特征[J]．实验技术与管理，2019（9）：1-4.

低温运载火箭动力系统虚拟仿真训练平台建设研究

王　辉　包　恒　仝毅恒
（宇航科学与技术系力学与推进技术教研室）

摘　要：液体火箭发动机系统极为复杂，特别需要通过实验直观认识发动机结构和工作过程，深入理解发动机工作原理。目前教学中，实装发动机就像黑匣子，只能直观感受发动机外形，而实验危险性较高，只能观看实验结果，学生参与度不够。虚拟仿真技术具有通用性、直观性等优点，特别适合针对发动机推力室系统高温高压极端环境实验开展虚拟仿真教学。教学理念上始终围绕“会指挥、懂装备”指技融合型航天测发人才培养需求，内容设计上紧密围绕动力系统关键部件，服务“懂装备”根本需求。结合火箭推进原理课程教材和工程实际，主要建设虚拟仿真教学管理系统、低温动力系统结构与工作原理虚拟仿真系统、低温动力系统工作特性虚拟仿真系统、低温动力系统测试虚拟仿真系统和虚拟仿真显示与交互系统。在系统建设中，通过高精度CFD得到的液体火箭发动机工作特性数据驱动虚拟仿真实验，保证了虚拟仿真实验的准确性和先进性。

关键词：液体火箭发动机；低温动力系统；数字驱动；虚拟仿真；教学平台

1　引言

我国CZ-5、CZ-6、CZ-7等新一代运载火箭广泛采用液氧（－183℃）、液氢（－253℃）等低温推进剂动力系统[1]，低温动力系统成为进入空间的主战装备。低温动力系统测试发射过程极具挑战，涉及吹除、置换、预冷、加注、点火、停机等极其复杂热物理过程，迫切需要“会指挥、懂装备”的指技融合型人才。

为了适应航天测试发射人才培养迫切需求，设置火箭推进原理、动力系统构造与测试等课程，使学生深入理解低温动力系统工作原理，有效提升复杂工程问题解决能力。

液体火箭发动机系统极为复杂，包括推进剂供应系统、燃气发生器涡轮本增压系统、控制系统和推力室系统，工作过程涉及剧烈的喷注雾化、高温高压燃烧、高速喷射等物理化学过程[2]，工作过程极为抽象，工作原理非常难以理解，特别需要通过实验使学生直观认识发动机结构和工作过程，深入理解发动机工作原理。

目前实践教学过程中，液体火箭发动机结构与原理认知教学主要依托演示实验区实装发动机开展，但现有实装发动机就像黑匣子，学生只能直观感受发动机外形，无法认识内部详细结构与组成，而对发动机工作原理只能凭空想象；液体火箭发动机工作过程实践教学主要依托实操实验区实验台开展，由于液体火箭发动机内喷注雾化、蒸发燃烧、热试车等典型工作过程实验危险性较高、准备周期长、消耗大、操作要求高，实际教学中只能认知实验系统组成和观看实验结果，学生参与度不够、学习积极性不高。

虚拟仿真实验系统特别适合针对液体火箭发动机系统高温高压极端环境实验开展虚拟仿真教学。虚拟仿真实验利用现代信息技术[3-5]，结构上可以构建实装发动机全尺寸高精度数字模型，通过爆炸图、剖视、漫游等多种形式对火箭发动机结构进行系统细致认知，基于高精度数值仿真结果和实验数据库驱动，可实现火箭发动机内喷注雾化、高温高压燃烧等极端物理化学过程高精度复现，使学生身临其境，直观感受火箭发动机工作过程，深入理解发动机工作原理。此外，虚拟仿真模型通用性强、实验周期短、成本低、无毒无危险，数字模型更新换代较快，可有效解决院校无实装现实难题。

2　建设思路与总体方案

低温运载火箭动力系统虚拟仿真训练平台侧重于运载火箭动力系统结构、原理与特性实验教学，是军队实训装备的有力补充，也可为其他单位提供相关训练保障。它在功能布局上主要包括：

（1）保障专业基础课实践教学。主要保障航天测发专业基础课火箭推进原理、动力系统构造与测试的实践教学，开展低温运载火箭动力系统结构与工作原理认知训练、低温动力系统工作特性探究训练等。

（2）保障培训课程实践教学。主要保障任职培训课程实践教学，开展低温动力系统多人协调虚拟测试训练、运载火箭垂直起降回收任务规划训练等。

（3）保障岗位人员训练。主要保障动力系统基本理论知识与测发技能训练，开展低温运载火箭动力系统结构与工作原理认知训练、低温动力系统工作特性探究训练和低温动力系统多人协调虚拟测试训练等。

（4）保障其他人员认知训练。主要保障航天工程人员动力系统基本知识认知训练，按需自主安排学习训练科目，可满足 1000 人同时开展线上虚拟仿真实验。

（5）保障全校本科、研究生创新实践。主要保障全校有意向本科、研究生开展本科毕业设计、建模竞赛、创新设计竞赛和基础研究，可满足 10 人同时进行创新实践。

基于以上考虑，低温运载火箭动力系统虚拟仿真训练平台主要建设虚拟仿真教学管理系统、低温动力系统结构与工作原理虚拟仿真系统、低温动力系统工作特性虚拟仿真系统、低温动力系统测试虚拟仿真系统和虚拟仿真显示与交互系统，如图 1 所示。其中，低温动力系统结构与工作原理虚拟仿真系统、低温动力系统工作特性虚拟仿真系统和低温动力系统测试虚拟仿真系统为高精度数字驱动的虚拟空间，可进行虚拟仿真实验，是虚拟仿真教学的核心内容。虚拟仿真显示与交互系统为虚拟仿真教学训练提供场地，三维立体呈现虚拟空间及内容，并为虚实空间交互提供软硬件支撑。

2.1　虚拟仿真教学管理系统

虚拟仿真教学管理系统为低温运载火箭动力系统虚拟仿真训练平台提供基础软硬件支持、底层仿真计算服务、教学学习组织和学习效果分析等，主要包括基础硬件设备、基础服务模块、虚拟仿真实验模块和虚拟实验教学管理模块，以及课程介绍、系统管理、数据记录、分析等，见图 2。

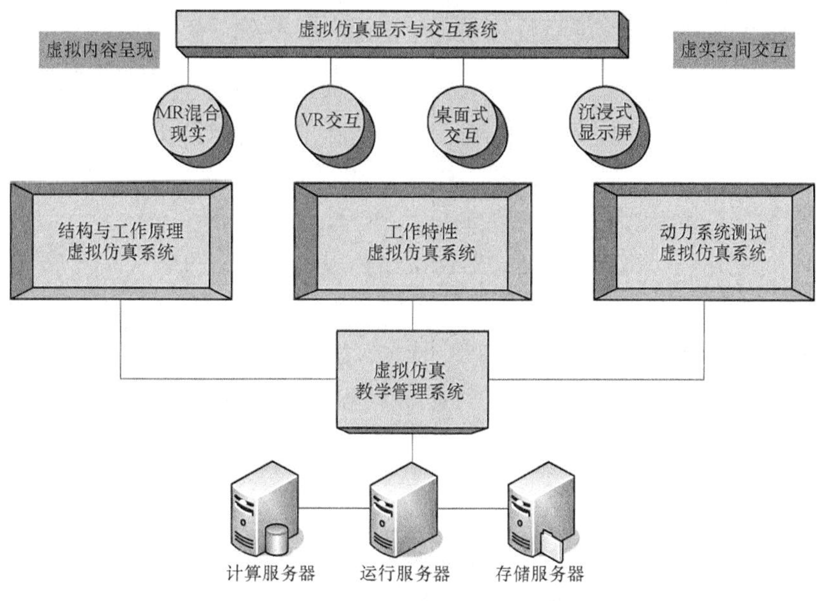

图 1　低温运载火箭动力系统虚拟仿真训练平台组成

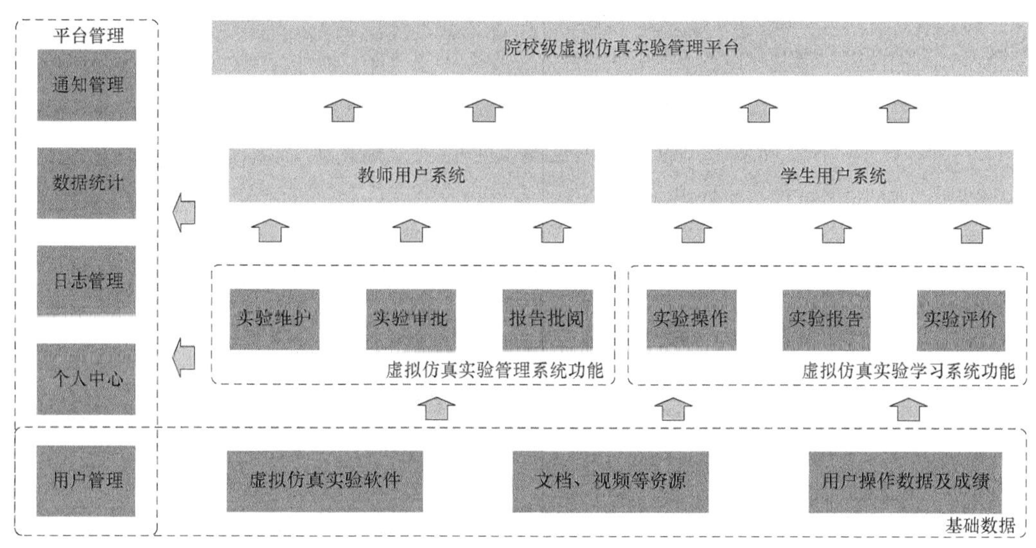

图 2　虚拟仿真教学管理系统组成

虚拟仿真教学管理系统是基于 B/S 网络架构，以学校为一级门户、院系为二级门户的开放共享的虚拟仿真实验教学管理交互平台，主要包括虚拟仿真实验管理、资源管理、平台管理等功能模块。其中，以教学资源库、仿真实验库、用户数据库等为底层资源数据支撑，以各种资源构建出一套能够满足学生在线实验、教员在线管理维护、在线答疑的学习平台，打破“信息孤岛”，满足实验共享，师生在线沟通的需求，实现虚拟仿真实验的统一管理和维护。

2.2　低温动力系统结构与工作原理虚拟仿真系统

低温动力系统结构与工作原理虚拟仿真系统通过三维高精度建模构建典型低温火箭动力系统数字样机，从循环方式和推进剂种类上覆盖中国航天现役主力型号。其中循环方式包括燃气发生器循环、补燃循环和膨胀循环，推进剂覆盖液氧/煤油、液氧/液氢等。

在数字样机基础上，开发液体火箭发动机结构虚拟展厅，包含 3 个实验模块，分别为液体火箭发动机结构组成、液体火箭发动机工作原理和液体火箭发动机虚拟拆装。

结构组成模块采用人机交互方式，将结构化文本与二维图片相结合，在教学书籍和相关文献资料的基础上补充大量相关图片，遵循随时点击随时查看的原则，完成图文热点关联跳转，做到学生选择某一零部件，教学系统便实时呈现零部件的结构图片，如图 3（a）所示，以此指导学生了解学习液体火箭发动机结构组成。

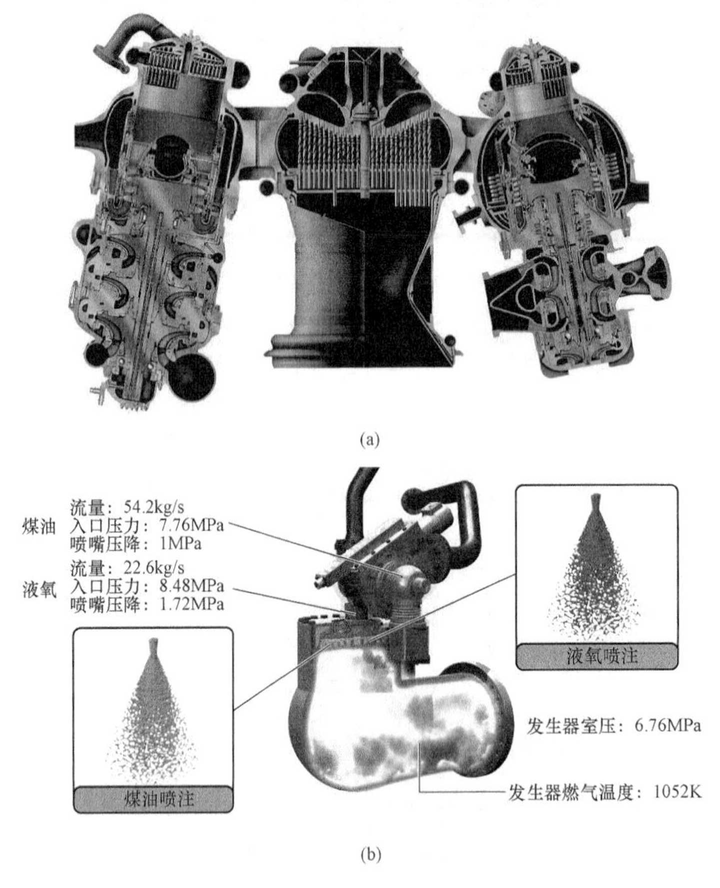

(a)

(b)

图 3　发动机内部结构

液体火箭发动机工作原理模块包括介绍液体火箭发动机的技术特点、性能参数和主要工作过程原理。实验系统利用三维软件的粒子模拟、流体模拟、爆炸模拟、刚体运动模拟等多种仿真技术手段，特效展现增压过程、冷却过程、燃烧过程、做功等过程中动力系统内部流动传热燃烧状态［见图 3（b）］，通过动画演示设备使用方法，整个过程以可视化的方式展开，并配以文字讲解。利用3D动画特效展示主要工艺设备工作原理，设备的内部结构可以清晰呈现。

液体火箭发动机虚拟拆装模块主要利用虚拟仿真技术，通过逼真的三维立体图像，使用户作为主角沉浸于模拟环境中，对虚拟环境中的设备进行拆卸安装，从而了解液体火箭发动机基本结构。其功能包括设备结构爆炸图展示、查看组件、设备结构剖切、设备虚拟拆卸与装配、孤立显示、高亮显示、热点交互等。

2.3 低温动力系统工作特性虚拟仿真系统

低温动力系统工作特性虚拟仿真系统主要建设高精度数字驱动的探究型实验，采用快速CFD仿真方法，保证虚拟实验的保真度和时效性。主要开发液体火箭发动机增压输送虚拟仿真实验、液体火箭发动机推力室虚拟仿真实验、喷嘴雾化特性虚拟仿真实验和动力系统变推力回收任务规划虚拟仿真实验。这里以液体火箭动力系统循环虚拟仿真实验和液体火箭发动机推力室虚拟仿真实验为例进行说明。

2.3.1 液体火箭动力系统循环虚拟仿真实验

通过虚拟仿真实验，学习先进火箭发动机动力循环及实验虚拟仿真系统火箭发动机的实验理论和实验方法，了解实验系统构成和实验设备；通过自主设计循环方式和典型部件工作参数，探究不同循环方式下液体火箭动力系统工作特性变化规律，深入理解不同循环方式的根本区别及关键因素。

动力系统循环方式包括挤压循环、膨胀循环、燃气发生器循环、分级燃烧循环、全流量分级燃烧循环和电泵循环。仿真平台基于建模工具AlgDesigner，构建关键部件机理模型。由于使用了机理的物理模型，在虚拟实验中，实验过程并不要求学生按照既定的顺序进行操作。每个实验都有多种操作方式，只要在原理上没有问题的操作，都能够获得正确的实验结果。学生可以开展发动机动力系统总体联调虚拟实验，掌握发动机各关键参数对发动机系统的影响，了解发动机总体影响规律。

2.3.2 液体火箭发动机推力室虚拟仿真实验

通过液体火箭发动机推力室虚拟仿真实验，结合所学理论知识，深入掌握推力室设计方法，探究推进剂组合、推力室工况参数、推力室结构参数对推力室工作特性的影响规律以及推力室热防护规律。

虚拟实验系统基于降阶模型的火箭发动机跨平台流-固-热高精度CFD快速虚拟仿真算法，采用MPICC多尺度程序构建流动传热模拟（CFD）和应力应变有限元模拟多物理场的跨接的耦合模拟方法，在系统运行参数和各部件最佳匹配工况约束下的进出口参数下对火箭发动机内部流动、传热和形变的结构和运行状况进行参数优化。实验内容主要包括：

（1）基于任务驱动的推力室总体设计，包括推进剂组合选取，喷嘴、燃烧室、喷管等关键部件结构参数设计，以及推力室热力性能初步评估。

（2）基于快速CFD仿真方法[6]的推力室虚拟热试车，测量不同工况、结构参数下推力室推力、室压、温度分布、压力分布及冷却通道温度压力分布，评估推力室性能与工作状态。

（3）结合任务需求，迭代进行推力室总体设计优化和推力室虚拟热试车，直到满足任务需要。在确认无误后可画出设计图纸以及撰写设计说明书，对于较好的仿真实验结果，学生可利用画图软件将设计图纸转化成几何模型，并利用金属 3D 打印机加工成实物进行进一步热试车实验探究。

2.4 低温动力系统测试虚拟仿真系统

工程实际中，动力系统就像“黑匣子”，测试人员只能观测外部测试设备参数变化，不了解动力系统内部工作过程，无法深层次认识动力系统测试原理，故障判读、处置能力较弱。

通过构建动力系统测试设备数字模型，结合动力系统工作过程虚拟仿真实验，可三维立体复现动力系统测试过程，进行测试设备虚拟装配、虚拟测试，同时可观测动力系统内部工作状态，把测试结果和测试对象状态紧密联系在一起，深入认识动力系统测试原理，有效提升故障判读与处置能力。

实验系统主要对动力系统分系统进行虚拟测试，主要包括地面、箭上协同测试操作，考核箭上产品功能、性能、指标是否满足使用条件；考核地面设备在协同测试操作中是否满足使用条件；完成箭上有关器件的状态指标调整。主要开发电气模拟测试、火工品虚拟测试、抽真空虚拟测试、增压虚拟测试等。

2.5 虚拟仿真显示与交互系统

虚拟仿真与交互系统（见图 4）是承担虚拟仿真系统展示和开展教学活动的场地，内有混合现实（MR）交互演示系统、虚拟现实（VR）交互工作台、桌面式交互工作台及沉浸式 3D 显示屏等设备。

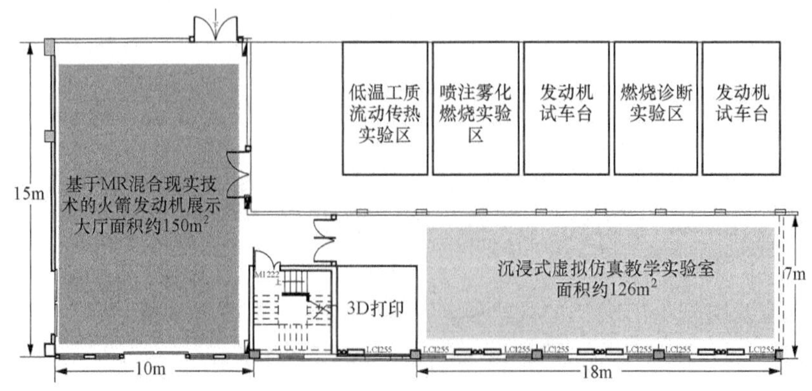

图 4 虚拟仿真与交互系统布局

虚拟仿真与交互系统由基于 MR 技术的火箭发动机展示区和沉浸式虚拟仿真教学实验室两部分组成。火箭发动机展厅有四大功能区，分别为液体火箭发动机展示区、液体火箭发动机关键零部件展示区、液体火箭发动机原理演示区及航天文化展示区。沉浸式虚拟仿真教学实验室采用最新的智慧教室技术进行设计装修，包括混合式课程教学区、VR 教学体验区、教学展示墙等。

3 结语

低温运载火箭动力系统虚拟实验平台以新一代运载火箭低温动力系统为背景，针对航天动力系统测发人才培养，通过虚实结合实验训练深入认识低温动力系统工作原理与使用特性，具备低温运载火箭动力系统结构与工作原理虚拟现实实验、低温动力系统工作特性虚拟仿真实验和低温动力系统测试虚拟仿真实验功能，可开展低温动力系统相关的理论培训、模拟训练和应急处置模拟训练等。

在项目建设中将多年教学科研成果应用于虚拟仿真实验系统，将课程思政结合航天精神融入实验过程，服务人才培养，通过高精度 CFD 得到的液体火箭发动机工作特性数据驱动虚拟仿真实验，保证了虚拟仿真实验的准确性和先进性。

依托部分已建成虚拟仿真实验系统开展了初步教学实践，通过虚拟系统观察火箭发动机内部结构，激发学习兴趣；自主设计探究实验，使学生养成主动学习和不断反思的习惯；不受时空限制开展虚拟实验，大幅提高学习效率，学生满意度测评达到 90%。

参考文献

[1]《世界航天器大全》编委会．世界航天器大全［M］．北京：中国宇航出版社，1996.

[2] 乔治·萨顿，奥斯卡·比布拉兹．火箭发动机基础［M］．北京：北京理工大学出版社，2019.

[3] 石秀玲，付铖．信息化背景下职业教育虚拟仿真教学探究［J］．河北职业教育，2020（04）：47-53.

[4] 陈国辉，刘有才，刘士军，等．虚拟仿真实验教学中心实验教学体系建设［J］．实验室研究与探索，2015，34（8），169-172.

[5] 徐伟杰，徐明，郭彤，等．“金课”背景下土木类虚拟仿真实验教学发展趋势［J］．高等建筑教育，2020，29（1）：74-85.

[6] 王如华，尹贵鲁，何景武，等．快速 CFD 计算工具在民机概念优化设计中的应用［J］．飞机设计，2012，32（5）：31-35.

专业基础课程任务驱动教学模式初探
——以PLC与变频控制基础课程为例

周雨花　苑改红
（士官学校航天测试发射系特装维修教研室）

摘　要： 结合PLC与变频控制基础课程特点，瞄准“知识＋能力”的培养目标，依据建构主义学习理论，探索任务驱动教学模式在专业基础课程中的应用。在分析专业基础课程教学现状的基础上，对PLC与变频控制基础课程进行了重新设计，并介绍了典型任务的教学实施过程，还指出了实施过程中应注意和把握的问题。

关键词： 教学模式；任务驱动；PLC与变频控制基础

1　引言

PLC与变频控制基础课程作为航天测发相关专业的任职基础课，具有知识点多面广、内在逻辑联系紧、更新速度快、理论联系实际要求高的特点，其教学不仅要求学员要牢牢掌握相关基础知识，还要初步具备基本的理论运用能力。因此，讲授式、灌输式的教学方法与设计难以满足该教学要求。

任务驱动教学模式，以精心设计、层层叠加、螺旋深入的任务为牵引，在营造学员学习的问题情境、引导和驱动学员构建基本知识体系的同时，促使学员主动探索和研究，从而提高学员综合能力水平，达成“知识＋能力”的教学目标。任务驱动教学模式以教员为主导，以学员为中心，以任务为驱动，使学员在任务完成中实现知识的学习、理解、拓展和深化，非常适用于理论与实践并重的课程教学[1-3]。

2　专业基础课程教学的现状

我校开设PLC与变频控制基础课程十余年，师资充足，实训设备比较完备，但分析该课程的教学过程，发现仍存在明显不足。

2.1　教学过程理论与实践相割裂

由于受“知识本位”教学理念的影响，课程教学内容过分强调课程学习的系统性、逻辑性。教学过程按照PLC的组成与原理—PLC硬件系统—PLC编程指令—变频器组成与原理—PLC与变频控制综合运用的顺序进行，每个单元基本采用“先理论后实践”的教学模式，即学员在一段时间内需要先进行集中学习，然后进行认识、操作的实践训练。以

“PLC 编程指令”的学习为例，在理论学习阶段，指令学习比较集中，学员感觉抽象难记、枯燥无味，久而久之便失去了学习兴趣；在实践教学阶段，由于对理论知识理解不透彻、掌握不扎实，学员感到束手无策、无从下手。由此可以看出，这种先理论后实践，把理论学习与实践训练割裂开来的教学模式，难以取得良好的教学效果[4,5]。

2.2 “教员主体”的教学模式难以调动学员的积极性

在理论教学环节，教员采用多媒体授课，对 PLC 与变频器的基本工作原理和结构组成进行讲解。在学习 PLC 编程指令时，教员利用计算机进行指令编程与模拟演示。在上述教学过程中，以教员讲授、操作为主，教员是教学活动的主体，学员被动接受。尽管采用图文并茂的多媒体课件进行讲解并加以演示操作，但这种“教员主体”的教学模式难以调动学员的积极性，容易导致学员情绪疲劳，也容易使学员产生学习依赖心理。

2.3 实训教学重程序设计、轻综合能力的培养

目前实验室配备编程计算机和搭载 PLC 的实验箱，由于 PLC 的输入、输出线路都已和实验板连接好，因此实训设备仅适用于 PLC 程序设计与调试训练。PLC 的端子线路连接不需要学员动手，学员的动手能力得不到锻炼，而且学员无法对项目形成总体认识，缺乏项目总体设计能力的培养。上述设备也限制了学员自由发挥的空间，不利于创新能力的培养。

3 基于任务驱动的教学模式设计

根据 PLC 与变频控制基础课程教学中存在的不足和课程特点，笔者认为，采用任务驱动教学是将理论与实践相融合、调动学员积极性，以及提高学员项目总体设计能力、动手能力和创新能力的行之有效的方法。

3.1 基于任务驱动的课程整体设计

任务设计是“任务驱动”教学顺利实施的关键。我们通过调研，充分了解相关单位对本课程知识与技能的要求，通过对相关岗位典型任务的分析，重新整理、设计了学习任务。每个任务通过任务导入、任务分析、相关知识、任务实施、任务总结等环节展开知识学习和技能训练，把 PLC 与变频器应用的基本知识及控制系统设计、安装与调试的基本技能任务化，将知识点和技能点分解到五个模块二十个工作任务中。以“PLC 与变频器的应用”为核心，采用教、学、做一体化的现场教学模式，使学员在做中学、在学中做、做学结合，让学员在完成任务的过程中掌握 PLC 和变频器的基本知识，学会基本的操作、维护和检修，实现知识、能力、素质三个层面的教学目标。

整个课程的模块及任务见表 1。模块一的任务从 PLC 基础知识入手，通过学习 PLC 的产生、发展、组成与工作原理，认识欧姆龙 CP1E 型 PLC 的硬件与软件，学习 PLC 控制系统的设计思路，为后续任务的顺利实施提供基础。模块二的任务与岗位实践结合紧密，通过学习电动机的 PLC 控制，掌握 PLC 基本逻辑指令的用法，学会设计简单的 PLC 控制系统，通过比较 PLC 的梯形图程序与继电器控制电路，能够更好地理解 PLC 的基本程序设计

方法。模块三的任务难度逐渐增加，通过学习灯光系统的 PLC 控制，训练综合运用指令的能力和其他的程序设计方法。模块四引入变频器，将 PLC 和变频器直接连接实现控制要求。其中，任务二与模块二的任务二相比较，可以掌握同一工作任务的不同实现方法，拓宽设计思路，引导进一步探索与创新。模块五的任务一是对模块二与模块三的拓展，实现 1 台 PLC 控制到多台 PLC 控制；任务二则是对模块四的改进，通信可以解决 PLC 与变频器直接连接的诸多问题；任务三在控制系统中增加触摸屏（人机交互），更加贴近岗位实际。

表 1　《PLC 与变频控制基础》课程的模块及任务

课程模块	课程任务
模块一　PLC 的基础知识	任务一　认识 PLC
	任务二　欧姆龙 CP1E 型 PLC 的规格
	任务三　PLC 编程软件的使用
	任务四　PLC 控制系统的设计
模块二　电动机 PLC 控制系统的设计、安装与调试	任务一　电动机单向启动、停止的 PLC 控制
	任务二　电动机正、反转的 PLC 控制
	任务三　三台电动机顺序启动的 PLC 控制
	任务四　电动机 Y - △启动的 PLC 控制
	任务五　工作台自动往返的 PLC 控制
	任务六　运料小车的 PLC 控制
模块三　灯光系统 PLC 控制的设计、安装与调试	任务一　彩灯的 PLC 控制
	任务二　交通灯的 PLC 控制
	任务三　数显抢答器的 PLC 控制
模块四　PLC 与变频器控制综合运用	任务一　认识变频器
	任务二　PLC 与变频器连接实现电动机的正、反转控制
	任务三　变频器多挡转速的 PLC 控制
	任务四　PLC 与变频器连接实现水位控制
模块五　PLC 的通信及网络设计、安装与调试	任务一　三台 PLC 之间的通信
	任务二　PLC 与变频器通信实现电动机的多段速运行
	任务三　基于 PLC、触摸屏、变频器的电动机控制

3.2　基于任务驱动的课程教学过程

下面以模块二任务四　电动机 Y - △启动的 PLC 控制为例，设计基于任务驱动的课程教学过程，具体包括五个环节。

3.2.1　任务导入

结合岗位需求，以 PLC 在厂房桥吊电动机 Y - △启动控制中的应用为背景，运用视频的方式创设情境，导入任务，激发学员的兴趣，调动其学习积极性。

3.2.2　任务分析

从电动机 Y - △启动的继电器控制入手，运用动画的方式展示电动机 Y - △启动的工作过程，分析得出任务的关键是电动机从星形接法转换为三角形接法所用的时间如何控制，从而引出 PLC 内部定时器指令相关知识。

3.2.3 相关知识

教员通过讲授、软件演示操作等方法带领学员学习定时器指令相关知识。教员发布简单任务，学员上机操作完成程序编制与在线模拟，初步掌握定时器指令的基本应用。

3.2.4 任务实施

（1）明确控制系统要求。由电动机 Y-△启动的工作过程，明确控制系统要求。

（2）控制系统的方案设计。

1）PLC 控制系统的硬件（电路）设计。对照控制要求确定输入/输出点和地址，绘制出主电路和控制电路原理图。硬件接线图的绘制，可以加深学员对整个 PLC 控制系统的总体认识，训练项目设计能力。

2）PLC 控制系统的软件（程序）设计。搭建程序框架，以小组为单位完成梯形图程序设计。各小组轮流讲解设计思路，其他小组进行纠错、补充、优化，在线模拟来验证程序，最后教员总结讲评。通过程序编写与模拟验证，学员巩固了新指令的用法，提高了编程技能。小组汇报、集体讨论，可以达到信息共享的目的，进一步拓宽思路，提升解决问题的能力。

（3）控制系统的安装调试。

1）安装与接线。操作前，教员强调注意事项，帮助学员规避常见错误。各小组对照设计好的硬件接线图，合理分工，完成各电气元件在网孔板上的安装及连接。这一过程巩固了学员的电气元件安装实践技能和动手能力。

2）程序下载与调试。各小组将编写好的程序下载到 PLC，按照工作要求调试。对于调试过程中出现的问题，鼓励小组成员自行解决，必要时由教员引导学员一起分析、解决。调试可以使学员逐步具备 PLC 系统调试技能，进一步加深对 PLC 控制方式的理解。

3.2.5 任务总结

小组内部通过成员间互评进行总结，相互发现优点、指出不足，总结经验。各小组之间分享出现的问题及解决方法。最后，教员梳理归纳任务流程，总结关键知识点和各小组好的做法等，并指出不足、提出努力方向。

4 任务驱动教学模式在实施过程中应注意的问题

4.1 教员、 学员角色的转变

由于整个教学过程都需要学员的主动参与，能否充分调动其积极性对整个教学的成功至关重要。因此，教员必须转换角色，要认识到学员的知识是在教员的指导下由学员主动构建起来的。在学员遇到困难时，应该适时点拨；在学员不够主动时，应该引导探究；在学员完成基本任务时，应该鼓励挑战进阶任务。在整个教学过程中，学员从被动接受的地位转变为主动参与、发现、探究和构建知识的主体地位。

4.2 实训设备的改进

功能完善的实训设备是任务顺利实施的保证。实训设备除配备 PLC 实验箱、编程计算机外，还应配备带网孔板的实训台。实训台电源完善，配备按钮、开关等输入元器件，配备指示灯、电动机等输出指示元件、执行机构和负载。网孔板用于 PLC、继电 - 接触器等器件的安装、连接。这样，不仅可以进行编程训练，还可以进行项目设计，提高学员的项目总体设计能力、动手能力和创新能力。

4.3 多种教学方法并用

任务驱动是一种教学方法，在教学过程中，还可以同时选用其他教学方法，目的在于更好地完成教学任务、实现教学目标。例如，在任务“电动机 Y - △启动的 PLC 控制”的教学过程中，就运用了讲授法、讨论法、演示法、分组法等方法。其中，演示法比较直观，便于掌握；分组法便于充分调动学员的积极性，培养学员团结协作、积极参与的意识。

5 结语

本文通过对 PLC 与变频控制基础课程的教学分析，找出了教学中存在的问题，探讨了基于任务驱动的教学实践过程。任务驱动教学将理论教学与实践教学有机融合，能有效解决理论与实践脱节问题，通过工作任务可以增强学员学习的主动性和积极性，提高整体设计能力、动手能力和创新能力。

当前，军队院校不同专业的基础课程大多强调理论知识与技能训练并重，而任务驱动模式对这些课程的教学具有重要意义。根据课程特点，设计与岗位实际联系紧密、实用性强的多个工作任务。任务之间的知识递增、内容互补、难度和全面性的不断提高，使课程的基本知识和技能得到巩固和提高。整个教学过程以学员为主体，可显著提高学员的实践技能和创新能力，从而实现人才培养与岗位任职要求的“零距离”对接。

参考文献

[1] 张红祥．浅谈“任务驱动法”在计算机基础课程教学中的运用［J］．电脑知识与技术，2005，36（8）：218 - 219.

[2] 任燕舞．基于任务驱动法的《大学计算机基础》课程教学模式构建［J］．电脑编程技巧与维护，2013，18（6）：147 - 148.

[3] 杨奎武，郭渊博，李长胜．微机原理与应用项目驱动式教学方法［J］．中国教育技术装备，2013，6（18）：77 - 80.

[4] 易昊．PLC 教学现状和改革措施［J］．考试周刊，2011（50）：16 - 17.

[5] 严明霞．PLC 课程教学中存在的问题及改革思路［J］．机械管理开发，2011（3）：195 - 196.

[6] 吴涛．浅议电气自动化课程教学改革［J］．湖北函授大学学报，2009（3）：72 - 73.

控制类系列课程教学改革研究与实践

任　元[1]　王丽芬[2]　刘　通[2]
（1. 基础部；2. 宇航科学与技术系制导与控制教研室）

摘　要：控制类课程在航天人才培养中具有极其重要的作用，但其教学实践中普遍存在教学内容分散、“两性一度”不高、理论与实践分离、教学与科研脱节等突出问题。为此，本文开展了控制类课程的教学改革研究：统筹规划以自动控制原理为代表的本科生、研究生、任职培训等控制类课程，建立一体化知识模型，创建航天类教学案例库，丰富航天特色教学资源，建立 KPC（知识-实践-竞赛）闭环实践模式，探索教学-科研-人才培养螺旋式教研互哺机制。实践应用表明，该研究有效提升了人才培养质量，明显增强了师资队伍能力，充分凸显了教研融合发展成效，极大丰富了服务部队的能力手段。

关键词：控制类课程；“两性一度”；KPC 闭环实践教学模式；螺旋式教研互哺机制

1　引言

在全军院校长集训开班式上强调，要贯彻新时代军事教育方针，深化军事院校改革创新，培养德才兼备的高素质专业化新型军事人才。这就深刻回答了院校建设和人才培养的根本性、方向性、全局性的重大问题[1]。实现党在新形势下的强军目标，建设世界一流军队，离不开建设一流的军校和人才培养体系，不断提高办学育人水平才能为实现强军目标提供强有力的人才和智力支持[2]。我校作为全军唯一一所航天类军事院校，担负着培养高素质新型航天人才培养的神圣使命。其中，控制技术广泛应用于航天测发、测控及在轨维修技术领域，因而控制类课程的教学在人才培养过程中是非常重要的环节之一。

目前，我校控制类课程包括生长军官课程自动控制原理、航天器系统与建模仿真，研究生课程现代控制理论、航天器姿态动力学控制，以及任职培训课程飞行器导航、制导与控制等。控制类课程理论抽象，涉及电路、机械、计算机等多学科知识，课程内容丰富；随着信息技术及控制理论的飞速发展，教学内容更新加快；航天发射形式不断多样化、航天器在轨管控任务不断复杂化，对控制类人才实操及创新性能力需求不断深入。但是控制类课程教学内容、模式、条件较难满足人才培养的需求，需要重塑教学体系，重建知识模型，创新教学手段，增强教学条件，突出航天特色，以培养航天领域“专业扎实、主动创新”的应用型专业人才。

2 控制类课程教学中存在的问题

2.1 课程内容分散，课程知识点系统性不强

控制类课程涵盖本科生、研究生、任职培训学员等。其中，本科生课程重在概念原理，研究生课程重在创新实践，任职培训课程重在学以致用，不同层次课程之间的教学内容应具有相互衔接、逻辑递进的关系。但是，本科生教学中个别内容超纲；反而研究生和任职培训课程中，太注重基本原理、方法的讲解，而忽略了与实际应用的联系，忽略了学员实操能力、创新能力及解决实际工程问题能力的培养。

针对单一课程，如自动控制原理[3]，教学内容涵盖时域分析、跟轨迹分析、频域分析等多种分析方法，内容跨度较大；而各种分析方法中又涉及系统快速性、稳定性和准确性的分析，知识点较为分散，学员很难建立整门课程各知识点之间的关联，难以应用于分析解决实际问题，甚至连一般试题解答都存在困难。

因此，无论从单门课程内部，还是课程之间，都需要建立知识体系，构建一体化的知识模型，这样才能帮助学员系统、扎实掌握控制领域专业知识，为主动创新做好准备。

2.2 课程内容抽象，与航天结合不紧密

控制类课程的基本理论是从物理现象、规律中抽象出来的，是物理问题到数学逻辑的升华。然而，脱离了实际物理载体，很多概念理解起来就很抽象，学员就很难建立感性认识，以致无法上升到理性分析。例如，自动控制原理中的奈奎斯特稳定判据，学员学习相关知识，基本处于一种朦胧状态，用学员的话讲就是教员推导如行云流水，他们听得一头雾水，学到最后，只是记住了判稳定理、学会了做题而已。

课程内容抽象，要求教员尽量联系实际，加入物理到数学的升华过程，这样可以加深学员对相关概念的理解。而作为军内唯一培养航天人才的大学，更应该将航天任务、事例中的物理现象、物理问题简化、抽离出来，应用于课堂教学。但是，以往控制类课程教学的模式就是讲概念、讲定理及其推导，讲做题，很少涉及概念和定理有什么用、怎么用，这极大限制了学员理论联系实际的能力。

2.3 教学内容高阶性、创新性和挑战度不足

课程是“立德树人成效”这一人才培养根本标准的具体化、操作化和目标化，也是当前中国大学带有普遍意义的短板、瓶颈和关键所在。

控制类课程具有与时俱进的特点，对教学内容的高阶性、创新性和挑战度[4]具有较高的要求。注入式教学方法容易让学员养成“学而不思、思而不疑、疑而不问”的习惯，不利于发掘学员潜力，不利于学员创新思维和能力的培养，影响了控制类课程教学效果。

高阶性是知识能力素质的有机融合，旨在培养学员解决复杂问题的综合能力和高级思维。以往教学中复杂问题仅限于多个知识点交叉导致的难题，而非与实际联系的复杂问题。

创新性是指课程内容反映前沿性和时代性，教学形式呈现先进性和互动性，学习结果

具有探究性和个性化。以往控制类课程教学，多数采用教员讲、学员听的教学模式，所谓的“互动性”仅限于一般的课堂提问，很少能让学员融入课堂，自己当“教员”。

挑战度是指课程有一定难度，需要跳一跳才能够得着，对教员备课和学员课下学习有较高要求。以往控制类课程的难度仅限于抽象难懂的知识点，而没有深入探究。

教学内容的以上缺点不仅需要完善教学内容，还需要改善教学模式和教学方法。

2.4 教学与科研脱节，制约教学质量提升

培养人才是大学的第一使命，是大学的根和本。在担负这一使命的过程中，教学侧重于言传，科研侧重于身教。教学与科研相辅相成，才能更好地培养一流人才、成就卓越教员。

以往控制类课程教学中，注重基本概念、理论的讲授，而缺乏与科研实践的结合。本科生课程注重基本原理，如自动控制原理讲的是经典控制理论，是现代控制理论乃至智能控制的基础，分析的是单输入单输出控制系统，而工业应用的是多输入多输出系统，貌似无法实现课程与科研的结合。但是，所有系统都可以分解为若干子系统，一些系统在忽略部分影响因素后可以简化为经典控制系统，并且不论系统多庞大、多复杂，都要分析其快速性、稳定性及稳态误差等。因此，将复杂的系统简化处理，从纷杂的信息中找到要分析的物理量，就可以构建经典控制系统，并基于此拓展教学内容。

相比之下，研究生课程就与科研有极高的契合度，毕竟设置研究生课程的出发点之一就是帮助学员更好地开展科研工作。因此，将与课程相关的科研问题“搬”到课堂，让学员讨论、分析，提出方案并验证，有助于培养学员的实践和科研能力，提升创新能力。

综上所述，控制类课程在教学体系、内容、模式、方法上都需要进一步优化改进，以提高教学质量。

3 控制类课程教学改革方案与成效

为此，课程组开展教学改革方案研究，并在教学实践中取得了较为显著的成效。

3.1 剖析课程内在联系，构建一体化知识模型

针对内容分散、知识点系统性不强的问题，构建本-研-职业教育教学立体资源库，重塑控制类课程内容体系，形成不同层次教育相区分、相补充，各个课程又独立成体系的教学模式。

3.1.1 分析系列课程知识脉络，构建本-研-职业教育教学立体资源库

为了更好地满足不同层次教育需求，首先面向学历教育，紧贴航天应用编写专著和教材。主要针对航天类学历教育对惯性导航系统、飞行器制导与控制技术等内容的需求，结合航天装备和航天活动，系统设计教学内容，并整理相关成果，出版专著 3 部，编写讲义 2 套，翻译控制类书籍 1 套，更系统地阐述了相关教学内容，厚实了课程基础素材。

其次，面向任职教育，紧贴岗位实践建设慕课课程。主要针对航天测发、测控、搜救回收、太空方位等岗位技术人员应掌握的导航制导知识建设慕课课程。任职教育需要的是

基本概念、基本原理、基本操作等内容，因此，慕课课程的建设重在用形象的图片、动画、视频等把原理讲清楚，把操作中的问题及处理方法讲明白。

最后，面向知识拓展，建设航天控制类系列微课。主要针对学员开拓知识面、拓宽视野的需求，基于学历教育和任职教育基本教学内容，结合相关理论发展情况，关注相关技术发展前沿，建设基于量子探测制导相关技术的一系列微课，并将进一步建设紧贴航天任务的导航、制导、控制领域的系列微课。

3.1.2 重塑课程内容体系，构建三横三纵三性的知识模型

以自动控制原理为例，为了解决课程内容涵盖广、跨度大、知识点分散，学员不易系统掌握的问题，提出并构建了符合系统分析设计规律，涵盖多种分析方法，满足系统设计需求的“三横三纵三性”一体化知识模型。该模型以系统建模、分析和设计为横轴，以时域、复域和频域分析为纵轴，以快速性、稳定性和准确性为评判标准，表征了不同分析方法的一致性，实现了各个知识点的融会贯通，有效加深了学员对课程内容的理解。

3.2 瞄准教学重难痛点，创建航天教学案例库

3.2.1 针对重要概念原理，结合航天实例明晰物理意义

针对控制类课程基本理论、基本概念抽象难理解的问题，通过与部队、地方高校、航天院所的研讨交流，形成了与课程内容密切相关的 32 个航天领域控制类课程教学案例，以实例阐明了概念、原理的物理意义，加深了学员对概念的理解掌握，增强了实操能力。

3.2.2 针对抽象数学模型，利用数学工具立体动态呈现

针对数学公式繁多课程的教学效果提升难的问题，引入 GGB、Webots 等数学软件工具，结合具体应用案例，通过数据驱动，将静态复杂的数学公式立体化、动态化，既加强了学员对相关知识的理解掌握，也活跃了课堂氛围。

3.2.3 基于课程梳理知识，引导学员探究科学理论问题

控制科学与工程是集数学、物理以及最近科技发展成果于一体的学科，控制类课程的教学在传道授业解惑的基础上，注重引导学员透过现象看本质，从科学原理层面探究控制对象、控制方法、控制回路中蕴含的控制理论，从而培养学员的科学思维[6,7]。如自动控制原理中讲解伯德图稳定判据时，由日常生活中常见的啸叫现象引入，引导学员建立扩音系统的控制回路，从频域分析系统稳定的条件，由此引出伯德图稳定判据，并进一步利用伯德图稳定判据解释扩音系统产生啸叫的内在机理。使学员在问题中思考，在思考中凝练科学本质，在理论原理的学习中加深对实际问题的理解。

3.3 建立 KPC 闭环实践教学模式，提升教学内容“两性一度”

针对教学内容高阶性、创新性和挑战度不足的问题，主要以实践、竞赛为牵引，构建知识-实践-竞赛闭环实践教学模式，提升控制类课程教学的高阶性、创新性和挑战度。

3.3.1 紧扣重难点设计实践题目，实现理论与实践教学紧耦合

在控制类课程教学中，针对一些重难点内容，设置实验或仿真环节，让学员从多个维度加深对所学知识的理解、掌握和应用。如自动控制原理课程教学过程中，共设计了 53 个仿真和 8 个算法的实验验证案例，涵盖系统建模、一阶和二阶系统响应、系统时域分析、

根轨迹绘制与系统性能分析，奈氏图与伯德图绘制，以及比例、积分、微分等控制算法验证等。

3.3.2 激励并指导学员参与科创竞赛，培育敢为人先的精气神

控制类课程内容涵盖态势感知、执行机构、控制算法等众多与学科前沿和军事科技紧密相关的内容，为学员参与科创类竞赛奠定了必要的知识基础[8]。为此，课程组激励并指导学员参加科创竞赛，积极培育学员敢为人先的精气神。近年来，在这一鲜明导向下，课程团队先后指导50余人次学员参加国内外各类竞赛，包括国际大学生航天器创新设计大赛、“中国长城杯”军校大学生科技创新竞赛、全军军事建模竞赛、中国研究生数学建模竞赛，以及中国研究生未来飞行器创新大赛等，获得优异成绩。

3.3.3 开展科创竞赛案例教学，实现KPC闭环实践

为了形成良好的反馈机制，课程组将往届学员科技创新竞赛成果编写成11个实践教学案例，包括多飞行模式航天器、磁悬浮甚稳超静敏捷机动卫星载荷平台，以及新概念涡旋光雷达成像系统等，将这些案例引入后续学员的课程教学，既增加学员的亲近感，让其感受近在身边的榜样力量，也有利于培塑学员的科技创新思维和能力，从而实现KPC（知识-实践-竞赛）闭环实践教学模式。

3.4 探索螺旋式互哺机制，深化教研融合创新

3.4.1 实验条件集约化使用，开放共享育英才

课程组充分利用所属的武器系统与工程实验室、量子探测与感知实验室、航天器姿态控制原理实验室开展课程教学与科学研究，既增加了课程实验教学的感召力，提升了实践教学成果，又为学员播下了敢于创新、追求卓越的种子。

3.4.2 科研成果进课堂，科创成果进项目、育方向

课程组通过深入挖掘控制类课程教学内容所蕴含的学科前沿问题，结合在研的科研项目，及时将科研成果引入课堂教学。所属学员基于实验室科研条件参与科创竞赛并取得成果，又反过来孵化了国家和军队级科研项目，培育了新兴交叉学科方向，促进了教员教研能力和学员科研能力的大幅提升。

例如，课程组将基于量子涡旋理论的空间目标探测与感知技术引入到课堂，引起学员的极大兴趣。学员利用课程组的科研条件开展探索性实验，“意外”发现了一种新效应，并对该效应的机理进行了深入探究，该项研究成果获得了首届“中国长城杯”军校大学生科技创新竞赛一等奖、第五届全国研究生未来飞行器创新大赛一等奖的好成绩。在此基础上，课程组教员继续跟进开展深入研究，基于此发现申报并获批了国防“173”重点项目，开辟了新的研究方向，为我国空间目标探测技术的发展注入了新的活力。随着国防“173”项目的顺利开展，各项科研条件逐渐完善，最新探测原理、方法和技术不断涌现，这些研究成果的取得又为教学提供了更丰富的教学案例和实践条件，从而真正实现了教研融合、教学相长。

4 结语

本文针对控制类课程教学中存在的教学内容分散、“两性一度”不高、理论与实践分

离、教学与科研脱节等突出问题，从课程内容重塑、教学难点梳理，航天教学案例库建设、教学模式实践，以及人才培养机制等方面开展教学改革研究。主要构建了自动控制原理“三横三纵三性”的一体化知识模型，建立了以物理意义为抓手，以数学表征为工具，以科学理论为重点，以工程实践为检验的航天控制类课程案例库，提出并实践了基于 KPC 的闭环实践教学模式，探索了教学-科研-人才培养三位一体螺旋式上升的教研互哺机制，并将上述改革方案在本科生、研究生课程教学及任职培训中进行实践，取得良好效果。同时教学改革成果成功应用于部队岗位技术人员培训及军内外高校相关专业教学，提升了部队相关技术人员的专业素养、业务能力，产生了显著的教学科研和人才培养效益。

参考文献

[1] 刘荣富 . 深入贯彻新时代军事教育方针，扎实抓好院校课程思政建设 [J]. 政工学刊，2021（10）：17 - 20.

[2] 田原 . 浅谈教员如何贯彻新时代军事教育方针 [J]. 公安海警学院学报，2020（5）：8 - 11.

[3] 黄坚 . 自动控制原理及其应用 [M]. 北京：高等教育出版社，2016.

[4] 丁洁 . “两性一度”导向下创造性思维课程的教学设计探索 [J]. 传媒教育，2020（23）：82 - 84.

[5] 王丽芬，任元，陈琳琳 . “自动控制原理”立体化知识体系构建 [J]. 教育教学论坛，2021（29）：113 - 116.

[6] 陈琳琳，任元，王丽芬，等 . P-I-D 控制的物理内涵教学方法研究 [J]. 高师理科学刊，2021（5）：99 - 102.

[7] 陈琳琳，任元，王丽芬，等 . 运用磁悬浮小球改进 PID 控制特性教学方法 [J]. 高师理科学刊，2022（1）：99 - 102.

[8] 张亚婉，王赟，朱颖，等 . 基于创新型人才培养的控制类课程教学改革方法探索 [J]. 中国电力教育，2019（3）：64 - 65.

课程与教学内容改革

基于作战推演系统的综合演练教学改革研究

刘海洋　杨　庆　孙思佳
（航天指挥学院作战实验中心）

摘　要：新时代军队院校实战化教学训练对综合演练教学提出了新的要求。通过对当前综合演练教学薄弱环节进行梳理，从教学需求层面明确综合演练教学改革的工作重点；通过对作战推演系统与综合演练教学的支撑关系进行系统分析，从系统需求层面厘清作战推演系统对综合演练教学的支撑需求；通过对系统支持下的演练教学实践研究，从应用实践层面探索一种基于作战推演系统的综合演练教学模式。

关键词：作战推演系统；综合演练；教学改革

1　引言

综合演练教学，是军队院校指挥类教学的高级形态，是提升学员综合素质、锤炼战斗作风、适应任职需要的重要实践性训练环节[1]。综合演练教学的重点在于训练指挥员及指挥机关在作战筹划、态势判断、指挥决策、协调保障等方面的能力，难点在于构设接近实战的训练环境，目的在于通过实战化训练积累战争经验。传统的综合演练教学，在构设贴近实战的训练环境和应对不确定性等方面往往存在一定的局限性[2]。以人在回路的作战推演系统为基础开展综合演练教学，将作战推演置入全要素的联合作战体系对抗环境下，把指挥员与指挥机关引入到动态变化的推演过程中，利用人来解决作战推演中的多分支决策与不确定性等问题，可为开展综合演练教学提供可行的环境和条件支撑。

2　综合演练教学改革需求分析

随着形势任务发展变化，全军演习演训思维理念越来越先进，军委和各战区开展实战化训练成果越来越丰富，军队院校对作战指挥教学质量标准要求越来越严格，学员对综合演练教学的期望值也越来越高，现有的综合演练教学模式已经不能完全跟上时代的发展变化，迫切需要改革创新。

2.1　全军演习牵引改革

全军大型演习演训活动完全按照实战标准，甩掉过去“演”的套路，变“走流程、传文书”为作战事件和态势推动演习进程，真正研究作战问题，真实考察指挥员和指挥机构。这些全新的思维理念和演训模式，有必要及时进入课堂、进入教学。

2.2 规划计划要求改革

为全面提升办学育人水平和人才培养质量，大学在规划计划中明确要求紧贴部队需求，研析军官任职教育人才培养特点规律，推动任职教育培训进一步向实战化聚焦。这为综合演练教学改革提供了目标，也为基于作战推演系统的综合演练教学改革提供了契机。

2.3 现实问题倒逼改革

现有的综合演练教学模式存在一些现实问题，导调质量不够高、训练内容不饱满、对抗性不够强，学员的全程全员参与度不够，没有完全实现自主指挥，整体获得感不强等。为此迫切需要对现有的综合演练教学模式进行改革，全面学习先进理念和经验，打破原有组织模式和习惯思维，结合未来发展方向和实战要求设计训练科目、构想战时事件，切实让综合演练教学超越和引领学员所在部队的作战指挥训练，树立实战化教学品牌。

3 当前综合演练教学薄弱环节分析

在对当前综合演练教学的演练理念、想定设置、筹划作业和导调评估等方面进行系统梳理的基础上，查找综合演练教学的薄弱环节，明确综合演练教学改革的方向和工作重点。由系统梳理分析可知，大学综合演练教学存在的薄弱环节主要体现在以下 4 个方面：

3.1 演练理念方面

当前各类演习演训活动引入多方对抗、动态推演、量化裁决等先进理念，注重突出我军特色和战训一致，符合世界先进军事训练手段发展趋势和我军部队实际。随着兵棋系统的广泛使用，基于作战推演系统对作战行动过程与效果进行推演裁决，以翔实的数据为基础，以科学的规则为依据，裁决评估更加公正合理，更加符合客观实际。综合演练通过设置专业强敌对手，增强了演练的对抗性，但由于缺乏全要素全流程作战推演系统支撑，还无法做到完全的动态推演和量化裁决。

3.2 想定设置方面

未来的作战想定库建设涉及多种作战层次、多个作战方向、多类作战力量，综合演练教学需要根据不同的演练背景和演练目的，快速提取和定制对应的作战想定。当前的综合演练教学在想定设置方面，能够较为全面地描述综合演练的初始态势与基本的作战构想，但其表达形式仍以文档记述为主，无法通过数据重建的方式快速提取与定制。

3.3 筹划作业方面

在筹划作业方面，综合演练教学紧贴实战设置演练席位，目的就是让参演学员能够熟悉作战流程，能够增强筹划作业与处置突发情况的能力。由于受到客观条件的限制，现有作战筹划流程复杂、状态转换多、协调机制不够完善，协同意识有待加强。同时，现有部分环节的筹划作业仍缺乏实用有效的工具支撑，不能做到深算、细算和精算。例如在作战方案评估环节，在没有作战推演系统支撑的情况下，很难对作战方案进行全面准确的评估。

3.4 导调评估方面

当前的综合演练教学借助前期建设的信息系统，初步尝试了“导入情况、模拟战场态势、红蓝双方在规定时间完成决心处置、导演部视情随机干预调理、红蓝军在动态中临机判断、指挥控制作战行动、退出情况后复盘研究”的推演流程，总结探索了“系统提供战场态势、红蓝双方决策处置、系统模拟对抗行动、适时量化裁决评估、复盘回放研讨得失”的对抗训练模式。但在导调评估方面，缺乏作战推演系统的有效支撑，造成作战规则不尽完善、作战数据不够翔实、作战过程不能回放，导致整个导调评估过程还存在红蓝方部分行动合理性有争议、作战评估数据支撑不足、复盘环节质量不高等问题和不足。

4 作战推演系统对综合演练教学的支撑研究

在综合演练教学过程中，利用作战推演系统可为演练前进行想定设计与优化、演练中开展筹划作业以及演练后实施量化评估提供手段与工具支撑[3,4]。

4.1 支撑演练前的想定设置

作战想定主要是描述作战背景、作战区域、战场环境、初始态势以及作战局势发展情况，界定所研究问题的范围和边界条件，明确目标。对于想定的设置，需要构建较完善的覆盖地理信息、战场环境、我方和其他方兵力、目标等作战要素的基础数据库，同时根据不同演训背景和目的，快速提取和定制适当的作战想定。利用作战推演系统，以结构化方式建立较完善的地理信息、战场环境、我方和其他方兵力、装备、目标等作战要素的基础数据库，通过构建适配多方向基础想定数据库，实现基于基础想定的快速提取和定制组合，能够快速按照综合演练教学需求构建体系作战的完整战场，生成作战的复杂体系背景。

4.2 支撑演练中的筹划作业

利用作战推演系统对综合演练教学中指挥员和指挥机关开展筹划作业进行支撑，能够准确判断作战效果、分析战场态势、定下作战决心、科学处置各种情况，有利于练指挥、练战法、练协同、练计算。在整个演练过程中，研判态势、机动进退、打谁防谁、用多用少等都需要精准筹划，利用作战推演系统对筹划结果进行推演验证，能够有效提升指挥员与指挥机关的筹划能力。同时，作战推演使静态作业变为动态作业，带动指挥决策由静态决策向动态决策转变。在作战推演过程中，在指挥员定下决心后，完全由作战推演系统依据对抗双方决心方案和交战规则，不断生成连续、动态的新战场态势和情况，指挥员在连续决策中完成筹划作业。作战推演使预想结果变为随机结果，带动指挥决策由程序决策向随机决策转变。对作战中战场事件的偶然性，作战推演系统可运用概率理论加以体现，防止一厢情愿式演练，推演中的战斗行动结果不以指挥员的意志为转移，使推演摆脱了红方必胜、蓝方必败的固定思维模式，实现接近实战的动态思维和动态思考。

4.3 支撑演练后的量化评估

综合演练涉及红蓝交战、态势变化、目标运动、裁决评估等复杂的技术问题，单靠人的思考和研讨无法得出具体的量化结论，甚至无法保证结论的正确性[5]。作战推演系统可作为裁决评估工具，为综合演练增加一种新的辅助裁决手段。作战推演系统可作为导调机构及参演双方作战方案论证评估的重要手段，能够增加指挥谋略对抗训练的科学性和客观性，是实现对抗裁决客观公正的重要途径。导演部在演练时可利用作战推演系统实施同步推演，为裁决评估、生成态势、最终讲评提供重要依据，裁决的可信度和说服力大大提升，也能增强受训者对作战规律的理解。同时，作战推演系统可根据推演双方作战方案和对情况的处置，随机生成推演战报结果，能够进行全自动化裁决，并根据情况进行复盘研究。

5 基于作战推演系统的综合演练教学实践设计

利用作战推演系统开展综合演练教学实践研究，在应用实践中获取反馈意见，形成“系统研发—教学应用—意见反馈—系统改进”的快节奏良性循环。

5.1 作战想定设置实践

以演练数据为依托，建立较完善的地形、环境、我方和其他方兵力、装备、目标等作战要素的基础数据库，摒弃传统作战想定准备方式，从分析作战想定的数据结构入手，构建作战基础想定数据库，实现基于想定数据库的作战想定快速提取和定制组合。

5.1.1 数据模型建模

从数据管理的角度来说，作战基础想定数据库包含的数据元素可分为 3 大类。

（1）基础模型参数数据。指跟具体想定关系不大、跟仿真模型参数有关、一般不会发生变化的数据。它们相对独立，既不因具体想定而改变，也不会在系统运行过程中发生改变，如各种指数表及与它们相关的参数，以及高度区域和其他比较固定的参数等。这类数据直接关系着系统模型运行的正确与否，主要供系统研发人员研究使用。

（2）想定基础数据。指跟想定有关的、大部分参数相对固定、个别参数可以根据具体演习想定和部队需要进行更正或扩充的数据，如战术部队原型数据和部队实体混合建模参数数据。这些数据在很多演练想定中基本相似，但个别具体能力可能有所不同，可以由保障人员根据具体演练设定从统一的公共数据库中抽取，交由使用方修订完善。

（3）想定数据。指完全与想定有关的、为了适应特定的演练需求而设计的、与具体训练问题相关的数据。这些数据主要由使用方提供。

5.1.2 基础想定统一数据库建设

要做到上述作战基础想定的快速抽取定制，就必须建立一个作战基础想定统一数据库，将已有的大量想定数据统一管理起来。作战基础想定统一数据库，主要实现统一数据库系统中想定数据库的抽取、构建和校验。对支撑作战推演系统运行的海量数据进行分类、组织、编码、存储、检索和维护，可为各类用户与系统模型提供统一的数据来源，确保整个作战推演系统数据的一致性、标准化和可重用性。

5.1.3 作战想定抽取与生成

对作战基础想定的数据类别区分，提供一种根据具体的演练想定需要快速抽取演练公共数据库的途径。具体的抽取规则如下：首先抽取出全部基础模型参数数据；其次根据演练地域、战略方向提取相关的战术部队原型等原型类数据及与其关联约束的想定基础数据；最后根据具体的想定设置由系统使用方根据实际情况进行适当的修改完善。

5.2 作战方案推演实践

当前利用作战推演系统推演作战方案主要有人在回路和人不在回路两种模式。前者将指挥员嵌入推演过程中，由人来解决方案推演中涉及的不确定性、临机决策等问题；后者利用机器来代替人完成推演，多用于短期的较低层级的行动推演。

5.2.1 人在回路的方案推演

利用作战推演系统开展人在回路的方案推演在机构设置、人员编组、推演环节等方面与综合演练教学均有所区别。首先在机构设置方面，综合演练需要设置众多个参与机构，方案推演主要保留指挥所的部分指挥人员、技术人员以及评估组、保障组等；其次在人员编组方面，综合演练需要严格按照指挥席位进行人员编组，方案推演主要是在部分指挥与技术人员参与的情况下保证作战推演能够依照作战方案进行；最后在推演环节方面，综合演练一般按照既定的科目、阶段和环节进行，方案推演主要根据指挥员所关注的重点问题，对方案进行多轮次的推演以及围绕重点问题的复盘与重推。

5.2.2 人不在回路的方案推演

人不在回路的方案推演主要可分为脚本式推演与智能推演两类。脚本式推演完全按照固定的模式与套路进行，抹杀了人的主观能动性，也无法发现作战方案中存在的问题。智能推演需要解决方案推演过程中的态势理解与自主决策等多项智能难题。目前的机器智能还无法在战役层级完成对上述问题的处理，但在较低层级的行动推演中，局部的态势理解与决策优化可尝试交由机器来完成。从目前来看，人不在回路的方案推演主要用于短时的行动推演实验，在较高层级的方案推演中应用场景还比较有限。从长远来看，智能推演会随着智能技术的不断进步而逐步走向前台，人机对抗和机机对抗的方案推演或将成为主流。

5.3 量化考核评估实践

由于综合演练教学的主要目的是为指挥人才交叉培养服务，演练科目与内容的设置均以提升指挥员的作战指挥能力为主，如何对参演人员进行科学合理的量化考核评估一直是综合演练教学过程中需要深入研究的问题。综合演练中参演人员扮演的角色主要是指挥员与指挥机关，由他们具体操作推演系统产生的海量推演数据，不仅详细记录了推演中各种仿真实体之间的行动交互，还能追踪到指挥员如何判断情况、定下决心、实施指挥的具体过程，作战推演产生的数据就是对作战过程与效果的映射，而作战过程中存在的问题也往往隐含在作战推演数据中。按照“从数据到评估”的思路，将作战推演数据作为作战评估的起点，通过对数据进行关联分析与预处理，可为后续量化评估打下坚实的数据基础。

6 结语

依托作战推演系统开展想定作业、战（案）例研究和综合演练，已成为当前指挥类教学组织和实施的发展趋势，并在现职军官学员的指挥能力培养中发挥了重要作用。在综合演练教学过程中，以战时编组、指挥所演练为主要形式，现职军官基本培训学员和生长军官学员、部分研究生学员一体编组，区分受训对象和演练阶段针对性设置演练内容，采取“演练—复盘—研讨—讲评”相结合的教学模式组织，依托统一的作战推演系统开展对抗设计和系统联动，探索数据驱动、态势驱动推演模式，突出作战问题研究，突出战法训法创新，可为大学综合演练教学改革提供一种思路和方法上的借鉴。

参考文献

[1] 罗兵，李启元，段立．综合演练类课程实战化教学改革思考［J］. 海军工程大学学报，2019，16（4）：38-40.

[2] 滕贺颖，易强，葛强，等．院校综合演练与部队实兵演习比较研究［J］. 解放军理工大学学报，2012，13（1）：84-86.

[3] 李云龙，姚芬，陈文明．基于兵棋的指挥训练模拟系统设计与实现［J］. 指挥信息系统与技术，2013，4（4）：25-30.

[4] 潘长鹏，胡慧，杨士锋，等．基于兵棋推演系统的作战指挥教学保障资源建设研究［J］. 实验技术与管理，2017（34）（增刊 1）：44-48.

[5] 余卫华．推进基于信息系统导调组训能力建设的思考［J］. 东南军事学术，2013（2）：29-30.

军队院校航天特色人工智能课程建设研究

方宇强[1]　杜小平[1]　霍俞蓉[2]
（1. 航天指挥学院四室；2. 航天指挥学院二室）

摘　要：人工智能技术已成为军事竞争的焦点之一，人工智能课程成为国内高校的新增热门专业。本文以航天应用各方向智能化人才需求为牵引，紧贴“军队院校＋航天”特色，对本科生的人工智能基础课程建设开展研究，构建了教学内容体系，提出了课程设计思路和教学方法；创新性提出了基于公有云的实践教学内容及方法，可为军队院校人工智能课程建设发展提供参考。

关键词：人工智能；军校；航天特色；课程建设

1　引言

2016 年以来美、俄、英等国家陆续发布国家人工智能发展规划，人工智能已成为大国竞争的焦点，且在太空领域竞争中的地位愈加凸显。我国在 2017 年发布了《新一代人工智能发展规划》全面启动了我国人工智能的三步走发展规划。围绕人工智能至小有内、至大无外的特点，研究人工智能专业人才和人工智能交叉人才培养模式，成为我国新一代人工智能发展夯实先发优势[1]。因此，面对日趋激烈的国际竞争和军事需求，军队院校急需开设军事特色的人工智能课程并寻求教学上的突破与创新，以满足部队对军事领域人工智能人才的需求。我校 2020 年正式开设人工智能课程，并将其确立为本科生必修的科学文化类公共基础课程。在该课程建设中不断探索理论教学和实际航天特色应用的结合，打造线上、线下教学相结合的航天特色实践云平台，形成特色鲜明的军队院校人工智能课程。本文通过分析国内外人工智能及其人才培养的规划与发展，明确需要把握的建设方向和需要构建的理论知识体系，通过分析国内外人工智能相关课程建设发展，明确课程建设的核心着力点；通过分析航天应用领域对人工智能人才的需求，确立教学目标、构建教学内容体系、创新理论教学方法、构建实践教学平台并创新实践教学方法，探索新的考核方式和能力提升拓展教学模式。

2　国内外航天人工智能发展趋势与需求分析

2.1　国内外人工智能发展趋势

通过对相关文献进行分析[2,3]可知，十几年来人工智能已经从以符号逻辑、专家系统和规划算法为主的手工知识阶段，进入到以统计机器学习为理论基础、以大数据平台和系统为计算支撑的统计机器学习阶段。特别是统计机器学习能够通过实例样本数据或者仿真交互场景作为训练输入，利用数据驱动的方式完成机器的学习，目前已被广泛应用。而且随着技术的不断发展，人工智能将朝着高级机器学习方法、先进推理算法、通用人工智能及其安全性、可控性方向发展，如何构建知识、数据和算力的协同框架将成为发展趋势[4]。

解读《新一代人工智能发展规划》可知，未来我国将围绕增加人工智能创新的源头供给，构建开放协同的人工智能科技创新体系，并重点发展由大数据智能理论、跨媒体感知计算理论、混合增强智能理论、群体智能理论、自主协同控制与优化决策理论、高级机器学习理论、类脑智能计算理论和量子智能计算理论八个模块组成的基础理论知识体系，重点突破知识计算引擎与知识服务、跨媒体分析推理、群体智能、混合增强智能、自主无人系统智能、虚拟现实智能建模、智能计算芯片与系统、自然语言处理八大方向的关键技术。

2.2 美国军事领域智能发展趋势与需求

在人工智能军事应用方面，美国强调的不仅是某种智能化技术的应用，还将其整合到作战概念、训练、教学和系统更新等作战的各个方面，美国已利用 AI 技术优势形成算法战、马赛克战等新的作战样式。为此，美国国防部发布的 2025 年前 AI 赋能计划将人工智能技术整合到关键作战任务、业务系统、训练和兵棋系统中，在 2025 年前完成人工智能技术军事应用。同时，注重整合智能技术的作战概念设计创新，整体上形成对作战对手的超越。

在人工智能人才培养方面，美国国防部提出了明确的培训与教育策略，明确了作战指挥员必须具备的数据辅助的决策能力、计算思维、开发者文化、人机协同能力、组织转型等五个方面的人工智能能力。因此，在教学中必须确保新技术被引入课堂，专业术语、定义、课程授课内容和新技术相匹配，主要体现以下两个方面：①增加 AI 先进和颠覆性技术的内容，重点讲授这些技术中对军队发展有影响的相关内容；②需要介绍 AI 最新的技术，不仅讲授新技术的优势与挑战，还讲授如何成功应用该技术以及使用中可能存在的问题。

在天军数字赋能方面，2021 年发布的《天军人才愿景》指出，全体天军军官都需要具备一定水平的数字素养和良好的数字能力。通过深入分析《天军人才愿景》可知，一方面，美天军加大数字化相关课程培训和人才储备，特别针对大数据、云计算、数据挖掘等领域提升技术能力，广泛提升天军指挥员的数字技能；另一方面，美天军注重实践与开发能力的培养，强调天军作为一支数字化军种必须了解数据、软件开发的全流程，理解数据挖掘的基本算法原理和工具使用。

为此，在建设突出“军队院校＋航天特色”的人工智能课程过程中，必须完善课程体系，将其合理融入大数据分析、计算机程序设计等公共课程以及模式识别、数据挖掘等专业方向课程形成的“数据”类课程体系中。另外，必须加强实践能力培养，着重强调学生对基于云平台的人工智能算法开发流程的掌握、对算法原理的理解、对实践应用的创新。

3 国内高校人工智能课程建设分析

由我国人工智能人才培养相关政策可知，为了培养新一代人工智能创新型人才，我国不断优化高校人工智能领域科技创新体系，完善人工智能领域人才培养体系，推动高校人工智能领域科技成果转化与示范应用。截至 2021 年，全国已有 345 所高校设置人工智能本科专业，190 所高校设置智能科学与技术本科专业，171 所普通高等学校高等职业教育（专科）设置人工智能技术服务专业。通过高校人工智能导论课程教学研讨会和广泛调研[5,6]，我们对国内各高校目前的人工智能课程群和人工智能基础课程进行深入分析、交流及充分研讨，几所典型院校的人工智能课程群设置如图 1 所示。总体来看，重点建设主要集中在以下三个方面：

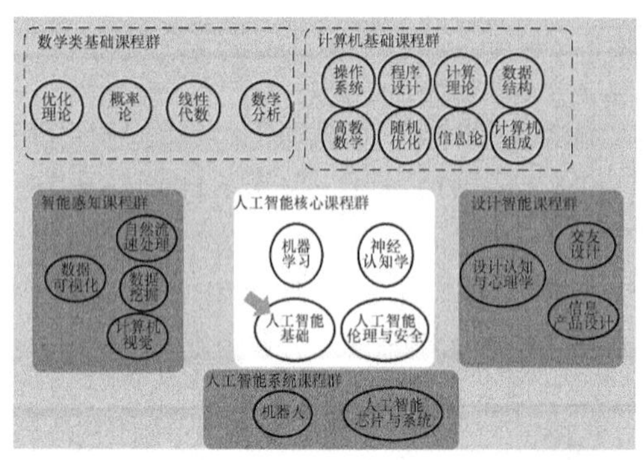

(a)浙江大学人工智能课程群

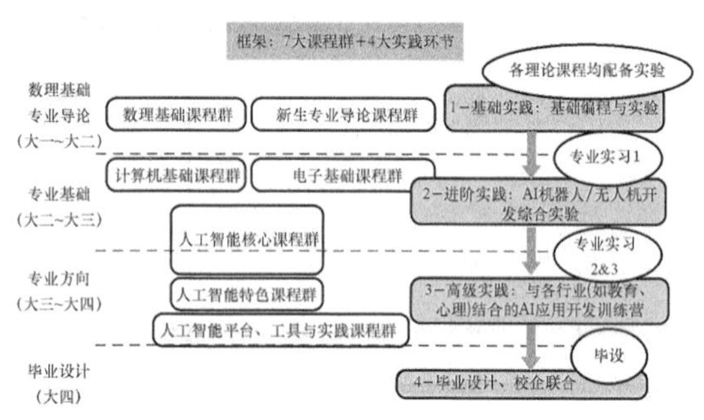

(b)北京师范大学人工智能课程群

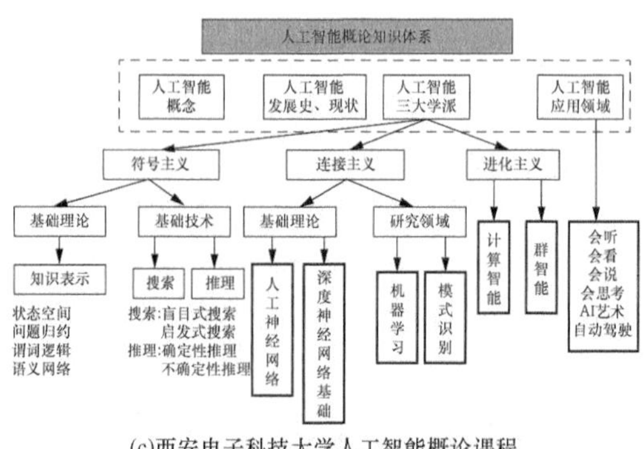

(c)西安电子科技大学人工智能概论课程

图 1 国内部分高校人工智能课程群及人工智能基础课程

（1）教学内容设置方面。导论课程学时设置上以 32～48 学时为宜；内容设置上普遍遵循人工智能发展的各阶段成果，主要包括人工智能概述、搜索求解、逻辑与推理、统计机器学习、强化学习、深度学习和前沿应用等方面，重点放在基本概念和基本算法，并形成知识体系脉络。

（2）教材建设方面。目前教材建设主要集中在基本理论教材，而且同类专业课程教材尚未形成统一，近几年大多数院校逐步由采用国外经典教材《人工智能：一种现代方法》转向采用国内出版的《人工智能导论：模型与算法》[7]或自编教材[8,9]。但是对于军队院校而言，教材案例军事应用体现不足；对于航天类专业而言，航天应用特色体现不足。

(3) 实践教学平台建设方面。各高校都在积极建设课程实践教学，形成线上实践教学模式，目前典型的线上公有云支撑平台包括百度 AI Studio、浙大“瀚海”平台、希冀平台等。但针对军队院校而言，公有云平台安全性和数据隐私性给开展实战化教学造成了阻碍。

4 人工智能课程航天特色教学设计方案

综合上述国内外人工智能发展与需求、国内外人才培养需求，结合我校“军事+航天”的特色，对人工智能课程建设进行了系统研究，从教学目标、教学内容体系、教材体系、教学方法体系、教学环境体系、教学考核方式等方面深入剖析，形成了较为完善适用的课程建设方案。

4.1 课程教学目标确定

本着为战育人的根本遵循，以期通过本课程学习，达成知识、素质、能力三个层次的目标，可以形象地将其比喻为架设三个桥梁，即架设抽象-直觉的桥梁，培塑学生的研究与运用人工智能的科学素养；架设经典-现代的桥梁，构建学生的人工智能知识体系；架设理论-应用的桥梁，激发学生基于人工智能理论知识学战研战的热情，如图 2 所示。具体目标体现在知识与技能、过程与方法、情感态度与价值观三个方面。

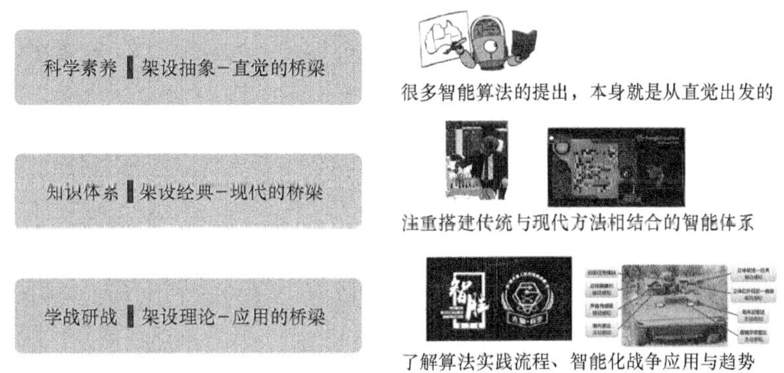

图 2 人工智能课程教学目标

(1) 知识与技能。能够熟悉人工智能科技前沿理论和方法，掌握智能化公共工具性知识，了解智能化作战方式与发展，为各专业领域应用人工智能奠定基础。

(2) 过程与方法。拓宽学员在人工智能及其在航天领域、军事应用领域的知识广度，培养学员通过智能化方法解决问题的科学素养和学习素养，形成智能化运用思维，使之能够尽快适应智能化作战发展需要。

(3) 情感态度与价值观。使学员感受和体会人工智能的魅力，激发学生对人工智能学习实践以及在军事领域、航天领域运用人工智能知识的热情，为研究和运用航天领域相关智能化系统、培养智能化作战能力奠定基础。

4.2 教学内容体系设计

4.2.1 设计依据

从中美人工智能发展战略看，双方都聚焦于新一代人工智能发展，探索新方法与新思路。从对国内各高校教学内容设置的分析来看，人工智能课程应作为 AI+的引导课程进行教学，配合各类选修课如深度学习、机器学习等形成 AI+的学科交叉效果，起到导论课的作用。

从人工智能基础理论研究和技术发展的角度看，如何实现通用人工智能需要脑科学、机器学习基础数据理论的突破，为此，在教学中应该注重人工智能的数学基础教学，适当增加脑科学相关研究介绍，让学员了解智能科学的认知学、神经科学基础，启发学员思考通用人工智能技术的发展。

同时应结合人工智能发展的 5 大方向——大数据驱动智能、知识智能、搜索规划、概率推理、系统智能，设计规划人工智能导论的教学内容，建立学生完整的智能知识体系。

从航天领域及军事领域各方向人工智能发展需求看，在人工智能教学知识点方面重点是数据分析类（机器学习、知识图谱等）、任务规划类（如确定性推理、搜索算法、局部优化算法等）、博弈对抗类（如强化学习、博弈搜索等）；在应用方面侧重图像数据、文本数据、序列数据的分析，多智能体的协同任务规划，博弈对抗等方向。重点知识包括搜索算法、单目标/多目标优化算法、任务规划算法、统计机器学习中的数据回归、分类等算法、深度学习基本模型及应用、强化学习模型、对抗博弈算法及知识图谱基本原理及应用；一般知识点包括不确定性推理（概率推理）方法、无人系统原理、人机交互原理等。

从实践角度看，应该注重自主可控智能应用实践教学内容设计，尤其是采用国产软硬件平台工具开展实践教学；还应注重群体智能、自主系统、大数据智能和跨媒体智能等能力提升拓展实践教学内容的设计。

综上所述，结合大学的人才培养方案和建设特色，人工智能课程内容体系涵盖需人工智能的基础知识体系与基本概念、人工智能的基本理论方法、人工智能的关键算法、人工智能在军事领域及航天领域的基本应用。

4.2.2 内容体系

结合大学的人才培养方案和建设特色，遵循知识、素质、能力三个层次的课程教学目标，重点从人工智能的基础知识体系与基本概念、人工智能的基本理论方法、人工智能的关键算法、人工智能的基本应用等方面，对人工智能课程内容体系进行了系统设计。按照基础知识与前沿知识相结合、理论学习和实践研究相结合、人工智能与航天领域应用相结合的设计思路，遵循由浅入深的基本原则，设置了“树体系”“夯基础”“懂应用”三大教学模块，“人工智能概述、问题求解的搜索算法、知识表示与推理、机器学习方法和航天智能应用”5 个章节，共 36 学时，如图 3 所示。

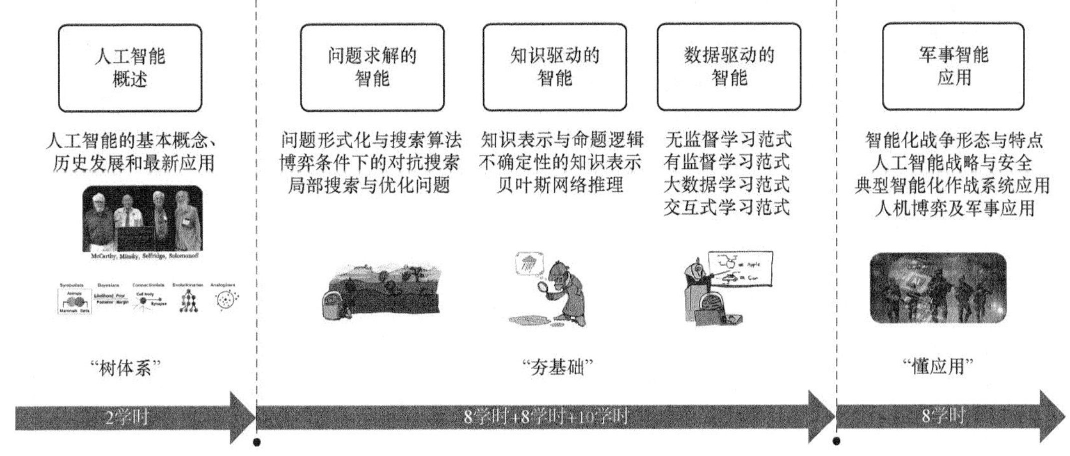

章	节	内容要点
人工智能概述	人工智能概述	人工智能的概念、发展历史、典型应用
问题求解的智能	问题形式化与求解的搜索方法	典型智能体定义、设计方式、问题形式化一般方法
	无信息和有信息(启发式)搜索策略	无信息学搜索、贪婪最佳优先搜索、A* 搜索算法
	博弈条件下的对抗搜索	极小极大值搜索、alpha−beta剪枝
	局部搜索与优化问题求解实践	局部搜索算法基本思想、爬山法搜索、模拟退火搜索
知识驱动的智能	确定性知识表示与命题逻辑	命题逻辑的语法、语义
	命题逻辑的推理方法	命题逻辑的推理、一阶逻辑的语法
	不确定性知识表示基础	不确定推理中的概率基础、马尔科夫模型、隐马尔科夫模型
	贝叶斯网络推理及实践	贝叶斯网络基础、不确定推理
数据驱动的智能	机器学习方法概述及实践	机器学习方法基本概念
	无监督学习范式:聚类与降维	无监督机器学习范式和学习任务,主成分分析和K均值聚类算法原理
	有监督学习范式:线性与非线性分类器	有监督学习范式、学习任务,感知器、支持向量机、决策树分类模型原理
	大数据学习范式:深度学习方法基本原理	深度学习的基本概念,多层感知器模型,反向传播算法
	交互式学习范式:强化学习方法基本原理	强化学习的基本概念、类型和马尔科夫决策过程
军事智能应用	智能化战争形态与特点	智能化战争新形态的变化属性、典型特征和智能化作战新模式
	人工智能战略与安全	国外人工智能相关国家安全政策和战略、我国人工智能发展规划和战略意义
	典型智能化作战系统应用	人工智能支持下的典型作战模式和系统特点
	人机博弈应用及实践	军事人机博弈的特点和应用趋势，了解典型人机博弈系统组成

图 3　人工智能课程内容体系

4.3　课程教学方法设计

教学方法设计中注重“以人为本、因材施教”，强调“融合发展、知行合一”，坚持“以德为先、教战研战”。针对本科生特点，总体上采用精讲为主，实践教学和自学为辅的教学模式，综合运用“启发式”教学方法，通过大量多媒体素材引导学生主动思考，通过习题和研讨加深学生对知识的理解。确立了“课程教学信息化、课外实践互动化、智能应用前沿化、课堂思政常态化”的教学方法体系。首先，课程教学以“精讲”为主贯穿全过程，由主讲教员统一组织，充分运用互联网等相关教学资源，使线上线下教学优势互补。其次，课外加强人工智能兴趣实践，引导鼓励学生把课堂知识运用到学科竞赛、课外创新实践等方面。再次，通过把当前航天智能、航天科技前沿知识引进课堂，激发学员学习兴趣，拓展学员专业知识广度，引导学员运用人工智能知识解决航天领域实际问题。最后，通过常态化思政探索军校理工类课程课堂思政方法，从人工智能历史看发展，学习科学精神、务实科学态度；从人工智能算法看本质，反映人生哲理、提升文化底蕴；从智能应用看趋势，找差距树自信、激发强军思想。

（1）课程教学信息化。充分利用线上教学手段，发挥线上、线下教学优势。基于百度 AI Studio 平台进行编程实践，开展课堂演示、完成编程作业、进行能力拓展大作业实践；基于雨课堂进行课堂监测，开展课程资讯发布、随堂测试、学情统计分析，利用数据资源精确分析班级、学员学习和考试情况等。

（2）课外实践互动化。加强人工智能兴趣实践。培育人工智能兴趣小组，并鼓励课程组教员指导学员参加各类竞赛活动，在各类竞赛探索中不断总结经验，将学员关注的竞赛试题引入课堂，在竞赛中增进对学员的了解，实践中反馈教学中存在的不足。目前，课题组老师指导多名学生获得国内人工智能、数学建模相关竞赛一二等奖。

（3）智能应用前沿化。航天智能科技前沿成果进课堂。在教学内容中增加航天领域人工智能应用案例，并以航天典型事件分析为例开展人工智能算法应用讲授，如卫星飞行姿态异常研判、太空态势感知任务中的目标检测、空间碎片分析、人机博弈智能体设计等。

（4）课堂思政常态化。探索了军校理工类课程课堂思政方法，设计融入课程自然贴切的思政内容体系。从人工智能历史看发展，学习科学精神、务实科学态度；从人工智能算法看本质，反映人生哲理、提升文化底蕴；从航天智能应用看趋势，找差距树自信、激发强军思想。在每次课的设计中均加入了算法原理哲学道理、引用中国古典文学作品诗词描绘算法原理，激发学员的文化自信等，例如 A* 搜索中启发式函数的原理：“路漫漫其修远，吾将上下而求索”形象地利用诗句表达了算法的本质；无监督学习中特征选择的原理：“横看成岭侧成峰，远近高低各不同”；感知器算法简单而有效的基本模型：“时人不识凌云木，直待凌云始道高”等。

5 航天特色实践教学设计

5.1 线上开发实践

为了提升学员对公有云平台，和程序开发的实践能力，人工智能课程利用百度 AI Studio 平台作为在线实践平台开展实践教学。

支持 Notebook 是 AI Studio 平台针对 AI 课程的一大特色，方便教员部署线上的编程实践课程及作业。AI Studio 平台为每门课程提供了线上的云服务以便于部署开发环境，无须学员在个人电脑中部署开发环境。

发布的学习内容教员可以通过“学习跟踪”对学员的学习情况进行查看。同时，利用 AI Studio 中课程的讨论区能建立不同讨论主题，以供教员组织学生对学习内容进行讨论。

在实践项目制作中，课程重点结合学员兴趣点和航天应用需求，设计了 10 余项实践作业，包括数据回归分析、人脸风格变化、口罩检测、火星车路径搜索问题、遥感影像飞机分类、雷达成像数据分类、mini-alphago 五子棋程序等，并且全部采用国产深度学习框架 PaddlePaddle 进行项目开发，突出国产自主可控的特点。

5.2 线上作业测试实践

采用百度 AI Studio 的考试功能进行在线测试的实践活动。在 AI Studio 平台布置试题的最大优势是可以制作更加丰富的试题形式。如图 4 所示，试题以网页形式发布，可以包含多媒体素材，如插入视频、动画等，同时可以利用 Latex 语法编辑公式、利用 Python 语言进行编程，这使得考试题目内容非常丰富。教学过程中首次尝试利用 AI Studio 编写多媒体试题和组织考试，通过考试提高学生对云服务、虚拟机、Web 端开发的感兴趣程度和熟练程度。同时，线上考试可以定量地分析学生对教学知识点的掌握程度，见图 5。

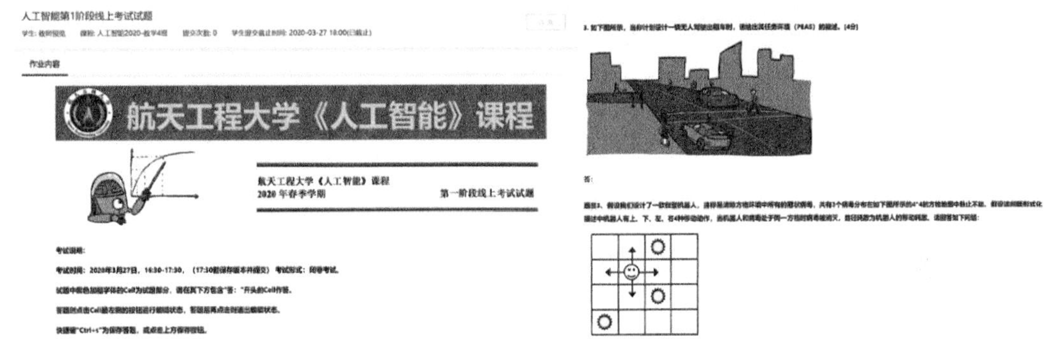

图 4　线上测试试题示例

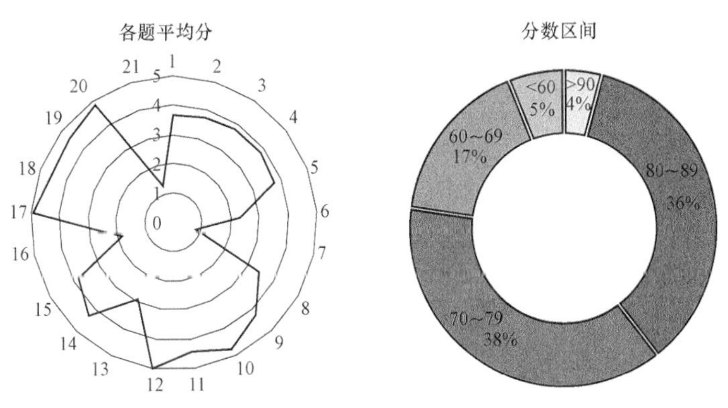

图 5　某教学班成绩分析图示例图

5.3 线下实践活动的开展

围绕人工智能方向，探索“以赛促学”的方式，课程围绕全国人工智能创新大赛等相关比赛，开展专题教学，探索通过竞赛教学提升学员学习积极性的方式。在课题研究阶段，组织了人工智能兴趣小组活动，组织每周一次的兴趣小组交流活动，由课程组教员辅导参加竞赛。在课题研究期间，课程组教员作为指导老师取得了较好的竞赛成绩，获得亚太地区大学生数学建模大赛二等奖 1 项，全国嵌入式人工智能设计大赛总决赛特等奖 1 项（虚拟交互式太空舱）、一等奖 1 项（无接触式智能物流运输车），MathorCup 数学建模大赛二等奖 3 项等，极大地锻炼了学员的实践能力，也促进我校在人工智能领域竞赛中逐步取得好成绩。

6 结语

本文围绕军队院校本科生人工智能基础课程建设，以航天应用各方向智能化人才需求为牵引，研究提出了教学目标、设计了教学内容体系、教学方法体系、特色实践等，形成了具备航天应用背景的课程案例、实践教学材料，突破基础课程教学中航天特色不鲜明的难题，为打造现代化教育理念先进、信息化教学手段丰富、“航天＋智能”特色鲜明、为战育人突出的人工智能精品课程夯实基础。

参考文献

[1] 人工智能读本编写组．人工智能读本［M］．北京：人民出版社，2019.

[2] Pan Y H，Heading toward artificial intelligence 2.0［J］. Engineering，2016，2（4）：409-413.

[3] 中国人工智能2.0发展战略研究项目组．中国人工智能2.0发展战略研究［M］．杭州：浙江大学出版社，2020.

[4] 张钹，朱军，苏航．迈向第三代人工智能［J］．中国科学，2020，50（9）：1281-1302.

[5] 郑南宁．人工智能本科专业知识体系与课程设置［M］．北京：清华大学出版社，2019.

[6] 周志华．南京大学人工智能学院本科专业教育培养体系［M］．北京：机械工业出版社，2019.

[7] 吴飞．人工智能导论：模型与算法［M］．北京：高等教育出版社，2020.

[8] 刘若辰，慕彩红，焦李成，等．人工智能导论［M］．北京：清华大学出版社，2021.

[9] 王万良．人工智能导论［M］．北京：高等教育出版社，2021.

强化课程教学资源共建共享，打造新型军事人才培养优质专业课

于小红[1]　王杰娟[1]　蔡凯骏[1]　杨永志[2]
（1. 航天指挥学院；2. 教研保障中心）

摘　要： 近年来地方高校专业课程信息化教学手段得到飞速发展，教育信息化对课堂教学的增效作用十分显著。课程信息化资源共享度不高已经成为制约军校课堂教学质量提升的重要因素。本文针对新型军事人才培养专业课教学的现实问题，分析了课程教学资源共享需求，探讨了课程教学资源共建共享的方法途径，为深化军校专业课程信息化教学改革、建设优质课程提供有益参考。

关键词： 新型军事人才；实战化；教学资源共建共享；优质课建设

1　引言

无论是建设国家一流本科课程，还是建设军队精品课程，都离不开优质教学资源的开发和利用。单纯依靠一个教员、一个课程组，甚至一个院校，都难以打造高水平的课程，需要充分发挥各方的优势，建设共享教学资源，促进课堂教学方法手段的改革创新，提高课程教学质量和办学效益。本文所涉及的课程教学资源包括相关课程的教学力量、教材、课程教学计划、教案、授课课件、授课视频、试题库、实验条件、教学信息，还包括教学时间资源。专业课程教学资源共享是指围绕新型军事专业人才培养目标，同一院校同一课程内不同教员之间、教员与学员之间，或者不同课程之间，或者不同院校之间，院校与部队之间，对各种教学资源的互相利用，以充分发挥优质教学资源的效益，促进全专业领域课程教学质量提升。当前，受保密等因素影响，军校专业课程教学手段的信息化水平已经成为制约军队院校教学质量提升的重要因素。本文针对新型军事人才培养专业课教学的现实问题，分析课程教学资源共享需求，探索课程教学资源共建共享的方法途径，为深化专业课程信息化教学改革、建设优质课程提供有益参考。

2　军内外教学资源共享发展简况

在互联网时代，课程教学资源共享的理念越来越受到广泛接受和普及，优质的共享资源为教师教学水平的提升、学生学习效率的提高，提供了重要支撑[1]。

2.1　美国等教育强国课程教学资源共享程度高

早在 2001 年，美国麻省理工学院率先开展课程教学资源共享，将课件等资源放置于互

联网服务器中，为公众提供免费下载服务。此后，美国乃至全世界诸多高校纷纷加入此行列，通过互联网共享部分课程教学资源[2]。可共享的资源已经从单一的课程课件、教学视频、讲义等内容性资源，发展到如今的有关教学方法、教学技巧等技术性资源。国外优质课程教学资源共享，注重课程教学资源建设、共享、实践的系统化、集成性；注重开展共享资源对大学教学教育产生的影响、政策支持、评估方法、应用技巧和方法等各个环节研究；特别关注从学生使用教学资源的角度，重视课程教学资源的再组织、再设计。

2.2 我国地方高校课程资源共享方法途径多

我国高等教育院校教育资源共享始于20世纪90年代。1995年建成了中国教育与科研网，2001年有750所高校入网，区域间、高校间教学资源共享主要是以“教学联合体”“教学共同体”为组织形态在课程、专业、师资等主要共享方式上不断完善提高，取得了良好成效。互联网环境下，开放性课程教学资源的理念得到广泛接受和普及。地方院校利用手机、电脑等互联网终端，把无论是在教室里还是在异地的每一个老师、专家、学生连接起来。利用QQ、微信、微博等即时通信系统，以及雨课堂、腾讯会议、钉钉视频会议等在线课堂、会议系统，教师上传自己的原创资源与大家分享，教师、学生及相关专家，一起交流和讨论学习内容，能够共享多种教学资源，大大改变了传统课堂教学形式和内容，课堂教学的信息化程度得到极大提高。

2021年7月，教育部高等教育司公布了《关于开展虚拟教研室试点建设工作的通知》，首批推荐400个左右虚拟教研室进行试点建设，探索“智能+”时代新型基层教学组织的建设标准、建设路径、运行模式等。通过3～5年，建成一批理念先进、覆盖全面、功能完备的虚拟教研室，打造教师教学发展共同体和质量文化。其中的主要任务包括创新教研形态和共建优质资源。要充分运用信息技术，探索突破时空限制、高效便捷、形式多样、“线上+ 线下”结合的教师教研模式。要协同共建人才培养方案、教学大纲、知识图谱、教学视频、电子课件、习题试题、教学案例、实验项目、数据集等教学资源，形成优质共享的教学资源库。

2.3 军校新型军事人才专业课程资源共享情况特殊

我国军事教育资源共享平台建设起步较晚。2017年我国军事职业教育互联网服务平台才开始试运行，2019年依托军综网，建立了军事职业教育平台，建成了互联网、军综网“双网”服务平台，平台承载有慕课课程、电子图书等资源，为全军官兵提供了稳定运行的共享教育平台，促进了军事职业教育发展。

但是，军校课程资源共享有其特殊性。由于军队院校课程的军事性质，很多新型作战领域的专业课内容一旦同军事斗争准备和实战结合，就存在很多保密安全方面的限制，多数课程的核心内容不能在军综网上承载，更不能在互联网上布置、交流。这就是说，教员不能在网上随时与同行讨论交流作战类专业课的相关内容，学员不能随时利用手机等互联网终端学习开展自主学习。同时，受军校学习管理的影响，学员也不可能人手一台军综网保密电脑。再有，学员的课余时间也不是可以自由支配的。诸多原因造成了军校学员能够利用的共享课程资源相对较少、能够自由共享的时间也严重不足。结合教育部新出台的举措，从整体上看，军校课程教学的信息化程度同地方大学的差距有逐渐拉大的趋势。需要改革新型军事人才培养专业课程共享资源的建设和运用方式，才能打造军事味浓、特色鲜明的优质专业课。

3 专业课教学资源共享的需求

在新型军事人才培养方案制订中，一个专业的课程体系是根据人才培养目标和能力素质模型进行科学论证设计的，专业课程体系的知识之间、知识与能力、书本理论知识与岗位实践需求之间有着密切的联系。课程教学资源共享，能够充分发挥不同专业课程团队、不同教学力量、不同教育平台的优势，共同打造优质专业课程。

3.1 提高教学资源综合效益，共建共享“三位一体”教学资源

共建共享教学资源是提高军队教育训练水平的重要举措，可以提高“三位一体”教学资源的综合利用效益。目前院校教育、部队教育训练和军事职业教育，都在积极建设课程资源。需要有领导机构统筹，特别是加强院校和部队教学资源的统筹，避免重复建设、防止资源浪费。需要优化课程资源配置，广泛收集专业课建设需求，多方共同开发智能教员教研空间、学员学习空间，共建智能化教学、管理和服务平台，将智慧校园、智慧教室建设成果推广应用于部队，实现“三位一体”教育资源的集约共享。

3.2 强化实战化教学，院校同部队共建共享教学团队

军队院校必须面向部队、面向战场，为战育人、实战化教学是专业课教学的基本要求。新型作战力量初中级指挥教育教学中，作战类专业课程占全部课时的60%以上、实践环节课时又占作战类课程课时的60%以上。各个层次类别培训专业的专业课程实战化教学是重点也是难点。专业课教学资源共享是解决实战化问题的有效途径之一。一是需要同部队共同研究确定教学内容。部队在军事训练中也要建设与大学相同或相近的专业课程。大学课程教学计划、教材、建设标准、评价标准等教学资料，需要对接部队、服务军事斗争准备。二是大学需要同部队、机关共建课程教学团队。以问题为中心的任职培训课程教学，已经不再是简单的课堂研讨、学员发言。学员更需要数量较多的实践经验丰富的首长和机关领导、部队指挥员深度参与教学活动，而不是每学期只有个别指挥员、个别一线专家集中上讲座课。需要一批不同领域的部队指挥人员、一线专家及时将部队现实问题、解决方案、实践成果带到课堂上开展深度交流。对于任职培训课程，即使有过任职经历的教员，脱离部队一定时间后，也不能及时掌握新变化。特别是新型作战力量建设步伐加快，建设成果日新月异，因此简单依赖军校教员自身成长，难以解决问题。三是共享部队实战化训练信息。军队院校开展专业课实验、想定作业和综合演练等课程教学，缺少的是实际任务数据，但是，实战化训练信息能够提高学员的体验感。

3.3 提高教学效果，通过资源共享加强专业课之间的有机联系

在教课方面，各门课程闭门造车、难以形成有机整体，教员需要充分利用共享的课程

教学资源，以更好地实现课程之间知识与教学效果的相互承接。教员利用共享资源备课和组织实施教学，可以在同行中相互交流教学理念、教学方法和教学技巧。在学课方面，学员利用共享资源学习，学习成效更高，有利于转变传统教学中教员、学员的角色，提高课堂教学效果。在评课方面，随着教学资源共享理念和应用模式的提高，可以改变学员学习效果的评价模式，通过各类共享教学信息，评估专业课程体系中教学的薄弱环节，促进人才培养质量的整体提升。

笔者在课堂教学督导中经常发现，有部分教员，特别是青年教员，不了解相关专业课程之间知识的相互衔接关系，造成了该顺序衔接深化讲授的知识没有讲透，不该在本课程里讲的内容又讲重复了，难度把握不准，研究生课程的知识在本科生课程讲授等问题反复出现。其中的部分原因是教员没有主动分析本课程在专业人才培养方案中的地位作用、不主动掌握相关课程的教学计划内容，更主要的原因是没有方便快捷的相关课程信息查询系统支撑。

3.4 创新教学模式，课程组与学员队共用课下时间资源

本科、研究生学员进入专业课学习阶段，自学能力得到很快提升；各类任职培训学员本身就有丰富的实践经验和较强的认知能力。以教员为中心的灌输式课堂教学已经不适应新型军事人才培养的需求，“线上＋线下”混合式教学是未来专业课课堂教学的主要方式。混合式教学需要学员充分利用课下的时间进行线上自学、小组学习交流，课堂上教员主要解决学员自学存在的问题、精讲重点难点知识。当前，军校一门专业课的课堂计划学时通常都不多，为了加强统一管理，课后学员队还要组织其他活动，学员课后可以自由支配的时间十分有限。因此，课程组需要同学员队围绕人才培养总目标，统筹共用课后时间，将课堂上的学习延伸到课后活动中。

4 专业课资源共建共享的方法途径

优质的专业课首先要有优质共享的资源为支撑。大学专业课教学资源共建共享，应在相关领导机关的统筹下，在部队的大力支持配合下，建设安全稳定的教学资源共享平台，区分教员、学员、管理三种不同用户，赋予不同使用权限，建立有效的资源共建共享运行机制，优先实现专业课程教学资源与教员共享、与学员共享、与部队共享。

4.1 教学资源与教员共享

4.1.1 建立跨课程的专业课程研课信息共享平台

利用大数据技术，通过应用知识图谱等方法手段，建立具有智能搜索、知识关联的课程信息共享平台，包括课程教学计划内容的关联，教材、教案、授课课件等内容的重复度检测、知识承接关系查询，学员学习效果，重难点知识掌握程度的查询等功能。实现不同专业课程教学资源与教员共享，可以提高课程教学信息化程度、应用方便快捷性。当前，课程教学信息仅局限于课程组内掌握，虽然有集中印制成册的各类人才培养方案中课程的教学计划，但是课程教学计划中的教学内容标准还比较粗线条，有先修、后修课程关系的

其他课程组负责人都不一定能准确掌握相关课程的内容深浅程度，更不用说授课经验不够丰富的青年教员了。通过跨课程的专业课程信息共享平台，教员能够随时掌握学员对先修课程知识掌握程度、遇到的主要问题，查询是否存在同其他课程教员授课内容重复、割裂的情况，还可以方便每一个教员掌握学员先修课程学习效果。

4.1.2 组织跨课程组的课程教学研究活动

可以有效解决顺序专业课缺少有机衔接、逐步深化的问题。借助课程信息共享平台手段，能够帮助教员快速掌握情况学员学习历史情况、课程之间的静态情况，更能辅助教员掌握学员学习的动态情况，如时效性强的时事新闻、军事斗争实践引用，防止出现同一案例、事件的重复使用等情况。

4.2 教学资源与学员共享

（1）在教研信息平台基础上，梳理各个课程之间的知识结构，使其脉络更清晰，对接实战、对接岗位能力更直观。学员通过共享平台共享知识图谱框架，能够准确了解自己所学的每一个知识点在一门课程中的地位作用、在整个专业中的相互支撑关系、在未来岗位工作中的价值，帮助学员深入理解学习的目的性，从而调动其学习的主动性，并为学员提供创建个性的专业知识学习情况的学习管理空间，帮助学员自己梳理所学知识、复习巩固知识。针对非指挥类专业高年级学员考研前一年对专业课不重视，多数时间用于考研复习的情况，建立与考研知识关联的专业课知识点，在教学中更能激发学员学习积极性，同时帮助学员巩固知识，为考研准备提供支持。传统的教学方式下，由于教学内容过于死板、枯燥，大多数学员的学习状态不佳，导致学习效果不理想。教学资源共享平台却能为学员提供一种个性化的、智能化的学习空间，能够有效提高学员的学习兴趣，进一步提高学员的学习效率和学习质量。

（2）通过大数据智能化学习管理平台向学员推送有针对性的学习资料。通过平台存储的学员课程学习信息，挖掘学员学习行为及其课程教学资源利用情况，分析其个性化需求，洞察学习规律，将课程教学资源主动推送给学员，以节省学员时间，提高课程教学资源共享效率。

（3）依托军综网军事职业教育平台，根据学员专业、工作经历等，有针对性地建立若干线上“学习小组”并发布相关研讨问题，在短时间内聚集有相似专业背景和工作经历的学员相互探讨问题、交流学习心得，有助于拓展教学渠道、提升学习效率。

4.3 教学资源与部队共享

开放办学是大学办学的基本理念，坚持互利互惠的原则，建立部队与院校教学资源共享库、搭建远程教学系统，实现教学资源在院校与部队之间异地共享。同时，需要建立一定的管理机制，确保远程教学系统安全稳定运行。

4.3.1 精心梳理并开发院校和部队共享的资源

可以由院校和部队共同的领导机关牵头，或者由院校牵头，各级机关的教务处、军事训练处、信息通信处等负责人才培养、训练管理、职业教育、信息通信保障、教学条件保障等职能部门，多部门联动筹划，认真梳理“三位一体”中共性课程资源需求，发挥各方优势，共同开发课程，共同受益。大学在新型军事人才培养中要充分发挥基础性、先导性作用，部队具有紧贴实战的显著优势。当前职业教育制订了相关课程建设的规划，明确了优势建设单位，由院校、研究所和部队分工协作完成课程建设。

4.3.2 组建“双员”教学团队

对于一门优质的专业课程，书本知识、经验知识同等重要，科学问题与现实问题都需要探索，通过现实问题的深入解决，激发对前沿理论、基础理论的深化探索。单纯依靠院校自身教员队伍建设（送学、部队见习、锻炼、在岗学习、参加演习等），专业课教学队伍的实践知识和技能很难跟上部队建设发展步伐，难以支撑以问题为中心的任职培训专业课程教学的需要。院校教员队伍应发挥自身的专长，就是基础性、前沿先导性的理论知识主要由军校教员承担讲授，实践类的课程教学环节必须融合部队实际。院校教员出教学内容规范，机关、部队指挥员及专家出经验。

根据大学作战指挥类专业课实战化教学的需要和以问题为中心的特点，充分考虑教学内容与各支部队、各个专业领域的联系情况，采取军校教员与部队指挥员共同参与授课、线上线下共同参与研讨的方式，形成由院校教员和部队指挥员构成的“双员”教学团队，取长补短，发挥各自的优势，能够有效解决院校教员实战味不够浓、部队指挥员参加授课理论性不够强的问题。一是建立课程的部队授课专家库、作战指挥问题库。一方面，院校教员根据自身教学、研究实践经验，确定课程的部队授课专家；另一方面，充分发挥任职培训学员特别是中级指挥教育专业学员的作用，中级指挥学员普遍拥有较为丰富的部队工作经验，部分学员长期位于一线指挥岗位，可通过学员推荐、联系的方式明确授课专家，并广泛征求部队关心的、亟待解决的作战指挥问题。二是邀请部队指挥员、专家进行专题授课。根据建立的部队授课专家库，邀请军内外作战指挥领域的名师大家、航天系统部范围内指挥业务能力突出的人员，就相关指挥问题进行专题授课。三是线上线下共同参与研讨。考虑到部分部队指挥员、专家日常工作任务重，来校参与授课、研讨时间难以协调，采取线上线下相结合的方式，针对涉密程度不高的内容，部队的作战指挥人员远程线上参与指导指挥问题专题研讨、战例案例教学、想定作业、综合演练，与课堂现场指导的院校教员密切配合，缩短院校课堂教学与部队实践的距离，有效利用部队教学资源，提升作业质量，同时无须占用部队指挥员、专家大量时间，便于提高效率、提升参与积极度。例如，在想定作业课程教学中，首长机关、部队一线指挥人员与院校教员一起联动，共同指导学员作业，充分发挥首长机关和一线部队指挥人员的实践经验，同院校教员线上线下联合开展作业指导，使教学进一步对接未来战场，提高作业成果的质量和实际应用价值。

4.3.3 建立远程教学支持系统

实战化教学需要部队指挥员深度参与专业课程教学，让部队实战化信息接入课堂。但是，新型军事人才专业课教学内容，特别是实战化的内容，通常密级较高，不能享受互联网带来的便利条件，技术手段制约了军校专业课教学信息化的深度发展。

需要依托保密网络系统，建立专门的远程教学支持系统。一是能够支持部队指挥员远程参加课堂互动交流。部队优秀军事干部难以脱离岗位长期参加院校教学，应急补充教官一时也难以满足现实需求。首长机关和部队指挥为了讲一次课，路途往返时间长，时间成本很高。还经常面临优秀指挥人员工作繁忙，临近安排好的教学授课时间，不能出行。建立端到端的远程教学支持系统，院校教员与部队指挥员共同组织课堂教学，听取学员想定作业成果汇报，点评学员作业质量，引导学员聚焦实际问题思考，提出可行的解决方案等。可以根据部队指挥员的时间碎片，灵活安排指挥员远程接入课堂的时机，大大降低指挥员参加授课的时间成本。还可以通过多个终端，将不同部队的指挥员同时远程接入课堂，形成多人指导的局面，让学员同时能得到多个部队专家的指导。

4.3.4 建立灵活的教学时间对接调控机制

院校安排的课程时间相对固定，但部队演习活动时间通常会受到各种因素影响，经常存在计划时间调整的情况。因此，需要有相互制约的机制，确定院校教学时间与军事演习、部队任务时间的协调机制。

4.4 教学资源与学员队共享

学员队管理着学员大量的课余活动时间，不少学员队干部也是高学历的专业人才，这些丰富的时间资源和人力资源能够在专业课教学中发挥重要作用。专业课程组需要加强与学员队的联系，一是提炼课堂教学内容中需要结合部队深化研究探讨的问题，作为学员队学术沙龙活动的议题，既将课堂教学活动延伸到了课下，提高了课程教学的高阶性，又使学员队组织学术活动能够紧紧围绕人才培养这个总目标开展，一举多得。二是课程组深入学员队了解队干部的专长，根据情况将其纳入课程辅导教员行列，享受辅导教员的课时补助等待遇，负责督促指导学员对混合式教学的课程在课后线上自学、小组研讨。队干部在跟班听课的过程中，也能掌握课程教学要求。

5 结语

新型军事人才培养专业课程占据了一个专业所有课程的80%，专业课程的教学质量决定了人才培养的质量。在具有智能化特征的信息化时代，专业课程内容更新快、信息量大，与部队、战场联系紧密，保密安全要求高，一流精品专业课建设难度大，课堂教学模式改革创新要求高。教学资源共建共享，能够有效促进专业课建设的信息化水平，为新时代专业化新型军事人才培养奠定基础。本文初步探讨的专业课教学资源共建共享的一些方法途径，有的已经在建设、实践中并取得了初步成效，有的还需要配套的政策机制支撑。笔者希望通过专门的建设，课程资源信息化程度、共享程度能够比肩国内一流大学，使大学专业课建设水平更上一个台阶。

参考文献

[1] 李平．“互联网＋”视阈下高校信息化教学资源共享平台建设研究［J］．电脑知识与技术，2017（22）：14-15.

[2] 李德强．国内外优质课程教学资源开放共享及研究现状［J］．科学热点，2017（4）：7-8.

武器发射工程专业机械原理与设计基础课程教学改革初探

徐　杰　李　岩　程　龙
（宇航科学与技术系航天发射理论与技术教研室）

摘　要：本文在“新工科”和“卓越工程师教育培养计划2.0”等高等工程教育战略背景下，基于以学生为中心和OBE理念，融合CDIO、PBL、BOPPPS等课程教学模式，面向武器发射工程专业学员的工程创新能力和大工程观培养，针对机械原理与设计基础课程的教学改革进行了初步探讨，提出了课程内容重构、项目引导贯穿、虚实结合展现、理论实践耦合、思政形质兼备和专业英语融嵌等6项措施，并基于持续改进的原则指出了下一步改进的要点。

关键词：新工科；以学生为中心；OBE理念；机械原理与设计基础；课程教学改革

1　引言

在高等工程教育领域，我国先后推出了“卓越工程师教育培养计划”“新工科建设”“卓越工程师教育培养计划2.0”等重大战略举措，全力探索形成领跑全球工程教育的中国模式、中国经验，助力高等教育强国建设[1]。特别是在以新技术、新产业、新业态和新模式为特征的新经济的蓬勃发展，国家一系列重大战略的实施，我国产业转型升级和新旧动能转换，我国未来全球竞争力的提升等均对工程人才培养提出了新的更高的要求等背景下，要求高等工程教育必须面向产业、面向世界、面向未来建设新工科[2]。

在高等教育的教育理念和教育思想方面，“以学生为中心”的教育理念已深入落实到高等教育教学改革之中，高校已开始从“教”的范式向“学”的范式转变[3]。我国加入国际工程教育《华盛顿协议》组织后，工程教育专业认证广泛展开，以“学生为本、成果导向、持续改进”为核心的成果导向教育（outcome based education，OBE）理念已成为教育改革的主流理念[4,5]。

在高等教育课程改革方面，“金课”建设的“两性一度”标准已逐渐成为指导课程改革的基本标准[7]。而在工程教育课程教学改革的具体实践中，PBL（problem-based learning，基于问题学习）教学方法[8]、CDIO（构思conceive、设计design、实施implement、运行operation）教学模式[9]和BOPPPS（引入bridge-in、学习目标objective/outcome、先测pre-assessment、参与式学习participatory learning、后测post-assessment及总结summary六步教学法）教学设计[10]等教学理念被认为对工程教育的质量提升是有效的。

武器发射工程是典型的多学科交叉型工科专业，其专业建设和课程教学改革应与高等工程教育战略发展背景下的“新工科”和“金课”建设相融合[11]。

2 课程教学改革目标

2.1 支撑人才培养目标

我校武器发射工程专业的人才培养目标是培养从事航天发射系统及装备的科学原理、技术手段、系统分析、工程设计、技术运用、工程保障和效能评估等工作的专业技术人才。要求学员系统地掌握数学、力学、机械工程、电子信息、自动控制、安全分析等领域的基础理论和基本知识，具备从事航天发射系统关键技术、总体分析、工程应用、技术保障、和效能评估等方面的实际工作能力和科学研究能力，具备较强的工程创新意识和创新实践能力。

本课程是武器发射工程专业的学科基础教育课程，也是机械工程领域的核心课程。课程的教学内容与专业才培养目标的知识、能力与素质目标高度相关，因此，课程教学改革的首要目标是使课程教学紧贴专业人才培养目标，并对人才培养目标起充分的支撑作用。

2.2 突出专业特色

机械原理与设计基础课程是工程教育领域的一门基础性专业课程，是机械、仪器、材料、电气、自动化、能源动力等多类工学专业的专业必修课程。该课程的教学内容经典且相对完善，既有严密的理论性、逻辑性与系统性，又强调基本概念、基本原理与基本方法，同时，紧密结合机械工程实际，主要讨论机械工程技术的理论分析、技术设计的共性问题。

本课程教学改革的第二个目标是充分突显武器发射工程专业的特色。教学内容及重点上要与其他专业进行区分，充分考虑专业课程体系的设置，分析前置课程和后续课程之间的知识逻辑，合理配置教学内容和教学时长；教学设计方面，项目教学和案例教学的工程对象要突显专业特色，充分结合航天领域的特别是航天发射领域的相关工程项目。

2.3 探索教学方法创新

本课程目前采用课堂讲授为主、实践教学为辅的教学模式。课堂讲授以传统的多媒体教学为主要形式，采用了经典教材[12,13]和经典教学案例，制作了包含大量图片、视频资源的教学课件，能够清晰、具体而生动地表达课程内容，但教学过程中教学方法创新和教学设计不足，学员缺少学习驱动力，教学效果还有较大提升空间。在实践教学方面，内容设置对教学目标的支撑不足，实践项目为指定性内容，以认知体验为主，缺乏探索性和创新性。

因此，本课程教学改革的第三个目标是进行教学方法创新的探索。教学方法的创新可以充分激发学员的求知欲与探索欲，基于“以学生为中心”和 OBE 理念，变被动学习为主动学习，贯通理论与实践环节，提升学员的工程创新能力。

3　课程教学改革内容

3.1　课程内容重构

3.1.1　以机械产品设计流程重构教学内容

目前的课程内容包括机械原理与机械设计两部分。机械原理部分的课程内容以不同机构组织各自的内容，针对每种机构分别介绍机构的特点、原理和设计方法，注重知识点教学，各知识点之间缺少逻辑关联，相互独立。类似地，机械设计部分的课程内容以机械零件强度设计、连接设计、传动设计、轴与轴承设计组织内容，各部分之间缺少衔接。此外，机械原理与机械设计两部分内容之间也缺少有效的连接，存在较大的割裂感。

机械产品的设计过程是一个复杂的过程，与培养学员具备解决复杂工程问题的能力是高度契合的，同时，学员对航天发射相关机械装备进行性能评估、研究分析、创新设计也是课程的教学目标。因此，基于“以学生为中心”和 OBE 教学理念，提出以机械产品设计流程重构教学内容，将课程各部分相互独立的内容以机械产品设计流程贯穿起来，使课程内容成为一个有机的整体，使课程内容的组织更具逻辑性，使学员在学习课程内容的过程中自然体会到机械产品设计的内在逻辑，并理解各部分课程内容对培养机械产品设计能力的作用，以增强学员学习的自主性和积极性。传统的课程内容与重构的课程内容见表 1。

表 1　基于“以学生为中心”和 OBE 理念的课程内容重构

传统的课程内容组织	基于“以学生为中心”和 OBE 教学理念的课程内容组织	
	产品设计阶段	课程教学内容
机械原理概述	需求分析与功能分析	绪论
机构的组成及分类	机构原理设计	机械、机器、机构的关系、分类
机构运动简图及运动确定性条件		机构的表达与运动确定性
平面机构的组成原理		机构的结构分析
平面机构运动分析的一般图解法和瞬心法		机构的运动分析
平面机构的力分析		机构的力分析
机械的平衡	机构结构设计	连杆机构及其设计
机械的运转及其速度波动的调节		凸轮机构及其设计
连杆机构及其设计		齿轮机构及其设计
凸轮机构及其设计		齿轮系及其设计
齿轮机构及其设计	机械详细设计	机械零件设计
齿轮系及其设计		零件强度设计
机械设计概述		传动部件设计
机械零件强度与润滑		连接部件设计
螺纹连接设计		轴的结构设计
螺栓组设计		轴承的设计与选用
其他连接设计		标准件的选用

续表

传统的课程内容组织	基于“以学生为中心”和 OBE 教学理念的课程内容组织	
	产品设计阶段	课程教学内容
齿轮传动设计	机械优化设计	机构的优化与创新设计
带传动设计		零部件结构的优化设计
轴与轴承设计		机械运转的优化设计

3.1.2 由设计弱分析强转向设计、分析并重

目前的课程教学计划重视对机构的结构、运动和力的分析，重视零部件的强度分析，但对学生设计能力的培养重视不足。现代机械设计中，随着有限元分析、拓扑优化等技术的发展，大量分析计算的工作可以由计算机辅助完成，而学员的创新设计能力培养是课程教学的重要目标。因此，提出由设计弱分析强转向设计、分析并重的教学内容设置原则，一方面加强学员的创新设计能力的培养，另一方面兼顾基础的机械分析计算知识的掌握。

3.1.3 知识点小闭环与课程内容大闭环相结合

本课程知识点较多，课程总体难度较大，为在学时有限的条件下保证学生的学习效果，提出知识点小闭环与课程内容大闭环相结合的教学方法。每个知识点的教学过程借鉴 BOPPPS 六步教学法，由问题引入然后明确目标，并以后测和总结完成知识点教学的小闭环。同时，注重各知识点之间的关联，通过各知识点对课程目标的支撑分析、各部分内容对机械产品设计能力培养的作用分析，建立课程内容的整体闭环。

3.2 项目引导贯穿

项目教学法在工程教育领域被广泛实践，被认为是高等工程教育中培养学员自主学习能力和创新能力的一种重要的教学模式。本课程精选 3 个航天领域的项目：其中两个为分析研究型项目，主要通过对项目包含的关键部件的分析研究，构建学生参与的项目化教学环境，引导学员学习掌握课程的知识性内容；另外一个为创新设计项目，要求学员带着问题和想法学习课程内容，并在课程学习结束后完成创新设计项目，以培养与检验学员的工程创新能力。

3.2.1 詹姆斯·韦伯太空望远镜（JWST）项目

本项目以韦伯太空望远镜的主镜单元装配体（PMSA）的超精密定位驱动机构（EPPA）为分析研究对象。EPPA 是 JWST 主镜的核心机构，以创新的设计实现了超精密、紧凑、高可靠性的长度调节，涉及连杆、齿轮、凸轮、螺旋传动，以及齿轮传动系统、螺纹连接、轴与轴承设计等课程内容包含的重点内容。对该机构的逐步、分层次研究分析能够贯穿课程的教学全程，同时兼顾课程知识在专业前沿领域的工程应用。

3.2.2 SpaceX 的 Super Heavy 火箭发射台和塔架项目

本项目以 SpaceX 的 Super Heavy 火箭发射台和塔架的快速断开机构（quick disconnect，QD）为分析研究对象。QD 机构完成火箭发射前的箭地连接和火箭起飞时的连接快速断开，实现为保证燃料加注、供电、检测顺利进行的箭地可靠连接和快速断开。该项目作为 JWST 项目的补充，侧重机构的结构分析和运动分析及对连杆机构和部件的优化设计

等内容，同时项目与专业背景高度重合，促进专业能力培养。

3.2.3 自适应箭地连接快速脱插机构设计

本项目为创新设计项目，在课程教学开始时发布，让学员带着问题与思考学习，这种PBL 教学模式有助于增强学员学习的主动性。本项目以我国航天发射地面作业的重要操作步骤为背景，与课程教学内容契合，以培养与考核学员的工程创新能力为目标，能有效提升课程的“两性一度”水平。

3.3 虚实结合呈现

3.3.1 基于 CAD 的 2D、3D 建模分析

本课程内容工程实践性强，涉及的机械装置、机构原理、机构分析等内容以纯语言难以确切表达，因此提出教学内容虚实结合呈现的方法。对于机构分析等内容通过如图 1（a）所示的基于 CAD 的建模分析方法形象、直观地呈现教学内容。

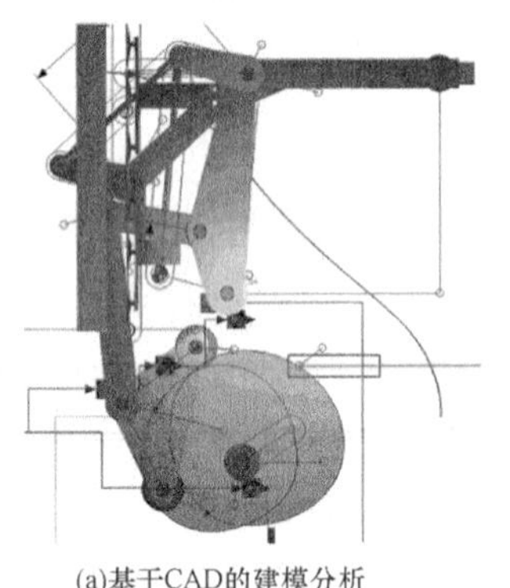
(a)基于CAD的建模分析

(b)机构传动原理3D模型

(c)3D打印的课程教具

图 1 课程内容的虚实呈现手段

3.3.2 基于 3D 打印的定制化教具

对于机构的传动原理、零部件设计等内容，通过如图 1（b）、（c）所示的基于 3D 模型和 3D 打印的定制化教具结合的方式呈现。该教具为可动机构，能够直观展现机构的传动原理，通过拆解分析，能够领悟零件设计的方法规律。

课程内容虚实结合呈现有助于学员深入领会基本原理、迅速掌握设计方法，增强课程的实践性，并提高学习的效率。

3.4 理论实践耦合

针对当前课程的实践环节与理论环节关联不紧密、实践项目缺乏创新性和挑战度的问题，提出理论实践耦合的措施。

3.4.1 实践环节与理论教学内容耦合

将课程实践环节的项目重新设置为围绕理论教学的内容展开。针对理论教学中引入的SpaceX 的 Super Heavy 火箭发射台和塔架项目，完成缩比原型机的详细设计和制作。课程实践环节侧重机械详细设计和优化设计阶段的能力培养，内容上与理论教学部分的内容相

耦合，将课程内容组合成有机的整体。

3.4.2 创新设计与成果展示能力耦合

在课程教学结束时设置创新设计项目成果展示环节，形成课程内容和课程设计的大闭环。学员通过工程图、3D模型或原型机等方式展示设计成果，表达设计思想、设计方法和设计过程，将学员的创新设计与成果展示能力进行耦合，提升学员的专业技能与专业素养。

3.5 思政形质兼备

在课程思政改革方面，提出思政形质兼备，将思政内容实质化、有形化，结合工程实际谈思政，去除空洞、牵强的无效思政，主要突出以下几个方面：

3.5.1 先进装备与战斗力生成

课程内容与装备关系紧密，围绕先进装备与战斗力生成的关系，谈课程内容学习的重要性，讨论工程创新的重要性，探讨战斗力生成的路径问题，辨析人与装备的关系。

3.5.2 复杂工程问题与大工程观

通过教学过程中对引入项目的分析研究，将复杂工程问题引入课堂，引导学员思考解决复杂工程问题对专业知识和能力的系统性和完整性要求，鼓励学员从多学科和系统工程的角度审视工程问题，培养学员的大工程观。

3.5.3 原理探析、科技创新与技术自信

通过对项目和案例的分析研究，对装备的复杂结构进行原理探析，引导学员思考科技创新对装备发展的重要性。同时，通过对高端前沿装备的系统分析，让学员认识到高端前沿装备的基础与课程教学内容的关系，培养学员的技术自信。

3.6 专业英语融嵌

高等教育的国际化是高等教育高质量发展的重要内容，其主要表现包含外语教学的加强以及培养能够从事国际事务和国际问题研究的专门人才。此外，在专业情境中学习专业英语效率更高、效果更佳。因此，提出专业英语融嵌进课程教学的教学方法。

3.6.1 专业概念术语词汇讲析

在课程教学中，对专业概念和术语词汇进行嵌入式讲析。比如，对学员在课程中新接触到的专业概念，如机械（machinery）、机器（machine）、机构（mechanism）等，讲解分析词汇来源与语义区别。

3.6.2 专业视频资源理解跟学

课程教学中应用了以英语配白的视频资源，在播放过程中适时停止，对相关专业问题进行讲解以帮助学员跟学。此外，提供专业相关的以英语制作的视频资源作为课后学习材料供学员自学。

3.6.3 英文文献资料自主学习

将教学过程中引用的英文参考文献和其他英文专业资料提供给学员自学，课堂教学中通过对相关问题组织讨论，可以掌握学习效果。

4 持续改进

持续改进是 OBE 教学理念的核心内容之一，也是持续跟踪课程教学改革效果并推动专业人才培养质量不断提升的关键机制。基于持续改进原则，提出下一步改进的要点：

4.1 教学反馈深入分析

科学设计教学反馈的形式和能容，鼓励学员积极进行教学反馈，形成教学相长的良好氛围。同时，重视学员课堂的口头反馈和行动反馈，结合课堂实况录像进行记录和整理。对教学反馈进行深入分析，指导逆向课程设计。

4.2 课程内容持续优化

根据教学反馈和目标达成分析，对课程内容和组织结构进行持续优化，对课程内容的学时分配进行持续优化，对重点、考点内容进行持续优化。

4.3 实践环境条件建设

目前的课程实践环境难以满足课程教学改革的需要，需要进一步加强实践教学环境条件建设，形成能够支撑全部班次、全体学员的课程实践教学环境和工程创新实践环境。

4.4 在线课程资源建设

以课程教学改革成果为依托，建设具有专业特色的在线课程资源，为下一步开展线上教学和线上线下混合教学提供基础。

4.5 项目载体迭代更新

紧盯专业前沿，追踪行业动态，将与专业匹配度高、与课程内容结合度高的项目引入课堂，实现教学项目的迭代更新。

5 结语

本文针对武器发射工程专业机械原理与设计基础课程的教学改革进行了初步探讨，提出了课程内容重构、项目引导贯穿、虚实结合展现、理论实践耦合、思政形质兼备和专业英语融嵌等 6 项措施，并基于持续改进的原则指出了下一步改进的要点。课程是教育最微观的问题却是个根本问题，是体现“以学生为中心”的“最后一公里”，课程教学改革是一项持续性的常态化工作，应在教学实践中以“金课”为标准不断提升课程教学质量。

参考文献

[1] 教育部，工业和信息化部，中国工程院，教育部，工业和信息化部，中国工程院．关于加快建设发展新工科实施卓越工程师教育培养计划 2.0 的意见［J］．中华人民共和

国教育部公报，2018（10）：13-15.
[2] 林健．新工科建设：强势打造“卓越计划”升级版[J]．高等工程教育研究，2017（3）：7-14.
[3] 冯晓云，郝莉．探索构建以学生学习与发展为中心的课程质量体系[J]．中国大学教学，2018（4）：71-75.
[4] 李志义．对毕业要求及其制定的再认识——工程教育专业认证视角[J]．高等工程教育研究，2020（5）：1-10.
[5] 张男星．以OBE理念推进高校专业教育质量提升[J]．大学教育科学，2019（02）：11-13+122.
[6] 江爱华，施大宁，马静，等．“金课”建设的时代背景，核心任务及制度保障[J]．中国高等教育，2019（24）：53-54.
[7] 吴岩．建设中国“金课”[J]．中国大学教学，2018（12）：4-9.
[8] 叶树江，袁海燕．适应认证要求推进工程教育问题学习（PBL）教学模式实施[J]．黑龙江高教研究，2016（2）：171-173.
[9] 周新民，孙荣俊，胡宜桂．基于CDIO理念的新工科人才培养教学模式研究[J]．教育探索，2020（03）：54-57.
[10] 韩龙，任建莉，平传娟，等．基于BOPPPS理念的工程专业课教学改革探析——以浙江工业大学为例[J]．浙江工业大学学报（社会科学版），2017，16（01）：103-107.
[11] 常思江，卫东华．“新工科”背景下专业课程“金课”建设探索——以南京理工大学武器发射工程专业为例[J]．高教学刊，2020（33）：6-10.
[12] 孙桓，葛文杰．机械原理[M]．9版．北京：高等教育出版社，2021.
[13] 濮良贵，陈国定，吴立言．机械设计[M]．10版．北京：高等教育出版社，2019.

航天发射多层次实践教学体系建设与运用

程　龙　李　岩　段永胜
（宇航科学与技术系航天发射理论与技术教研室）

摘　要： 大学长期开展航天测试发射人才培养，在航天测试发射相关专业教学领域积累了丰富经验。但教学内容主要围绕传统型号航天发射指挥关系和发射技术展开，关注复杂条件下的应急发射不够，存在“院校所教所学”与“部队所练所用”贴合不够紧密等问题。为创新航天测试发射教学内容，整合实战化教学条件，提升航天发射实践教学水平，本文梳理教学实践内容对条件建设项目的需求，结合现有基础明确未来各层次条件保障功能，形成层次分明、功能完整、运转流畅的教学保障运用模式。

关键词： 航天发射；实践教学；运用模式

1　引言

近年来，面向新形势下航天发射力量多层次人才培养，大学新增多项航天发射教学保障条件建设项目，结合现有、在建教学训练系统，基本形成了模块化的多层次教学训练实践保障条件。但是，新形势下航天发射任务急需的多型号常规、应急发射教学训练系统体系尚未形成规模，现有各系统联结效益亦未显现，科目设置距离实战还有差距，急需进一步梳理，形成紧贴实战、服务教学、助力科研的多层次、模块化、成体系的教学保障应用环境。因此，开展航天发射多层次教学训练实践条件体系与运用研究，梳理教学实践内容对条件建设项目的需求，结合现有基础明确未来各层次条件保障功能，形成层次分明、功能完整、运转流畅的教学保障运用模式，对于有效提高新形势下航天发射领域急需人才培养的规模和质量具有重要意义。

2　研究背景和需求分析

军外关于航天发射实践教学体系建设与运用研究的成果不多。北京理工大学、北京航空航天大学、南京航空航天大学等设置有航天发射相关专业，但多针对运载器、航天器的结构设计和控制技术开展理论教学，相应的实践环节针对原理结构的特定关键技术开展实践操作[1,2]。航空航天学科地方院校教学层次主要是学历教育，基本不涉及任职培训，对于指挥与技术相结合的实践教学需求不突出，多层次教学体系成果不多。

军内相关院校在实践教学体系建设与运用研究方面各具特色。例如，国防大学开展的“四位一体”培养体系研究，通过团队、项目、教学和平台建设相结合的方式提升工学本科生创新实践能力[3]；空军某学院提出的基于模块化的初级任职教育模式，从教学方法创新、模块化设置、条件建设等方面提出了优化建议，对装备类任职培训实践教学提供指导[4-6]；海军和火箭军某院校提出的针对雷达原理课程的实战化改革创新与实践，对于本门课程的内容选取、方法手段设计、实践教学模式等方面给出了创新建议，成效突出[7-10]。由此可见，军内院校的实践教学研究，有的针对某层次学员的培训需求，有的强调某门课程教学方法创新，在特定专业多层次实践教学体系建设和综合培养模式研究上还没有成熟的经验可以借鉴。

针对航天发射多类教学专业层次实践教学特点，梳理教学实践内容对条件建设项目的需求，结合现有基础明确未来各层次条件保障功能，以形成层次分明、功能完整、运转流畅的教学保障运用模式，主要研究和解决了如下教学问题：

2.1 梳理与分析航天发射多层次教学训练课程体系

根据最新制订的高等教育、任职培训、硕博士研究生教育、现职干部基本培训、辅助培训等教学大纲和人才培养方案，梳理航天发射方向相关的航天测发技术与指挥、装备技术保障与分队指挥本科及首次任职专业，航空宇航科学与技术、控制科学与工程、机械工程专业学位等的硕士、博士研究生专业，以及航天发射方向初、中级晋升教育的课程体系，明确课程内容设置的实践环节，合理优化实践内容设置和具体实现方法。

2.2 分析优化航天发射多层次教学训练条件体系

结合现有、在建训练条件以及未来十年内的发射领域实践教学训练需求，按照“职能清晰、新旧结合、模块互联、分层施训”的原则进行多层次教学训练条件体系的分析与建立。在功能结构上，划分为火箭原理教学、火箭测发控流程与实操训练、发射场地面设备设施测发流程与仿真训练、业务训练、指挥信息和流程训练、通用技能教学与训练等多个专门模块；满足综合指挥、分队指挥与操作、业务技能、通用设计与计算等岗位的多层次学员，在专业课学习各阶段的实践教学训练需求。各系统可按照自身侧重的功能开展完整的针对性训练，在综合性演练和演习任务中，可连成体系进行各类信息交互，实现全层次全流程联合训练。

2.3 构建完善航天发射多层次教学训练模式

根据各层次学员未来肩负的航天发射、试验两大职能，结合学员毕业后用人单位任务中常规发射、应急发射、航天搜救与回收三大模式的人才培养需求，面向航天测发方向高等教育、任职教育各类学员的教学训练需求，开展航天测发原理与技术、案例研究、想定作业、综合演练、仿真推演等多层次教学训练条件实践运用研究。根据教学大纲和人才培养方案，详细梳理航天发射多层次人才培养体系和课程体系，明确实践课程保障条件需求。在此基础上，确定原理教学、操作训练、仿真推演、案例研究、想定作业、综合演练等教学模式下对各类训练系统的应用需求，形成教学内容实践条件保障体系。针对各类教学模式提出对应多层次的教学训练条件实践运用模式，为优化各层次课程实践内容设置，提升实践课程效益和人才培养效率提供理论和技术支持。

3 航天发射多层次实践教学的体系设计

航天发射多层次教学训练实践条件体系是指面向航天发射相关测试发射指挥、技术、保障等各层次专业学员，开展技能训练、原理教学和理论研究的模拟训练环境，主要内容包括典型航天发射任务所需的火箭、卫星半实物或数字模拟器，以及测试系统、发控系统等软硬件条件。它与指挥训练系统结合，可开展卫星常规发射、卫星应急发射、搜救与回收等典型任务的模拟训练；也可与航天测控、卫星通信等其他教学条件结合，共同开展航天发射全任务、全流程、全要素合成训练。除了支持各级组织的演训任务之外，主要为学校承担的航天发射领域的学历教育（航天测发技术与指挥专业本科生、国防生，装备技术保障与分队指挥专业本科生、航空宇航科学与技术专业研究生），现职干部培训［航天发射方向初（中）级晋升教育、主干学科专业领域专题研修班］，军民融合人才培养、军事职业教育和文职人员培训等提供训练平台，支持发射装备原理、技术、发射任务筹划计划、测发过程操控、发射保障、发射组织指挥等教学训练科目，提高学员航天发射实战能力。因此，需充分考虑各层次学员教学需求开展完善的体系设计。

航天发射多层次教学训练实践条件体系由基础训练环境层、训练支持系统层、指挥操作训练层组成，如图 1 所示。

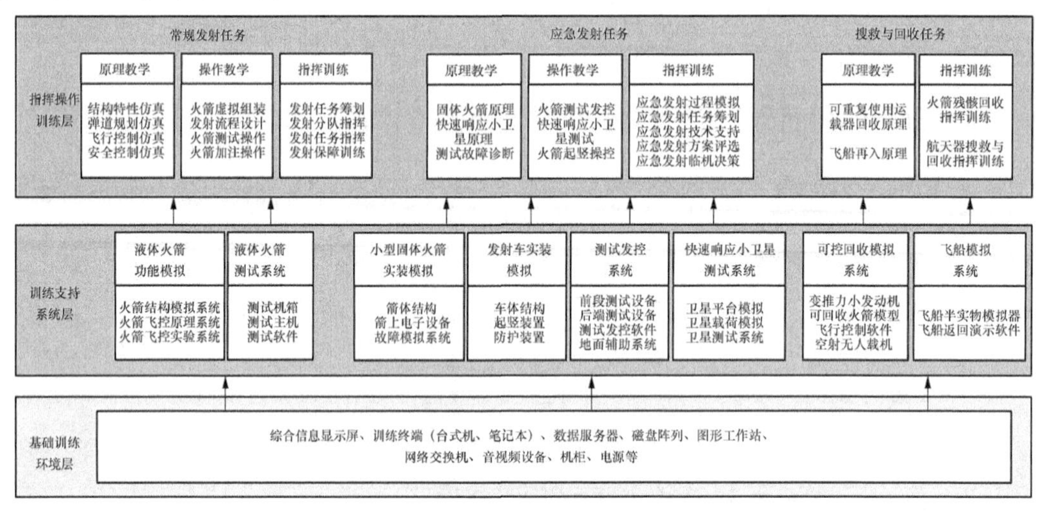

图 1　航天发射多层次教学训练实践条件体系结构

基础训练环境层提供训练所需要的显示屏、训练终端、服务器、网络、视频语音等基础设备。

训练支持系统层以数字仿真、半实物仿真相结合的方式，构建航天发射任务教学训练需要的训练支持系统，包括液体火箭、固体火箭、发射车、卫星、测试设备、发射控制台、发射场等装备和设施的模拟系统，为航天发射原理、技术、指挥、操作等教学训练提供支持。

指挥操作训练层按照常规发射、应急发射、搜救与回收三类典型任务组织指挥与操作训练。其中，常规发射按照实验任务模式组织教学训练，主要利用液体运载火箭的数字仿真、半实物仿真、地面测试设备、模拟发射控制台、测发信息系统等，开展相关原理、技术、指挥和操作等模拟训练。应急发射按照复杂紧急情况下任务模式组织教学训练，主要利用小型固体火箭的模拟实装、模拟发射车、地面测试系统、小卫星模拟实装、应急发射模拟训练系统等，开展应急发射组织筹划、快速测试、机动规划、临机决策等模拟训练。搜救与回收任务主要利用返回式运载器、返回式航天器等模拟系统，开展相关新技术研究和演示性训练。

4 教学训练运用模式

航天发射多层次教学训练实践条件用于本科生开展任职基础类的原理实验教学和首次任职类的装备操作训练，部分研究生开展作战运用研究，同时支持现职干部的案例分析和想定作业，以及全系统的综合演练和部队专项训练等。它可包括原理实验、操作训练、运用研究、想定作业和案例分析 5 种运用模式。下面以本科生开展原理实验为例，阐述典型的运用模式。

4.1 训练对象

针对航天测发技术与指挥、装备技术保障与分队指挥等本科专业学员，开展飞行器控制系统、飞行器测试原理与技术、飞行器总体、航天器测试等课程实践教学。

4.2 参训系统

4.2.1 快速发射系统原理与技术教学实验系统

包括运载器和发射支持系统实物或半实物仿真模块，任务管理模块和对外交互模块，具备航天发射需要的技术区、发射区、待机阵地的测试、指挥和故障处置训练功能。

4.2.2 快速响应卫星原理与技术教学实验系统

包括快速响应卫星模拟分系统、便携机动式卫星测试分系统、模拟训练支持分系统，具备小卫星原理、关键技术和卫星测试的模拟训练功能。

4.3 训练内容

4.3.1 航天快速发射运载器系统组成和测试的教学训练

快速发射控制系统原理与实践，包括快速测试发射控制系统的实践操作，控制分系统、测量分系统、动力分系统等测试与控制，以及系统间的匹配测试、全系统的总检查测试（包括模拟飞行程序）等。快速发射系统应用原理与操作包括快速发射测试发射模式、快速发射箭体结构操作、快速发射测试操作、发射支持系统操作等。

4.3.2 快速响应卫星测试发射流程模拟训练

主要完成快速响应航天器 GNC（制导、导航、控制）系统原理与实践，快速响应航天器组装与测试实践，卫星导航、姿态控制系统的功能建模实验，卫星制导与控制算法仿真实验，以及卫星姿态控制算法仿真实验。

4.4 典型运用流程

4.4.1 航天快速发射运载器系统组成和测试原理实验

开展原理演示的训练内容主要包括基本概念、发展现状、功能特点、结构特性、关键技术等。可以根据训练科目选择箭体结构、箭上主要设备、箭地接口、发射车结构、液压系统、起竖支架结构等训练依托硬件环境，开展分项内容的单项训练或多项内容的匹配训练。也可根据快速发射任务实施过程开展全流程全系统综合训练。

任务开始后，首先选择训练模式，然后设置发射任务相关模块参数，确定发射或训练流程，开展装备状态检查，接着按训练流程逐步操作，训练和装备参数实时传输和处理，训练结束时给出任务效果评估，见图 2。

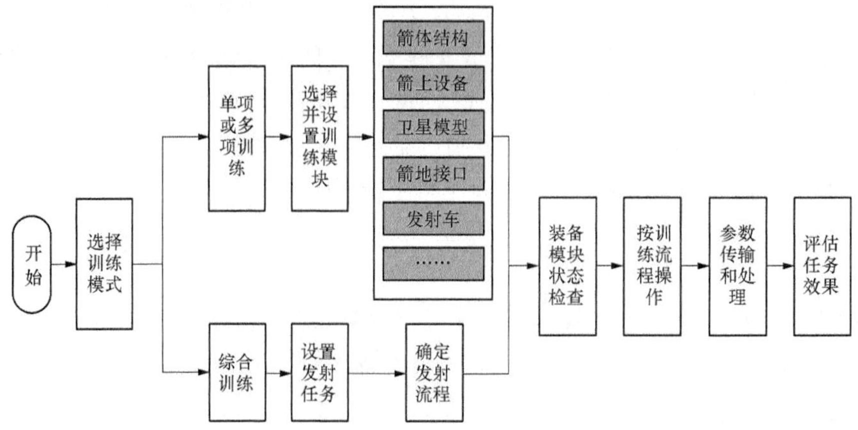

图 2　航天快速发射运载器系统组成和测试原理实验流程图

4.4.2　快速响应卫星测试发射流程原理实验

快速响应卫星配置原理演示教学与模拟训练中，可根据训练科目选择快速响应卫星原理、技术、测试、故障分析等教学训练模式。

任务开始后，首先选择训练模式，可以选择卫星任务模式和训练模式，然后设置卫星发射任务相关模块参数，确定发射或训练流程，开展装备状态检查，接着按训练流程逐步操作，训练和装备参数实时传输和处理，训练结束时给出任务效果评估。卫星系统可以开展接装基本测试、卫星仓储定期测试、等级转换下的卫星测试、多星并行测试，以及实施无依托机动发射测试等，见图 3。

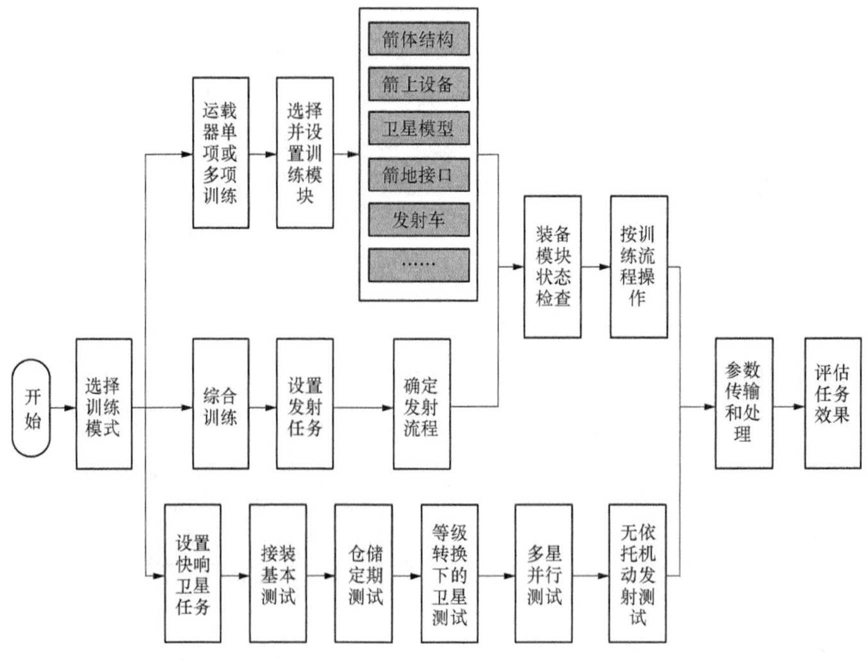

图 3　快速响应卫星测试发射流程原理实验流程图

5 主要创新做法

航天发射多层次教学训练实践条件体系，精准优化了条件建设项目功能与课程教学内容的匹配关系，提高实践课程保障效率，在深入分析航天发射人才培养体系和课程体系的基础上，提出了系统的多层次教学训练实践环节保障需求、实践课程条件体系。下面介绍主要创新做法。

5.1 航天发射学历、任职和职业教育体系及条件保障需求分析

近年来，随着用人单位职能的调整明确，相关学历、任职和职业教育专业和方向设置逐渐明确，但课程设置和教学内容体系不够清晰，多有叠加重合，尚未有课题针对航天发射多层次人才培养课程体系和内容设置进行整体梳理。针对航天发射多层次教学课程体系设置，特别是实践环节的内容设置，给出实践课程学时、内容和过程把控对实践条件建设系统的需求，以需求为牵引，准确指引了教学条件建设方案规划。

5.2 提出明确的航天发射教学训练条件层次和功能体系

大学航天发射教学训练条件建设持续推进，新旧型号训练系统均有涉及，模拟操作、虚拟现实、实装、半实物等实现手段多样，常规和应急发射功能相对独立，系统名称层次和功能辨识度不够清晰、容易混淆，训练内容设置分工不够明确，给多层次人才培养的教学应用带来不便。针对上述问题，深入分析各系统功能性能、操作手段、适用层次等环节，形成有效的多层次、多功能、多手段、全覆盖的功能体系框架，勾画相互关系明确、交互信息顺畅的教学训练条件体系，指导系统应用实践。

5.3 提出航天发射多层次教学训练条件的配置和应用模式

根据分析得出的多层次人才培养体系及需求，结合教学训练条件功能体系，开展综合应用研究。设置合理系统的训练科目，满足教学内容标准要求；制订可行的评估考核方案，促进教学效果转换为学员能力素养。研究原理与实践教学相结合、虚拟与实装操作相匹配、多层次教学实践能联动的教学训练条件运用模式，形成了多层次、模块化、成体系的教学保障应用环境。

6 建设与运用实践

航天发射多层次教学训练实践条件体系建设，根据最新制订的教学大纲和人才培养方案，明确航天发射方向相关的课程体系相互关系，确立课程内容设置的实践环节，优化实践内容设置和具体实现方法。结合现有、在建训练条件以及未来十年内的发射领域实践教学训练需求，满足综合指挥、分队指挥与操作、业务技能、通用设计与计算等岗位的多层次培训，开展专业课学习各阶段的实践教学。综合各类实践教学条件，协同各系统信息交互，实现全层次全流程联合训练教学。主要实施方法如下：

（1）以知识和能力体系为抓手，加强教学体系顶层设计，精心设计突出“理论基础、实战背景、专业能力”协调统一的课程体系和实践教学内容，创建作战背景下航天发射实践教学体系。

（2）加强实战化教学内容设计与实施，融入发射作战教学关键环节，依托教学训练条件建设，突出“指技融合”，设计创立满足多层次教学需求的应急发射实践教学平台，支持发射专业本科、研究生、任职培训实践教学。

（3）以能力培养为核心，运用精细化教学设计理念，针对应急发射关键技能教学需求，建设系列化发射筹划支持系统，灵活运用于教学训练和演训任务，以健全应急发射实践教学体系。

（4）围绕航天发射实际问题和发展问题，综合运用讲座、研讨、想定、演练、研究等多种教学方法，结合相应训练系统和网络课程，革新教学手段和方法。

2020—2022 年，完成了航天发射多层次专业人才培养方案的修改拟制，经过培养需求分析与培养对象分析，为达到培养目标，遵循以下原则构建航天发射方向专业课程体系：保证通用的指挥、政治、管理等课程的比例，且与其他专业打通；本专业方向特色课程以案例、现地教学、想定作业、综合演练为主，突出实践性，使学员易于接受与理解；与其他航天实验方向适当融合，在公共课程中设置航天发射相关专题。所有课程更新完善并用于课堂检验。

在实战化教学条件建设方面，结合前期建成的运载火箭测试发射实装训练实验室、运载火箭半实物仿真实验室、航天发射全数字仿真系统、运载火箭故障模拟器等教学实践环境，进行实践训练体系论证。明确增加完善应急发射相关教学条件建设。针对发射流程设计、发射窗口要素计算等技能训练，开发软件系统，结合课程教学进行试用优化。

7 结语

航天发射多层次教学训练实践条件体系，依托实验室条件建设项目、航天发射教学训练分中心项目，建设满足多方位需求、成链条的航天发射指挥岗位训练条件。紧贴指技融合培养需求，设计航天发射运载器测试、发射、控制教学系统；为满足场景化全流程指挥过程实践教学需要，建设发射态势与指挥模拟系统；围绕精算细算等发射指挥关键筹划技能训练要求，构建包括测发流程设计与评估、发射窗口与弹道计算、发射任务进程显示控制等一系列航天发射指挥筹划业务训练软件。结合航天试验训练中心建设，通过采用科研成果转化、集中采购、自研开发、系统集成等方式，构建运载火箭测试发射实装训练实验室、运载火箭半实物仿真实验室、航天发射全数字仿真系统、运载火箭故障模拟器等教学实践环境，为航天发射教学训练提供了基本环境，可以为多层次学员提供研讨、演练平台，也为下一步新型发射技术相关条件建设项目积累了经验。

参考文献

[1] 许海深，谢慧．应用型本科高校深化产教融合协同育人模式探析［J］．齐齐哈尔大学学报（哲学社会科学版），2020（2）：175－178.

[2] 房立清，陶凤和，赵金辉．信息化条件下新装备教学条件建设研究［J］．科教导刊，2015（07Z）：11－12.

[3] 杨跃能，闫野．创新实践能力“四位一体”培养体系构建与应用［J］．高等教育研究学报，2017，40（4）：37－41.

[4] 黄之杰，明莲，东涛．基于模块化的初级任职教育装备类课程教学研究［J］．空军院校教育，2017，29（4）：21－22.

[5] 杨辉，许剑锋，邵晓方．“雷达原理”课程实战化教学改革创新与实践［J］．火箭军院校教育，2017（3）：44－46.

[6] 刘金林，杰长，凡明．实战化教学质量控制模型构建方法及应用［J］．高等教育研究学报，2017，40（4）：79－85.

[7] 曾生跃，张立杰，杨俊．“双一流”建设背景下研究生课程体系建设的探索与实践［J］．高等教育研究学报，2017，40（4）：25－29.

[8] 何一波，周小飞，杨泽仁．机构实战化教学探究［J］．海军军事学术，2017（2）：54－57.

[9] 聂丽娟．院校实战化教学应着重把握的问题［J］．空军院校教育，2017，29（4）：18－20.

[10] 李民，郭禹．院校实战化教学与部队实战化训练关系思考［J］．海军院校教育，2017，27（6）：80－82.

航天信息类专业数字信号处理课程教学改革与实践

吴 涛 史学书 焦义文
（电子与光学工程系测控工程教研室）

摘 要：本文介绍了航天信息类专业人才培养对数字信号处理课程教学的目标要求，分析了数字信号处理课程教学中存在的主要问题，然后从优化教学内容、改进课程教学方法与手段、细化课程形成性考核和融入课程思政等方面给出了数字信号处理课程教学改革的具体举措，结合自身教学实践，有效激发了学员的学习主动性，提升了学员的实践能力和工程素养，为提高课程教学质量提供了有益参考和指导。

关键词：航天信息类；数字信号处理；课程教学改革

1 引言

数字信号处理是航天测控、太空态势感知、航天通信、空间信息对抗和情报分析整编等航天信息类本科专业的专业主干课程，是为培养相关专业学员思维能力、科研能力和创新能力，提供数字信号处理基本理论和方法的理论性课程。课程开设于大三上学期，目的是在延续信号与系统课程，继续夯实专业理论基础，有效衔接后续的遥测遥控原理、通信原理、雷达原理与系统、卫星导航原理等专业课程，主要为培养测控、通信、雷达、导航工程等相关专业人才提供信号分析与处理业务能力中数字信号频谱分析和数字滤波方面的专业基础知识和技能，为相关专业首次任职岗位技能课程提供数字信号处理基本理论与方法支撑，对相关专业学员首次任职岗位能力形成具有重要作用。

近年来，本科专业招生规模逐年扩大，在课程教学过程中，主要采用线下大班（每个教学班约 80 人）授课的方式进行。由于课程所涉及的概念多、公式多、比较抽象、计算复杂，而且学员经过大一、大二的学习之后，基础也存在一定的差异，所以学员学习起来会产生很多困惑，导致课程教学效果在一定程度上受到了影响。课程作为大学精品培育课程，担负着夯实后续专业课程基础理论和构建专业课程方法论的双重任务，如何更加有效地帮助学员学好数字信号处理的基本知识，培育学员运用航天系统获取、分析、处理信号与信息以达成作战目标的能力，是课程组教员需要关注的重点问题和持续努力的方向。

2 课程教学存在的问题

（1）课程内容较多、难以学习掌握，课时安排有待进一步优化调整。数字信号处理课程内容丰富且涉及面广，数学公式多、理论性强[1]，概念比较抽象，工程应用联系紧密，学习过程难度较大。例如数字滤波器设计部分，针对系统综合这一思维方式的转变，给学员学习形成了不小挑战。虽然在信号与系统课程学习阶段具备了一定基础，但在衔接部分内容的选取上，还需适当增加 Z 变换等内容的讲解。由于学时有限，除理论学习外，还需要合理安排实验教学内容，因此学时较少的矛盾突显，这不仅给学员学习带来障碍，还给教学过程带来不便。

（2）教学方法、手段单一，新教育信息技术应用不够。课堂上以教员讲授为主，学员被动听课居多，主要手段采用演示文稿（PPT）和黑板板书相结合的形式。课后学员围绕着教员布置的课后练习题和思考题进行学习，教员通过微信群进行资料推送和答疑。该模式虽然能按部就班地完成教学任务，但整个上课过程中学员参与度和学习主动性不高，师生互动性交流较少，教学反馈信息获取有限，难以体现以学员为中心的教学理念。此外，在促进学员自主学习方面，未能充分有效利用相关的线上国家级精品课程资源。

（3）学员学习目标有偏差，教学目标达成上有欠缺。学员经过“信号与系统”课程学习后，普遍感觉本课程难度同样大，对学好这门课程缺乏自信心，有畏难情绪。一方面，大部分学员仍然以应试、解题为主要学习目标，对于课程在本专业课程体系中的地位作用认识比较模糊，实验所需的编程能力也偏弱，对实验教学内容的兴趣不高，课程实践环节大都比较被动；另一方面，教学内容未能充分兼顾航天信息类各专业信号处理应用实践，很容易出现“听不懂，学不会，用不上”的情况，课程实践性强的特点也未能充分显现，实践教学亟待改进完善，进一步紧贴各专业方向工程实践背景。

3 课程教学改革举措

课程组遵循理论课程学习规律，按照既注重知识传授，又注重实践能力培养为基本着眼点，从数字信号处理的概念内涵、理论基础、基本方法到技术实现，层层递进，坚持由浅入深、理论联系实际，强化与专业实际问题相结合，强化对岗位技能提升的理论支撑作用，通过优化教学内容，综合运用与教学内容相适应的教学方法和手段，进一步完善课程考核方式，解决本课程具有的“概念多、公式多、较抽象、不会用”的难题，为学员构建系统的专业知识体系，培养其分析解决工程问题能力[2]。

3.1 优化课程教学内容

结合人才培养方案、课程教学计划滚动修订工作，对数字信号处理课程的教学计划和教学内容进行优化。课程内容分为基础理论、信号变换、数字滤波和编程实验，在具体内容设计上，围绕“金课”建设“两性一度”目标要求[3,4]，抓住专业背景知识能力重点，结合相关专业岗位实际应用，削支强干、延伸应用，支撑测控、通信、雷达、导航工程等航天信息类相关专业能力的形成。根据学员先期学习基础，适当增加 Z 变换、离散时间傅里叶变换、系统函数等衔接内容，通过对相关内容的回顾，进一步梳理、串联各变换的逻辑关系；根据专业发展需求，增加与测控、通信、雷达系统设计和工程实践联系较为紧密的多抽样率数字信号处理知识点教学，适当精简滤波器设计方法、滤波器结构等实际应用较少的部分内容。

编程实验部分主要围绕信号变换和数字滤波两部分核心内容设置相应的上机编程实验任务，设计侧重航天信息类专业应用的多个课堂实验和综合性拓展实验，让学员模拟产生相关专业的测控、通信、雷达信号，以及对实际的标准体制 TT&C、BPSK、脉冲调制信号进行分析和滤波处理。由专业应用探究促进课程知识的深化理解，提高学员的实际动手能力[5]。综合性拓展实验，由学员分组完成，每组 7 人或 8 人，课中进行选题汇报，课程结束时进行成果展示汇报，以加强学员的工程实践能力、团队协作能力、沟通表达能力和科学精神培养。

3.2 改进课程教学方法与手段

3.2.1 工程思维逻辑与仿真演示相结合

为了将抽象的概念、公式形象化，采用板书、PPT 和教材配套的多媒体 CAI 教程软件手段相结合，例如，FIR 滤波器的线性相位特性讲解时，利用深空无线电信号测量和多载波信号通信传输两个工程问题牵引，阐述其定义和作用，板书展示频域相位特性、时域约束条件和 z 域零极点特性等知识逻辑，PPT 着重强调分析过程和结论，同时借助多媒体 CAI 教程软件和 MATLAB 仿真演示，帮助学员深刻理解概念内涵和物理意义。

3.2.2 启发式讲授与互动式交流相结合

数字信号处理是专业基础课程，理论、方法晦涩难懂，学员很难长时间集中注意力。为了激发学员学习兴趣，采用以问题牵引的启发式教学模式，课堂提问贯穿始终，既能促进学员深入思考，又能通过答题互助、互动讨论环节，让学员参与课堂活动，调动学员积极性，有效改善了课堂活跃度。注意授课艺术，尽量做到深入浅出、通俗易懂，注意归纳总结，化繁为简，排除学员的畏难情绪，不断强化“信号经过系统产生输出响应”这一极简模型，并引导从时域和频域（含复频域）两个视角思考、分析和解决问题，不断加强学员的自信心。

3.2.3 线上与线下自主学习相结合

采用中国大学 MOOC＋雨课堂开展线上线下混合式教学实践，课前预习、课堂小测可以有效帮助了解学员预习和知识点掌握情况，通过随机点名、弹幕、词云等功能进行教学互动，活跃课堂氛围。针对军校学员时间碎片化，无法有效利用课后时间巩固学习效果的问题，开展线上资源的建设，为学员提供在线学习的多媒体电子课件、重难点辅导、习题、编程实验要求与实验指导等教学资料和开展线上答疑，适时精选推送北京交通大学陈后金教授、北京航空航天大学王俊教授、中国矿业大学王艳芬教授等的一流国家级精品线上课程，以及其他优秀授课视听材料和微信公众号等优质在线资源链接，以促进学员自主学习。

3.2.4 理论教学与装备应用实践相结合

充分利用大学的天线组阵系统等实装设备，增加实测“嫦娥二号”月球探测器测控信号处理环节，通过对记录设备的实操，了解实际系统、分析实际信号，深刻体会数字信号处理基本理论在航天系统中的实际应用。

3.3 细化课程形成性考核

课程考核分为形成性考核（占总成绩的 30％）和终结性考核（占总成绩的 70％）两部

分。以往教学中，终结性考核成绩不及格的，课程成绩记为不及格，并且鲜有终结性考核成绩及格，而课程总成绩不及格的情况。因此，学员的学习靶标重点还是瞄着期末的闭卷考试，形成性考核发挥的评价作用非常有限，这也导致部分学员对学习过程，以及习题作业、实验报告等不太重视。

为了扭转这种学习状况，课程组进一步丰富了形成性考核形式，形成性考核成绩采取课程作业、阶段测试、实验报告和综合实验汇报等形式进行。增设 2 次阶段测试，占总成绩的 10%，侧重对基础理论知识点掌握情况的考查，既适应学员学习需求，也达到学习过程监控的目的；综合实验从课堂实验中剥离，单独评分，占总成绩的 10%，侧重对理论联系实际能力、协作能力、探究能力等综合素质的考查，避免学员草草应付，实验热情不高的问题。后续结合教学大纲修订，可进一步提高形成性考核成绩在总成绩中的比重，逐步过渡到终结性考核（50%），形成性考核（50%）的综合考核模式。通过细化课程形成性考核，让学员能够真正理解数字信号处理的基本概念、基本原理，掌握频谱分析和滤波器设计的基本方法，并应用于专业实践中，改变学员考前刷题、考后交还教员，大多数人临时抱佛脚、混过考试的现象。

3.4 融入课程思政

2020 年，教育部印发《高等学校课程思政建设指导纲要》指出，全面推进课程思政建设是落实立德树人根本任务的战略举措。教育部在近年组织的国家精品在线开放课程和“金课”建设与评审过程中，对课程思政提出了明确的要求，各地各学校也相应地在教学成果奖、教学名师评选中加入了对课程思政的要求[6]。因此，课程组深刻认识到，在航天信息类专业主干课中开展课程思政教育已经不是要不要做的问题，而是该如何做好的问题。

课程思政不是简单的“课程”加“思政”，而是课程中有机地融入价值塑造的元素，做到“如盐化水”、润物无声[7]。为充分发挥数字信号处理课程育人功能，对该课程蕴含的思想政治教育内容进行体系化设计，在课程知识传授的同时，注重思政元素的挖掘，将思政教育融入课堂。通过建立傅里叶、切比雪夫等科学家故事，“北京明白”测控专业学长视频，数字信号处理学科发展历程，国产 AD/DA、DSP 芯片现状，测控、通信系统设计工程问题探究，预警雷达、北斗导航前沿技术分析等课程思政元素点、案例集、素材库，进一步提炼专业知识体系中所蕴含的思想价值和精神内涵，科学合理拓展专业课程的广度、深度和温度。在教学过程中有机融入航天精神的形成史和航天科技从弱到强的发展史，引导学员自觉认同新时代航天精神，不仅增添了课程学习的趣味性，还增强了学员作为新时代航天人的岗位责任意识和奋发进取斗志。

4 结语

本文从“数字信号处理”作为航天信息类专业主干课的课程性质出发，分析了课程教学存在的课程内容复杂难学明白、教学方法手段单一效果欠佳、教学目标达成有偏差等重难点问题，并结合近年来的教学实践经验，从优化教学内容、改进课程教学方法与手段、细化课程形成性考核和融入课程思政等方面对课程进行了改革，有效激发了学员的学习主动性，提升了学员的实践能力和工程素养，提高了课程教学质量。但是，在课程思政元素的有机融入、凸显专业特色的实验条件建设和教学内容开发、权重分配合理适度的课程考核模式、线上线下混合式教学改革等方面有待深入研究，作为一门精品课程，其教学改革是一个不断改进和优化的过程，需要课程组老师不断地学习、探索和实践。

参考文献

[1] 石岩，陶然，赵娟．信号类贯通课程教学改革与实践——以信号处理理论与技术Ⅲ课程为例［J］．中国现代教育装备，2022（1）：118-120.

[2] 郭彩萍，张晓娟，翟丽红，等．数字信号处理课程教学中存在的问题及对策［J］．高等教育，2020（2）：192-193.

[3] 吴岩．建设中国“金课”［J］．中国大学教学，2018（12）：4-9.

[4] 朱军，屈磊，张红伟，等．“新工科”背景下“数字信号处理”课程教学改革［J］．工业和信息化教育，2022（2）：64-66.

[5] 李光平，刘圣海，文元美．通信工程《数字信号处理》课程的改革与建设［J］．教育教学论坛，2019，1（3）：126-127.

[6] 于歆杰．理工科核心课中的课程思政——为什么做与怎么做［J］．中国大学教学，2019（9）：56-60.

[7] 于歆杰．合五为一 连通课程思政建设的最后一公里［J］．中国大学教学．2021（8）：28-34.

电子技术类课程“三强递进式”教学模式研究与实践

柴　黎　王　磊　李　红
（电子与光学工程系电子技术教研室）

摘　要：本文以航天应用人才岗位能力需求为导向，针对教学中存在的学员逻辑思维和分析问题能力不足、课程教学与航天应用结合不紧密、电子技术类实验课程整体规划不足等问题，将电路分析、模拟电子技术、数字电子技术、电路电子学基础四门专业背景课统筹规划，基于线上教学平台，开展混合式教学，设计增加航天电子综合实验案例，建立“四课统一”实验教学平台，增加四课融合实验，增强知识的综合应用及融会贯通，同时加强课程教学与信息技术的深度融合，融入问题导引、项目探究、案例分析等多种教学方法，构建了“三强递进式”电子技术类课程教学模式。

关键词：电子技术类课程；三强递进式；航天应用

1　引言

航天科技是综合国力的象征，国家兴盛，人才为本，如何培养有国际竞争力的最优秀人才是我们面临的重要挑战。新时代对航天创新人才提出更高要求：宽厚即用的学识、严慎极致的匠心、开拓引领的意识、航天奉献的精神。为了提高电子技术类课程教学的高阶性、创新性与挑战度，达到培养航天创新人才的目的。2019 年以来，在航天工程大学电子科学与技术教学创新团队以及多个教学研究项目支持下，开展了有益的探索实践。

2　电子技术课程教学现状

2.1　学员逻辑思维和分析能力不足

教员的教学手段和方法不够丰富，教学资源建设不够全面，信息化技术利用不够充分，考核评价不够客观，授课效果不能很好地提升学员的逻辑思维和分析能力，影响教学质量提升。

2.2　课程教学与航天应用结合不够紧密

授课内容专业知识的实战化教学体现不够，与部队实际结合不够紧密，高水平科研转化优质教学资源不够，降低了学员学习的针对性和主动性。

2.3 电子技术类实验课程整体规划不足

电子技术类四门课程整体规划不足，缺乏四课融合实验、航天电子综合性实践及统一实验平台，影响实践教学的转型升级和学员综合能力培养[1]。

3 三强递进式教学模式构建途径

针对教学中存在的问题，坚持“厚基础、强实践、铸特色”的教学理念，将电子技术类四门课程统筹规划，系统梳理课程内容体系，构建“三强递进式”教学模式（见图 1），全面提升学员的工程能力、实践能力和创新能力。

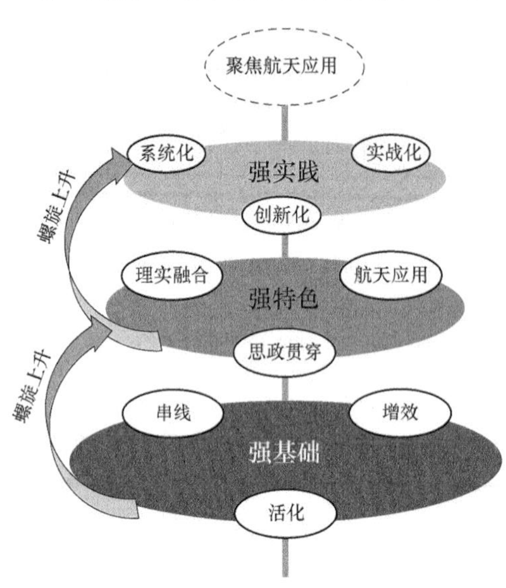

图 1 电子技术类课程“三强递进式”教学模式

3.1 “三轮驱动”夯实基础，提升学员逻辑思维和分析能力

3.1.1 串线：知识迁移与思维创新相结合

梳理课程内容“一线”穿“珠子”，课内知识串线，前后课程衔接，围绕主线内容进行关联，从而进行知识迁移与思维创新。电子技术类课程的特点是理论性强、概念抽象、需要一定的数学和物理基础，通过问题自主发现知识点之间以及课程之间的内在联系，并能建立正确而完整的知识体系。电子技术类课程赋予数学知识新的物理意义，课程涉及克莱姆法则、三角运算、复数运算、一阶/二阶微分方程求解、傅里叶级数等，结合工程应用实例，赋予数学知识一定的电路背景，强化基本规律和应用之间的逻辑关系[2,3]。

3.1.2 增效：线上学习和线下教学相结合

从电子技术类课程“电路分析、仿真设计、电路调试”的教学过程出发，建立线上线下多媒体教学资源，将满足混合式教学过程中不同阶段的教学资源划分为微课资源、课件资源、虚拟仿真资源、课前导学资源、开放式研讨资源等。同时编著出版相关教材，制作两套教学材料，一套是与教材配套的知识点讲授教学材料，另一套是翻转课堂使用的自由讨论、随堂测验、专题研讨教学材料。这实现了以学员为中心，拓展了学员学习的时间和空间，充分调动了学员作为学习主体的主动性、积极性和创造性。

3.1.3 活化：翻转课堂与传统课堂相结合

以开展师生互动的教学理念作为切入点，划分知识要点为传授、内化、外化，翻转课堂上一对一或一对多地交流讨论、解题练习，学员上台讲解，研究课题汇报等，要求学员在课堂上要有“三动”（动脑、动口、动手），使学员成为教学的中心和主体，教员起到教学组织、答疑、引导的作用，解决学员被动学习，师生、生生互动交流少的问题。

根据课程内容特点，结合多种教学方法合理设计，图 2 展示了详细的混合式教学设计：课前推送导学和相关学习资源，引导学员自主学习；课中采用问题导引或案例引入的课堂讲授和研讨汇报交流为主的翻转课堂；课后推送复习资料、布置拓展任务，检验和巩固所学知识。利用雨课堂即时的数据统计，掌握学情，及时调整教学手段和内容。通过对学员学习数据分析能够比较客观全面地评价学员的学习状况，可针对性地开展教学[4]。

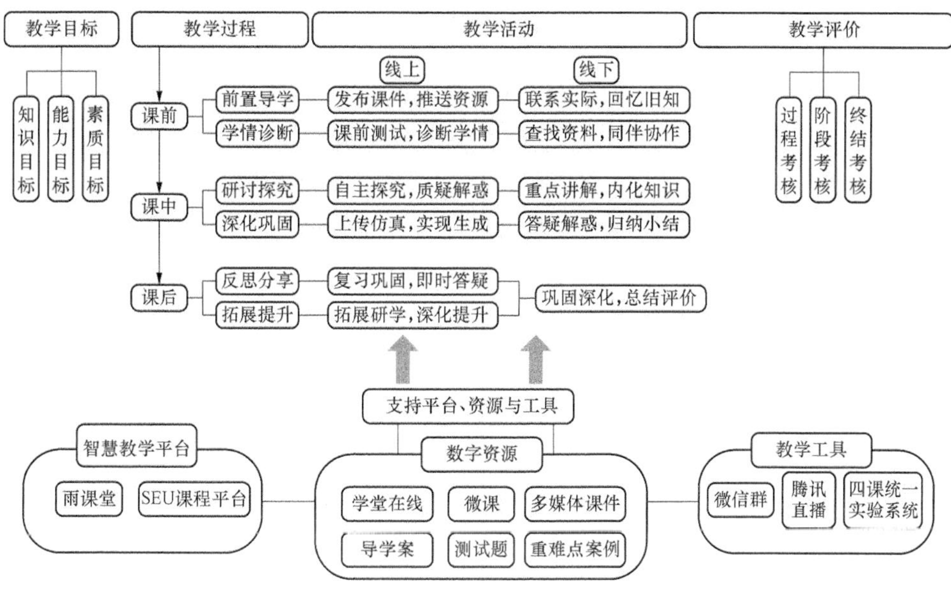

图 2　线上线下教学设计框图

图 3 是根据教学内容设计的开放式研讨题目和翻转课堂现场。

开放式研讨题目		
电磁炮工作原理及性能分析	超级电容	交直流之争
NASA太空无线传输计划	闪光灯的原理分析及设计	阻容性分压器工作原理及应用
集成运放在航天领域中的应用	谐振的利与弊	Marx高压发生器应用分析
2.5G到5G通信技术的演变及进展	惠斯通电桥应用	忆阻器商业化应用进展
延时保护电路在实际电路中应用	提高功率因素方法及优缺点	触摸开关的工作原理

图 3　开放式研讨题目

录制主要知识点的微课在 SEU 课程平台上线，随时可以观看和下载，丰富教学资源；利用信息化技术和智能分析技术，实现教学活动全过程的、基于数据驱动的评估监测与管理，从而实现客观全面评价学员的学习状况，有针对性地开展教学，实现以评促学，以评促教。

3.2　建立“四课统一”实验教学平台，增加四课融合实验

3.2.1　建立统一实验平台

将电路分析、模拟电子技术、数字电子技术、电路电子学基础四门课程实验进行系统梳理，顶层设计，建立“四课统一”实验教学平台，将数字和模拟、硬件和软件、虚拟仪器和

真实仪表进行统一，基于统一平台开展综合性实验，加强了专业知识整合运用能力。

从电子技术类课程的“电路分析、仿真设计、电路调试”的教学过程出发，对教学资源进行“理、虚、实”的一体化设计。利用大量仿真和实验演示，对相关知识点进行理论分析，在 Multisim 软件进行数值仿真，在统一平台上进行电路调试的物理实现。如 Multisim 仿真电感电流不能突变、电容充放电、时间常数的测量等，帮助学员深刻理解公式的物理意义，进而搭建电路。图 4 为部分仿真资源案例[5]。

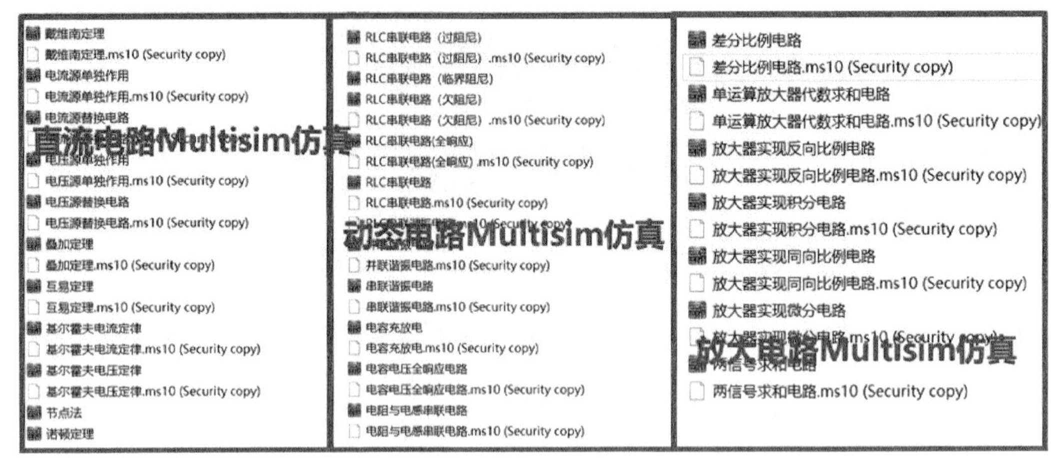

图 4　虚拟仿真实验资源库

3.2.2　增加四课融合实验

打破课程藩篱，整合实验教学内容，优化实验教学体系，改善电路分析、模拟电子技术、数字电子技术及电路电子学基础课程的整体规划不足的问题。统筹设计涵盖四课的实验项目，突出知识的综合应用，促进构建完整的知识体系，为专业课学习奠定坚实的基础。图 5 为四课融合案例示例[6]。

四课融合案例库		
序号	实验名称	模块对应电路
1	卫星操控实验	稳压电源及低噪声功放对应模拟电路、接口转换及串口对应数字电路
2	声光磁控实验	前级放大、末级功放对应模拟电路，555定时器对应数字电路
3	营区智能灯控制设计	光线采集对应模拟电路，LCD602液晶显示对应数字电路
4	声控流水灯设计	声音采集对应模拟电路，CD4017计数器对应数字电路
5	心形灯灯光变换设计	STC89C52数据处理对应数字部分，TTL电平转换对应模拟电路
6	光立方设计	放大器对应模拟部分，IRC1 5W41 5单片机对应数字电路
7	四位数字时钟设计	脉冲波产生及8段显示对应数字电路、功放电路对应模拟电路
8	红外感应开关设计	CD4093对应数字电路，微弱信号放大模块对应模拟电路

图 5　四课融合实验案例示例

3.2.3　紧密联系航天应用

聚焦当前部队实装和学科发展方向，从承担的国防重大科研任务中提炼共性基础和科学前沿问题，建立与教学内容相关联的航天应用案例库，使课堂连线战场，将理论用在实处，全面提升学员的实践创新能力。

依托课程的专业理论知识和虚拟仿真实验，依托电子技术实验中心和学员创新工作室，强化专业课程基础知识的应用，整合集成、优化贯通“电子技术、计算机技术、控制技术”等实践内容，把重实践、重设计、重融合、重创新“四重一贯”理念贯穿全过程。构建课程实验 - 学科竞赛 - 科研创新实践课程体系，鼓励学员进行科学创新研究，如图 6 所示。

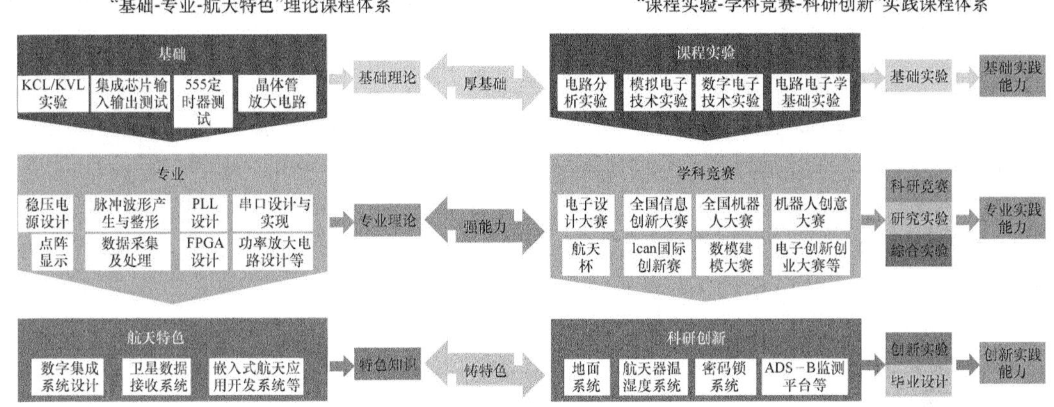

图 6 “课程实验 - 学科竞赛 - 科研创新”实践课程体系

课程组还建立了卫星操控系统、气象卫星云图接收系统、ADS-B 实时监测平台等航天应用特色实验，结合“四课统一”实验教学平台提高实验效率，激发学员创新实验的热情，如图 7 所示。

航天应用案例库		
序号	实验内容	功能模块
1	卫星操控系统	直流电源、低噪声功放、信号调频单元、GPS校时模块、无线电台、串口通信单元、八木天线等
2	气象卫星云图接收系统	选频匹配、混频模块、鉴频单元、滤波器、锁相频率合成
3	ADS-B实时监测平台	脉冲生产单元、脉冲调制单元、天线单元、射频前端、ADC 和数字下变频、解调单元、GIS 与可视化网页服务器
4	目标实时检测追踪和双目测距系统	二自由度舵机云台、arduino开发板、双目摄像头
5	发射机机柜风扇监控系统	ARM CortexM4控制单元，温度检测单元、转速检测单元、红外收/发单元、直流电机驱动单元、LCD显示单元、供电单元、风扇电机等
6	多传感器融合的野外任务安全监测装置	单片机数据处理系统、液晶显示、数据采集单元
7	无线温湿度监控系统	WiFi模块、温湿度采集模块显示模块、单片机数据处理系统

图 7 航天应用案例库

3.3 课程思政贯穿始终，构建多元化、立体化思政教学案例库

3.3.1 把握思政内涵要义

提高思想站位，把准内涵实质，融入习近平新时代中国特色社会主义思想、习近平强

军思想、军人任务使命等内容，潜于知识、隐于文华，培养具有“四有”新时代革命军人和航天人特有品质的新时代航天人。

3.3.2 保证思政落准落实

结合课程特点，确定思政重点，挖掘思政资源。从知识、技能、过程与方法和情感、态度、价值观等四个维度，采用理论融入、叙事融入和疏导融入等方法，贯穿课程教学各环节，切实保证课程思政落到实处。

3.3.3 促进思政行稳致远

加强思政资源和典型课例建设，依据“课课有方向、章节有重点”的思路，形成思政成果优质课例资源，构建多元化、立体化课程思政教学案例库，通过研讨交流，促进课程思政行稳致远，在突出培养学员工程实践能力和创新能力的同时，激发学员科技报国的家国情怀和使命担当。思政教学案例库包含：①我国在电气工程、电子信息、新工科领域的卓越成就；②电气工程、电子信息等领域的杰出人物事迹；③体现职业素养、工匠精神的案例与事迹；④国内外著名科学家重要性的讲话、事迹、视频等；⑤课程知识点相关的历史典故、辩证故事等，激发学员献身国防事业的决心，如图 8 所示。

序号	教学内容	思政元素	典型案例	实施方式
1	电路的等效变换	科学的思维方法系统观	通过电路对外等效、对内不等效的特点，告诉学员处理问题时要抓住事物的主流与核心，抓主要矛盾及矛盾的主要方面，才能较好地解决问题，以此培养学生系统观和科学的思维方法	分组讨论 课堂练习
2	电路基本分析方法	系统分析法、科学观、科学思维方式	通过支路法、网孔法和节点法学习，使学生掌握复杂电路的系统分析法，树立科学观，培养科学思维方式	课堂讲授 讲测结合
3	叠加定理	团结友善和谐，团队协作精神	介绍叠加定理解题时需在参考方向下求代数和，教育学生只有齐心协力才会取得更好的结果，培养学生团队协作精神	习题引入 课堂讨论
4	戴维南定理	科学奉献精神	通过列举戴维南定理，最早并非由戴维南提出、而是由亥姆霍兹提出的案例，颂扬亥姆霍兹不计个人得失，始终致力于全人类科学进步的奉献精神	故事讲授
5	正弦稳态电路中的功率	对立统一观 辩证法思维	将人的智商类比为有功功率，情商类比为无功功率。绝大多数能够对外输出有功功率的装置，都需要吸收或发出无功功率。也就是说，没有无功功率，绝大多数装置都无法对外做功。这就好比没有足够的情商，绝大多数人都无法表现出高智商一样，以此帮助学生用对立统一观（矛盾论）分析问题，培养辩证的思维能力	课堂讨论 讲测结合
6	三相电路	大国崛起	中国电力系统规模世界第一	展示建设成就，培养爱国情怀
7	谐振	事物的两面性 对立统一观	结合谐振在电子技术方面的应用及对电力系统带来的危害，教育学员任何事物都有两面性，要学会辩证地看待问题	创设情景 课堂演示
8	特高压输电技术	民族自信心和自豪感 爱国敬业、政治认同	通过介绍我国电力行业的发展概况及在特高压输电技术方面取得的巨大成就，提升学员的民族自豪感以及未来从事相关专业的热情，引导学员爱国敬业、政治认同，增强信心决心，激发学员四个自信	课堂讲授 课外阅读
9	三相电路	遵章守规 敬畏生命	通过安全用电和触电事故案例介绍，引导学员遵章守规、敬畏生命	案例导入 小组谈论
10	半导体器件	自主创新、科技强国、社会责任感和使命感	介绍中国半导体行业的优势和不足。通过“中兴事件”“华为事件”使学员认识到掌握核心技术的重要性、中国发展芯片产业的迫切性，激发学员的爱国热情及为国家兴起而努力读书的意志，鼓励学员奋发图强、勇于创新，培养学员社会责任感和使命感	案例引导 课堂探讨
11	集成运算放大器	实事求是的科学精神、诚实守信	引入上海交大陈进教授“汉芯”系列芯片造假事件，弘扬实事求是的科学精神，教育学生要诚实守信、杜绝弄虚作假和学术不端行为	故事讲授 课堂讨论

图 8　课程思政部分示例

4 结语

为促进电子技术类课程教学质量提升，必须打破传统教学模式，构建“三强递进式”教学模式，本研究连续 2 年在电子技术类课程教学中应用，学员参与意识和学习效果大幅提升，知识运用、实践能力、信息思维和创新精神得到了全方位锻炼，建设与电路分析、模拟电子技术、数字电子技术、电路电子学基础课程教学内容相融合的航天应用案例库，全面提升学员的实践创新能力。学员“知天用天”兴趣和应用能力逐步形成，学员参加学科创新竞赛活动积极性提高，在多项全国或校级竞赛中获奖。对电子技术类课程教学的探索，做到了“以学生为中心”，极大地激发了学员的学习热情，学员的创新实践能力显著增强。

参考文献

[1] 范越，陈少昌．军校电子技术类课程教学改革建设研究 [J]. 教育教学论坛，2020 (27)：156 - 157.

[2] 吴苏，马知远，陈少昌．基于工程化思维能力培养的电子技术课程教学改革与实践 [J]. 教育教学论坛，2017 (19)：135 - 136.

[3] 彭丹，陈少昌．电子技术类课程实验实践教学改革探索 [J]. 实验室研究与探索，2021，40 (11)：181 - 183.

[4] 司维超，孙涛，洪贝，等．针对军校学员的教学分析及混合式教学改革 [J]. 教育教学论坛，2021 (34)：83 - 86.

[5] 周德东．电子技术综合实践课程教学改革探索与实践 [J]. 中国教育技术装备，2021 (10)：91 - 93.

[6] 张跃勤，龙英，杨军，等．电子技术综合设计性实验教学研究与实践 [J]. 电气电子教学学报，2017，39 (01)：135 - 138.

人才培养特点规律

军官晋升教育人才培养特点规律研究

侯迎春　曾德贤
（航天指挥学院）

摘　要：新时代军事斗争准备和航天装备的快速发展，对军官晋升教育提出了新要求。本文在分析当前航天人才培养面临形势的基础上，研究了军官晋升教育在培养目标、培养对象、课程设置、教学内容和功能效用上呈现的新特点，归纳总结了军官晋升教育在遵循人才能力生成、军官长远发展等方面需实施专业化教育、针对性教育、复合性教育等规律，为航天人才培养提供了理论参考。

关键词：军官晋升教育；能力生成；人才培养

1　引言

当前，我国正在经历着百年未有之大变局，世界之变、时代之变和历史之变对我军有效履行新时代军队使命任务提出了越来越高的要求。航天力量作为新型作战力量，是应对强敌军事威慑，聚焦备战打仗的排头兵，在军事斗争准备中首当其冲。战斗力的有效生成和提高基于网络信息体系的作战能力建设，都离不开人才队伍建设[1]。只有实施新时代人才强军战略，全方位加强人才工作，才能更好发挥人才对强军事业的引领和支撑作用。深入研究军官晋升教育人才培养特点规律，才能为破解航天人才培养存在的突出矛盾问题，为培养紧贴实战、供需耦合的航大人才提供理论支撑。

2　军官晋升教育人才培养面临的形势

面对军事斗争准备和航天装备快速发展，迫切需要优化航天人才培养顶层设计，加快完善适应未来战争新需求的航天人才培养体系。军官晋升教育是提升航天军官能力素质的重要渠道，是全面打造世界一流航天军官队伍，全面建设世界一流军队的战略性、基础性工程。院校是新型作战力量人才培养的重要基地，必须面向战场、面向部队、面向未来，加快提升军官晋升教育培训能力。

2.1　太空领域大国博弈日益激烈

随着新一轮军事革命加速推进，太空领域在大国竞争中的战略地位更加凸显，世界主要国家竞相发展和升级相关航天力量。航天力量作为新型作战力量，是掌握战略主动权的优先力量、支撑联合作战的关键力量。强军兴国，关键靠人才、基础在教育。制胜新域迫切需要高素质航天人才，抢占创新高地迫切需要高素质航天人才。实现航天强国的战略性要求，必须有大规模高素质新型航天人才，必须加快提升军官晋升教育水平，在建强人才队伍上弯道超车、后来居上。

2.2 战争形态加速演变

随着战争形态加快向信息化、网络化、智能化演变，基于网络信息体系的联合作战成为现代战争的基本作战方式。航天力量在现代战争中的运用越来越广泛，对联合作战体系中的全域支撑、信息保障作用也越来越突出。当前航天人才队伍建设整体水平滞后于航天力量实践发展，专业能力同履行新时代的使命任务还存在差距。因此，必须抓紧推进军官晋升教育建设向实战转、向创新转、向联合转，确保航天人才适应未来作战需要。

2.3 航天科技日新月异

航天力量较传统作战力量而言，具有科技密集的鲜明特点，信息化、网络化、智能化的特点更加突出，人与航天装备的结合更为紧密[2]。新一轮科技革命和军事革命加速发展，现代军事力量体系加速构建，迫切需要航天人才有更宽广的视野、更现代的理念、更深厚的专业、更精湛的技能。军官晋升教育必须紧盯航天科技创新前沿，着力培养创新型军官人才队伍。

2.4 军官政策制度深度调整

新的军官政策制度，对军官晋升教育进行了系统化规范。军官晋升教育是军官职业发展路径中的必要环节，部队对通过军官晋升教育加速军官成长进步更加重视，军官个人也对通过军官晋升教育提升自身能力素质抱有更多期待，必须加快推进军官晋升教育改革，努力实现内涵式高质量发展。

3 军官晋升教育人才培养的特点

航天力量是以作战需求为牵引，以航天技术为支撑，以新能力为标志的新型作战力量[3]。军官晋升教育人才培养以作战需求为牵引，在培养目标、培养对象、课程设置、教学内容和功能效用上呈现出一些新特点。

3.1 在培养目标上指向性更强

航天工程大学军官晋升教育按照初级、中级统一区分兵种指挥、合成指挥，契合主战链关键岗位军官职业发展路径。指挥管理军官初、中两级指挥教育，必须找准当前航天人才培养“供给侧”与部队备战打仗“需求侧”之间存在的差距和不足[4]，必须更加聚焦作战指挥核心能力培养，突出培塑军官“五个素养”，确保满足指挥管理军官未来 1 个或 2 个衔级任职的作战指挥能力需求。

3.2 在培训对象上复合性更强

军官晋升教育培训对象在任职岗位、专业背景、工作经历等方面存在较大差异。军官晋升教育培训学员岗位类型多样，互补性较强，但非军事岗位学员多，对作战问题还缺乏深入研究。培训学员工作时间长，实践经验丰富，精通本职专业和本岗位工作，对本领域工作现状了如指掌，但对本领域外的装备、技术掌握甚少，造成培训学员的视野相对较窄，只能立足本职做好实际工作，很难站在全局角度用系统性思维分析、解决部队在作战和建设中遇到的相关问题。培训学员的多元化和差异性，对课程体系设置、教学内容、教学方法、培养手段，以及教员队伍建设、教育管理措施等方面，提出了更高要求。

3.3 在课程设置上体系性更强

课程是人才培养的核心要素，是人才培养供给侧与需求侧对接的关键枢纽。军官晋升教育的课程体系，基于培养目标，着眼解决学员需要回答和解决的理论与实际问题，形成“模块化”课程，支撑学员能力生成。军事晋升教育课程体系打破了学科专业界限，基于能力、岗位需要设置课程模块，按照作战体系全要素、作战指挥全流程、作战行动全过程来设置教学内容。遵循作战指挥能力生成提高规律，按照“高级带中级、中级带初级”教育思路，系统设计各级课程内容、动态更新，课程教学内容及时纳入太空领域新知识、新技术、新装备以及军事斗争准备研究的最新成果，确保教学内容始终紧跟部队的作战训练和学科理论的发展趋势。同时把科技素养培育逐级融入教育培训，逐级打牢航天人才能力素质基础，做到打仗需要什么就教什么、部队需要什么就培养什么。

3.4 在教学内容上前瞻性更强

当前世界新军事变革加速演进，军事航天科技日新月异，部队对抢占军事科技制高点、掌握转型发展主动权的需求越来越迫切，对军官队伍的科技素养提出更高要求。军官晋升教育学员往往具有较高的学历，尤其是从事航天领域指挥管理军官和专业技术的人员，大部分军官走出大学校门，短期内参加教育培训的机会比较少，个人知识储备与太空领域装备、技术的飞速发展不相适应。因而，军官晋升教育必须注重科技、信息素养培养，加大与未来作战紧密相关的军事科技发展、未来战争趋势与走向等相关教学内容的比重，强化信息制胜理念，使航天人才具有较强的战略谋略能力、思维创新能力和信息操控能力。

3.5 在功能效用上实践性更强

军官晋升教育学员已经具备了一定理论基础，更加注重解决实际问题能力、指挥管理素养等方面知识的学习，对军官晋升教育的实践性提出更高要求。学员大部分都是本单位业务骨干，对部队建设中存在的矛盾和问题都有较为明确和清晰的了解掌握，也试图创新工作方法，以解决这些关键问题。但是，由于对作战理论和装备技术掌握不够全面，很难站在作战全局的高度综合考虑、研究探索解决作战指挥问题。因而，军官晋升教育要着眼作战需要，瞄准岗位需求，强调教学内容的实用性和实践性，突出专题研讨、战例案例研究、想定作业、综合演练等实践教学力度，使教育紧密结合岗位工作的实际需要，推进军官晋升教育由“知识型教育”向“能力型教育”的发展。教学组织实施过程中，让学员带着角色全程参加学习，构建“突出个体需求、注重能力提升、促进教学相长、体现开放互动”的教学方法体系，确保学员带着问题来、带着方法回。

4 军官晋升教育人才培养的规律

航天人才的培养和成长是有内在规律的，培养适应未来作战需求的航天人才，必须遵循专业化教育、针对性教育、复合型教育和长远发展的规律。

4.1 必须遵循能力生成释放规律实施专业化教育培养

军官晋升教育着眼于解决军官长远发展问题，旨在构建和升级太空理论体系，塑造培训学员思维能力、创造能力，使指挥教育专业学员形成的作战知识结构和能力素质更加稳定，更为长效。要重点培养军官晋升教育各级航天人才的“专业化”能力，具体体现在 3 个方面：一是作战信息运用能力，主要围绕航天装备的技战术性能及应用技能等进行培养；二是作战决策筹划能力，主要围绕情况判断、决策筹划、方案制订、计划拟订等环节进行培养；三是作战协调控制能力，主要围绕作战行动中的组织控制、临机情况处置、协同保障等能力进行培养。

4.2 必须按照作战指挥层级实施针对性教育培养

新的军官教育培训规定明确，初、中级指挥教育，分别安排军官在晋升少校、上校前完成，目的就是比肩强敌对手相同衔级的军官。初级指挥教育通常在中尉任职期间进行，使初级军官在了解熟悉部队兵种作战理论、航天装备运用、战术指挥、兵种参谋业务基础上，重点加强本军种发展战略和联合作战理论融入性学习，保证军官在晋升上尉军衔，也就是担任连主官之前，能够具备扎实的分队领导指挥素养。中级指挥教育通常在少校任职期间进行，重点在熟练掌握联合作战理论、航天力量运用、合同战术、合同作战指挥、军种参谋业务基础上，加强战区战略和联合作战理论嵌入式学习，让军官在担任相应岗位的主官或者机关部门合同参谋前经过相应的指挥教育，实现先训后用、不训不用的初衷。

4.3 必须聚焦作战能力实施复合性教育培养

未来战争会对军官的联合素养、复合能力提出更高要求，军官晋升教育学员必须既懂指挥又懂管理、还能组训，还要掌握比较深入的航天领域专业知识。这就要求军官晋升教育打破学科壁垒，淡化学科界限，使课程目标由知识本位向学员能力发展本位转变。对于初级教育，实行兵种作战指挥能力和参谋业务同训，从初始阶段打牢作战指挥能力和参谋业务基础，让军官既能胜任参谋岗位，又能走兵种分队指挥员发展路子。对于中级教育，注重作战指挥能力和军种参谋业务培养，既练指挥技能，又练参谋业务，能够从根本上解决作战指挥和参谋能力参差不齐的问题。通过军政同训、指参合训，加强军政军官交流碰撞、牵引提升打仗能力，推动主战链岗位军政换岗交流，实现军政复合培养，为打造两个行家里手奠定扎实基础。

4.4 必须注重军官长远发展体系构建指挥教育课程内容

军官晋升教育必须解决指挥管理军官长远发展问题，侧重指挥能力、科技素养和思维方法培塑，突出前瞻性、系统性、创新性要求，要满足部队各类岗位对人才素质的需求，应突出关注人才现岗位任职能力需求。针对现在教育培训存在的前后内容衔接不够、教学方法手段不适应作战指挥特点、航天科技前沿发展涉猎不深等问题，遵循作战指挥能力生成提高规律，按照由理论到实践、由基础到应用、由分训到集成的要求，体系设计指挥教育内容，同时把科技素养培育逐级融入指挥教育，确保初、中两级指挥教育衔接递进，防止教学内容条块分割、重复受训，形成相对稳定、深耕细作、长期积淀的教育格局，逐级打牢指挥管理军官的能力素质。

5 结语

航天人才的成长有其内在的周期规律，是一个循序渐进、持续不断的发展过程。航天人才的培养必须坚持紧贴部队实际、满足岗位需求的改革方向，树立“能力本位”的思想，优化人才培养目标设计，围绕岗位任职能力来设计人才培养目标。太空领域技术装备更新换代日益加快，军官晋升教育要依据武器装备发展、战法训法创新和岗位需求变化，大力深化教学内容改革，积极创新教学组织模式，合理规划人才队伍建设路径，提高航天人才培养质量，增强航天人才建设的前瞻性和实效性。

参考文献

[1] 熊玉祥．我军航天人才培养问题研究［D］．武汉：武汉大学，2013.
[2] 肖建湘．加快新型作战力量人才培养的思考［J］．国防大学学报，2021（3）：45-47.
[3] 张志强．新型作战力量人才培养问题研究［J］．空军航空大学学报，2021，14（3）：71-74.
[4] 空军指挥学院．中级指挥院校开展实战化教学改革问题研究［J］．空军院校教育，2018（11）：44-45.

太空态势感知人才培养能力需求分析

殷智勇　杜小平　胡　敏
（航天指挥学院）

摘　要： 针对太空军事化全面加剧的现实趋势，太空态势感知已经成为应对太空威胁的首要手段。本文通过调研相关职能单位，在大量调研数据的基础上梳理归纳出太空态势感知人才的业务能力、知识结构和自身发展等核心需求，并总结成“头、尾、心、统、用”五字培养要求，给出了军队院校未来培养太空态势感知人才的四点建议，为提高大学新域新质作战人才培养质量，提升我太空态势感知能力提供支撑。

关键词： 太空态势感知；人才培养；新质力量；院校教育

1　引言

太空，因其环境特殊性及战略价值的重要性，已经成为当前社会发展的重要基础，代表着世界各国战略利益的制高点。太空安全出现了两种不稳定趋势。一种是太空碰撞风险加剧。据美国航空航天局2022年第一季度统计结果显示，现可编目太空目标数量达到了25 182个，其中航天器8171个，火箭箭体和碎片17 011个[1]。太空中已经呈现拥挤态势，航天器在轨碰撞风险不断加剧。另一种是太空军事化演变加快。随着主要航天国家陆续组建太空力量，太空军事化已成为事实[2-7]。世界大国纷纷布局太空，急迫维护自身太空利益[8-12]。

当前，全面提升我太空态势感知能力，实现“空域无盲、时域无缝”感知能力，是有效应对他国对我实施太空威胁的首要途径。因此，如何快速提高我太空防御能力生成，助推我军联合体系能力提升，已经成为军队院校服务太空态势感知人才培养亟待完成的任务。

2　太空态势感知业务能力需求分析

随着深化国防与军队改革的深入，太空态势感知部队的地位、作用及职能都在发生不同程度的变化，综合相关单位对人才能力需求，细化为十项具体能力需求。

（1）体系规划评估能力。主要体现在卫星和地面装备战前机动部署和战中的机动调整规划能力，战时毁伤后的体系重构规划能力，整个体系对联合作战的贡献度评估能力。

（2）感知技术运用能力。主要体现在面向装备性能发挥与研制应用能力上，要了解需求、装备及战场。

（3）太空态势分析能力。主要体现在太空目标监视工作能力，主要是太空目标和太空碎片的日常编目、太空事件研判能力等。

（4）装备运行控制能力。主要体现在卫星的运控、雷达装备的运控、光学装备的运控等能力，包括运行管理、远程监控、资源调度。

（5）预警分析能力。主要体现在导弹识别的能力，包括对导弹弹道发点、落点计算以及群目标跟踪等数据处理能力。

（6）太空环境预报能力。主要体现在太空环境及太空环境效应的预报能力、分析与仿真，深入研究太空环境效应对太空目标的影响以及故障溯源分析。

（7）特性分析识别能力。主要体现在太空目标的各类特性分析与识别能力。

（8）太空环境推演能力。主要体现在太空环境预报与建模能力，具体包含太空环境、电离层、电磁层等典型数值建模。

（9）场景仿真推演能力。主要体现在太空目标与太空场景的虚拟仿真能力，构建想定训练场景能力。

（10）太空情报保障能力。主要体现在太空情报支持能力，包括太空情报包括目标的情报库构建与维护。

3 知识结构需求分析

走访调研太空态势感知相关部队，共计调研题目 2928 道，从对人才的知识类型、指挥能力以及原理应用等三个方面需求展开统计分析。

3.1 知识类型方面

从统计结果看，多数人认为太空态势感知人才应具备的专业技能最为重要，其次是基础知识，而对于初级人才的指挥能力需求相对最低，不超过各单位人数的 20%。整体趋势依然是专业技能和基础知识占了绝大部分比例。其中，专业技能大部分情况下都要求的数量更为突出。

但是不同年龄人员对能力要求出现变化。调查对象年龄越大，认为基础知识重要的人数会越多。据统计结果显示，在 38 岁以上调查对象中，多数人认为基础知识更为重要，超越了专业技能。经分析研判，年龄超过 38 岁人员多数为各单位的技术骨干、高工甚至是中层管理者，对岗位的认识、对任务的认识有了非常深刻的理解，而破解这些难题的根本就是基础原理的运用。因此，基础知识既是工作的根基，也是未来我太空态势感知发展的根基。

3.2 指挥能力方面

在太空态势感知部队对指挥能力的需求方面，不同单位都突出强调中心业务应当在人才培养中处于最重要的地位。此外，在指挥流程和模拟操作两个方面各单位选择稍有差异，具体如图 1 所示。因此，在培养太空态势感知人才指挥能力时，应该以面向中心业务教学为重点、以指挥和装备操作教学为基础构建太空态势感知人才培养方案。

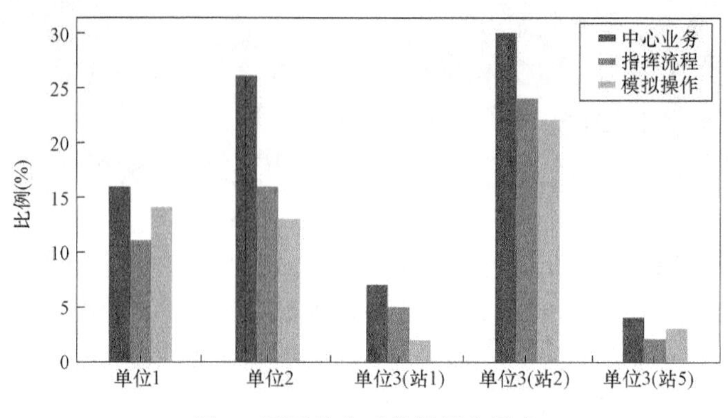

图 1　不同单位对指挥能力需求

3.3　原理应用方面

如图 2 所示，对于太空态势感知人才培养应更注重专业知识还是注重原理，不同单位给出了不同的答案。认为应重视应用的人数稍稍比应重视原理的人数多，其比例分别为 54.05％和 45.95％。体现了部队对太空态势感知人才培养的知识构成要求，要夯实基础，更要适应新质力量的任务要求。

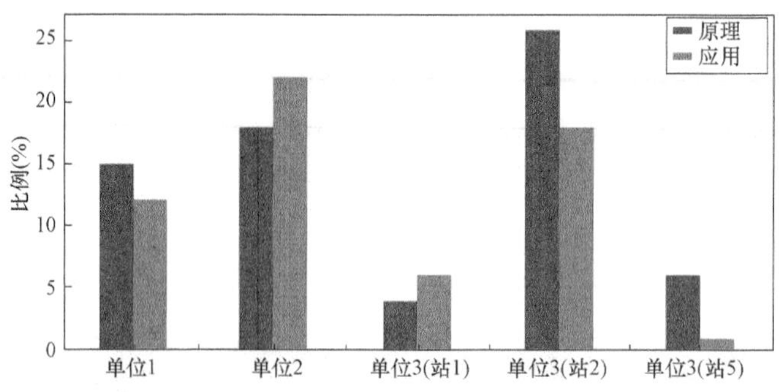

图 2　不同单位对原理知识和应用知识的需求

从图 3 可以清楚看出太空态势感知人才知识构成需求。对轨道类知识和雷达类知识要求极高，对光学类知识要求相对较弱。这也正是突出了太空态势感知能力特点，无论在太空目标监视还是导弹预警任务中，多以雷达探测装备为主力监视装备，反映了我太空态势感知力量对雷达装备的依赖程度。

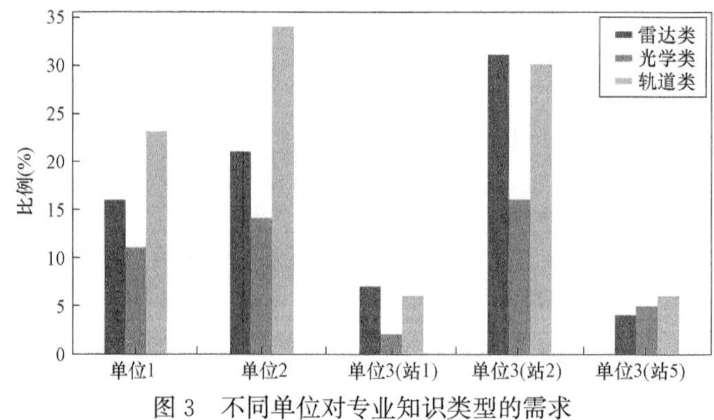

图 3　不同单位对专业知识类型的需求

综上所述，无论是太空态势感知职能任务，还是相关部队人员对人才知识结构的要求，都反映出太空态势感知是一门多学科融合的大专业，既要兼顾光学、雷达、轨道、信息处理等多学科融合的专业知识，更要学会态势感知指挥流程、信息流程及装备操作，这样才能全面满足太空态势感知任务职能要求，培养出合格人才。

4 自身发展需求分析

为适应未来太空态势感知能力发展，急需熟悉联合作战的指挥人才、具备作战素养的人才，善于创新攻坚的科技人才、掌握新型装备的操作人才等各类新型作战力量人才。深入研究太空态势感知人才发展过程，可总结出以下两个方面需求。

4.1 首次任职方面需求

从统计结果看，大多数人认为太空态势感知人才首次任职岗位大概率是在站一级的单位，超过总统计量的 70%；部分人认为可能会被分到中心，约占总量的 15%；少数人认为会被直接分配到中心及站一级机关。因此，首次任职的教学体系设计应重点面向站与分站的任务能力需求。

4.2 能力提升方面需求

人才的成长过程不单单是大学四年的学习，也不仅仅是知识传授。太空态势感知人才如何提高自身价值，更好地满足岗位需求，从统计结果看主要包括三个方面：代职轮岗被认为是处于首要位置的，可通过实践来获取一线经验；其次是自主学习，要具备良好的学习态度和学习能力，才能受益终身；最后才是学历进修，通过象牙塔中的学习来提升自己。由分析可以看出，一线单位对人才的认知是非常务实的，也对学员的自我学习能力、动手实践能力提出了更高的要求，如图 4 所示。

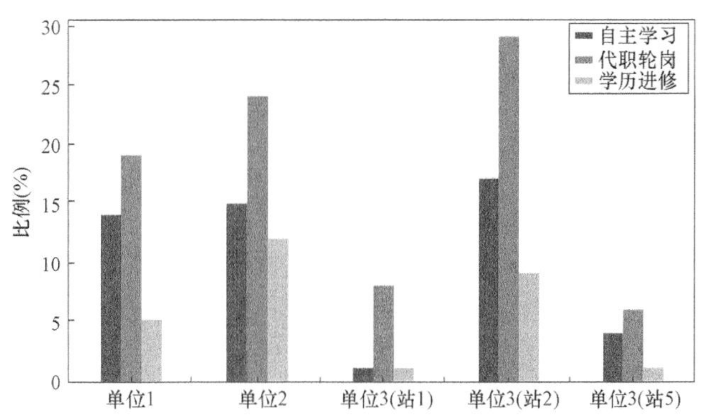

图 4　不同单位对首次任职人才能力提升的认知图

从上述关于太空态势感知业务能力需求、知识结构需求、自身发需求三个方面看，可以明晰地总结出太空态势感知人才培养“五字”需求。

（1）头。首要懂得军事需求，首先是体系需求，然后是装备的需求、中心的需求，这是对太空态势感知人才专业知识的最高要求。

（2）尾。太空态势感知评估问题，要会分析这支力量的能力与不足。

（3）心。就是核心，包括基础知识、基本原理以及关键技术，包括轨道原理、弹道原理、雷达原理、光学原理、信息处理原理等。

（4）统。统中心，要了解应用系统、运控系统的组成与流程；统装备，需要了解光电装备、雷达装备、天基装备、资源融合调度的信息运转流程。

（5）用。即在训练层面，有光电设备模拟训练、相控阵雷达模拟训练、中心业务模拟训练等。

“五字”需求是太空态势感知人才培养的基础与关键所在。

5 启示

为了贯彻新时代军事教育方针，结合太空态势感知使命任务与人才需求，应尽快提升太空态势感知人才培养的能力与效益，建议在以下四个方面加强建设。

5.1 培养新质人才，善当基石

要深化军队院校改革，健全三位一体的新型军事人才培养体系，特别是要把联合作战指挥人才和参谋人才、新型作战力量人才培养作为重中之重，推动加快建设高素质新型军事人才队伍，就要深化教学改革，重点围绕能力素质需求、顶层设计、重点课程教材、战例案例与教学想定库、实践性教学方法手段、教学模式等开展教学内容体系建设。

（1）做好能力素质需求分析。着眼一流目标，开展人才能力素质要求分析、人才培养需求分析，以需求牵引三位一体人才培养体系的目标确立、发展布局和路线图制订等工作。

（2）优化顶层设计。谋划人才培养体系发展目标，构建人才培养标准体系，找准人才培养的突破口和发力点；依据新修订的教学大纲，滚动更新各专业班次人才培养方案，根据教学对象层次类别和部队人才需求优化教学内容、设计内容体系、搞好课程衔接，确保课程体系设计更加科学合理。

（3）建设重点课程教材。进一步梳理学院课程体系，依托“双重”和大学首批重点建设课程支持，突出加强各专业主干课程建设，努力培育国家和军队级精品课程。坚持聚焦实战、以战领教、突出实践，深化理论学习、战例研究、想定作业、综合演练指挥教学模式改革，探索实施课程模块化教学试点，广泛开展联教联训，缩短从课堂到战场、从理论到实践的距离。

5.2 优化师资力量，争当示范

军队院校正面临人才竞争的关键预置期，需要各级紧前布局。通过提高学术活动层次、扩大交流领域，促进人才队伍优化知识结构、提升学历层次、提高能力素质、丰富任职经历，着力锤炼“晓于实战”的人才方阵，不断提高新质作战“需求侧”对人才队伍“供给侧”的满意度。

（1）教学科研团队建设。充分利用现行人力资源、科研创新等优惠政策，在各主要教学和研究方向申请成立教学科研创新团队，积极申请参与国家和军队相关重点发展领域、重大战略问题、重大关键项目和重点教学课程的研究攻关，用任务和项目牵引团队建设和发展。联合国内航天领域军工企业和科研院所，申请成立联合创新团队，积极吸纳军地航天领域知名专家学者作为团队成员，充分发挥地方单位在经费资助、学术交流、专业技术等方面的资源优势，为青年骨干成长成才创造更加开放的条件。

（2）领军拔尖人才培育。着眼学科建设的长远发展，坚持“以战牵引、专业急需”原则，通过名师带教、项目扶持、学术交流、部队任职、调研讲学、舆论宣传等措施，加大对拔尖人才的培养力度，尽快补齐短板、壮大队伍，努力建设一支适应学科发展需要的高层次人才队伍。

（3）军地优秀人才的引进与使用。着眼教学一线急需，优先从全军、战略支援部队选调太空态势感知相关领域人才，选配优秀新生力量，积极从军地知名院校接收品学兼优的博士毕业生，从全军部队和军地重点院校选调高学历骨干人才，特别是具有航天部队任职经历的“双员型”人才充实到教员队伍。

5.3 发展军事科学，勇当排头

大学是生产思想的殿堂，而不仅仅是知识的传播。大学人才培养特色的根基是在军事航天领域进行理论创新，提出创新性的作战概念，形成独树一帜的航天军事理论和军事思想。突出重点，优化结构，着力构建与太空态势感知指挥所或业务中心任务相适应的教学训练环境。为更好地贯彻新时代军事教育方针，适应军事人才培养需要，按照“统筹规划，分步实施；突出重点，办出特色；优化整合，协调发展；边建边用，讲求实效”的原则，立足资源共享，搞好条件建设统筹设计，为学员提供专业软件训练、分级指挥决策能力训练、联合作战指挥训练等服务。

5.4 服务备战打仗，担当先锋

我们要坚持以创新求突破、靠创新谋发展，把创新驱动新引擎全速发动起来，让创新贯穿部队建设各个领域和全过程。一是科研训练条件建设与部队接轨。确保教学训练向部队延伸，加强教学内容与部队实际之间的衔接。二是加强与部队科研项目合作。重点是战法研究、组训方法等方面的研究合作，力争出一批高水平的教学科研成果。四是建立教员常态化参加部队重大演训任务机制。选派精干力量参加重大演习演训任务，派出专家赴各基层部队参加演习演练任务，指导部队开展作战指挥、想定设计、效果评估等方面的工作。

6 结语

本文在大量调研的基础上，开展了人才培养的分析与讨论，通过上述三类需求的分析，可以较为明晰地总结出太空态势感知人才培养“五字”需求，明确了太空态势感知人才培养的基础与能力要求，并有针对性地提出了四点建设性意见，为太空态势感知人才培养体系建设提供了有效支撑。

参考文献

[1] NASA Orbital Debris Program Office. The intentional destruction of cosmos 1408 [J]. Obital Debris Quarterly News，2022，26 (1)：1-5.
[2] 董长军．俄罗斯正式成立空天军 [J]. 现代军事，2016 (02)：90-94.
[3] 电镜之鹰．美国太空军建设的进展和动向 [J]. 卫星与网络，2021 (07)：66-71.
[4] 高松．美国太空军建设前景及政府对“太空作战域”的态度 [J]. 世界知识，2021 (13)：72.
[5] 雍鑫，朱春雨．日本太空军事力量发展现状及趋势分析 [J]. 飞航导弹，2021 (03)：76-80.
[6] 殷智勇，马志昊，陈白雪，等．日本太空态势感知力量浅析 [J]. 中国航天，2020 (08)：53-57.
[7] 方晓志，朱希民．欧盟太空安全政策与发展动向 [J]. 国防科技，2021，42 (06)：15-20.
[8] 美空军：“空间态势感知”改叫“天域感知” [J]. 中国航天，2020 (01)：82.
[9] 赵志斌．美国太空态势感知装备体系研究 [J]. 飞航导弹，2020 (07)：77-80.
[10] 周舟．美国宣布正式成立太空司令部 [EB/OL]. http://www.xinhuanet.com/2019-08/30/c_1124941380.htm? spm=C73544894212.P59792594134.0.0，2019-08-30.
[11] 梁怀新．日本太空战略发展新态势 [J]. 国际研究参考，2018 (6)：39-43.
[12] 高杨予兮．美国与亚太盟国的太空合作研究 [D]. 长沙：国防科学技术大学，2015.

航天领域军官人才培养标准研究

周雯雯[1] 耿艳栋[1] 王 超[2]
（1. 航天指挥学院军事训练与参谋业务教研室；2. 职业教育中心）

摘 要：根据《关于加强新时代军队人才工作的决定》等文件的要求，航天领域需构建军官人才培养标准。以培养打赢未来高端战争的高素质、专业化新型航天人才为出发点，按照“专业对应岗位、岗位明晰需求、需求决定标准”的思路，设计人才培养标准的框架，通过解析解构确保人才培养标准架构的科学性；分析部队人才培养需求，以需求牵引保证人才培养的正确指向；研究人才培养标准指标要求，以核心内容明确人才培养具体标准。

关键词：航天领域；培养标准；培养需求

1 引言

“人才强则事业强，人才兴则军队兴”。2022 年《关于加强新时代军队人才工作的决定》指出，坚持以人才需求牵引宏观管理，健全发展战略规划，统筹建设力量资源，构建高水平人才培养体系和人才配置体系，合理确定人才队伍战略布局、规模结构、能力标准。标准是人才培养的前提[1]，人才培养标准是院校教育改革发展目标的支撑，承载和体现着军队教育方针、教育目的，以及航天领域各级各类教育的培养目标要求，担负着检验人才培养质量规格的根本任务。科学确立和落实人才培养标准是确保培养出的军官人才在部队能用、好用、管用的重要准绳。

按照“专业对应岗位、岗位明晰需求、需求决定标准”的思路，人才培养标准的确定需要完成三项工作：第一，设计人才培养标准的框架，通过解析解构确保人才培养标准架构的科学性；第二，分析部队人才培养需求，以需求牵引保证人才培养的正确指向；第三，研究人才培养标准指标要求，以核心内容明确人才培养具体标准。

2 设计人才培养标准框架

2018 年，高等学校教学指导委员会研究制订了《普通高等学校本科专业类教学质量国家标准》（以下简称《国家标准》）。《国家标准》以专业类别为单位，制订了包括培养目标、培养规格、课程体系、师资队伍、教学条件、质量管理六个维度的本科教学质量标准体系。《国家标准》提出，教育部将进一步指导高等学校依据该标准制订校级层面的专业人才培养质量标准，同时推动行业部门（协会）依据该标准制订人才培养标准[2]。

由此可以看出，人才培养标准可分为国家标准和高校标准，两者之间是一般与具体、共性与个体的关系。国家层面的标准是国家对全国范围内各级各类高校人才培养质量的最低要求，是高校制订人才培养目标的基准与依据。高校层面的学术标准是学校培养目标的细化，是学校对毕业生培养质量要求的规范，这个标准应因校制宜，但一定不能低于国家标准。航天工程大学作为全国高校的一员，应同时满足国家标准两个层面的要求，即一个是学历和学位标准，另一个是各层各类的学科和专业标准。因此，首先要按照国家和军队要求划分层级和类别，然后分专业分别制订标准。人才培养标准框架需参考国家标准进行设计[3]，具体见表 1。

表 1　　航天领域军官人才培养标准框架

<table>
<tr><td>1. 概述</td><td colspan="2">包括该专业类的概念性描述，在国家建设与发展中的地位与作用，主干学科、相关专业、特点等</td></tr>
<tr><td rowspan="2">2. 适用专业范围</td><td>2.1　专业类代码</td><td></td></tr>
<tr><td>2.2　本标准适用的专业</td><td></td></tr>
<tr><td rowspan="2">3. 培养目标</td><td>3.1　专业类的培养目标</td><td></td></tr>
<tr><td>*3.2　学校制订相应专业培养目标的要求</td><td></td></tr>
<tr><td rowspan="6">4. 培养规格</td><td>4.1　学制</td><td></td></tr>
<tr><td>4.2　授予学位</td><td></td></tr>
<tr><td>4.3　参考总学时或学分</td><td></td></tr>
<tr><td rowspan="3">4.4　人才培养基本要求</td><td>4.4.1　思想政治和德育方面</td></tr>
<tr><td>4.4.2　业务方面</td></tr>
<tr><td>4.4.3　体育方面</td></tr>
<tr><td rowspan="3">*5. 师资队伍</td><td>5.1　师资队伍数量和结构要求</td><td></td></tr>
<tr><td>5.2　教师背景和水平要求</td><td></td></tr>
<tr><td>5.3　教师发展环境（可选）</td><td></td></tr>
<tr><td rowspan="3">*6. 教学条件</td><td>6.1　教学设施要求</td><td></td></tr>
<tr><td>6.2　信息资源要求</td><td></td></tr>
<tr><td>6.3　教学经费要求</td><td></td></tr>
<tr><td rowspan="3">7. 质量保障体系</td><td>7.1　教学过程质量监控机制要求</td><td></td></tr>
<tr><td>7.2　毕业生跟踪反馈机制要求</td><td></td></tr>
<tr><td>7.3　专业的持续改进机制要求</td><td></td></tr>
</table>

注：*表示该条目中要明确专业设置的要求。4.4 所列基本要求为示例。

其中的培养目标和人才培养基本要求是核心内容，分别对应军官人才培养需求和军官人才培养标准指标要求。表 1 所列基本要求是国家本科专业类教学的通用指标。大学作为系统培养航天军官人才的军队院校，还要从部队需求出发，分析不同层次和类别的军官人才的特殊内容，有针对性地确定各层次各专业的人才培养需求和基本要求。

根据《现役军官教育培训暂行规定》的要求，大学军官教育培训包括基础教育、晋升教育、军官岗位培训、学历升级。基础教育主要包括本科教育和首次任职教育。晋升教育主要包括初级指挥教育、中级指挥教育和专业技术军官晋升教育。军官岗位培训主要包括理论专题培训、岗位资格培训、岗位专业培训。学历升级主要包括研究生教育、学历继续教育。涉及的人才培养标准如图 1 所示。

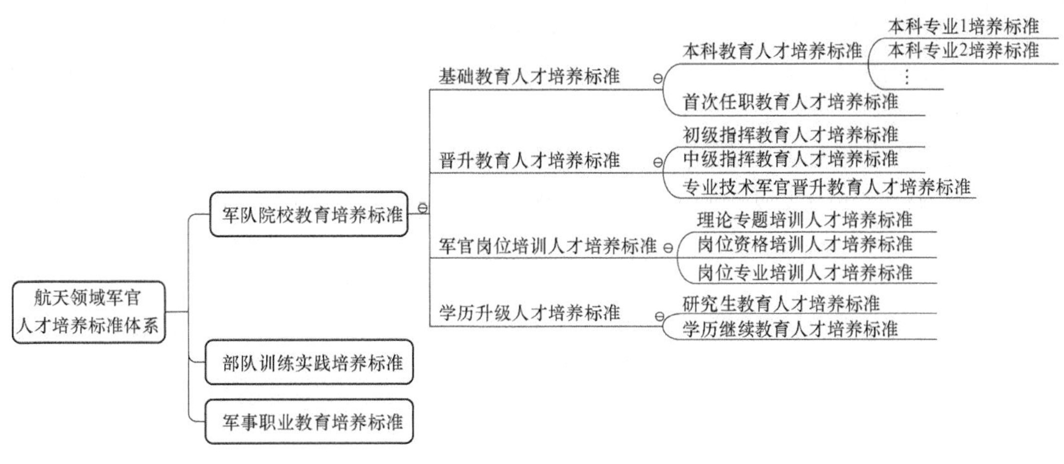

图 1　航天领域人才培养标准层次

3　分析部队人才培养需求

2020 年发布的《关于加快推进三位一体新型军事人才培养体系建设的决定》要求，对接军队各级各类人员岗位能力标准，细化军队院校人才培养标准、部队单个人员训练标准和军事职业教育标准。人才培养标准应根据各级各类人员岗位能力标准，从为战育人出发，既要符合“供给侧”院校育人规律特点的核心诉求，更要契合“需求侧”部队建设和未来战争对人才的全面需求。

航天工程大学目前正紧前推进军官教育培训专业设置，依据《现役军官教育培训暂行规定》《关于加强新时代军队人才工作的决定》，紧跟“十四五”规划和 2035 年发展战略规划确立的战建目标，科学测算航天系统部各领域、各阶段人才需求，合理确定培训专业目录，清晰建立与航天任务的对应关系，按照职责属性展开航天领域各类军官专业教育培养，以需求清单牵引军事教育发展，提升人才培养的精准度。针对战略环境突变与部队备战打仗现实需要，着眼提升航天领域核心专业能力，明确各岗位基本职责和能力要求，加强岗位能力与院校教育培养目标的对接，以部队需求为牵引，设计形成不同类别、不同岗位、不同专业生长军官高等教育和晋升教育各阶段培养目标，强化军官人才职业能力要求，更加精准地研究制订人才培养标准，大力提高以岗位任职能力为核心的专业能力素质，培养打仗领域专家[4]。

为设计科学合理的人才培养标准，首先要分析航天系统部的人才培养需求，在紧跟任务需求中增强人才培养的效益。按照航天领域人才能力要求，遵循“明确岗位职责与任务—分析岗位任职能力—选择任职能力支撑点—确立培养目标—支撑培养标准”的程序进行设计，从任职岗位出发明确人才培养需求，主要分析航天军官各层次人才的岗位指向、岗位基本职责、岗位能力要求，重点对岗位基本要求和岗位任职能力要求进行详细分析，为人才培养标准的制订奠定基础。

4　研究人才培养标准指标要求

《现役军官教育培训暂行规定》《关于加强新时代军队人才工作的决定》等的颁布使军

官人才培养发生了巨大变化，必须吸纳这一系列新政策、新形势、新要求，在明确人才培养需求后，以培养打赢未来高端战争的高素质、专业化新型航天人才为出发点来确定标准框架中的各项内容，其中的难点是明确人才培养标准要求。结合大学教学任务和双重建设要求，本文以本科教育的人才培养标准制订为例进行说明。

本科教育人才培养要遵循军事高等教育规律，把打牢思想政治、科学文化、军政素质基础作为培养本科教育人才的奠基工程、塑形工程，既不能重文轻武，也不能忽视人文素养的提高。要科学统筹好岗位任职能力与从长远发展潜力培养的关系，在提高岗位任职能力的同时，注重打牢基础、拓展发展潜力，重视学员思想道德品质、科学文化素养、工程思维方法、指技融合素质、创新发展能力培养。

《关于加强新时代军队人才工作的决定》指出本科教育重在宽延发展口径、厚实科技素养、打牢军政基础……论证实施指挥管理类与专业技术类生长军官融合培养。

《现役军官教育培训暂行规定》要求，军队院校组织实施的本科教育，应当按照国家高等教育通用标准、军官基本素质和任职岗位相关要求，安排政治理论基础、现代科学技术、军事专业基础、人文社会科学等课程学习，注重培养学员的忠诚品质、联合意识、创新思维和职业精神，夯实与机械化信息化智能化融合发展相适应的科技素养基础，打牢兵种分队指挥或者从事相关专业技术工作的基本功。

《军队院校教育条例（试行）》中指出，军队院校要“为培养有灵魂、有本事、有血性、有品德的新时代革命军人提供坚强保证”“院校教学应当以提高学员军政素质为核心，促进学员科技、法律、文化等素质全面发展”。《基层建设纲要》中规定的基层工作主要包括战备工作、军事训练、思想政治工作和日常管理等。

以上政策制度的要求涵盖了政治品质、军事素质、科技、法律、文化、军事专业基础、首次任职能力等，通过归类、结合专家意见，将航天领域本科教育的人才培养基本要求分为思想政治、科学文化、军事基础、专业业务和身体心理等五个方面。思想政治是人才培养的灵魂，起引导作用；身体心理是必要条件；科学文化和军事基础是专业业务发展的基础；专业业务是履职尽责的核心支撑。

根据现代教育理论要求，人才培养有三项任务，即培养人才的知识、能力和素质[5]，如图2所示。

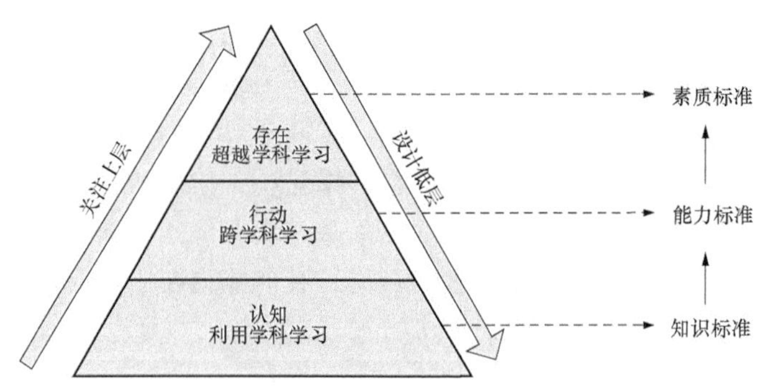

图2　学习成果三元分类

从学习成果视角看，人才培养标准是由知识标准、能力标准和素质标准等核心要素构

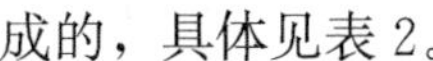
成的，具体见表2。

表2　　基于学习成果三元分类的培养标准组成

标准类型	层次	获得路径	内涵特征
知识标准	认知层面	利用学科学习	认知性标准，是应用学习科目可以达到的结果，如精通某一专业领域知识
能力标准	行动层面	跨学科学习	能力性标准，是学科之间或跨学科学习的结果，如批判性思考能力等
素质标准	存在层面	超越学科学习	素质性标准，如存有宽容之心，抱有关心的、负责的态度等

按照能力本位设计模式，人才培养标准指标要求的五个方面要从知识、能力、素质三个维度分解、转化为可以指导院校人才培养的内容（见图3）。以情报分析整编专业为例，其培养指标要求如下：

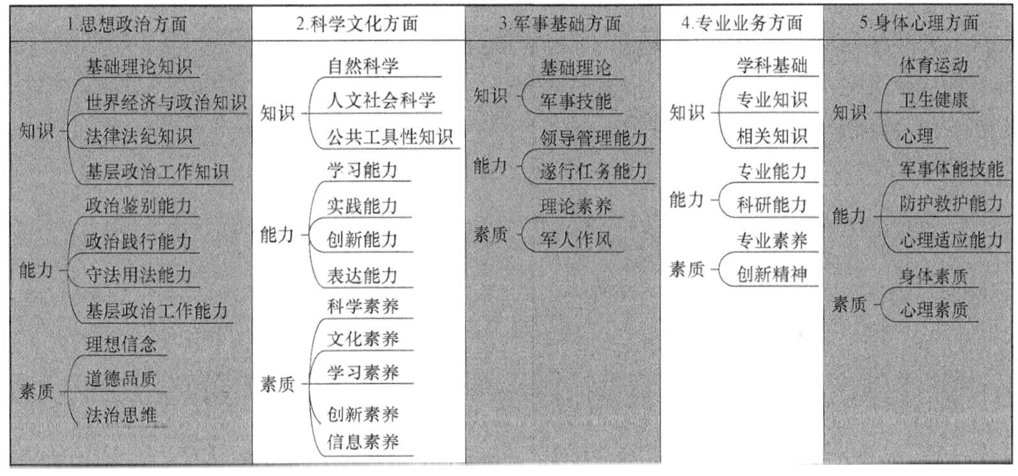

图3　人才培养标准指标要求

（1）思想政治方面。培养学员具有坚定的理想信念，树立共产主义远大理想和中国特色社会主义共同理想，自觉践行有灵魂、有本事、有血性、有品德的新一代革命军人要求，具有健康的世界观、人生观、价值观；不断增强政治敏锐性和鉴别力，能够抵制腐朽思想文化侵蚀，具备一定的政策执行水平；遵守国家政策法规，严格执行条令条例和规章制度，恪守军人职业道德；具有强烈的爱国情怀和保守秘密的意识。

（2）科学文化方面。培养学员系统掌握相关自然科学、人文社会科学、公共工具的基本知识、理论和应用方法；具有较强的学习能力、实践能力、创新能力、表达能力和交往合作能力；具备良好的科学素养和文化修养。

（3）军事基础方面。培养学员掌握军事共同基础知识和必备军事理论知识；掌握必备的军事技能，具有一定的军事思维和作战指挥、组训管理能力；具备良好的军人气质、作风和服从命令的意识。

（4）专业业务方面。培养学员较好掌握情报学类、信息类、电子类、光学类等与侦察情报技术密切相关的学科专业基本知识及其技术科学体系；系统掌握侦察情报专业的基本理论、方法和技能，接受专业课程设计、岗位实习、专业实验和毕业设计等专业实践环节的系统训练，具有良好的实践能力；较好掌握侦察情报专业的基本思维方法和研究方法，具有良好的科学素养和创新意识，具备综合运用所学知识、方法和技能从事相关科学研究的能力；较好掌握侦察情报领域初级指挥与技术岗位基本知识和相关理论，熟悉遂行侦察情报任务的基本方法和基本技能，能够适应第一岗位任职需要。

（5）身体心理方面。掌握体育运动的一般知识和体能技能训练的基本方法，掌握心理学的基本知识和心理调控的基本方法；具有体育运动的基本技能和良好的心理适应能力，会组织军事体育训练；形成良好的体育训练习惯和健康意识，具有强健的体魄和良好的心理素质，具备较强的组织协调能力、环境适应能力、人际交往能力和团队合作能力。

5 结语

人才培养标准作为连接部队需求与院校教育的“桥梁”，将人才培养的“部队语言”转化为“院校语言”，从人才培养的顶层设计阶段，实现院校教育与部队需求的精准对接，进而以人才培养标准为牵引，以为战育人为目标，提高航天领域军官人才培养水平。

参考文献

[1] 教育部高等学校教学指导委员会．普通高等学校本科类教学质量国家标准（上）[M]. 北京：高等教育出版社，2018.

[2] 孟凡芹．高等教育人才培养质量标准体系 [M]. 北京：科学出版社，2021.

[3] 黄新炳．推进战教深度耦合打造晓战善教师资队伍 [J]. 训练管理，2022（1）：52-54.

[4] 孟凡芹．高等教育人才培养质量标准体系 [M]. 北京：科学出版社，2021.

[5] 同济大学人才培养质量保证体系 2.0 研究项目组．大学人才培养质量保证体系研究 [M]. 北京：高等教育出版社，2021.

"知行合一"军校本科学员创新能力培养模式研究及实践

唐晓刚[1]　朱诗兵[2]　刘力天[1]　张斌权[1]
（1. 航天信息学院航天通信与网络教研室；2. 航天信息学院）

摘　要： 本文在分析军校本科学员创新能力需求及学员科学素养现状的基础上，提出"知行合一"创新能力培养教学理念，通过构建"树"状知识体系及"阶梯"创新能力培养模式，推行"本科生导师制"及"本科生进实验室"等创新实践方法，有效推进军校创新实践教学改革。教学实践对比结果验证了"知行合一"创新能力培养模式及方法的有效性，并在总结教学实践活动的基础上，提出后续军队院校教学改革启示及建议。本文提出的创新能力培养模式及方法具有普遍适用性，对于创新高等教育院校教学理念，推进院校实践教学改革具有积极借鉴意义。

关键词： 军队院校教学改革；创新实践教学理念；"树"状知识体系；"阶梯"培养模式

1　引言

作为培养军事人才的主阵地，军队院校面临体系结构重塑、资源配置调整及人才培养转型等诸多挑战。在教学理念上，军队院校要不断增强人才至上办学理念，向培养新型军事人才聚焦，向提高新质战斗力贴近[1]。新型军事人才和新质战斗力培养是军队院校人才培养新要求，在军队院校本科教学实践中如何贯彻人才培养新要求，是军队院校教育迫切需要研究的问题。

传统军队院校教育重知识间接传授、轻知识直接获取；重课堂讲授，轻工程训练；重教学实验，轻创新实践。军校学员科学素养和综合素质有待提高，创新实践能力有待增强。这些现实问题都与新型军事人才和新质战斗力人才培养目标不相适应。单一学科专业独立人才培养模式难以适应学科交叉特点，军队院校开展创新能力培养及实践是新时代国家发展战略和信息化战争的迫切需求，是大学人才培养的内涵式发展要求。

2　军校本科学员创新能力培养需求及现状

军队院校开展本科学员创新能力培养及科技创新活动是新时代国家发展战略需求，是军队院校"面向战场、面向部队、面向未来"总要求具体体现，是知识获取及教学内在规律使然。

2.1 国家发展战略的要求

新时代背景下，实现我国经济持续健康发展必须依靠创新驱动。要深入推进科技和经济紧密结合，推动产学研深度融合，实现科技同产业无缝对接，不断提高科技进步对经济增长的贡献率。我国建设世界一流大学和一流学科明确指出，实施全面发展教育，造就创新型、复合型和综合型一流人才，是我国一流大学本科教育的根本使命。《关于大力推进大众创业万众创新若干政策措施的意见》指出，要把创业精神培育和创业素质教育纳入国民教育体系，实现全社会创业教育和培训制度化、体系化。对照国家“双一流”建设规划，培养创新型、复合型和综合型人才亦是军队院校的迫切需求及人才培养目标[2-4]。

2.2 信息化及高科技战争的需要

信息化高科技战争是“陆海空天电”五位立体化战争，战争涉及政治、经济、宗教和意识形态等多方面因素。瞬息万变的信息化高科技战场要求未来作战人员具有全面知识结构、更高科学素养（包括创新能力）和综合素质，即指战争决策者、指挥员及技术支援人员具备机械、动力、控制、信息等全面知识结构，认知、实践、分析及创新科技素养，以及逻辑思维、语言表达等综合能力。

军队任职岗位要求人才具有再学习、技术革新及创新实践能力。天基信息支援等新质战斗力作为科技密集型行业，需要大量高科技人才支撑。同时，航天领域技术日新月异，知识更新换代快。近几年，人工智能、大数据、机器人等科技前沿技术已经在航天侦察、卫星通信、深空探测等领域应用并初显效果。航天事业及信息支援等任职岗位要求从业者具有再学习、创新及技术革新能力，为长期成才之路打下坚实基础。

2.3 知识获取、传承及教学内在规律的要求

在知识获取上，知识分为既有知识及新知识（或未知知识），既有知识可以通过课堂传授等教学活动，使学生快速接受并理解，但对于新知识需要通过大量的观察、假说、检验等主动探究的学习方式（创新实践）获取。在知识传承上，知识的传承过程亦是一个遵循认知、实践、分析、创新不断迭代的发展过程。

教学过程对于学生是一个证伪存真、不断试错的过程。这种教学规律要求教学机构必须重视学生创新实践活动，为学员提供试错机会及实践平台，使学员在反复实践中认知并获取知识。

目前，军校教育目标长久处在使学员获得一套对特定行业和职位有用的知识和技术层面上，较多地把注意力放在对于知识要点的掌握上，而缺乏培养学员独立性和批判性思维能力的有效措施，学员创新能力不足。军队院校经过几轮院校改革，教学理念及方法需要重塑，更需跟进国际及国内教学理念，查找实践教学及创新能力培养不足。军校本科学员在科学素养、综合素质及创新实践方面有以下明显不足：

2.3.1 科学素养有待提高

科学素养是运用科学知识确定问题和给出具有证据性结论的能力，包括科学知识、科学方法和科学判断三方面。学员对知识的掌握仅停留在课堂上，就无法找到各学科知识点

之间的内在联系。学员科学素养有待提高还表现在科学方法没有形成，对于观察、假说及检验的自然科学方法没有清晰概念。

2.3.2 综合素质有待增强

在学员学习及实践过程中，学生综合素质集中主要体现在面对具体问题采用的逻辑思维、语言表达及各种工具的综合应用能力。近几年军校本科学员在参加全国及国际科技创新竞赛中，普遍表现出凝练问题（第一个问题，即科学素养问题所导致）和逻辑表达能力不强，外语水平较差，基本没有听说能力，计算机综合应用能力不高。

2.3.3 创新实践能力弱，学习主动性及积极性有待强化

现阶段地方知名高校重视学生“第二课堂”和创新模式培养，“第二课堂”体现知识完备性，创新培养是获取知识的重要手段。军队院校经过几轮改革，在学历教育上具有传承性院校和专业较少，学历教育教学方法有待重塑，对于先进教学理念把握不足，导致军队院校学员存在“高分低能”“眼高手低”等现象。同时，由于军队院校人才出口的特殊性，较地方高校大学毕业生就业竞争压力小，军校学员的学习主动性及积极性都有待强化。

3 “知行合一”创新实践教学理念

面对国家创新驱动战略需求、面向未来战场要求，军队院校本科学员科学素养、创新实践方面不足，军队院校迫切需要创新教学理念，在实践教学上找寻行之有效的新方法，贯通学员知识体系，增强其动手实践能力，提高其学习主动性，最终实现军校本科学员科学素养和综合素质的提升。本文总结创新实践的教学理念及经验，逐渐形成了“知行合一”创新能力培养的核心教学理念及知识体系（见图1）。

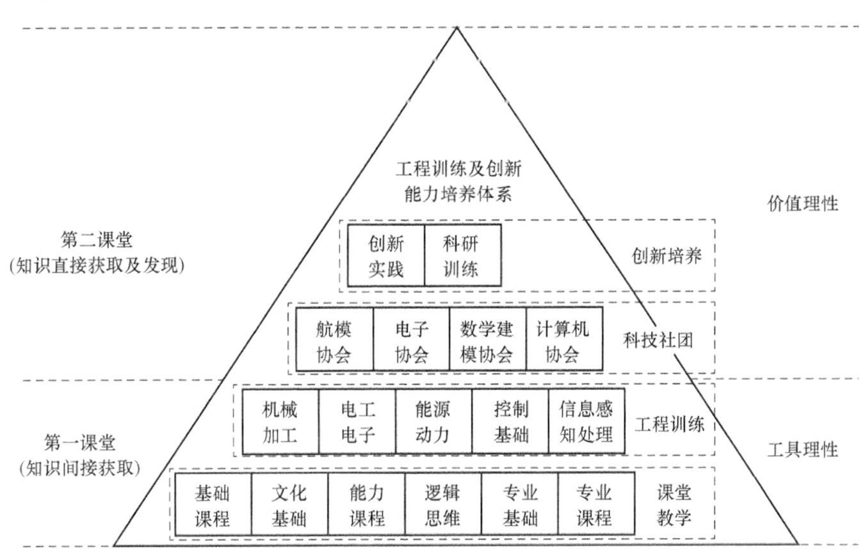

图1 大学生工程训练及创新能力培养体系

3.1 “授人以鱼，不如授人以渔”

未来战场是“陆海空天电”五位立体高科技战场，在遂行任务时要求指挥员、技术员不仅具备丰富专业学科知识、精准设备操控能力，还具备创新思维及创新解决问题的能力，这对人才培养模式提出了新需求。面对岗位任职新需求、新挑战，面对高科技战争快速更新的知识体系，学员更要有应对变化及再学习能力。“授人以鱼，不如授人以渔”，培养学员科技创新能力过程就是教会学员“渔”的过程。

3.2 实践不单是验证知识，更重要的是直接获取知识

我国现行教育体制中，学生在接受高等教育之前鲜有机会接触工程实际及创新实践。在接受高等教育过程中又面临专业课程设置相对独立、缺乏多学科知识交叉融合等问题。而当前科技发展带来的多学科交叉融合趋势越来越明显，导致培养本科学员科技创新能力面临着不少困难。军校教学也面临这些问题，同时由于军校学科专业设置及规模原因，导致军队院校教学在知识完备性方面更加不足。现阶段地方知名高校重视学生“第二课堂”和创新模式培养，“第二课堂”体现了知识完备性，创新培养是获取知识的重要手段。军队院校更应该重视创新实践训练,获取未曾发现的知识，即创新。

3.3 夯实基础，引导探索，塑造追求卓越、勇于挑战的性格特质

军校教育目标长久处在使受教育者获得一套对特定行业和职位有用的知识和技术的层面上，较多地把注意力放在对于知识要点的掌握上，而缺乏培养学生独立性和批判性思维能力的有效措施，学生创新能力不足[3]。因此，在军队院校创新能力培养上，需要遵循夯实基础知识、引导思考探索、加强工程实践的基本思路，提倡塑造追求卓越、勇于挑战性格特质的培养理念，营造创新实践的军队院校教学氛围，使“创新成为学员的一种习惯”。

“知行合一”创新能力培养知识体系分为四个层次，即课题教学、工程训练、科技社团及创新培养。其中，课题教学、工程训练属于第一课堂教学活动，目的是使学员通过课堂教授等方式快速、间接获取既有知识；科技社团、创新培养属于第二课堂教学活动，目的是使学员通过实践及训练方式直接获取或发现新知识。第一课堂是基础教学，侧重知识的工具理性培养；第二课堂是实践性或创新性教学，侧重知识的价值性培养。“知行合一”创新能力培养知识体系体现第一课堂教学的基础性。更重要的是，倒向观察图 1 可知，第二课堂即实践性或创新性教学在知识培养广度方面比重更大。

4 “知行合一”本科学员创新能力培养方法

针对当前军校实践教学及创新培养存在的问题及迫切需求，笔者在航天通信专业实践“知行合一”教学理念。在学员科技创新能力培养过程中逐渐总结形成“2-2-3”模式，即：在学员培养方面，消除专业壁垒，建立“树”状知识体系，注重按年级划分层次实行“阶梯”培养；在创建完善系统的“第二课堂”方面，教员既要对训练内容慎重选择，又要对创新项目精心设计；在建立健全保障机制方面，制订并实行学员创新导师制和创新团队

培养制。在实践中逐渐形成了一套"知行合一"军校本科学员创新培养方法模式（见图 2）。

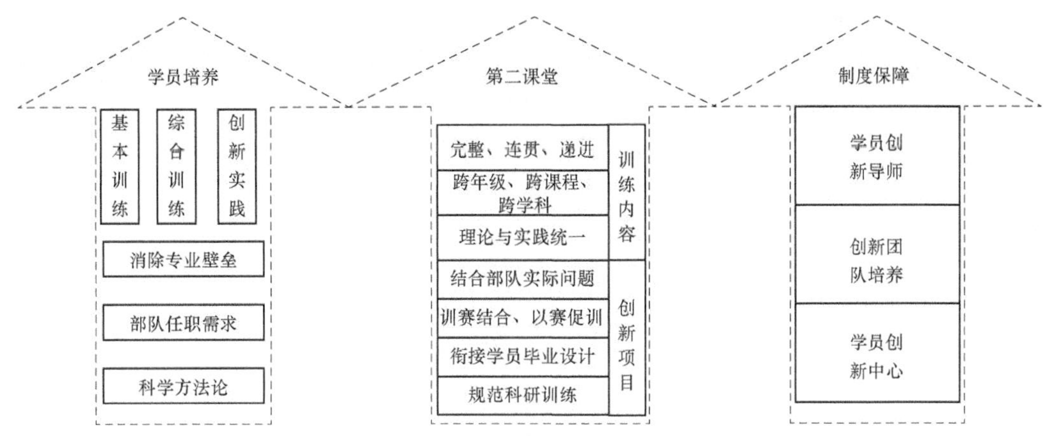

图 2　本科学员创新能力培养方法

4.1　"树"状知识体系及"阶梯"培养模式是创新实践核心方法

4.1.1　打通专业壁垒，构建本科学员"树"状知识体系

大学是在为明日社会培养人才，如果过度专业化，培养出来的人才不仅适应面窄，还不具备可持续发展的潜力。构建学员知识体系"树"是指以科学方法论为指导、军队任职需求为牵引，构建学员以本专业知识为"根"，相关专业知识为"干""枝"的"树"状知识体系，从而消除专业壁垒，适应岗位对通识人才的需求。

在军民融合发展大背景下，军校学员的知识结构既要符合社会发展需求，更要符合军队任职需求。一方面，着重强调培养学员扎实的本专业基础知识，使学员既了解军队当前任职的本专业需求，具备适应未来军队发展的本专业基础。另一方面，培养学员相关岗位基础知识。根据近几年航大通信专业本科学员毕业任职情况统计可知，50%以上的学员毕业后未从事本专业工作。因此，需要拓展学员相关岗位基础知识，使学员了解当前军队任职情况，在任职后快速进入角色，承担军队建设重任。

完善的知识结构，特别是跨专业、多学科融合的知识结构在科技创新活动中发挥着重要作用。首先，确立学员自然科学、社会科学与人文科学并存的知识结构，加强专业教育和普通教育的有效沟通。其次，鼓励学员立足本专业，同时广泛涉猎其他相关专业知识，通过教员讲解、自学等方式建立各专业知识之间的关系图谱。学员最终构建以本专业为"根"，相关专业知识为"干""枝"的"树"状知识体系。以通信专业为例，培养学员构建以通信为"根"，信息技术为"干"，自动控制、机械电子、人工智能、虚拟现实等为"枝"的"树"状知识体系，从而消除专业壁垒，完善学员的知识结构。

4.1.2　创新实践"阶梯"状培养模式

"阶梯"状培养模式是指根据学员所处年级，按照基本训练、综合训练、创新实践三个阶段分层次培养，走出一条"大一重基础、大二进实验室、大三科技创新、大四衔接毕业设计"的创新培养模型，目的是实现创新实践的连续性和知识认知的延续性。

基本训练阶段主要针对大学一、二年级，一方面培养学员的自学能力，另一方面培养学员的动手能力，学习使用常规仪器和设备。在本阶段主要培养学员通过自学方式扩展课堂所学基础知识。综合训练阶段主要针对大学二、三年级，一方面加深学员对专业知识的理解，另一方面培养学员利用工具尝试解决实际问题的能力。在本阶段主要引导学员加深对信号与线性系统、数字信号处理、通信原理等专业知识的理解。创新实践阶段主要针对大学三、四年级，一方面引导学员拓展相关学科知识，另一方面引导学员参加科研课题或科技活动，培养学员利用创新性思维分析问题，用创新性方法解决问题的能力。同时，衔接毕业设计，进一步凝练创新实践问题，写出高水平毕业论文，并鼓励发表学术文章，为后续研究生教育打下坚实动手基础及逻辑思维能力。

4.2 “第一课堂”与“第二课堂”互动互补是创新源泉

现代战争包含越来越多的政治、经济、文化和外交等因素，要求军官具备宽广的知识基础、广阔的视野、面对不确定环境的随机应变和创新思维的能力[4]。以“知行合一”为目标，创建完善、系统科技创新“第二课堂”，贯穿“实践不单是验证知识，更重要的是直接获取知识”理念，目的是使学员在理解知识基础上通过实践去验证知识、获取新知识。

在训练内容上，要保证理论完整性，同时突出内容重点、突破内容难点；要符合学员认知规律，确保内容连贯性和递进性。从生活中常见现象、简单实验操作开始，层层推进，使整个训练过程井然有序、水到渠成。在训练方式上，体现跨年级、跨课程、跨学科特点。当前科技创新多学科交叉趋势越来越明显，“第二课堂”训练内容选择上既要跨年级，更要跨课程、跨学科，将校内分散开设多门课程的内容有机地组织起来。在训练方法上，注重理论教学与实践教学的统一。与常规教学中对理论知识的验证性实践教学不同，“第二课堂”实践教学是基于理论知识的综合性、设计性、研究性实践教学，是以探究为中心环节的实践教学。这样的实践教学，不仅能加深学员对理论知识理解的深度，还能培养学员通过实践探索未知的能力。以航天通信专业为例，目前已开设的科技创新能力培养课程体系如图 3 所示。

第一课堂

通信原理	计算机网络	航天通信
微机原理	嵌入式系统	语言基础
数学	物理	信号与系统

互为补充

第二课堂

<table>
<tr><td colspan="6">创新项目设计</td></tr>
<tr><td colspan="2">机电基础</td><td colspan="2">控制基础</td><td colspan="2">人工智能</td></tr>
<tr><td colspan="3">自然辩证法</td><td colspan="3">科学方法论</td></tr>
</table>

图 3　本科学员科技创新能力培养课程

4.3 本科生导师制、本科生进实验室是创新实践有效举措

在创新实践教学方法上，开展“本科生导师制”“本科生进实验室”“走出校门、以赛代练”等一系列行之有效的教学新方法，很好地保证了创新实践活动的开展。

导师制尽管不可避免地会有知识的传授，但并不以传授知识为根本目的，而是鼓励学生积极主动地而非消极被动地发展其自主学习、独立工作的能力及分析批判的技能，其核心是一种教会青年学子独立思考的理论[5]。实行“学员创新导师制”是对当前通行本科教学体制的有益补充。以培养学员科研兴趣、掌握研究问题的科学方法及提高创新能力为目的，创新导师帮助学员确立发展方向和创新训练方案，根据学员特点采用差异化模式培养，最大限度挖掘学员发展潜力。

"本科生进实验室"能够使学员贴近科研环境，接受科研训练，为后续成才打下基础。"走出校门、以赛代练"在拓宽视野、提高学习主动性及积极性方面具有积极作用。

5　学员创新能力培养实践效果分析及启示

5.1　"知行合一"本科学员创新能力培养实践及效果分析

近三年来，在航天通信专业持续推进本科学员创新能力培养，共有50余名通信、测控等专业学员参与创新实践活动。通过创新能力培养，航天通信专业在人才培养上取得可喜成果。航天通信专业本科学员在国际及全国大学竞赛中获国际银奖1项，国家级特等奖3项、一等奖3项、二等奖5项、三等奖2项等优异成绩；2012级航天通信专业学员在全军专业素质联考中以全优成绩通过考核；航天通信专业毕业学员基础好、动手能力强，在执行重大任务中表现突出。先后有2名经创新能力培养学员荣立个人专项三等功，2名学员在核心期刊上发表学术论文。近三年毕业生数据统计表明，通过创新能力培训学员论文达优率为20%，较未通过创新能力培训学员提高1倍。创新能力培养实践在毕业达优、发表论文及立功受奖方面比较优势见图4。

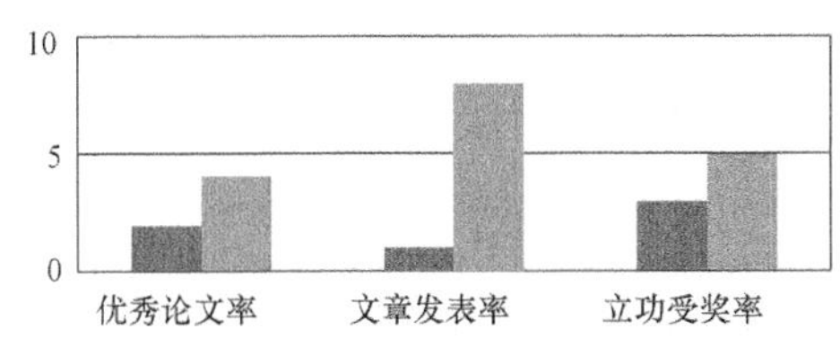

图4　创新能力培养实践对比

5.2　创新能力培养启示及建议

5.2.1　教育理念改革是军校本科学员创新能力培养的前提

我国著名教育家周远清指出：对于大学改革，教育观念改革是先导，教育体制改革是关键，教学内容与课程改革是核心。足可见教学理念的重要性。

当今世界高等教育正在经历巨大变革，创新培养成为趋势，教育理念不断更新。从以继承为主转向以创新为主。传统以传授知识为主的教育教学模式已不能适应当前社会的发展，各国教学模式朝着探究式学习、实践式学习和合作式学习方向发展，以期培养学生的创新精神和创新能力。从以能力为导向发展到以价值观为导向。而价值观导向归根结底就是教育学生如何对待自己，如何对待他人以及对待社会、国家和世界。从以课程为中心转向以学生为中心，以训练标准化的个性为主转向以培养多样化的个性为主。

高等教育的巨大变革及教育理念的更新需引起军队院校的重视，军队院校迫切需要深入探讨并更新军事高等教育理念。军队院校教育理念应该在通识教育基础上，培养具有共同国家意志、统一意识形态、过硬军事技能、卓越科学素养、强健体魄的未来军事未来领导者。未来军事领导者能力培养体系如图5所示。

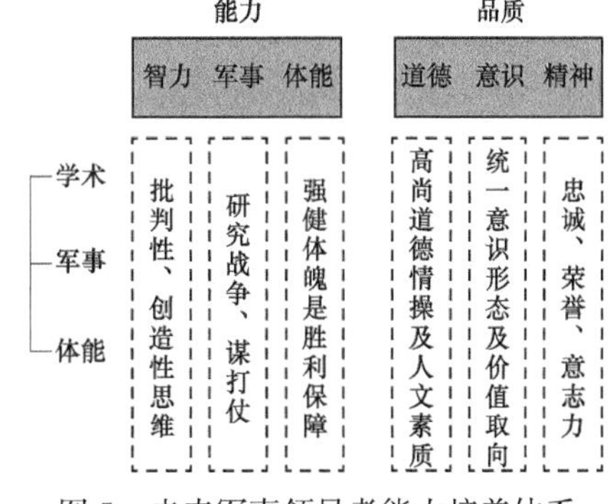

图5　未来军事领导者能力培养体系

5.2.2 崇尚自由学术之风是军校本科学员创新能力培养的基础

办大学重在办氛围，兼容宽松的教育环境是培养杰出人才的必要条件[6]。在创新能力培养实践中，崇尚自由学术主要体现在教的自由和学的自由两个方面。教的自由主要是指在创新培养课程设置、教学过程等方面给予教员充分的自由。学的自由主要是指学生在教学活动中依据个人特长及兴趣点自由地选修大学中的任何课程，并可以自由地转换专业。为了体现创新能力培养学员学的自由，首先要秉承开放办学的思想，切实落实本科学员学分制，从而突破专业限制，使学员能够跨专业、跨校交流学习。

5.2.3 以学生为中心的教学辅助及管理是军校本科学员创新能力培养的根本保障

军队院校要树立以学员和教学为本的教育理念，在教学、科研和管理定位上，将教学放在首位，集中各种资源于人才培养[7]。各部门都要担负人才培养工作责任，每一位教职员工都要以服务学员为荣，着力解决学员生活、学习和发展中的各种问题和困难，帮助学员以健全的人格、良好的品德、发达的智慧以及公民的责任感和使命感走向岗位。

军队院校需要深入研究并建立健全学员创新能力培养体系，尤其是在开设工程训练体系，建立创新中心及鼓励学员科技社团方面，需要突破现有体制及机制的束缚。

6 结语

培养一流人才始终是大学的根本职责，大学从业者首先是教育家或教育工作者。将学术视作生命之所在，将追求真理作为教育的终极目标是大学教育应当秉承的使命。面对军队人才创新能力需求，本文以通信工程专业学员创新实践为牵引，提出了“知行合一”创新能力培养教学理念，构建了“树”状知识体系及“阶梯”培养模式，推行“本科生导师制”等一系列教学新方法，证明了“知行合一”军校本科学员创新能力培养模式的有效性。诚然，军校本科学员创新能力的培养还有待进一步完善，需要广大军校一线教育工作者的积极探索与实践，为军队院校教学改革提供参考和借鉴。

参考文献

[1] 赵建民．在深化改革中建强军队院校［N］．解放军报，2017-02-10.

[2] 别敦荣，张征．世界一流大学教育理念的特点与启示［J］．高等工程教育研究，2010（6）：56-62.

[3] 赖绍聪．创新教育教学理念提升人才培养质量［J］．中国大学教学，2016（3）：27-31.

[4] 王强，丛广年．西点军校办学特色研究［J］．比较教育研究，2011（6）：60-65.

[5] 陈仁仁．创新本科生导师制重塑现代大学教育理念［J］．大学教育科学，2016（3）：64-69.

[6] 约翰·亨利·纽曼．The Idea of a University［M］．北京：外语教学与研究出版社，2001.

[7] 别敦荣，张征．世界一流大学的教育理念［J］．高等工程教育研究，2010（4）：82-92.

军队院校本科学员导师制探索与实践

邹红霞　范有臣　王宏艳
（航天信息学院航天信息安全教研室）

摘　要：针对军队院校人才培养的特点和管理的特殊性，探索适应于军队院校的本科学员导师制培养模式，分析了军队院校导师制需要解决的4个问题，提出了“全员普及式”与“精英学术式”相结合的导师制人才培养模式，并在相关专业本科学员中开展了实践探索，总结形成了“以赛促导、以赛促创”等一套导师制指导方式，为军校导师制高效实施和新时代一流军事人才培养提供了有益借鉴。

关键词：导师制；军队院校；本科学员

1　引言

新时代军队院校以培养综合素质高、创新能力强的复合型军事人才为目标，军事航天领域技术新、难度高，因而在未来的航天战场，人的创新素质将成为战斗力的核心，因此，探索新型军事人才，特别是一流航天特色人才培养的特点规律，研究导师制培养模式并创新实践应用，对军队院校学员精细化教育管理、个性化人才培养，以及精英人才发展等具有重要的推动作用。在军队院校，由于人才培养的特定性和管理的特殊性，本科学员导师制需要在指导方式、教学管理、运行机制等方面开展研究，探索导师制适应军校本科学员的管理制度与方法，为军队院校全面建设和人才培养提供理论与实践支撑。

2　本科学员导师制的主要内容

导师制起源并发展于英国牛津大学，剑桥大学首次将其应用于本科学生[1]，我国的导师制则由浙江大学率先倡导推行。如今，众多国际国内知名高校都在普遍施行本科生导师制。本科生导师制体现了因材施教的先进教育理念，有利于学生个性的发展，有利于本科学生科研能力的培养，有利于促进学风建设，有利于培养自觉能力、塑造健康人格，是创造性地推进人才培养工作、全面提高教育质量的有效措施。相比地方大学，军队院校实行本科学员导师制则要晚一些，国防科技大学、海军航空工程学院、解放军理工大学、第二军医大学于2004年以后相继试行了本科学员导师制，从形式上和制度上推动了本科学员导师制在军队院校的开展与落实。

本科学员导师制有两个最基本的内涵：一是发挥教师在教育教学过程中的主导作用；二是发挥学员在教育、教学过程中的主体作用。它表现在：教员对学员成长方向的引导以及对学员学习途径和方法的指导；学员做学习活动的主人，用“主人”的姿态对待所有的学习活动，在教员指导下，积极主动地学习，独立地学习，达到全面发展、个性发展、提高综合素质的目的[2]。

本科学员导师制从导师的指导内容上可以划分为生活导师制、实习导师制、素质导师制、学习导师制、科研导师制等，从运行的模式上可划分为全程式导师制、半程式导师制、精英式导师制、专项式导师制、阶梯式导师制等，国内不同的高校结合自身的特点采取了不同的模式[3]。

3 军队院校本科学员导师制需要解决的主要问题

在军队院校，军事人才培养的目标和教学管理的要求有别于地方院校，不可能完全照搬地方大学本科生导师制的成功经验，必须根据初级生长军官人才培养目标的新要求，探索研究适合转型需要的本科学员导师制人才培养新模式。在此过程中需要根据军队院校的特点，重点解决好以下几个方面的问题[4]：

3.1 导师“导”什么、怎么“导”

军校本科学员导师制实施首先要解决的就是导师“导”什么、怎么“导”的问题，因为本科生有别于研究生，其人生观、价值观正在塑造形成，导师不能给学生确定一个大的方向，让他们自己寻找和挖掘可研究的内容。因此，为让导师更好地胜任这一岗位职责，每位导师要熟悉本科生导师制的相关理论知识与实施要求，教学管理部门还要创造条件，有意识地对教员进行锻炼和培训，及时提供学员方方面面的信息，让导师懂得如何“导”。比如，可以定期让教员到部队代职锻炼、进修、参加部队重大演习等活动，不断丰富教员的知识结构与阅历；鼓励教员组织学员参加各类竞赛、学术交流等活动，并给予政策和经费支持；组织教员深入学员队，与学员谈心，参加班务会、定向帮扶等活动，增进教员与学员的了解等。这些措施，一方面促进教员不断更新知识，了解学科发展的最新动态，提高个人的学术水平，在政治思想、道德品质、治学态度等方面严于律己，以身作则，为人师表；另一方面，促使学员积极主动学习，多与教员沟通交流，从而真正做到教学相长。

3.2 如何适应军校管理体制

军校的管理与地方院校差异很大，高度纪律性和严格军事化的管理方式与导师制在时间管理上很容易发生冲突，主要的问题就是与学员队管理上会存在一些矛盾，因此必须加强与学员队的联系与沟通，让导师知道何时去“导”。虽然本科学员导师与学员队干部在学员成长中关注的重点、开展工作的方式不同，但是两者的最终目标是一致的。导师要在本科学员的全面发展中发挥出积极作用，就必须加强与学员队干部的沟通和配合。学员队干部每天同学员吃住在一起，对学员的学习生活情况较清楚，如果能让学员队干部在导师制中起到一种“向导”作用，将对导师制的实施起到事半功倍的作用。因此，导师制实施过程中，积极与相应学员队结成对子，建立协调机制，加强导师与学员队的信息交流，让导师能根据学员的实际情况适时予以指导。

3.3 导师与学员积极性调动

在导师制实施的过程中，很容易出现雷声大雨点小的现象，即刚开始导师与学生积极性很高，双方都有强烈的意愿去做好一件事，但在实际开展过程，或由于导师指导不当或由于学员缺乏兴趣最终使指导成为空谈。因此，需要采取科学的导师配备方式，让导师放心去“导”。为了避免学员的兴趣爱好与导师的专业特长不匹配，或者导师的工作方式学员难以接受等因素对导师制带来的不利影响，在导师与学员之间建立良好稳定的导学关系非常重要。在导师配备前，教学管理单位应对导师和学员相关情况进行充分介绍与展示，让双方有足够的认识和了解。在此基础上，再适度采取“双向选择”的方法配备导师。导学关系确立后，对于低年级学员，导学关系应保持一定开放性。在导学过程中，应允许学员根据个人兴趣爱好等实际情况申请更换导师。而对于高年级学员，导师与学员已经经过 2～3 年磨合，对各方面情况比较熟悉，此时导学关系应保持稳定，学员后续的专业实习、毕业设计等工作应尽量在同一导师的指导下完成，保持导师工作的延续性。

3.4 效果评估与机制保障

导师制中导师“导”的效果评估需要一套评价与保障机制，否则很容易挫伤导师的积极性，丧失“导”的主动性。因此，第一，要建立导师激励与监督机制，让导师自觉去“导”。在导师的激励方面，既可以参考国外的做法，为本科学员导师制提供充足的教学和活动经费，导师的指导工作可按指导学生的数目和取得的成果换算成相应的教学工作量，享受教学补贴。还可以将导师的工作绩效纳入晋级晋升激励的范围。在导师的监督方面，要建立导师工作量的考核制度、导师业绩的评价奖励机制、学员成果的评价奖励机制等，注重导师制实施过程的检查与导师指导计划的落实。第二，要规范对本科学员的要求，要求学员尊重导师，主动接受指导，按时按质完成学习任务，鼓励多思多问、大胆表达、实践创新等。第三，规范对队干部的要求，要求队干部加强师生协调沟通，日常有意识地发现导师制实施中存在的问题，并分析上报，充分重视导师对学员的评价，把导师的评价纳入学员评价和表彰体系。

4 军队院校本科学员导师制模式构建与实践

4.1 “全员普及式”与“精英学术式”本科学员导师制模式

结合军校的培养体制和管理特点，构建“全员普及式”与“精英学术式”相结合的本科学员导师制模式，即对低年级本科学员采取“全员普及式”指导，对高年级本科学员采用因人、因材施教的“精英学术式”导师制方式。两者相结合将思想教育与学术指导综合统一，满足学员多样化的需求。

“全员普及式”导师制主要围绕学员刚入校时出现的思想、学习、生活、心理等问题，对每一名学员提供全方位教育和指导，解决学员思想和学习上不适应军校生活的问题，一般可以由专业教研室组织，以专业教研室导师为主，但导师的选择不局限于本专业，可在全校范围内选择，主要解决专业教研室导师人数不够的问题。对每个学员指派导师，导师全面负责指导学员思想、心理、学业等各个方面出现的问题，导师指导时间大约一年。这里的导师更像是父母、兄长。导师与学员的数量关系可以是 1 名导师指导多名学员，学员可以采取教研室指派与学生自愿双向选择的方式。

“精英学术式”导师制主要以培养具备良好的职业素养、扎实的专业知识和厚实的实践技能为目的，以专业技能好、综合素质高，创新能力强为导向，从大学二年级的本科学员中选取专业基础较好、个人学习意愿强烈的学员进行导师专业学术指导。采取双向选择的方式，导师根据学员的兴趣结合自己的研究方向对学员开展学术指导。一般来说，一名导师可指导一名或多名学员，多名导师也可以共同指导多名学员，学员根据兴趣在导师的研究方向上组成兴趣组，以兴趣小组的形式组织独立的团队活动。

4.2 “全员普及式”导师制的实践

“全员普及式”导师制的实践活动在大学生长军官 3 个专业中开展了试点，由 3 个专业教研室来具体组织实施，取得了良好的效果，主要的做法包括：

4.2.1 确立导师条件和职责

（1）根据导师遴选条件，择优选取导师。导师应具备以下条件：①具有较强的工作责任心，品德高尚，严于律己，为人师表，热爱学生，关心学员的成长和成才；②具有丰富的专业知识和较高的学术理论水平、合理的知识结构，熟悉教育规律；③具有丰富的教学经验，熟悉被指导学生所学学科、专业的教学大纲和人才培养方案；④具有讲师以上职称或具有硕士研究生以上学历。

（2）规定导师职责。导师应从以下几个方面全方位指导学员：①成长指导，关心学员的思想进步，使学员成长为有灵魂、有本事、有血性、有品德的新一代“四有”革命军人；②学习指导，关心学员的课程学习情况，引导学员明确学习目的，端正学习态度，确定正确的学习目标；③生活指导，及时了解掌握学员的各方面情况，帮助指导学员解决在生活、学习、科研中遇到的各种问题，维护学员切身利益；④创新指导，了解学员的学习兴趣点和特长，引导学员参加课题研究、科技创新活动、各类竞赛等所需要的知识储备和知识积累。

4.2.2 制订导师见面会制度

制订导师见面会制度。导师每月至少与学员会面一次，学员汇报思想、学习、生活情况，导师答疑解惑。导师见面会可以由教研室集体组织，也可以是导师集体组织或一对一交流。每次保留好交流指导记录，以制度的形式推进导师制常态化运行，发挥导师制应有的作用。

4.2.3 定期交流总结

教研室按学期和年度定期总结。根据半年或者一年的实施情况，集中听取和收集学员与导师的意见，总结好的经验和做法，找到不足，从学员和导师两方面提出要求，做好工作，使导师制发挥更好的作用。

通过上述 3 个专业的本科学员导师制的实践探索可知，作为一种学员个性化培养的重要手段，本科生导师制在学员快速适应军校生活、掌握军校学习方法、提高学员学习积极性等方面发挥了重要作用。该项实践取得了以下主要成果：扩展了人生观教育途径，帮助学员端正了学习目的和学习态度；帮助本科学员改进了学习方法；丰富了学员的答疑和兴趣开发渠道；增强了师生情谊，发挥了学员心理疏导作用。

4.3 “精英学术式”导师制的实践

“精英学术式”导师制主要从高年级学员中择优选取，采取双向选择的方式，在航天工程大学生长军官各个专业中开展了试点，提出了“以赛促导、以赛促创”的导师制实践模式，从合理制订人才指导路线图、设计针对性的知识体系、构建立体式学习生态圈、提升学员学科建设参与度、建立良好队室关系等多个方面展开探索实践，主要做法如下：

4.3.1 “以赛促导，以赛促创”激发学员的创新能力

针对导师指导学员缺乏针对性和学员参与度不高的问题，采取“以赛促导、以赛促创”的导师制实践模式，通过比赛促进学员学习能力提升，通过竞赛带动科技创新、学术发展。根据学生的兴趣爱好、技术水平、性格特点和身心发展为其制订个性化的发展目标，构建阶梯式的学习课程，图 1 所示为图像处理方向阶梯式学习课程规划；通过学科竞赛驱动学生主动学习、创新学习，学以致用。选择那些以岗位能力、社会需求为命题开展的相关竞赛活动和项目，在这个过程中学生能够接触更多新兴技术，开阔了眼界、拓宽了思维与能力。实践成果表明，学生的学习能力得到明显提升，创新意识不断强化，该实践模式是一种有效提升学员创新素质的手段。

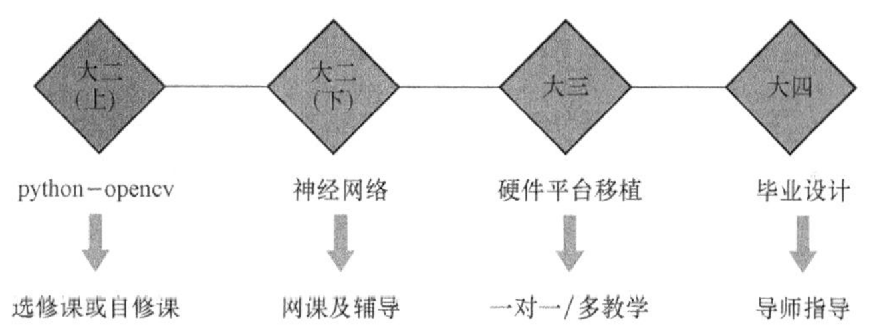

图 1　阶梯式的学习课程

4.3.2 “以我为主，以老带新”构建立体式学习生态圈

为了解决学员学习中存在的问题，使其持续性地保持学习热情和动力，可发挥团队优势，依托教研室和互联网资源构建立体式学习生态圈。将传统的课程教材学习和多样化的信息技术手段有机结合，充分利用网络资源，扩大学习的方式，以激发学生的探究欲望为出发点，为学员提供相适应的学习环境和实践环境，形成以老带新、以强带弱的学习氛围，全方位提高学员的学习兴趣，使其在学习过程中获得能力的提升，并形成良好的素养。例如，图 2 展示了立体式学习生态圈的主要内容。一是组团学习，由学员组成 3～5 人的小组，共同学习讨论。二是以老带新，通过高等级学员带领低年级学员，解决基本的编程及写作问题。三是研究生带本科生，了解前沿技术发展，进行探究性学习。四是导师指导，导师是环境的主导者、学习情境的创设者、评价的组织和实施者，是交互活动的主体之一，也是立体化学习环境的重要人员构成部分，负责解答学员解决不了的问题，提供学习资源，参加学术会议及学术交流。

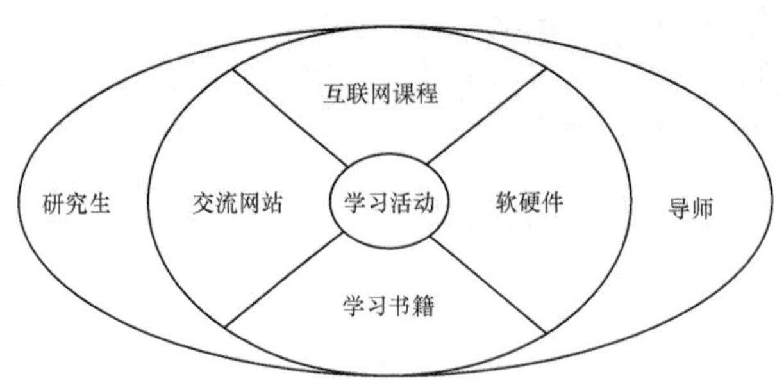

图 2 立体式学习生态圈

4.3.3 “队室共建，师生互动”共同达成目标

军校本科生学员日常生活和学习都是在学员队的管理下，导师制若不能得到学员队干部的支持将很难取得好的成绩。为此，教研室和学员队之间必须建立良好的沟通和协作关系，定期到队里与队领导、学员进行及时的沟通，取得队领导的支持。同时，要让队领导能感受到学员成绩的取得也有他们的功劳，让他们也有一种荣誉感、自豪感，建立良好的队室沟通机制是导师取得成功的基础。

我们通过 4 届本科学员的实践取得了令人满意的效果。先后组织学员参加全国、地区、北京市及军队等竞赛 12 次，获奖 21 项，组织学员参加科技活动 9 项，获奖 4 项。指导本科学员发表科研论文 6 篇，其中 SCI 检索 1 篇、EI 检索 2 篇、科技核心期刊 2 篇，获批软件著作权 1 项，开发了已投入使用的大学班车微信小程序 1 项，这里的大部分学员在后续的本科毕业设计中均取得了优异的成绩。

5 结语

本科生教育是反映大学教育水平的重要标志之一，军校本科学员导师制是军队高等教育研究发展的新趋势，通过实践探索，提出了“全员普及式”+“精英学术式”的导师制人才培养模式，为新时代一流军事人才培养提供了有益的借鉴。创新了“以赛促导、以赛促创”的导师制实践模式，为军校导师制的高效实施探索了一条可行之路。但在实施过程中整体上还存在制度上的缺陷，这需要广大教育工作者齐心协力，献计献策，在实践中摸索，对现行制度加以改进，形成一整套长效的工作机制，切实提高军校本科学员教育教学水平。

参考文献

[1] 王倩．试论英国本科生导师制及对我国本科教育的启示［J］．中国电力教育，2013（16）：3-4.

[2] 徐承刚，仇丽琴．本科生导师制核心概念解读与运行模式分析［J］．学校党建与思想教育，2013（10）：56-57.

[3] 黄素梅，顾红春．本科生导师制实施模式探索［J］．价值工程，2011（25）：209-210.

[4] 傅钰，毕海玲．对军队院校实施本科生导师的几点思考［J］．军事交通学院学报，2012.14（7）：54-56.

瞄准新时代航天后装保障人才高质量培养不断强化军队院校实战化教育训练

白洪波[1] 呼凯凯[2] 郑 筱[3] 吴红朴[4]
（1. 航天保障系；2. 航天保障系装备保障教研室；
3. 航天保障系外军教研室；4. 航天保障系后勤保障教研室）

摘 要： 随着新时代军事教育的发展，对高质量航天后装保障人才培养要求不断提升。作为培养高素质军事人才的主要阵地，军队院校必须瞄准新时代需求，推进发展。军队院校要坚持人才培养的价值导向，打造高质量航天后装保障学科专业特色，推进理论学习、战例案例研究、想定作业、综合演练“四位一体”航天后装保障专业教学模式改革，拓宽人才培养路径，以实战化教育训练促进航天后装保障人才培养高质量。

关键词： 后装保障；人才培养；实战化

1 引言

党的十九大报告提出的“发展新型作战力量和保障力量”，集中反映了党在新时代的强军目标对培养太空安全领域人才的时代要求，为强军兴军指明了人才需求导向，也为推进太空安全领域军事人才培养提供了行动指南。

航天后装保障人才是指以太空安全领域新任务需求为牵引，以航天技术为支撑，以航天后勤和装备保障能力为标志的高素质、专业化保障人员群体。航天后装保障人才是新型力量的重要组成，也是遂行太空任务的重要支撑。大学要始终坚持航天后装保障人才培养的主阵地意识，紧扣新时代脉搏，以锐意创新的勇气、蓬勃向上的朝气和敢为人先的胆气，加速推进航天后装保障人才培养工作创新发展，下大气力培养高素质、专业化的航天后装保障人才，为实现中国梦强军梦提供有力的人才和智力支持。

2 始终确立“为战育人”人才培养价值导向

新时代军事教育方针是解决好“培养什么人、怎样培养人、为谁培养人”提供了根本遵循[1]。大学作为航天后装保障人才培养的主阵地、新质战斗力的“孵化器”，要始终贯彻新时代军事教育方针，确立“实战”的理念，围绕实战搞教学，着眼打赢育人才，切实引领航天后装保障人才培养标准与新时代要求精准匹配。

2.1 以战领训的办学指导观

大学要以太空安全需求为引领，坚持航天后装保障人才培养向太空任务一线聚焦，按照航天后装保障建设和运用需要什么样的保障人才，就培养什么样的保障人才，突出抓好军队院校改革发展和人才培养顶层设计，确保航天后装保障人才培养与太空任务需求无缝对接，为航天后装保障人才培养质量提高准确“导航”。

2.2 战斗力标准的教学质量观

航天后装保障人才培养质量如何，关键在于是否坚持高标准。大学教育教学要坚持战斗力这个唯一的根本标准，一切服从实战，把生成和提高新质战斗力的要求贯穿于教学训练的方方面面，落实到管理育人的各个环节，实现教与用的统一、教室与战场的对接。因此，不论是健全教学质量评价制度，还是完善人才质量考评机制，都要立起战斗力标准这把铁“标尺”，坚决摒弃背离太空安全领域另设标准的错误做法，切实高质量培养航天后装保障人才，提高航天后装保障人才培养对新质战斗力的贡献率。

2.3 创新一流的育人价值观

大学要紧跟世界军事发展趋势，跟踪研究国内外形势变化、信息网络技术、智能技术、航天技术等创新发展给航天后装保障领域带来的新挑战、新要求，精通新质战斗力的制胜机理和作战之道。搞好航天后装保障理论和实践成果的转化升华，及时将新思想、新理论、新保法、新技术有效嵌入课堂、训练场和学员头脑，转化为履行使命的能力素质，确保航天后装保障人才培养始终处于“保鲜”状态。

3 高质量打造航天后装保障学科专业特色

大学在航天后装保障学科专业建设上下了很大功夫，但总体水平还不够高，改进提升空间仍然较大，要聚焦强军目标要求，健全学科专业调整机制，该加强的加强、该优化的优化，增强航天后装保障学科专业精准度和前瞻性。

3.1 厚实学科专业基石

航天后装保障学科专业建设是一流大学的关键就是要建设一流的学科。航天后装保障学科建设是一流大学在航天后装保障领域教学的龙头，只有厚实航天后装保障学科专业基石，才能确保大学实现航天后装保障领域的内涵式发展和持续长远发展。大学调整组建后，在航天后装保障领域承担的学科建设任务从原来的军事装备学一级学科，拓展到目前军事后勤学、军事装备学、军事管理学三个一级学科领域，使命任务的转型、学科专业的调整、人员规模结构的重塑、条件建设的短板、管理机制的变革，给航天后装保障学科专业建设提出了新挑战、新任务。大学要紧密跟踪军队学科专业调整进程，始终坚持战斗力这个唯一的根本的标准，把航天后装保障学科专业建设融入航天强国伟大梦想、融入太空任务建设发展生动实践、融入航天后装保障人才培养进程，围绕航天后装保障能力提升、航天装备试验鉴定能力提升等核心要素，论证航天后装保障、航天装备试验鉴定、军事管理等专业优化调整，加大航天后装保障学科专业体系论证、学科教学实验条件建设、学科基础理论研究，进一步固强补弱、厚实基础，不断丰富和完善航天后装保障专业理论体系和人才培养体系。根据航天技术发展，积极丰富和创新航天后装保障学科专业理论，在航天后装保障特色专业方面培育催生新的增长点，努力打造航天后装保障学科专业高峰。进一步突破航天后装保障学科专业建设与师资队伍建设融合发展，从目标融合、结构融合、管理政策制度、资源配置统筹、绩效评价导向五个层面推进深度融合，有效发挥航天后装保障学科专业建设和师资队伍建设融合发展的聚合力。

3.2 强化特色专业方向

随着国防和军队改革进程加快推进，要紧密结合军队学科专业目录调整，进一步优化航天后装保障学科专业方向论证与设置，突出特色学科专业方向，并持之以恒、稳住心神加快建设。特色学科方向犹如学科建设中的宝石，是实现内涵式发展、特色发展的重要基础。大学作为航天后装保障学科专业的承建单位，通过大讨论活动，经过集智攻关和充分讨论，力争加强军事后勤学、军事装备学、军事管理学等学科专业建设，突出打造航天后勤工作、航天装备保障、航天装备质量工程、航天装备试验鉴定、航天装备技术合作、航天工程管理等特色专业方向，为高素质航天后装保障人才培养和师资队伍建设发展提供有力支撑。

3.3 打造精品教研成果

要推动院校改革向教学一线延伸，加强以课程和教材为重点的教学体系建设，把每一门课程、每一本教材都做优做精，促进学科专业质量提升。必须进一步压实责任，明确建设任务、完成时限、质量标准，把学科专业建设任务完成好、把建设成果运用好，为打造学科建设精品成果提供了有力保证。还要充分依托大学“三项工程”（学科育新工程、航天金课、名师工程）和“两大平台”（创新平台、合作交流平台），进一步建设精品课程、精品教材、精品讲座，提高航天后装保障人才培养质量和综合办学能力。

4 深化四位一体的实战化教学模式改革

贯彻中央军委关于构建新型军事训练体系的有关精神，坚持太空任务对航天后装保障人才培养的需求牵引，不断深化融理论学习、战例案例研究、想定作业、综合演练于一体的航天后装保障专业教学模式改革，大力提升实战化教学水平，形成实战化教学的浓厚氛围，推动大学航天后装保障教育训练向太空任务一线聚焦靠拢。

4.1 强化航天后装保障理论研究牵引理论教学

理论教学是航天后装保障教学的基础环节，主要讲授军事基础理论、联合作战理论、军兵种知识，以及作战指挥、后装保障、政治工作、信息系统等理论，目的是使学员掌握具有智能化特征的现代战争制胜机理和作战后装保障基本理论，为有效开展战例案例教学、想定教学和综合演练提供统一的认知基础。在航天后装保障理论方面，加强航天后装保障体系、典型重大任务保障模式、保障筹划与指挥控制、先进保障技术运用等理论研究。在理论教学过程中，始终把提高学员的研究能力、创新能力放在重要位置，加强学员在理论学习、创新中的自主性和能动性，引导学员主动思考问题，把工作经验和认识体会上升为理论成果。针对制约太空安全领域后装保障能力生成的突出矛盾和瓶颈问题，设置研究课题，持续推进航天后装保障理论和保法创新，从新技术、新装备入手，组织学员研究信息化战争航天后装保障的特点规律，每个学员入学即确定自己的研究课题，让学员带着问题进课堂、带着课题搞研究、带着成果回任务单位，把问题研究贯穿整个培训过程始终，切实通过理论教学引领解决实际问题。

4.2 以案说理开展航天后装保障战例案例教学

战例案例教学主要对太空安全领域后装保障实例进行分析研究，总结实践经验教训，目的是拓宽视野、启迪思维，深化理解后装保障理论，为想定作业教学和综合演练奠定基础。开展战例案例教学必须要精选典型战例案例，既要选择成功的战例案例，也要选择失败的战例案例，既要有我国的战例案例，也要有国外的战例案例，特别是要瞄准太空安全领域后装保障任务，深度剖析重点问题，让学员充当指挥员角色置身其中，掌握特点规律，总结经验教训，巩固升华所学理论。战例案例教学在指挥教育专业教学中，主要突出军事航天特色和实战化要求，重点抓好航天后装保障、航天装备试验等战例案例研究与教学。

4.3 着眼指挥管理能力培养开展航天后装保障想定作业教学

想定作业教学主要是依据太空任务构想情况，研练航天后装保障组织指挥行动，目的是使学员掌握航天后装保障指挥管理的程序、内容和方法，生成和提高航天后装保障指挥管理实践能力。结合想定教学实际需要，加快航天后装保障教学系列想定建设，重点开展太空任务装备保障想定、信息支援装备保障想定、太空任务后勤保障想定、新型装备试验任务设计与组织指挥想定等想定编写，并高效投入课堂施教，不断改进完善，提升想定教学效果。在想定教学过程中，重点训练航天后装保障指挥的基本程序、内容和方法，重点研究不同任务背景下航天后装保障指挥的重难点问题，达到练指挥、练保法、练技能的教学目的，提高学员航天后装保障指挥技能。

4.4 着眼检验实战能力开展航天后装保障综合演练

综合演练是依据太空任务构想情况，采取用保一体的学员编组演练的方式，按照任务进程连续实施的综合性实践教学活动，目的是强化学员队所学理论和指挥技能的综合运用，提高指挥航天后装保障行动和组织训练能力。综合演练的内容设计要确立战保一体理念，“用”与“保”融为一体、无缝链接，适应太空安全领域的体系对抗、智能化等特征要求，将航天后装保障要素融入力量体系一体谋划、与任务准备一体推进、与用法保法一体运筹，让航天后装保障精准对接“高边疆”任务需求，切实用高标准引领航天后装保障教育训练方向。综合演练组训要围绕提高学员谋略运用、指挥控制、组织协同、战法保法创新，着力提高学员的信息获取、分析判断、筹划决策、组织指挥和综合保障能力，进一步突出各种任务样式、各个关键环节的复杂情况处置，着力研究航天后装保障指挥的特点、规律、内容和方法，提高实战化教育训练的针对性和有效性。

5 拓宽航天后装保障人才联合培养新路径

大力发展军事教育，培养一大批高素质、专业化新型军事人才，是推动军事领域高质量发展、实现强军目标的必由之路[3]。

航天后装保障人才培养是鲜活生动的教育实践。要坚决贯彻“三个面向”，在继承传统保持本色的基础上，拓展畅通开放办学育人渠道，整合国家和社会优质教育资源，吸收国外教育的经验做法，联合办学育人，实现航天后装保障人才培养的高质量发展。

5.1 军地院校开放合作促发展

在保持大学特色的基础上，构建军地院校开放的教育交流平台，采取航天后装保障领域专业技术访学交流、出国深造、发展友好关系等措施，加大与军内外院校教育交流合作力度，拓宽航天后装保障力量人才培养视野，提升航天后装保障人才培养水平。

5.2 与部队联教联训增效益

建立健全任务单位与大学资源共享的机制，深度走出大学与任务单位无缝对接育人才的新路子，按照训用一致的原则，建立以大学为内核、以任务单位为支撑的人才培养使命共同体，充分利用任务单位多种优质资源，探索大学和任务单位融合式培训模式，加强教学实验环境、案例研究、对抗演练环境建设，突出实习见习、重大任务锻炼、实装观摩、跟研跟产等教学实践活动，着力打造大学和任务单位相互协作的航天后装保障人才培养新机制，使学员在“准战场”上磨砺提高，实现联合育人的高效益。

5.3 军地科技平台合力育人才

贯彻落实军民融合发展战略，在航天技术高精尖领域，加大军地融合培养航天后装保障人才力度，特别是在培养急需特种人才、尖端技术人才和青年英才等方面，加强与地方知名科研院所、装备研制单位的合作办学，打通航天技术资源合作机制，加快航天后装保障人才培养步伐，有效促进航天后装保障人才培养高质量，不断为任务单位输送高素质的新型航天后装保障人才。

6 结语

不断提高教学质量，培养高素质航天后装保障人才，是大学永无止境的重大课题。随着军事教育和航天科技的发展进步，面对航天后装保障领域新挑战新任务，大学教学工作要在学科专业规划、课程体系优化、教研团队建设、教学运行管理、教学条件保障等诸多方面相互协调、多方努力，共同探索实践与航天后装保障人才发展需求相适应的教学训练模式，促进教学质量和教学管理水平不断迈上新台阶。

参考文献

[1] 梅世雄，樊永强. 贯彻新时代军事教育方针培养新型军事人才 [N]. 人民日报，2019-11-29 (1).

[2] 汤建民. 论学科专业发展指数 [J]. 高教发展与评估，2021，37 (4)：23-25.

[3] 祝晓光，刘广进. 聚焦未来战争培养新型军事人才 [N]. 中国社会科学报，2020-09-17 (4).

装备试验技术与管理专业生长军官人才培养策略研究

孟　礼　陈小卫　韦国军　边晓敬
（航天保障系试验鉴定教研室）

摘　要：本文从航天装备试验鉴定使命任务紧迫性和人才缺口入手，分析了装备试验技术与管理（航天装备工程）专业生长军官人才培养的岗位任职和能力素质需求，进而设计了专业课程体系和教学实践环节，最后从完善教学大纲、加快条件建设和扩大试验鉴定通识课程授课范围 3 个角度给出了意见建议。

关键词：航天装备试验鉴定；生长军官；人才培养

1　引言

随着航天技术的日益发展，航天装备建设步伐明显加快，航天装备种类数量显著增加、体系更趋完善。航天装备具有技术复杂、价值昂贵、环境特性、防护困难、入轨难以纠正等特点，导致航天装备试验鉴定面临样本数量少、体系融合深、试验组织复杂等困难，试验模式和方法明显区别于常规装备[1]。

但是，当前航天装备试验鉴定基础比较薄弱，人才培养需求迫切。经调研发现，航天装备试验类型繁多、试验任务重，目前既有从事试验鉴定行政管理和专业技术工作人员，又有大量与装备试验鉴定密切相关的运用、保障与管理人员，专业人才缺口较大，大学设立装备试验技术与管理（航天装备工程）专业，开展生长军官人才培养恰逢其时。

2　人才培养需求分析

2.1　装备试验岗位任职需求

装备试验技术与管理专业主要培养掌握航天装备工程专业基础理论知识，以及装备试验技术与管理专业知识，初步具备航天装备试验设计、组织管理、数据获取、分析与评估等专业技能，初步具备分队组训与管理能力，胜任航天装备试验相关岗位任职需要的初级指挥与技术军官。根据岗位分工，区分为试验指挥管理岗位、试验技术岗位、试验操作岗位。

试验指挥管理岗位主要负责试验任务筹划计划、组织协调、监督决策等工作。岗位主要包括试验分队主官，机关担负试验任务规划计划、装备保障与管理等任务的行政人员。

试验技术岗位主要负责试验方案拟制、试验数据分析处理、试验鉴定技术研究，参与试验鉴定工作文件编写等工作。岗位主要包括试验基地、科研院所等担负装备试验总体设计、数据采集与分析评估任务的技术人员。

试验数据采集岗位主要负责参试装备操控、试验数据测试测量、试验靶标与环境构设等。岗位主要包括试验基地等担负试验数据测量、航天器测控、试验条件保障等任务的分队、技术室的工程技术人员和初级管理人员。

2.2 装备试验专业能力素质需求

根据岗位任职需求，构建装备试验技术与管理生长军官人才培养专业能力素质体系，具体见表1。

表1　　人才培养专业能力素质体系

知识	学科基础	系统掌握自动控制原理、飞行器总体、机械原理与设计基础、飞行器控制系统等基本理论与基本知识
	专业知识	掌握军事装备学、航天装备试验概论、装备试验设计、装备试验评估等专业知识
	相关知识	了解运筹学、应用统计学、装备试验环境工程、传感器与测试技术等相关学科专业的一般知识
能力	专业能力	掌握本专业必要的基本技能，具备航天装备试验设计、组织管理、试验数据获取、分析与评估等能力
	科研能力	在本专业领域内具备初步的科学研究能力和一定的革新、组织管理能力，能够初步运用所学知识从事航天装备试验鉴定领域学术研究
素质	专业素养	具有运用专业基本理论和方法发现、分析、处理实际问题的意识和素质，牢固树立客观公正、独立权威等试验鉴定理念
	创新精神	具有问题意识、求异思维和创新探索精神

3　专业课程体系设计

从学员任职岗位能力需求和专业能力素质需求出发，设计课程体系。即面向任职岗位工作需要，分别分析试验指挥管理、试验技术和试验数据采集岗位人才培养能力需求，优化设计学员所需装备运用、专业技术、指挥管理和共性基础课程体系，如图1所示。

按照生长军官教育“打牢发展基础、厚实学科背景”的要求，通过航天装备工程专业背景课程教学，为学员从事与航天装备相关工作奠定基础，需要掌握自动控制原理、飞行器总体、机械原理与设计基础、飞行器控制系统等学科基础理论知识，为航天装备工程专业的装备技术保障与分队指挥、装备试验技术与管理和装备采购管理三个方向学员岗位任职提供共同的专业理论背景支撑。

装备试验技术与管理专业需要掌握装备试验专业理论知识。基础理论知识层次，要求掌握力学、材料、电子、控制、信号系统等方面的基础知识；装备运用与试验鉴定层次，需要理解装备运用的基本原理，掌握装备在体系运用条件下的试验鉴定与效能评估方法。

因此，基础理论知识层次，航天装备工程专业下各方向的教学目标与教学内容具有较大的相似性；装备运用与试验鉴定层次，对装备运用、装备试验技术与管理的要求，与其

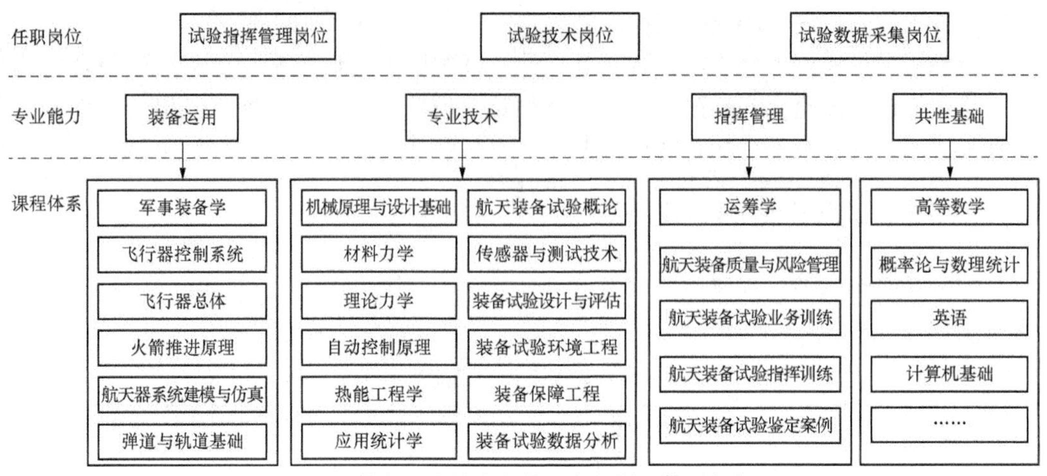

图 1　装备试验技术与管理专业课程体系框架

他专业方向存在较大差异性。因此，在航天装备工程专业背景课程中，设置装备原理、功能等基础知识，筑牢装备基础理论知识；在装备试验技术与管理方向背景课程中，设置从事装备试验鉴定工作必须掌握的装备运用、装备试验设计与分析评估等相关课程。

同时，设置高等数学、英语、计算机等基础科学类课程，设置统计学、系统工程、运筹学、军事装备学等学科专业理论课程。

4　教学实践环节设计

按照任职岗位能力要求，装备试验技术与管理专业实践环节设计指导思想如下：面向航天装备试验第一任职岗位主要业务工作，构建相应的案例、想定知识库，建设试验条件，培养航天装备试验设计、组织管理、试验数据获取、分析与评估等专业能力和从事相关科学研究的能力，具备较好的指挥素养和较强的科学创新精神，能够适应指技融合的岗位需要。各实践环节与学员能力培养的对应关系如图 2 所示。

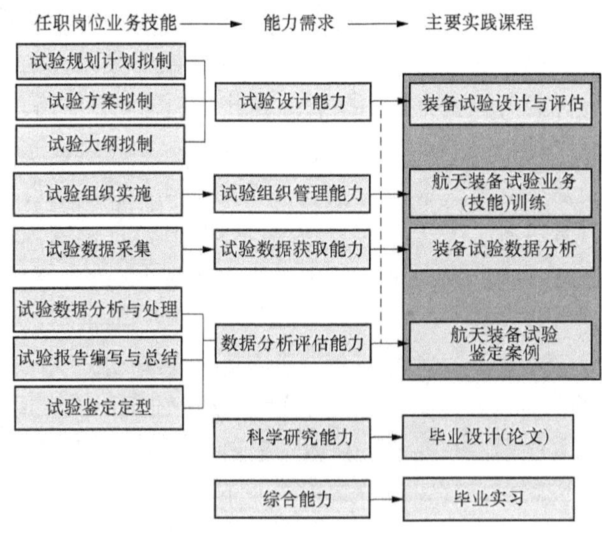

图 2　实践环节与学员能力培养的对应关系

5 专业人才培养的意见建议

5.1 进一步修订完善教学大纲

大学航天装备工程专业前期仅仅进行了装备技术保障与分队指挥专业招生工作，而装备试验技术与管理、装备采购管理、航天勤务技术与指挥三个专业也将依托本科教育航天装备工程专业开展教学。目前教学大纲中航天装备工程专业背景课程设置不尽合理，建议择机重新修订教学大纲。

5.2 加快推进专业条件建设

目前，装备试验技术与管理首次任职培训教学条件基础薄弱，需要进一步加快推进建设，以满足下一步课程实施需求。同时，本专业未纳入大学重点建设范围，和其他学科相比基础条件薄弱，建议进一步加大经费投入力度，构建典型航天装备试验设计与推演、试验指挥模拟训练系统、试验数据分析评估支持系统等，以及相关配套基础设施平台，为课程开展提供支撑。

5.3 进一步拓展装备试验技术与管理类课程授课范围

航天装备试验鉴定工作涉及面广，常常与装备运用、保障与管理等工作交叉开展、并行推进。因此，大学各专业对航天装备试验鉴定基础知识均有不同程度需求，建议充分分析试验鉴定理论与其他专业知识的耦合性、体系性，开展课程体系顶层设计，在全校开展试验鉴定类通识课程教学。

6 结语

随着全军装备试验鉴定体制改革逐步深化，新型装备试验程序模式逐步规范，航天装备鉴定试验工作从试点推动走向全面铺开，加强航天试验鉴定人才队伍建设工作迫在眉睫。本文从生长军官高等教育人才培养层次，针对装备试验技术与管理（航天装备工程）专业，分析了培养需求，设计了课程体系和实践教学环节，提出了意见建议，对该专业大纲和人才培养方案修订、教学工作组织实施、教学条件规划建设具有指导和借鉴意义。

参考文献

[1] 白洪波，孟礼. 航天装备试验概论［M］. 北京：国防工业出版社，2022.

士兵职业生涯规划与职业技能鉴定有机衔接的探析

关雪涛　刘洪林　张海波
（士官学校航天测控通信系无线电测控教研室）

摘　要： 士兵职业生涯规划与职业技能鉴定均为士兵服务、为战斗力建设服务，如何实现士兵职业生涯规划与职业技能鉴定的有机衔接，使两者达到合理融合、有序并进、相辅相成的良好运行状态，是一个具有重要现实意义且有待深入研究的问题。本文分析了士兵职业生涯规划与职业技能鉴定有机衔接的内涵、意义与现状，并有针对性地提出了对策。

关键词： 士兵；职业生涯规划；技能鉴定；有机衔接

1　引言

士兵职业生涯规划与职业技能鉴定均为士兵服务、为战斗力建设服务；均面向士兵职业，紧扣士兵岗位所需知识和技能；均具有长期性、多阶段性的特点。两者联系紧密，相得益彰。

2　士兵职业生涯规划与职业技能鉴定有机衔接的内涵

士兵职业生涯规划是指士兵根据自身情况，通过在训练机构、院校学习的积累和部队任职岗位实践活动，对决定个人职业生涯的主客观因素进行分析、测评和总结，确定事业奋斗目标，选择合适的职业岗位，制订相应的教育和培训计划，并对每一步骤的时间、顺序和方向做出合理安排的过程[1]。根据《中国人民解放军现役士兵职业技能鉴定规定》，士兵职业技能鉴定是按照国家职业技能标准和军队规定的考评标准，由国家人力资源社会保障行政部门授权的职业技能鉴定机构对现役士兵从事岗位工作必须具备的专业知识和操作技能进行等级考核与认定的活动，是评价士兵能力素质的重要途径，具体划分为初级技能（五级）、中级技能（四级）、高级技能（三级）、技师（二级）、高级技师（一级）共五类技能等级。技能等级是军士选取的基本条件，选取为初级、中级、高级军士的应当相应具备初级技能、中级技能、技师以上技能等级。

士兵职业生涯规划与职业技能鉴定有机衔接，是指要在制订和实施生涯规划的过程中把职业技能鉴定分等级分环节合理地融入，甚至将其作为一条主线贯穿始终；在开展职业技能鉴定时，从生涯规划的角度，分析主客观因素，确定目标，制订计划，分阶段、有步骤地进行，从而使两者在实施过程中达到合理融合、有序并进、相辅相成的良好运行状态。

3 士兵职业生涯规划与职业技能鉴定有机衔接的意义

3.1 有利于士兵成长成才，增强队伍战斗力

目前部分士兵对岗位所需知识和技能了解不够清楚，职业定位不够明确，学习上存在一定的盲目性，缺乏科学的规划。首先，职业生涯规划与技能鉴定的有机衔接，有助于士兵更加全面深刻地认识自我，认识岗位所需知识和技能，进而将个人志向与部队需求有机结合，更合理地制订成长路线、搭建成才阶梯，更有针对性、更有规划地为达到各种等级技能鉴定考核目标开展学习与训练，不断完善知识技能结构体系，逐步成为知识储备丰富、技能本领强大、综合素质过硬的优秀士兵人才。其次，通过及时表彰表现优秀的士兵，发挥其榜样作用，带动更多士兵参与生涯规划与技能鉴定的实践中，争当技术能手、“军中工匠”，有利于为部队建设发展提供源源不断的人才储备，巩固提升士兵队伍的战斗力。

3.2 有利于两者相互促进，形成良性循环

士兵职业生涯规划与职业技能鉴定均面向士兵职业，紧扣士兵岗位知识和技能，具有长期性、多阶段性的特点。两者有机衔接，一方面可以使生涯规划内容更充实饱满，思路更清晰，顺利开展更有保障，有效避免因前期规划筹备不足导致技能鉴定成绩不合格最终耽误生涯发展的情况发生。另一方面，可以促进技能鉴定考核质量效果得到有效提高。广大士兵通过确定目标、制订计划，将技能鉴定知识与技能目标划分为各项阶段性的子目标，加强在平时的学习和训练，深刻领会知识内涵、技能要点，稳扎稳打获得真才实学，有效革除只为应付考试而导致的“考前临时突击、考后迅速遗忘”的弊端。

3.3 有利于士兵教育改革，促进“三位一体”培养体系建设

结合我军现实情况以及外军有益经验，士兵职业生涯规划与职业技能鉴定相关教育应作为士兵教育的重要组成部分。士兵职业生涯规划与职业技能鉴定有机衔接，有助于推动部队院校从士兵教育顶层设计的高度谋篇布局，将职业生涯教育和职业技能鉴定科学地融入人才培养方案制订之中，促进相关课程的开设，在教育训练各个方面找准短板，优化目标，完善内容；有助于将军队院校教育、部队训练实践、军事职业教育三者更紧密地融合、更深层面地贯通，实现功能互补，提高人才培养的整体效能，为构建全军队院校教育、部队训练实践、军事职业教育“三位一体”人才培养新格局提供更有力的支撑。

4 士兵职业生涯规划与士兵职业技能鉴定的现状

4.1 部分官兵重视不足、认识不全

笔者调研发现：一方面大部分官兵对士兵职业技能鉴定有基本的了解，能够在一定程度上认识到技能鉴定对士兵个人发展的影响，但部分士兵对自身要求不够高，片面认为只

要达到合格最低标准就行；另一方面大部分官兵对士兵职业生涯规划的认识较少，重视程度较低，对两者有机衔接的内涵与意义理解得不够深入，甚至个别干部片面地认为生涯规划与技能鉴定均属于士兵个人之事，与自己关系不大。

4.2 广大士兵缺乏科学指导与有效付出

目前广大士兵普遍对职业技能鉴定有一定程度的关注，但平时缺乏科学的指导和针对性的学习、训练，部分士兵简单地认为只需要考前准备一下就能通过，甚至出现因技能鉴定考核不合格而无法晋升军衔，最终耽误自身职业生涯发展的情况。大部分士兵在职业生涯规划方面也缺乏外界科学的指导，尚未采取足够的有效措施。例如，有的士兵目光不够长远，甚至存在安于现状的心态，对职业生涯规划没有兴趣；有的士兵对职业生涯规划有一定的兴趣，但缺乏深入谋划；有的士兵在思考职业生涯规划时未能合理地把技能鉴定纳入统筹考虑，对于二者如何有机衔接感到无助和迷茫。

4.3 开展实施均不完善，有机衔接更待研究

职业生涯规划兴起于 20 世纪 70 年代，并从 90 年代开始在我国地方院校逐渐被重视和推广，但相关教育在我军士兵职业教育领域长期缺失，目前仍尚未普遍开展[2]，如何将其与技能鉴定有机衔接更是一个有待深入研究和探索的课题。从 20 世纪 90 年代初，我军开展士兵职业技能鉴定至今已有近 30 年，一套符合国家标准、具有军队特色的鉴定工作体系正在逐步成熟，但目前在实际运行中，仍存在专业发展不均衡、统筹管理不精准、职能划分不清晰、训鉴结合不紧密、评价手段不灵活、鉴定站管理人员缺乏、证书下发迟缓等问题。这制约了鉴定工作的质量和效果，也影响了技能鉴定与职业生涯规划有机衔接的实现。

5 士兵职业生涯规划与职业技能鉴定有机衔接的对策

5.1 加强宣传，激发动力

宣传是外因，动力是内因，要以外促内，内外结合。

（1）加强外在宣传。部队各级单位、训练机构和院校要充分利用板报、网络、学习手册、知识讲座、主题班会等多种传媒和手段加大宣传力度，正确引导士兵对职业生涯规划与技能鉴定的认知，深入理解二者的重要性以及有机衔接的必要性与可行性，树立“通过鉴定考核光荣”“开展生涯规划有益”的信念。要注重培塑和发现在生涯规划和技能鉴定方面表现突出的榜样士兵，对其要大力宣扬，号召广大士兵学榜样、当榜样，大力营造崇尚先进、比学赶超的良好氛围。

（2）激发内在动力。士兵本人是生涯规划和技能鉴定的主体，必须要深入每个士兵心灵，充分发挥每个士兵的主观能动性。要在广大士兵中大力培育新时代革命军人核心价值观，引导他们正确认识个人价值与国防和军队建设价值的关系，树立和增强职业认同感与职业光荣感，激发为强军事业矢志奋斗、建功立业的内在动力，自觉主动地参与到职业生涯规划与职业技能鉴定有机衔接的实践中。

5.2 推进教改，完善教育

（1）通过推进教育改革完善职业生涯规划相关教育。职业生涯规划课程已在国内很多高校陆续开设，但目前在军队职业技术教育院校尚未普遍开设。建议将士兵职业生涯规划融入士兵教育的顶层设计和人才培养方案，通过成立教研室或课题组的方式组建生涯规划指导团队，编写教材，开展线上线下课程，使士兵能够系统地学到生涯规划知识。

（2）通过推进教育改革完善职业技能鉴定相关教育。目前士兵职业技能鉴定与院校教育结合不够紧密，建议将士兵职业技能鉴定融入士兵院校与训练机构的平时教学训练中，扩充具有教师和技师的双重知识和能力结构的“双师型”教员队伍，将技能鉴定所需知识、技能的学习分散到课堂之中，尤其对于鉴定内容与课程内容交叉的部分，应着重学习，适时结合技能鉴定试题开展练习，组织鉴定模拟考试，建设与技能鉴定相融合的课程体系。

5.3 科学规划，强化指导

除了军队院校组建生涯规划指导团队外，要号召部队各基层单位建立生涯规划领导小组，若条件允许还可设立生涯规划专职岗位，提倡基层部队干部、各级军士长等学习生涯规划相关知识，在指导士兵制订生涯规划方面积极作为。

（1）指导士兵“知己知彼”，设计目标路线图。首先要“知己”，通过 SWOT 分析、职业测评等方法帮助士兵对自身优势、劣势、机遇以及职业潜能、职业能力倾向等方面进行客观全面的认识。其次要“知彼”，指导士兵充分熟悉技能鉴定各项规定和要求，了解鉴定组织流程（一般包括通知发布、报名组织、资格审核、考前培训、考核实施、成绩公示、等级认定、证表核发等环节）。然后，根据技能鉴定具体规定要求及士兵本人实际情况，指导士兵科学设计目标路线图，规划参加各级技能鉴定考核的时间，将鉴定工作组织流程明确体现在生涯规划里，准确把握各环节时间节点与开展节奏，设定各阶段的学习目标。

（2）注重因材规划，鼓励先进。对于学习基础较为薄弱的士兵，要在前期有针对性地加强基础知识和基本技能的学习。对于较为优秀的士兵，鼓励个性化规划。技能鉴定申报条件除了基本条件外，还有提前申报条件、越级申报条件，例如获得某些奖项荣誉即可越一级申报相应技能等级职业技能鉴定。因此，要及时向优秀士兵明确相关条件，鼓励他们结合自身实际制订个性化的规划。

（3）做好过程评估，动态优化。生涯规划不是一成不变的，要适时检查阶段性目标的实现效果，如果未达标，要分析原因，吸取教训，评估对后续规划的影响并及时调整；如果提前完成或超标完成，要总结经验，适当提高后续目标难度或增加新的目标。

5.4 完善鉴定，提质增效

考虑到目前士兵职业技能鉴定工作存在诸多亟待解决的现实矛盾问题，为实现技能鉴定与生涯规划的有机衔接，必须充分调动各级机构力量以加快规范和完善技能鉴定工作。

（1）健全法规制度。各级鉴定有关单位要充分对接沟通，围绕职业技能鉴定的管理体制、运行机制、保障措施等问题深化研究论证，广泛征求各部门意见，强化法规制度建设，完善工作细则。

（2）强化管理监督。要理顺管理体系，明确职责分工，将鉴定组织实施程序细化到具体步骤，加强全过程规范化管理，定期组织监督检查，确保及时发现和纠治存在问题，建立权责清晰、管理科学、监督有力、运行高效的运行机制。

（3）抓好考评员培养。考评员是鉴定活动的主导因素，其考评行为直接决定着鉴定的质量[3]。要完善考评员选拔与管理制度，广泛吸收各个工种领域的精英人才，完善考评员聘用、晋升和考核奖惩等制度；加强考评员培训，经常组织考评员开展学习交流，提升考评员业务能力素质，推动鉴定考核工作高质高效开展。

5.5 军民融合，汇智聚力

军民融合是一项意义重大且深远的发展战略，其核心和实质是实现信息互通、资源共享、良性互动、融合发展。

（1）善于借鉴借力。近年来，一方面，国家有关部门针对职业技能鉴定出台了一系列政策措施，军队职业技能鉴定应当紧跟形势发展和现实需要，对照借鉴，查漏补缺，及时优化。另一方面，地方院校相继开展了职业生涯规划教育，经验较为丰富，军队要积极主动联合地方院校，探索建立“联教联育”培训模式，适时选派队干部、教员到地方重点大学参加生涯规划相关学习培训，组织士兵去地方院校参观见学，邀请生涯规划领域相关专家进入部队辅导授课；合理借用地方大学优势教育资源，借助专用网络将院校优质课程接入部队，实现实时共享优质教学资源。

（2）增强军地通用性。有些士兵对退役后的就业存在顾虑，不清楚在部队所学知识与技能对于退役后的职业生涯有何作用。士兵职业技能鉴定有必要从规章制度、考核内容与要求、考评程序等各方面与国家职业技能标准适当地接轨，甚至在一定程度上实现资格证书互认，尤其对于军地通用专业，以便广大士兵通过技能鉴定获得既能服务部队又能助力人生发展的知识和技能，排除后顾之忧，更自觉主动地投入到职业生涯规划与技能鉴定的实施过程中。

6 结语

实现士兵职业生涯规划与职业技能鉴定的有机衔接，使二者达到合理融合、有序并进、相辅相成的良好运行状态，具有重要的现实意义。本文分析了士兵职业生涯规划与职业技能鉴定有机衔接的内涵、意义与现状，并从五个方面提出了对策，希望能为士兵职业生涯规划与职业技能鉴定的发展提供一定的参考和借鉴。

参考文献

[1] 李艳芳，孙银玉．士官职业生涯规划刍议［J］．士官队伍建设，2013（2）：68 - 70.

[2] 何钟，王峰．论士官职业生涯规划能力的培养［J］．海军士官，2015（4）：17 - 19.

[3] 张秀伟，马建超，吴彩华，等．浅谈如何借力士兵职业技能鉴定推动士官院校实战化教学改革［J］．科技风，2020（1）：60.

军士职业认同现状调查及对策研究

杨　蓓　闫欣媛
（士官学校基础部政治教研室）

摘　要： 军士作为军队建设和发展的中坚力量，其职业认同程度直接影响军队的战斗力。本文通过对不同层次军士学员的现状调查，剖析影响军士职业认同的主要因素，从优化思想政治教育、科学制订职业规划等方面加强军士职业认同建设，努力提高军士个体的积极职业认同程序。

关键词： 军士；职业认同；影响因素；建设对策

1　引言

职业认同是指一个人对所从事的职业在内心里认为有价值、有意义，并能够从中找到乐趣。军士作为军队建设和发展的中坚力量，肩负着重要的使命任务，其职业认同程度直接影响他们工作和学习的积极性，影响他们岗位职责的发挥，也必然影响军队的战斗力。

2　军士职业认同现状调查对象、方法与结果

2.1　调查对象

调查对象为 2021 年下半年在我校学习的各培训层次军士学员，其中预选军士学员 49 人，职业技术教育大专学员 142 人，分队组训管理专业学员 51 人，已任参谋学员 18 人，参谋培训学员 66 人，中晋高学员 36 人。回收有效问卷 362 份，年龄分布 19～40 岁；军龄分布 1～23 年；独生子女 116 人；已婚 85 人；列兵 2 人，上等兵 48 人，下士 153 人，中士 38 人，上士 62 人，四级军士长 50 人，三级军士长 4 人，二级军士长 1 人；家庭居住在城镇 72 人，农村 263 人。

2.2　调查方法

本研究使用军士职业认同感量表，结合半开放式问卷和访谈为辅的方式进行。军士职业认同感量表包括职业价值、职业效能、职业意愿与期望、职业意志 4 个维度 12 个条目。该量表采取 5 点计分，从完全不同意到完全同意，分数越高说明在该维度上表现越好。

职业价值主要反映个体对自身军士身份和军士职业价值的情感体验；职业效能主要反映个体对自身能力与军士职业是否匹配的认知评价；职业意愿与期望和职业意志则是个体在职业效能与职业价值的基础上衍生出的行为承诺与目标期望，属于职业认同的结果层面。

职业价值感和职业效能感是职业认同感的两个最基本的核心本源维度，职业认同感的形成和发展依存于职业价值感和职业效能感两者的联合、缺一不可，而职业认同结果层面的职业意志和职业意愿与期望感则均衍生于此。

由专业人员担任主试，使用统一量表，在说明填写要求和保密原则的前提下，当场发放问卷，由被试独立填写后收回。

2.3 调查结果

使用SPSS 20.0软件对数据进行统计分析。

统计分析时职业认同感及各因子的得分均采用均值分，其范围为1～5分，中数为3分，分数越高，表明职业认同感程度越高。

预选军士学员总体职业认同得分为4.20分，呈中等偏上水平（3分为中间水平），说明预选军士学员对“军士”这一职业较为认同，表现出较强的服役愿望，见表1。

表1　预选军士学员职业认同的描述性统计

维度	数量（N）	极小值（MIN）	极大值（MAX）	均值（M）	标准差（SD）
职业价值	49	2.33	5.00	4.013 6	0.659 54
职业效能	49	3.00	5.00	4.483 0	0.476 59
职业意志	49	1.33	5.00	3.590 3	0.781 70
职业意愿与期望	49	3.00	5.00	4.693 9	0.455 61
职业认同感	49	3.00	5.00	4.204 9	0.441 61

职业技术教育军士总体职业认同得分为3.74分，呈中等略偏上水平（3分为中间水平），其整体水平一般。职业价值和职业意志的标准差（SD）偏高，说明职业技术教育学员在职业价值和职业意志上产生了一定程度的分化，见表2。

表2　职业技术教育军士学员职业认同的描述性统计

维度	数量（N）	极小值（MIN）	极大值（MAX）	均值（M）	标准差（SD）
职业价值	142	1.00	5.00	3.723 4	0.900 58
职业效能	142	2.67	5.00	4.525 8	0.559 08
职业意志	142	1.00	5.00	3.551 6	0.834 74
职业意愿与期望	142	2.67	5.00	4.525 8	0.559 08
职业认同感	142	2.17	4.58	3.736 6	0.515 41

参谋培训军士学员职业认同得分为4.10分，处于中等偏上水平（3分为中间水平）。在职业价值、职业意志维度上标准差大于0.9分，说明参谋培训军士学员在以上维度个体差异性大，不稳定见表3。

表3　参谋培训军士学员职业认同的描述性统计

维度	数量（N）	极小值（MIN）	极大值（MAX）	均值（M）	标准差（SD）
职业价值	66	1.33	5.00	3.752 5	1.034 96
职业效能	66	1.00	5.00	4.515 2	0.632 95

续表

维度	数量（N）	极小值（MIN）	极大值（MAX）	均值（M）	标准差（SD）
职业意志	66	1.00	5.00	3.494 9	0.990 97
职业意愿与期望	66	1.00	5.00	4.515 2	0.632 95
职业认同感	66	2.58	5.00	4.097 2	0.605 81

已任军士参谋学员的职业认同得分为 3.68 分，处于中等偏上水平（3 分为中间水平），但整体水平较低。在职业价值和职业意志维度上得分较低，且职业效能、职业意志和职业意愿与期望维度上标准差大于 0.9 分，说明该群体在以上维度存在较大差异，见表 4。

表 4　　　　已任参谋军士学员职业认同的描述性统计

维度	数量（N）	极小值（MIN）	极大值（MAX）	均值（M）	标准差（SD）
职业价值	18	1.67	4.00	2.981 5	0.588 25
职业效能	18	1.00	5.00	4.370 4	0.982 79
职业意志	18	1.33	4.33	3.018 5	0.952 96
职业意愿与期望	18	1.00	5.00	4.333 3	0.956 57
职业认同感	18	1.67	4.33	3.675 9	0.640 98

分队组训军士学员总体职业认同得分为 3.99 分，整体水平一般。其职业价值、职业意志得分较低，且两因子的标准差均较大，说明在以上两个维度上差异较大，见表 5。

表 5　　　　分队组训军士学员职业认同的描述性统计

维度	数量（N）	极小值（MIN）	极大值（MAX）	均值（M）	标准差（SD）
职业价值	51	1.33	5.00	3.607 8	1.006 00
职业效能	51	2.33	5.00	4.480 0	0.642 98
职业意志	51	1.33	5.00	3.307 2	0.881 52
职业意愿与期望	51	2.33	5.00	4.480 0	0.642 98
职业认同感	51	2.50	5.00	3.988 3	0.589 26

中晋高班次军士学员总体职业认同得分为 4.27 分，整体水平高于其他教学层次。但在职业价值和职业意志维度上得分相对较低，且职业价值维度标准差较大，说明内部差异较大，见表 6。

表 6　　　　中晋高班次军士学员职业认同的描述性统计

维度	数量（N）	极小值（MIN）	极大值（MAX）	均值（M）	标准差（SD）
职业价值	36	1.33	5.00	3.885 7	1.154 54
职业效能	36	3.00	5.00	4.814 8	0.409 76
职业意志	36	1.33	5.00	3.542 9	0.723 49
职业意愿与期望	36	3.00	5.00	4.814 8	0.409 76
职业认同感	36	2.67	5.00	4.269 0	0.520 45

在目前军士成长过程中，职业认同不断波动和变化。中晋高班次军士学员职业认同度较高，已任参谋军士学员职业认同度较低。各教学班次职业价值和职业意志一直处于较低水平，说明对于职业价值及对自我所具有的意义缺乏积极认同，在工作过程中由于受到多方面因素的影响，坚守职业的信念也在不断动摇，成为影响军士职业认同的关键。各培训层次军士学员职业认同的均值统计见图 1。

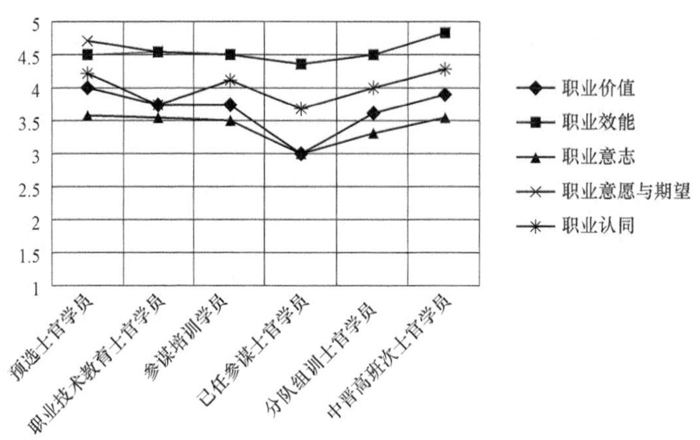

图 1　各培训层次军士学员职业认同的均值统计

3　影响军士职业认同感的因素分析

3.1　职业价值认识不高

在势不可挡的社会发展进程中，新的社会秩序、价值观念和伦理意识使社会主流舆论已经将国防服役视为一种市场契约关系，造成了军人的社会地位、职业尊严、职业价值、职业认知和职业形象难以还原到传统的理想状态，军士作为军人队伍中的一个有机组成部分，又具有其不同于军官的职业特征。我们不得不在一个新的社会环境里重新审视“军士”这一职业。

3.2　职业规划定位不明

职业规划就是对职业生涯乃至人生制订持续的系统的计划的过程。一份完整的职业规划有职业定位、目标设定和通道设计三个要素构成。调查发现，不同阶段的军士对职业规划表现出不同的困惑：预选军士对将来军士职业的发展没有明确的定位，随波逐流是大多数人的心态；职业技术教育学员职业规划相对清晰，但部分学员有对所学专业与未来岗位发展不一致的担忧，未来发展规划不确定；中晋高培训学员职业规划相对稳定，但受选调套改等不确定因素的影响，对未来职业规划缺乏足够的信心。

3.3　职业倦怠情绪影响

关于退役最可能的原因之一是“工作没有挑战性，干得没意思”。这说明军士职业发展中存在职业倦怠问题。长期从事工程施工和维护的军士感到，一个人长期从事某种职业、坚守某个岗位，对工作的日常事务极为熟悉，因而在日复一日毫无新意的重复机械的作业中，渐渐会产生一种疲惫甚至厌倦的心理。如果在此基础上还加上超量的工作要求、长期的加班状态，就会进一步加剧倦怠感的产生。而从事后勤、勤务和简单室内技术工作的军士感到，固定的生活模式与一贯的定点坐班的工作模式缺乏变化和挑战性，长久的稳定和均衡使所从事的工作失去了本身的吸引力，工作就变得枯燥。没有了工作的兴致，人也就产生了倦怠心理。

3.4 自我认识与尊重受限

"军士在部队不被重视、不受尊重"是选择退役最可能的原因之一。"干得再好还是一个兵"，这是军士经常挂在嘴上的一句话，特别是在基层凸显的年轻干部与老军士之间的矛盾和冲突，进一步强化了军士总体的心理失衡。

加之，社会对军人职业的认同度下降，很多学员提出，"军人优先"在很多时候只是一个摆设。这不能不使军人的职业信念受到冲击。在这样的社会背景下，年轻军士极易出现对自我价值的否定，从而丧失军人荣誉感、降低职业认同。此外，军士职业社会认同度低于军官，也是影响军士职业认同的重要因素。

3.5 相关政策落实不到位

军士这一岗位，对于大多数人员来讲并不能干到终身，因此，很多军士都非常关注国家的相关优抚政策。而现实中存在政策落实不到位、无法解决后顾之忧的现象，使得众多军士对未来充满不确定，从而在一定程度上影响了他们对现职业的认同感。

4 加强军士职业认同的对策建议

军十职业认同是军士个体在将自己的职业角色内化为自我一部分的过程中，内化的职业角色和自我其他部分建立一致性关系的过程及其结果。因此，加强军士职业认同建设的核心就是对军士职业角色和军士自我认知从物质我、社会我、精神我三个方面进行改善，力图最大可能地达到两者的统一。

4.1 加强思想政治教育，形成高尚的职业价值观

职业价值观是指人生目标和人生态度在职业选择方面的具体体现，也就是一个人对职业的认识和态度以及对职业目标的追求和向往。职业价值观的形成离不开相关的思想教育工作，因此，突出思想政治教育，引导军士形成高尚的社会型职业价值观，是提高军士职业认同的有效途径。按现有军士培训体制要求，选调晋升之前必须经过军队院校任职培训，军队院校一定要找准、抓住任职培训的有利时机，科学定位培育目标，充分发挥军队院校思想政治教育优势，在有限的时间内强化对各层次任职教育军士学员职业价值观和职业意志的教育引导。

4.2 制订职业规划，确保发展的方向与目标

（1）确立职业方向定位。与在校职业技术教育学员的座谈中我们发现，有部分学员没有职业方向定位，没有真正思考过职业本身所具有的意义，导致他们无法真正热爱所从事的职业，对工作缺乏热情，职业认同感较低。因此，帮助各阶段军士制订职业规划、提高职业认同，首先就是帮助他们确定合理的职业方向定位。在这个过程中主要引导军士回答好三个问题：我想干什么？我能干什么？我做的有什么意义？引导他们达到自我认识三个问题的统一是最好的状态，即我喜欢军士的岗位，我有能力胜任我的工作，能为强军做贡献是我最大的荣誉。

（2）明确职业发展目标。引导军士了解军士职业现状与前景，并在自己职业发展的基础上根据自己的现实起点、潜力、主客观条件和资源，做好职业发展类型定位和职业发展层次定位，为自己设立近期、中期和最终发展目标。奋斗目标确立后应制订相应的学习和工作行动计划，并按一定的时序和方向的安排，采取必要的分步实现职业奋斗目标的具体措施，抓住重点完善自身素质和能力。

（3）反思职业发展现状。"反思"是个体不断超越走向更高境界的重要平台。军士经常反思自己职业发展状况，会促使自己在专业化发展过程中日益成熟和自信。要经常将自己目前的发展现状与规划中设定的目标，途径和措施相对照，找到自己的问题、薄弱点和偏离的程度，进行适时调控和改进。

4.3 积极创设机会，不断激发职业成就感

（1）人尽其才。把人才放到适合的岗位施展才华，才能最大限度地调动其积极性，激发爱岗敬业。各单位应根据用人之道在于"用其所长，尽其所能"的原则，把军士安排到适合他们成长、发展的岗位，同时，通过合理地设置奖励竞争机制，强化军士角色意识和对工作职责的认识，激发他们创造性劳动的热情，出色完成各项任务。

（2）创设成功机会。各单位要多开展形式多样的岗位竞赛、文体活动，让不同层次、不同能力的军士都有发挥自己特长、获得展示自己能力的平台，享受成功的喜悦。此外，各单位还要重视鼓励军士开展创造性劳动，开发创造潜能，在创造性劳动中实现自己的人生价值，享受劳动过程本身带来的成就感、满意感和幸福感，体会生命力焕发的欢乐，从而懂得军士工作所具有的意义，享受工作的乐趣。

4.4 摆正角色定位，调动军士的积极性

随着军士制度改革的不断深化和完善，作为现代化武器装备的主要操作者和一线管理者，军士的地位和作用在部队建设和发展中进一步凸显。摆正军士在部队全面建设中主力军角色，充分调动军士的积极性，发挥好军士在基层建设中的骨干作用，不仅对于促进部队稳定、提高部队建设整体水平具有积极意义，同时也有利于军士深刻感受到自己的价值存在，提高其职业认同感。要充分发挥军士在日常工作中的模范作用，带领全体战士围绕中心工作，积极投身部队全面建设；发挥军士军政素质强、组训经验足的优势，让军士组织日常军事训练工作，发挥教练示范作用；发挥军士管理能力强，处在官与兵中间的特点，

发挥好管理中的桥梁和传导作用。所有这些作用的发挥，都必须以基层干部对军士的充分尊重和信任为前提，否则其积极性很难调动。

4.5 完善相关法规制度体系，提升军士的职业荣誉

党和国家一贯重视维护军人权益，出台一系列法律法规，军婚、随军家属就业、军人子女就学、退役士兵再就业等军人合法权益得到有力保护。当前，在全面依法治国轨道上，推进治理体系和治理能力现代化，建立增强军人职业荣誉感、自豪感的政策制度体系，重要一环是把维护保障军人权益纳入国家法治体系，运用法治思维法治手段，实现维护官兵权益规范化、常态化、长效化。从荣誉奖励、子女抚育、退役安置、家属优抚等不同层面制定相关法律法规，通过健全完善军人权益保障相关法规制度，军人权益将得到充分保障，将更加体面、更有尊严，职业荣誉将更加彰显。

5 结语

积极心理学认为，快乐的实现需要的是生命的不断超越与人生价值与意义的实现。也许绝大部分军士个体都认为自己所从事的工作是平凡的，但既然选择了就要努力接受它，试着热爱它。因为，只有热爱自己的工作，投入地工作，才能也会在工作中得到充分发挥，工作才会有出彩机会，个体才能在点滴进步中感受自己的价值，在工作实践中收获快乐和满足，在自我价值不断实现的过程中提高自我认同和职业认同。

参考文献

[1] 王鑫强，曾丽江，张大均，等．师范生职业认同感量表的初步编制［J］．西南大学学报（社会科学版），2010（9）：152－154．

[2] 张楠．空军地面部队基层官兵职业认同量表的编制［D］．武汉：武汉大学，2018．

[3] 田家豪．军人职业认同的自我培育［J］．政工学刊，2018（04）：47－49．

军队院校士官教员队伍建设之我见

吕　瑾　蔡　洪　周天一
（士官学校航天测试发射系发射环境教研室）

摘　要：贯彻落实新军事教育方针，在新的起点上不断提高军队院校办学育人水平，为部队输送高素质人才，是军队院校生存和发展的生命线、可持续发展的前提。而教员队伍的建设是直接影响士官人才培养质量的关键因素之一，因此，建设一支素质优良、结构合理、相对稳定的教员队伍，是军队院校人才培养教育发展的必然要求。

关键词：军队院校；教员队伍；建设

1　引言

纵观院校教育走过的历程，一个不容置疑的事实是：教学质量是一个院校办学的生命线，是可持续发展的前提。教育以育人为本，育人以教学为先，教学以质量为重，这是提升教育教学质量永恒的主题，而教员队伍是直接影响教学质量的关键因素之一。因此，建设一支素质优良、结构合理、道德情操高和相对稳定的教员队伍，是军队院校培养高质量人才的必然要求。军队院校首先要解决“培养什么样的人”“如何培养人”及“为谁培养人”这些问题，更要围绕教员队伍建设这一关键因素，建设“立德树人、教书育人”教员队伍，才能在新的起点上不断提高军队院校的办学水平，培养出高素质新型军事人才，不断提升军事核心能力。由此，本文就如何加强教员队伍建设等方面，谈谈认识。

2　当前士官院校教员队伍建设中存在的问题

客观上，现阶段士官院校师资受五方面的影响：一是老、中、青教员比例失调，名师的师资在数量上不足，造成老教员工作任务很重，压力很大；二是新专业的增加导致师资在知识结构上不合理，有的教员学科跨度很大，对新开的课程准备不充分；三是办学层次快速发展，导致部分教员对教学投入不足，没精力；四是新增的青年教员比较多，教学经验不足，加之学校的管理方式和培训力度不够，有的青年教员不能胜任；五是教员职称晋升、岗位聘任考核评价体系对教学要求不完善、不具体，难以评价，致使部分教员重科研、重项目，不重视课堂教学效果和实践技能，导致教学质量滑坡。主观上，部分教员个人的职业道德、敬业精神、教学水平等素质不够高，直接影响教学质量。

3 士官教员应具备的基本教学能力

教员的基本能力实属老生常谈，但在教学中又是一个不得不谈的话题。基本教学能力是教员最基本的能力，是教员称职与否的主要标志，是能否提升教学质量的基础，以往最基本的教学能力主要包括驾驭教材能力、备课能力、语言表达能力、教学监控能力、理论联系实际的能力等。直面士官的教学，每一个走入课堂的教员尤其是新教员，都应慎思：站在讲台，面对学员之前，我应该具备什么样的教学基本能力？大学本科四年或硕士甚至博士的学习积累，是否意味着我的学科知识对士官学员而言已经绰绰有余了？薄薄几本教材，我是否能从中读懂背后深刻的内涵和承载的重任？面临知识爆炸、军事变革、科学技术深入影响世界和人类的时代，我能否从简单基础讲起，唤起学员们对科学的爱好和求知欲？……如果是一个没有多少经验的新教员，应该先扎实教学基本功底，应该首先掌握本学科基础知识的总体框架，熟悉和掌握教学中所需的专业基础知识的来龙去脉；掌握最基本的方法和手段以及有关的素材，具备清晰和富有逻辑性的课堂语言表达，基本的课堂组织教学能力和应变能力；至少让学员看得过去的板书和 PPT 制作能力等。如果是一个有丰富经验积累的教员，在上面所说的基础上还会表现出更多，例如知道根据自身的特点和学员的程度来选择教学方法，会非常精心地选择每一节课的知识容量，保证学员的“营养”；会通过各种情境的创设促进学员对科学概念的理解和掌握，并且随时让学员关注枝节和整体的联系，帮助学员建立框架，形成观点；会通过精心的教学设计在教学教程中向学员不经意间渗透那些认真、踏实、刻苦钻研和爱岗敬业的情感态度，从而较好地实现教学课程思政目标；不仅能清晰地运用课堂语言表达，还能运用丰富幽默的语言感染学员，用恰当的比喻说明问题，促进学员在课堂上主动学习；应该利用课堂教学的机会不失时机地宣传和介绍科学的进展和科学技术对社会、军队发展建设的影响，以及科学家们执着、奉献的爱国情怀，从而激发学员的爱国情怀和责任感；不仅如此，还应该随时根据教学所需运用各种手段，包括板书、多媒体信息技术和资源的线上线下形式来丰富你的课堂，真正实现教学相长……总之，无论如何，教学质量的好坏最终是通过学员的行为表现来判定的，是通过学员是否掌握了某些知识，是否具备了某种能力来加以检验的，是以能否促进学员继续学习和提高为标准的，教学中关注的重心显然应放在学员身上，但所有这一切能否落实、落实的好坏关键在于教员。基本功处在不同层次的教员都应该始终重视自身的积累和磨炼，重视自身基础的积累和提高，只有从平时的备课（备内容、备人）做起，从每节课的反思开始，从坚持不断地学习起步，一步一个脚印，不断丰富和扎实自己的教学基础，才能取得真正的进步和成功。

4 建立完善的教员教学能力测评

教育大计、教师为本，在新的起点上士官教育教学的关键在教员，保证教学质量的关键也在教员，因此，建立完善的教员能力测评办法愈发显得重要。

4.1 教员教学基本能力——驾驭教材能力测评

教员钻研教材、分析教材和正确使用教材，是对教材的再创作，是处理好教学过程的基础。在通晓教材的基础上，沿着三条主线深入分析教材：一是知识系列，即知识目标。要理清知识的系统性和内在的逻辑性，找出知识的重点、难点及其与专业知识的联系。根据学员的认知特点、知识基础和对教材的适应情况，确定起点和授课节奏。二是能力系列，即能力目标。根据教材要求，学员情况和教学序列，拟订发展学员智力培养能力的具体目标，确定施教程序和具体措施。三是教育系列，即情感态度与价值观。分析教材中的德育素材同知识的结合点，拟订德育的具体目标，选择最佳的渗透方式。与此同时，根据自己的教学风格、学员的学习习惯和教材的特点，进行具体教学设计。首先是课堂教学环节的设置，对各环节间的关系处理、时间分配及课堂密度等进行合理安排；其次是对教学语言进行构思，对板书板图、课堂设问、主要的反馈、强化和矫正环节、课内外练习、课外学习和预习等进行设计。最后对教学过程可能出现的问题和最终效果进行预测。

4.2 教员课堂把控能力——课堂交互能力测评

当今对教学能力上升到由教员所引起、维持或促进学员学习的所有行为——课堂上的“互动”和“反馈”的高度上，老教员对此都有所感触，但在实际教学中，所表现出的差异是非常大的，这是因为“互动和反馈”式的教学是一种高境界的教学状态，教员们虽然认同和接受它，但实践起来很难，在相当大的程度上是由于教员的“基础”不扎实所致，这种基础（即教员的基本能力）在教员中表现出很大的差异，要知道不是有了一个良好的愿望和对新事物的感悟，就意味着能把它有效地落实在行动上了，基本能力不是一朝一夕练就的能力，而是需要在许许多多次课堂教学的反复实践和积累中逐渐形成的，需要的是坚持、思考、学习和耐心，无捷径可走。

4.3 教员教学拓展能力——课程开发能力测评

课程开发能力是一名士官教员以自身所拥有的教学经验、工作经验和对社会的感知，重新对课程体系、课程结构与内容、课程评价与教学方法进行设计的一种能力。一名教员如果能实现对课程的有效开发，必须具备以下三个方面的能力：

（1）基于行动导向的教学观。牢牢抓住学员是学习过程的中心，教员是学习过程的组织者与协调人，教学中教员要鼓励学员通过独立获取信息、制订计划和组织实施，在自己动手的“实践”中，掌握知识与技能。

（2）基于工作过程导向的课程开发技术。课程建设是教学中的核心，传统的课教学内容具有理论验证性和内容单一性的特征，传统教材的滞后性也导致教学出现滞后现象，始终不能适应实战化的教学需求，因此按照工作过程的顺序开发课程，是凸显职业教育特色课程开发的突破口。

（3）具有基于指导与建构融合原则下教学方式和手段的创新能力。最普遍的教学一般遵循“指导优先原则”，如注重在静态学科体系之上进行显性理论知识的复制与再现，显然是不够的，这样既不能实现知识有效的量的迁移，也不能促进有益的质的创新。因此，在有效的教学设计中要遵从“指导与构建融合”的教学原则；根据课程和学员的实际设计选择课程类型，创造性地安排每堂课的结构，以体现“工作过程导向”，这一全新的序化理论。

5 加强对青年教员的培养

随着军队院校编制体制调整和学校教育规模的扩大，中青年教员特别是文职人员已经成为专业基础课教员队伍的主体。中青年教员代表着教员队伍的未来，他们具有学历层次高、跟踪学术前沿能力强、创新意识强等特点，但普遍存在以下几个方面的问题：一是对部队、士官任职岗位的不了解；二是授课中理论联系实际能力不强，难以做到深入浅出；三是缺乏岗前系统培训，教学基本功不扎实，掌控课堂的能力欠缺；四是课堂管理能力较弱。针对以上问题如何提高其“双能”，可以采取如下方法：

5.1 制订对青年教员课堂及时反馈跟踪激励式评价模型

采用该模型的核心是对课堂教学质量评价。评价完成后与被评价者直接交流，提出改进方向，然后综合评定是否达到教员评价的基本要求。若达到要求，则以后实行不定期抽检评价，并推荐参加各级教学竞赛；若没有达到要求，则进入监督指导管理模式，定期进行课堂教学质量评价，直到达标为止。对评价优秀者和参加教学竞赛者进行年度奖励。课堂及时反馈跟踪激励式评价模型如图 1 所示。

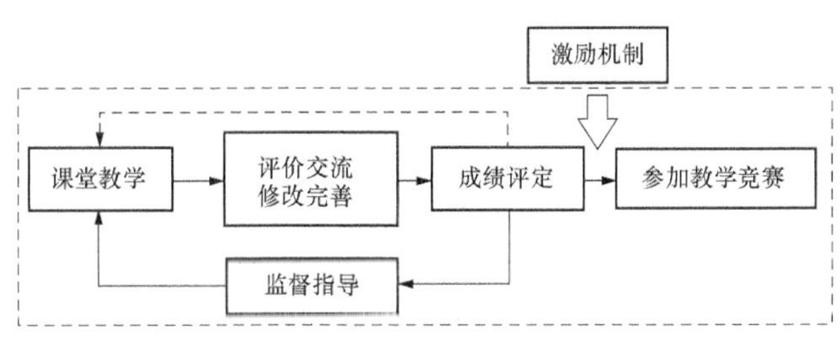

图 1 课堂及时反馈跟踪激励式评价模型

5.2 以老带新

针对青年教员教学经验不足的状况，可以采取以课程组为单位，定期组织集体备课、同行互相听课、高职教员观摩课等活动，通过教学活动后的讨论，对课程的设计思路进行讨论，在讨论中将教学重点、方法、注意事项等传、帮、带给青年教员。同时开展包括硬笔书法、板书设计、PPT 制作和说课等多种形式的教学基本功测试活动，是提高青年教员基本素质的良好途径。测试成绩与教员考核、职称晋升挂钩，这样就形成“人人争优、相互学习、共同进步”的良好氛围，从而使青年教员基本素质达到整体的提高。

5.3 鼓励青年教员到部队代职

从目前士官专业的课程设置与部队发展的关系来看，一些专业和课程设置与部队发展之间存在着明显的不适应。士官课程设置的改革与时代发展并非同步，课程设置的实用性、连贯性、新颖性并未达到和谐的统一。例如，有些基础课和专业基础课尚有不少重复内容；有些课程的知识结构已老化；一些专业课甚至还在讲解已经淘汰的设备和工艺等。为了切实解决“专业设置滞后，教学内容陈旧”这一突出问题，鼓励青年教员到部队代职，掌握一线所需知识和技能可丰富他们岗位实践经验，并使其逐步成为教员工程师复合型的“双师型”教师，使教学内容更具有针对性和适用性，教学方式才能与实践更紧密结合，从而进一步提升教学质量。

6 发挥团队优势，组织集体备课

集体备课是提高备课质量的重要备课形式。开展教师集体备课，能督促教员加强教材教法研究，引领青年教员尽快熟悉教育教学规律，集思广益，将个人智慧转化为集体优势，提高教员业务水平，深化学科教研活动，共同提升教学质量。集体备课应按“备前准备—形成教案—教案调整—实施教学—教后反思、总结”几个环节进行。具体来说，包括以下几点：①按照教材内容将备课任务合理分解，落实到人，排出主讲教员安排表，以便每位教员尽早做好准备；②为确保集体备课真正为课堂教学服务，实行提前备课，主讲教员要依据教学目的要求做深入的分析，确定教学重点、难点，精心设计课堂结构，提前两周备好集体备课教案初稿；③每周抽出固定的时间对备课初稿进行讨论，其他教师认真领会主讲教员的教案设计意图后，提出教案调整意见，进行补充修正，形成最佳教学方案。主讲教员根据集体讨论的意见进行整理，形成集体备课的教案设计；④主讲教员要对每位教员结合教学实际对教案提出的亮点和不足加以整理总结，进行课后反思、总结，开展二次备课。

7 建立激励机制，提高教员责任心和教学积极性

通过开展教学评优活动，鼓励优秀教员脱颖而出，强化争优意识，从而在全校教员中形成人人不甘落后、个个力争创优的竞争氛围，进一步钻研教学，努力提升课堂教学质量。教学评优活动的内容包括优质一课竞赛和教师技能大比武。开展教学评优活动，一要加强宣传，端正教员对评优的态度，加深对“以评促进”的认识；二要优化评优标准。在公平、公开、客观的原则基础上，对评优标准分块、量化赋分，使评定标准尽可能简洁明了；三要围绕教学评优，营造竞争氛围。在教学评优活动中，教研室同事与教员将听课后的感受和意见进行切磋性的交流，肯定任课教员的优点，并实事求是地指出其存在的不足，以真诚、公平、友善的姿态和学习探讨的方法，营造良好的竞争氛围。通过活动，评选出一批优秀教案、优秀课件、优质一课以及实践教学能手等，成绩纳入年终考评指标。四要评后总结反思。评优活动后，每个教员要进行总结、反思，找到自己的缺点，吸取别人的长处，形成比、学、赶、帮、超的局面，这样教员的整体教学水平就能得到普遍提高。

8　端正教风，以教风促学风，促进教学质量的提升

就“教风”与“学风”而言，“教风”第一，“学风”第二，“学风”是标，“教风”是本。高水平的教员队伍是提高教学质量的关键，而高品德的教风又是形成优良学风的前提。当前有的学员学习目的不明确、学习态度现实，为了解决学习兴趣和动力问题，教员一方面要通过教学内容及方法改革，使每个教学环节都能激发学员的学习兴趣，调动学员学习的积极性和主动性；另一方面，教员必须对所授课程有透彻的理解，并能熟练地讲解，还应“亲其师、信其道、尊其师、奉其教”，以身示范引领学员，用教员的人格魅力和学识水平影响学员，做到“学高为师，身正为范”，这样才能取得学员的信任和敬重。这也是学员对教员的敬重、学好这门课程的基础。通过教员在治学作风方面的言传身教，这也是课程思政的一部分——通过教员身体力行的行为潜移默化地影响学员，由此，以优良的师德、师风带动优良的学风建设，并促进教学质量的提高。

9　结语

为了深入学习贯彻新时代军事教育方针，在新的起点上不断提高军队院校人才培养质量，进一步深化士官教育教学研究，提升我校教员队伍的教学能力是形势发展的需要，是新时期信息化时代部队对培养新型军事人才的需要，是保证院校办学旺盛生机和可持续发展的需要；是有效落实提升教学质量目标的需要。不论进行何种尝试都应有厚实的教学基本功来支撑，否则会事与愿违，出现相反的结果，正所谓“教员可以发掘出课程的许多功能，但也可能使教学的本来目的变得面目全非”。士官教育教学改革的任务很艰巨，是一项复杂的系统工程，军队院校应以高度的责任感和创新意识，建设一支高素质的教员队伍，致力改革，推进改革，提升教学质量，开创士官教育教学工作新局面！

参考文献

［1］裴娣娜．教学论［M］．北京：教育科学出版社，2020.

［2］程林钢．新媒体与新平台环境下高职师范生信息化应用能力培养与提升［M］．北京：中国书籍出版社，2021.

太空安全人才培养需求研究

张占月
（太空安全研究中心军民融合研究室）

摘　要：本文把太空安全人才划分为战略谋划人才、安全防卫人才、舆论法理人才等三类，分析了各类人才的地位作用和职责要求，从知识、能力、素质三个方面，细化论证了三类太空安全人才的培养需求，最后给出了太空安全形势发展带来的人才培养动态需求，可为开展太空安全人才培养规划提供参考。

关键词：太空安全；人才培养；需求

1　引言

太空安全人才是指研究谋划太空安全，以及维护太空安全的专职或兼职人才。太空安全人才不同于通常意义上的航天人才，涵盖了国防建设和政治、经济、外交、科技等各个领域，具有层次高、分布广等特点。太空已在成为国家安全的新领地。世界各国都在高度重视太空安全问题，太空安全领域竞争的核心是人才的竞争，加强太空安全人才培养具有重要意义。

2　太空安全人才的分类

从现实需要和发展需求看，太空安全人才群体可大致分为以下类型。

2.1　战略谋划人才

战略谋划人才是指从事太空安全战略研究，开展太空安全顶层设计，提出太空安全概念构想，形成太空安全理论、指导思想及实现途径的高端人才。

太空安全力量建设发展应当建立在战略谋划基础上。战略谋划为太空安全力量建设提供了理论基础和方向指南。只有立足先进、独到、符合世界形势和本国国情的战略谋划，才能形成富有活力和竞争力的太空安全体系。作为新兴战略领域，太空安全战略谋划人才队伍应当是知识密集和智力密集的人才库，拥有一流的思想家和规划师，能够通晓世界政治经济学、外交政策理论，精通太空技术，拥有国际视野、熟悉掌握本国国情军情，并且具备战略筹划理论功底和实践经验。

2.2　安全防卫人才[1]

安全防卫人才是指对太空安全装备和设施进行建设、管理和运用的人才，是国家履行太空安全职责的核心，是国家太空安全的“硬实力”。安全防卫人才主要是指承担太空安全职责任务的军地人才，也包括为太空安全提供信息、装备等服务的保障人才。

随着世界太空安全形势的不断演变，维护太空安全变得日益重要。特别是以美国为首的西方国家把太空视为作战域，太空军事化武器化趋势日趋明显，对国家太空体系、关键太空能力、重点太空资产形成了重大威胁。安全防卫人才是专司或主要承担维护国家太空安全职责的人员，操作必要的技术装备和航天基础设施，时刻掌握太空安全态势，具有及时处置太空威胁事件的能力，熟悉太空国际规则和各国太空情况，肩负有效维护国家和世界太空安全的职责。

2.3 舆论法理人才

舆论法理人才是指在国际场合开展舆论和法理斗争，在国内塑造良好舆论氛围，创造良好太空安全环境的人才，对应于国家太空安全的“软实力”。

舆论法理人才对于太空安全建设具有重要意义。在世界太空安全形势纷繁复杂的演变态势下，各方围绕太空利益的斗争日趋激烈，舆论法理斗争已成为影响太空安全的重要因素。如果能在国际上塑造形成有利的统一战线，国家就能在太空安全领域占据优势。在国际法层面，如果能够深刻揭示太空法的内涵规律和发展需求，形成于己有利的法理规范，就能极大改善太空软环境、推动太空安全发展。在国内舆论法理方面，能够从正面宣传引导符合国家利益的太空安全观，避免国内群众盲动带来的危害，形成稳健成熟的舆论氛围，将为维护太空安全构建良好的政策空间。这些都需要一支专门人才队伍，精通国际外交事务和太空领域法律专门知识，掌握国家太空安全核心利益诉求，具有太空和外交、法律等多学科交叉优势，能够维护太空安全格局和国家太空利益。

3 战略谋划人才培养需求

战略谋划人才既要拥有长远战略思维规划能力，也要拥有针对当前问题的短期战略筹划决策能力，既要思维敏捷、勇于探索、正确决策，也要能根据形势的发展变化，分析涉及太空安全各方面、各阶段之间的关系，研究并提出太空安全整体概念、思想、理论和原则。战略谋划人才的培养需求可分为知识、能力、素质三个方面。

3.1 知识培养需求

太空安全战略谋划人才的知识结构必须以“博、透、新”为特征。也就是知识结构既要广博、深透，又要紧跟时代发展需要。

（1）广博的通识知识。广博的通识知识储备是解决当今复杂太空安全问题的智慧源泉。不仅要有丰富的军事知识，包括战略学、谋略学、战役学、指挥学等，还需要有政治、经济、外交、文化等领域的知识，包括但不限于中国和世界政治文化、中国和世界历史、大国人文知识、东西方哲学、中国和世界经济学和技术史、国家安全学知识等。只有掌握这些知识，才能站在世界和国家两个视角，准确提出和解决太空安全问题。

（2）深透的专业知识。主要是太空专业知识，包括航天工程系统、太空环境、轨道动力学、各种类型航天器和运载火箭、航天测控、太空态势感知、天文学等基础知识。在此基础上，不同业务方向的太空安全谋划人才还应有所侧重，精通本方向的专业知识，如太空经济安全方向应当精通经济学、金融学知识；太空科技安全方向应当精通科技创新、知识产权、军民融合等领域专业知识。

（3）紧跟时代的最新知识。当前太空安全领域正处于大变革时代，太空新秩序正在酝酿之中，太空安全技术、太空战略政策、太空国际法规等不断推陈出新，在此背景下，太空安全战略谋划人才要不断更新自身知识储备，以应对太空安全形势的瞬息万变。

3.2 能力培养需求

战略谋划人才培养的重点是能力培养。太空安全战略谋划人才应当包括以下能力：

（1）情报搜集能力。通过各种开源途径和方法，及时了解国际和国内太空安全态势变化，掌握太空安全相关的国内外力量发展、理论学说、作战演训等情况，并通过数据整理加工，系统地获得和掌握太空安全领域最新动态能力。

（2）态势判断能力。在广泛收集大量太空安全相关的国际国内政治、经济、文化、军事、信息、外交等领域信息基础上，通过各种情报资料的综合分析，能够准确判断太空安全领域发展态势和未来趋势，对各方战略意图和可能战略行动做出较为准确的战略判断的能力。

（3）理论创新能力。围绕太空安全领域斗争现实和长远需要，主动思考、分析、研究问题，提出创新性思想观点，构建中、长期发展战略，具有真知灼见、形成太空安全理论，能够维护国家太空安全的能力。

（4）谋略规划能力。在和平时期，能够评估太空安全需求，设计国家太空安全整体架构，规划太空安全发展战略，形成国家太空安全政策策略，构建太空安全技术和装备发展路线和途径，促进国家太空安全能力建设发展的能力。

3.3 素质培养需求

太空安全战略谋划人才对综合素质要求很高，主要包括以下几个方面：

（1）思想政治素质。主要是指政治思想理论水平较高。总的来看，战略谋划人才应有很强的政治理论素养，熟悉国家政治政策要求，爱国敬业，有为国奉献的精神，愿意投身国家强大繁盛事业的情怀。

（2）着眼大局胸怀。善于把握世界经济、政治、军事、外交发展趋势，善于从国家总体安全高度观察、思考和筹划太空安全领域斗争问题，能够从党中央战略意图出发，主动谋求大局、塑造大局、保障大局，有效保护太空安全权益，应对太空安全危机、维护国际和平。

（3）思维超前性。需要有思维深度和广度，能够透过表面现象看到事物本质，发现太空安全事件之间的关联性和发展趋势，并做出准确预测，从而能够超前预测、掌握主动。

4 安全防卫人才培养需求分析

安全防卫人才是指太空安全防卫保障人才。典型地，太空目标监视、太空安全事件应急处置等领域人才都属于典型的安全防卫人才，是维护太空遥感、通信、导航等太空系统正常运行的关键人才队伍。安全防卫人才培养需求同样可归纳为知识、能力、素质三个方面。

4.1 知识培养需求

(1) 航天基础知识。主要是了解掌握航天基础知识，包括航天工程系统、太空环境、轨道动力学、各类应用型航天器工作原理、工作体制、航天器控制等基础知识。

(2) 航天应用知识。主要是特定领域太空应用的专业知识，包括太空应用在本领域应用的范围、场合，应用体系、技术体制、标准规范、工作模式等知识。

(3) 应用安全防卫知识。主要是特定领域太空应用可能故障或失效情况、故障模式及原因排查、修复，太空系统失效情况下特定领域应急、降级、备用工作方式转换等。

4.2 能力培养需求

(1) 安全监测能力。指能够通过各种信息技术手段，监测特定领域太空服务状态参数，判断太空服务水平，及时察觉异常、故障或危险，判明威胁等级并发出警告的能力。

(2) 故障诊断及排除能力。指能够通过各种技术手段，对太空服务故障进行诊断、发现或查明故障原因，为主或协助排除故障的能力。

(3) 维持系统持续工作能力。当太空服务异常、不稳定甚至终止时，对依赖太空服务的系统具有通过切换工作模式、更换服务状态、启动备用系统等方式，保持系统持续运行的能力。

(4) 与太空专业人员协同工作能力。指能够和太空系统运营者沟通协调，就特定领域太空服务进行协同运行管理控制、收集反馈太空系统服务状态、问题等数据并辅助进行系统分析的能力。

4.3 素质培养需求

(1) 风险意识。能够对太空应用产生的行业领域风险有清醒的认识，具备居安思危的意识习惯，能够敏锐地感知太空服务异常对行业领域运行可能产生的严重影响。

(2) 协同意识。善于和太空系统运营者沟通协调，及时判明太空系统故障或异常原因，协助进行系统故障恢复或者把系统切换到非太空服务保障模式。

(3) 责任意识。对本领域行业具有深刻的责任感，能够自觉主动地预判研究太空应用水平可能促进行业影响，能够负责任地处理太空服务故障、及时恢复系统运行，主动作为、不推诿，能够较好地履行太空应用安全保障职能。

5 舆论法理人才培养需求分析

舆论法理人才属于太空安全领域的特殊类型人才。这类人才的培养总体上要求具备较为完善的知识结构、研究实践能力及与之相关的基本素质。具体包括以下需求。

5.1 知识培养需求

（1）宽厚的基础知识。对太空舆论法理人才，需要培养他们具有跨学科的丰富基础知识，这里的学科包括了哲学、政治、经济、文化、军事、心理学等多个领域。这是因为太空舆论法理斗争的主要战场是国际社会，舆论法理作为一种形式，其根基和内涵是世界各国不同的文化传统、政治经济体制、军事实力和外交传统，并在太空这个特殊领域反映出来。要驾驭舆论法理斗争，就必须打牢坚实、宽厚的知识基础，形成处理解决本领域复杂问题的知识储备。

（2）坚实的专业知识。这是太空舆论法理人才知识结构的主体。尤其对太空安全领域人才而言，不理解太空环境、不掌握航天器运行的基本原理和规律特点，不熟悉国际战略历史演变过程、法律专门知识，在舆论法理斗争中就会走偏方向、犯基本的概念性错误。只有具备本领域专业基础知识，才能形成较为完整的舆论法理知识结构。

（3）太空安全理论。需要系统掌握世界各国的国家安全观念，以及我国的总体国家安全观，熟悉太空安全领域斗争，包括太空战的基本样式、原则、指导思想、基本力量，熟悉太空安全危机处理方法理论。这些知识是正确理解舆论法理斗争方向、原则的必要储备。

5.2 能力培养需求

（1）情况判断能力。具备较强的观察、分析和判断能力，能够准确判断太空安全主要威胁和风险，判断主要国家尤其是敌对国家太空战略意图和利益诉求，判断国际舆论对我有利或不利倾向，判断各国太空政策对我太空行动可能影响和制约，判断国际法规对敌我双方太空行为约束性和可利用性。

（2）筹划决策能力。具有较高的思维层次和大局观念，能够准确理解和把握上级指示精神，善于从困难复杂情况出发，基于敌我和第三方太空意图、利益和舆情，按照有理、有据、有节原则，依据我太空战决心计划，筹划决策国际舆论法理斗争方案，充分利用国际法对我有利条款；有效规避和应对对我不利规定，全力保障太空安全活动顺利实施、避免给我太空安全活动带来不必要的负面影响。

（3）组织协调能力。善于从国家太空安全角度，组织协调国内舆论宣传部门开展太空舆情管控，协调友好国家、国际组织等宣传我正义主张立场，必要时依据国际法或通过外交途径，与敌对方直接沟通或者通过第三方沟通，亮明底线、宣示决心，有效掌控舆论法理态势。

（4）快速反应能力。善于审时度势，判断太空战场全局，把握太空利益各方诉求，驾驭太空安全博弈复杂局面，及时发现和调控舆情变化，沉着冷静、料敌在先，快速反应，把握舆情法律主动。

5.3 素质培养需求

（1）全球战略视野。舆论法理斗争不仅是口头争斗，更重要的是基于人类共同价值观念，争取国际舆论支持、分化瓦解敌盟友，化解我潜在国际外交风险，在避免陷入国际孤立被动同时，争取战略主动，这就需要有国际视野和眼光，熟悉西方舆论关切和人文价值观。

（2）思维敏捷品质。舆论法理斗争经常以外交为场合，需要面对快速变化的舆情、及时回应国际社会关切，需要在短时间内分析大量的、各种各样的，甚至相互矛盾的资料，经过综合、概括，拿出斗争策略，要求思维敏捷，否则可能造成舆论被动、难以反转。

6 结语

太空安全涉及政治、军事、外交以及国家社会运行各领域，关联面广、情况复杂，对太空安全人才培养范围、方向、要求等也较为庞杂，需要在系统界定太空安全内涵概念的基础上，对太空安全人才培养需求进行细分研究，指导国家各领域太空安全人才培养工作有序展开。同时，由于世界范围内太空安全形势发展变化很快，诸如空间碎片减缓、巨型星座部署等带来的太空安全领域的新问题新挑战[2]，也创造了新的行业领域方向，这就需要人才培养及时跟进甚至要领先培养，需要不断动态调整优化太空安全人才培养需求，保障国家太空安全的需要。

参考文献

［1］杨超，侯兴明，唐立文．新形势下航天人才军民融合式培养问题初探［J］．继续教育，2018，32（10）：60-62.

［2］陈瑛，卫国宁，唐生勇．国际太空安全形势分析与发展建议［J］．空天防御，2021，4（3）：103-108.

太空安全评估专业方向人才培养体系创建与实践研究

丰松江　刘珺　常壮　朱敏　王田田
（太空中心）

摘　要：太空安全评估专业方向是我校的主责主业方向，是国家安全学（太空安全）学科与国家太空安全智库建设的主干方向。坚持“理技融合、战技结合、军地联合”整体运筹，构建特色鲜明的太空安全评估专业方向人才培养体系，创新教学实践活动，对推动太空安全评估专业教研成果服务部队、服务备战打仗、服务人才培养具有重大基础性意义。

关键词：太空安全评估；人才培养；创新实践

1　引言

太空安全评估专业方向人才培养体系创建与实践，旨在以总体国家安全观为指导，着眼维护国家太空安全、瞄准太空领域大国博弈与军事斗争、推进太空安全学科专业全面发展需求，论证构建特色鲜明的太空安全评估人才培养体系，较好地支撑太空安全评估相关教研活动，推动太空安全评估专业教研成果服务部队、服务备战打仗、服务人才培养。

2　研究背景

国家安全学（太空安全）学科（以下简称太空安全学科）是新时代国家和军队学科建设的前沿学科、新兴学科、交叉学科，更是维护太空安全、建设航天强国和实现强军目标的重要战略支撑学科[1]。太空安全评估作为太空安全学科中的核心专业方向，作为国家太空安全智库的核心任务之一，基于我军长期的评估实践，其人才培养与科学研究将直接为维护国家太空安全和部队建设发展与运用提供重要智力和人才支撑。

2.1　太空安全评估是太空安全学科的重要方向

2017年，国家颁布《关于加强大中小学国家安全教育的指导意见》，指出设立国家安全学一级学科，要求普通高校和职业院校现有相关学科专业开展国家安全专业人才培养，有条件的高校、科研院所及相关教育教学研究机构可先行建立国家安全教育研究专门机构，加强国家安全学理论体系建设，为国家安全教育教学和相关学科建设提供理论支撑和实践指导。2021年1月，经专家论证，国务院学位委员会批准，决定设置“交叉学科”门类，其中，国家安全学为一级学科（学科代号为1402）。太空安全是国家安全学科的重要领域和新型领域，在国家安全学科建设中占有重要地位，推进国家安全学科建设必须要重视太空安全学的研究和创新。然而，目前军内外尚无太空安全学科专业人才培养先例，太空安全评估专业人才培养尚属空白。

军队是维护国家安全的重要支柱，在开展国家安全学科建设和人才培养上必须发挥国家队、正规军作用。航天工程大学作为军队唯一一所专门培养高级航天工程技术人才和指挥管理干部的综合性大学，担负着培养航天领域本科生和研究生，培训相关指挥管理干部和专业士官，开展航天领域国防科技关键技术研究，承担航天领域决策智库建设、军民融合和国际合作等任务，承担着创建太空安全学科的使命职责。积极响应国家号召，立足使命职责，主动担当起在太空安全学科建设，培养太空安全高素质人才，是大学义不容辞的历史使命。作为太空安全学科主干专业方向，太空安全评估专业人才培养需要遵循国家安全、太空安全学科建设客观规律，结合人才培养、教研创新、决策咨询、服务部队等任务实际，借鉴相关学科专业方向建设经验，勇于创新，科学发展。

2.2 太空安全评估是国家太空安全智库建设的重要方向

依据国家太空安全战略重点任务要求和有关工作安排，以及国家太空安全智库（以下简称“智库”）建设总体方案，大学作为智库主办单位，正统筹跨领域、跨部门力量推进智库建设。智库以太空领域安全政策和战略研究为主要职能，主要发挥太空安全领域决策咨询、政策评估、项目论证、课题研究等作用，直接服务和支撑党中央、中央军委战略决策，是国家太空安全领域开展决策咨询研究的思想库、智囊团。太空安全评估是智库的重要职能与特色方向。

2.3 评估工作为创建太空安全评估专业方向人才培养体系奠定了基础

我军历来高度重视评估工作。在新时代背景下，要求加强体系评估、专业化评估，针对评估中暴露的风险挑战、短板弱项等查找原因、对症下药，达到以评促备、以评促建的目的。评估实践使我们认识到，评估是围绕决策制订与实施组织开展的评价估量活动，评估结论直接支持决策、管理与实施[2]。

国务院发展研究中心、中国社会科学院、中国科学院、中国现代国际关系研究院、军事科学院、国防大学等军内外有关单位以及民间智库，在长期开展战略风险评估工作的基础上，近几年也在围绕国家安全学科建设，重点开展国家安全评估专业建设。例如 2019 年 4 月中国现代国际关系研究院杨霄出版的《大国远谋——国家中长期风险评估与战略预判》、2019 年 3 月国防大学周丕启出版的《大战略评估——战略环境分析与判断》以及 2019 年 6 月美 Stufflebeam 等著/杨保平等译的《评估理论、模型和应用》等[3]，均为太空安全评估专业方向人才培养体系创建与实践提供了重要参考。

3 体系目标设计

3.1 人才培养方案制订

紧盯新时代太空安全形势发展与大国博弈态势演化，精准把握太空安全评估专业人才的岗位、特点和成长规律，论证形成满足国家和军队太空安全评估专业人才培养需求和培养方案，指导专业建设和教学实施。

3.2 课程与教材创建

依据国家安全学科建设，着眼推进太空安全学科专业方向全面发展，论证形成支撑太空安全评估专业人才培养的课程和教材，重点完成太空战略评估、太空安全概论、太空安全相关问题等课程建设与教材编写。

3.3 先进教研条件建设

建设太空战略评估实验室、太空安全评估专修室，提升太空安全评估专业教研条件，用于相关课程教学、研讨和学员自修，支持航天领域高端培训班次教学，满足教员和部队相关人员开展有关理论研究、风险评估、重大演训等工作需要。

3.4 学术交流平台搭建

围绕太空安全评估专业建设与发展主题，搭建高水平学术交流平台，组织召开学术研讨，活跃学术氛围，促进太空安全评估专业队伍建设与人才培养水平持续提高。

3.5 教研实践创新

基于太空安全评估专业方向与教研条件等建设，重点面向国家和军队培养多层次太空安全评估领域人才，并开展太空安全战略态势、现实问题等评估研究，为维护国家太空安全和太空军事斗争准备等提供决策咨询服务，支持军内外部门教学和重大任务，在人才培养、科学研究、决策咨询、演习演练等任务实践中完善提升能力。

4 方法途径

在太空安全评估专业人才培养、教研创新和条件建设等方面，“双重”学科建设与战略支援配套重点学科专业建设已有相应的考虑和布局，并且正在开展扎实有效的论证和建设工作。因此，结合教学成果立项培育实际，本文立足需求牵引，着眼未来发展，力求科学定位学科专业方向，从系统性、深入性入手扎实开展太空安全评估专业人才培养体系创建与教研实践创新活动。

4.1 拟制培养方案

合理规划太空安全评估人才培养层次和类别，科学设计理论与实践相结合、院校教育与职业教育相结合的教学培训方案，论证形成太空安全评估专业学历教育人才培养体系，拟制太空安全评估各层次人才培养方案，为太空安全评估专业人才培养体系建设和教学实施提供指导。

太空安全评估人才培养重点支撑航天领域各层次学员学习太空安全战略与评估的基本理论、模型方法，掌握太空安全与战略评估指标体系、核心要素、实施流程，培养学员的战略思维与决策能力。培养方案制订过程中，将重点以太空安全战略素质培养需求为牵引，坚持以学为本、以学定教，坚持理论性、知识性、前沿性、实践性融合原则，强化太空安全战略能力的培养和提高，确保学员能够从战略高度理解太空安全实力评估、事件评估、态势评估问题。遵循削枝强干、自顶向下的系统论原则，设置太空安全战略评估基本理论、组织实施等教学内容；突出学员的主体地位，注重启发式、互动式、混合式等教学方法，激发学员学习主动性，强化学习能力培养。

4.1.1 知识与技能

通过太空安全评估专业方向人才培养体系创建与实践，使学员能够阐述太空安全战略评估基本概念内涵，说出太空安全战略评估的主要对象、指标体系、核心要素，描述太空安全战略评估组织实施基本流程；能够从战略高度，对太空安全战略评估问题提出解决思路；能够按照评估对象分析、评估目标指导、评估思路举措的思维方式，有条理地思辨和表述关于太空安全战略评估问题的观点。

4.1.2 过程与方法

基于本项目建设，学员通过听课、参与课堂讨论、自学等方法进行互动式、启发式学习；在课堂教学过程中，采用设问提问、课堂讨论等学习方法，自主地进行太空安全战略评估知识的学习和问题讨论，分享学员之间的学习心得体会，提高学员分析问题、解决问题的能力。

4.1.3 情感与价值观

通过本专业培养，学员能够对太空安全战略评估问题产生较为浓厚的学习兴趣，夯实从战略视角考虑岗位工作的专业知识基础，增强航天任务顶层论证及组织指挥方面的理论素养，为进一步学习相关知识奠定基础。

4.2 建设课程教材

着眼太空安全评估专业人才能力素质构成，立足现有基础，瞄准发展需求，系统论证太空安全评估专业课程体系框架，设计主干课程，突出重点、主干和急需，先行建设太空战略评估、太空安全概论等课程（专题），以求以点带面，通过逐步突破，不断夯实基础。立足太空安全评估专业建设需要，采取自编方式，先行建设太空战略评估、太空安全概论等教材，并系统论证太空安全评估补充教材。

以太空战略评估课程为例，按照基础与应用相结合、理论与实践相结合的设计思路，遵循自顶向下的基本原则，设置了太空安全战略评估基本理论、模型方法、组织实施等教学内容。太空安全战略评估基本理论主要介绍评估、战略评估、太空战略评估的概念内涵、特点规律、评估对象，太空安全战略评估模型方法主要介绍不同评估对象的分类分级、指标体系设计、评估模型方法选择等，太空战略评估的组织实施主要介绍组织方法、实施流程等[4-5]。该课程教材内容设置包括四个模块：

（1）太空战略评估概述。使学员了解评估、战略评估、太空战略评估等基本概念，熟悉相关基本理论与方法、太空战略评估框架流程。

（2）太空战略评估内容。使学员了解太空实力评估基本内容，包括太空政治实力评估、太空军事实力评估、太空科技实力评估、太空经济实力评估、太空综合实力评估等。了解太空事件（行为）评估基本内容，包括太空战略政策评估、太空技术装备评估、太空演习演训评估、太空试验活动评估、太空机构改革评估等。了解太空综合态势评估基本内容，包括太空安全态势评估、太空发展态势评估、太空军事态势评估、太空战略风险评估等。

（3）太空战略评估模型方法。使学员了解太空战略评估模型基本内容，包括模糊数学模型、灰色模型、回归模型、神经网络模型等。了解太空战略评估方法基本内容，包括定性评估方法、定量评估方法、定性与定量结合的评估方法、弹性评估方法等。

（4）太空战略评估组织实施。使学员了解太空战略评估系统基本内容，包括总体架构设计、部署方案设计、功能模块设计、框架流程等，并组织学员开展太空战略评估。

4.3 完善教研环境

建成太空战略评估实验室、太空安全评估专修室，全面提升太空安全评估专业方向人才培养教学效果、研讨质量、科研条件，支持教员、学员、部队人员等开展太空领域风险、能力、决策等评估分析有关教研活动，为太空安全评估专业及相关专业方向人才培养、科学研究、演练演训等提供支撑。

目前，已初步建成太空战略评估实验室、太空安全评估专修室基础支撑环境与太空安全评估模型系统（见图 1）等支撑条件，相关模型、算法、指标体系等正在不断优化过程中，预计按计划完成全部建设任务后，可以灵活用于多种教学、研讨、推演模式，为太空安全评估专业方向人才培养提供先进、多功能条件，使学员沉浸其中、激发学习创造性，提升教学科研水平与人才培养质量。

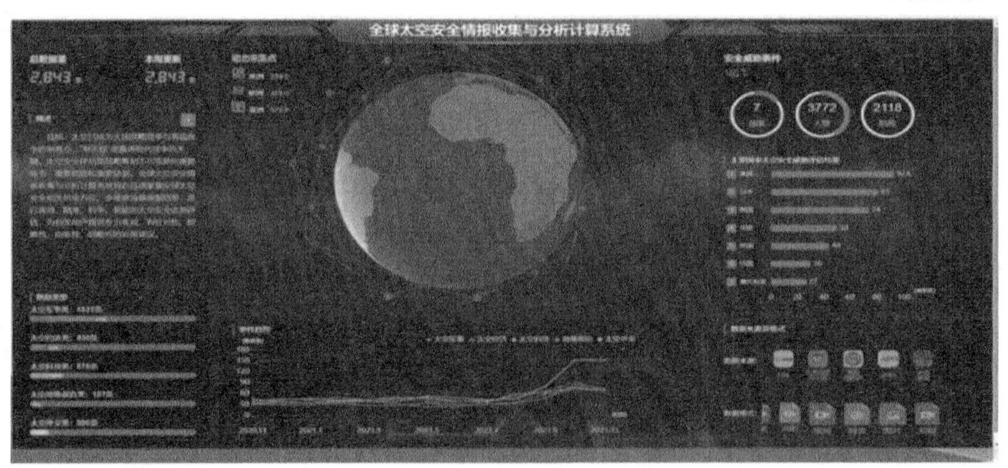

图 1　太空安全评估系统建设

4.4 开展学术交流

围绕太空安全学科相关专业方向建设与发展主题，搭建学科学术交流平台，活跃学术研究氛围，邀请军内外军事战略、太空安全和航天领域专家，围绕太空安全、太空战略、航天新技术等内容进行学术研讨、交流，促进太空安全评估专业队伍对学科整体发展动态了解与把握。目前，本项目团队正在参与国家太空安全智库筹建工作，将按照“强强联合、优势互补、突出特色、扩大影响”的原则，在中央、国家和军委业务部门的支持下，充分利用和拓展对外交流合作渠道，探索国际安全和军事学术交流与合作模式，及时了解掌握国内外动态和学术发展前沿，扩大国际影响力和话语权。这将为本项目建设和太空安全评估专业队伍建设、人才培养等提供重要支撑。

4.5 推动教研实践

预期建成太空安全评估专业方向课程与教材体系后，可为太空战略评估、太空安全评估等太空战略人才培养提供直接支撑，提高教学质量和水平。预期建成专门的太空安全评估专修室、太空战略评估实验室等教研环境后，为多层次人员开展太空安全战略研判、演习训练等提供直接支撑，提升太空安全评估教研与决策咨询服务能力。目前，本专业方向太空安全相关问题、太空战略评估课程已经作为大学各层次人才培养选修课程以及航天领域硕博连读研究生专业课程，太空安全概论已成为军事职业教育课程。从教学实践看，受到本科生、研究生，初培、中培等各层次学员广泛好评。相关教研环境已经为有关人才培养、上级首长机关太空安全评估等提供了支撑。

5 预期效益与特色

太空安全评估专业方向在师资力量、教学内容、教学方法、实践环境、人才培养质量等方面都有长足发展，在国内外的影响力和优势特点进一步凸显，为国家、军队在相关领域培养了一批高层次人才，为国家安全、太空安全学科领域人才培养提供了新模式和新思路。然而，太空安全评估专业方向教学与实践，对国家、军队和大学而言都是一个全新的课题。此前，在军内外教育训练中尚无太空安全评估专业方向的系统性教学与实践。预期经过创新与实践，可在以下方面形成鲜明特色。

5.1 聚焦需求，着眼长远，填补空白

准确把握世界航天发展大势，着眼维护国家太空安全，聚焦太空军事斗争需求，推进学科专业全面发展，在太空安全学科太空安全评估专业方向科学布局。经过培育建设，有望形成较为系统的太空安全评估专业课程、教材、教研环境体系，为创建太空安全评估专业、太空安全学科等奠定坚实基础，并在太空安全评估领域重难点问题研究上取得一批高水平成果，为部队建设和维护国家太空安全提供智力和人才支撑。

5.2 项目驱动，注重应用，受益面积最大化

依托“双重”学科建设与战略支援配套重点学科专业建设项目、军事理论研究重点项目等教研项目，注重以理论研究为牵引，以解决维护太空安全和军事斗争战略认识不足不深的现实问题为出发点，坚持课程教材建设、教研环境条件建设、科研成果产出与课堂教学应用、演习演训应用、决策咨询应用等紧密结合，使得本项目的受益面不但覆盖学员、教员、大学，而且覆盖上级首长机关与一线部队以及军内外其他有关单位和任务。

5.3 理念创新，前瞻性指导性实践性较强

太空安全评估专业建设，既涉及军事战略学科，也涉及国家安全战略学科，是一个新

兴的交叉专业方向。本项目建设创新和教研实践过程中，不但会吸收现代教育学、心理学以及国家安全、太空安全、战略学等学科专业发展新成果，还会搭建立体多维的学习交流研究平台，使教学理论与实践检验有机结合，使课程与教材内容体系、授课方式、专业环境建设等，既有科学依据和理论意义，又有实践检验，具有指导性、前瞻性、实用性、可操作性和推广价值。

5.4 探索新型专业教学模式和方法途径

拟通过构建太空安全评估专业方向课程、教材、理论专著，并以此为依托，积极创新教学内容、教学模式和方法手段，基于先进的太空战略评估实验室、太空安全评估专修室等环境，通过学员自学、理论授课、研究式教学、案例式教学等方法，加强与学员的互动交流，促进教学相长，积极探索提高新型专业人才战略思维能力和理论素养的有效途径。

6 结语

太空安全评估专业方向是大学太空中心的核心方向，围绕该方向开展教学科研与决策咨询工作是研究室的主责主业。在大学党委首长、各级机关和中心党委的正确领导下，在兄弟单位领导、专家、同仁的大力支持和密切协作下，研究室将全力做好专项方向统筹设计、创新构建与实践应用，为国家安全学（太空安全）学科建设、国家太空安全智库建设等贡献力量。

参考文献

[1] 王桂芳，陈广灿．国家安全战略学［M］．北京：军事科学出版社，2018.
[2] 肖天亮．战略学［M］．北京：国防大学出版社，2020.
[3] 周丕启．大战略评估［M］．北京：时事出版社，2019.
[4] 骆建成，张昕．充分发挥战略评估作用，科学推进军民融合深度发展［J］．中国军事科学，2018（1）：109-114.
[5] 耿奎，吴龙刚，谢宗仁．对战略规划评估体系研究的思考［J］．军事运筹与系统工程，2018（3）：5-8.

课程思政和思政课

三尺讲台育新苗，一身正气待嘉荫
——军队院校大学语文课程思政刍议

李健韬
（基础部人文与社会科学教研室）

摘　要：军事院校的课程思政建设正处在创新与探索的浪潮之上，各门课程都取得了不同程度的发展。大学语文是课程思政的文化源泉和一线阵地，军队院校的大学语文教员承担着传授学员知识与提升学员素养的双重重任。“授人以鱼，不如授人以渔”，在有限的课堂时间内向学员传授文化知识仍然重要。以此为基础，在授课内容中融入课程思政元素，培养学员建立起优良的文化素养、健全的人文精神、深厚的家国情怀，使学员在未来的工作中无畏艰难险阻、始终怀有文化自信心和文化使命感更为重要。

关键词：军队院校；大学语文；传统文化；课程思政

1　引言

2014 年，上海市在推进教育综合改革过程中首次提出“课程思政”。近十年来，全国各地高等教育机构的课程思政从理论认识方面、应用实践方面都取得了不同程度的发展。尤其是军队院校，一直以来拥有优良且坚定的思想政治阵地。

作为新时代军队院校的一名青年教员，我深知自己脚下的三尺讲台所蕴含的特殊重量。自入职以来，在各级领导和专家的教导和帮扶下，我承担起本科生长军官的公共必修课大学语文。大学语文是伴随着新一轮军队院校改革，自 2017 年起，在全军院校开设的一门重要基础性必修课。与以往军队院校培养高精尖专业型人才为目的相比，本次军队院校改革更注重培养高素质的全能型人才。在新时代培养学员建立起优良的文化素养、健全的人文精神、深厚的家国情怀成为我军在新时代进行人才培养的全新目标。

在这一全新的教育目标下，为了能上好大学语文，充分实现这门必修课的教育目标，我在个人科研教学能力及课程思政方面，进行了双向同时发力的攻坚作战。总体来讲，一方面通过重点讲授中国优秀的传统文化，主要以中国古代优秀文学作品为主要赏析内容，随之将作品与作家所承载的中国文化精神与意旨加以传播，从而引导学员正确理解我国源远流长的传统文化，提升学员的分析鉴赏水平和自身整体的文化素养。另一方面，在授课的同时，紧密联系学员的专业特点和未来发展方向，制订了面向航天工程领域生长军官的课程思政内容。这方面的科研基础主要依托大学各级领导和专家的专业授课培养，以及人文社科教研室战友们共同研究与实践总结而成。

2 及时学习吸收最新案例，提升学员文化自信

时代在不断发展，每一代人的整体特点也随着时代的进步而不断发生变化。00 后一代人的总体特点是从少年时代就与互联网息息相关，他们接收的信息无论是时效、数目、涉及领域都远远超出前代人的总量。新时代的学员们在面对世界上纷繁多样的不同文化时，坚定文化自信，拥有对作为中华民族五千年文化传承者身份的自豪感尤为重要。因此，如何在课堂上把大学语文中数千年的文化“古瓶”介绍充分已经具有一定难度。而大学语文力求在此基础上将课程思政的元素以“润物细无声”的方式融入成片片“新茶”，用古瓶装新茶，使学员们能心悦诚服地品尝到中国古代文化与当代课程思政的完美韵味，以提升新时代学员的文化自信心。

例如：大学语文第三专题讲授魏晋南北朝文学。其中，“建安风骨”的含义、特征、代表人物是大纲要求的学习重点。“三曹”中曹植的代表作《白马篇》一诗以细腻生动的情节描写，塑造出一位武艺精湛、不惧艰险、守卫边塞、甘愿为国献身的俊朗少年侠客形象，表达了诗人对戍边军士的崇敬和赞美，倾诉出诗人内心对保家卫国、建立功勋的强烈渴望。诗的最后两句“捐躯赴国难，视死忽如归”字里行间饱含着戍边英雄舍身为国的悲壮之美。“视死忽如归”也大大丰富了其出处《管子·小匡》中“视死如归”的精神内涵。

在以往的授课过程中，《白马篇》的课程思政部分我将黄佐临的事迹作为思政元素来讲述给学员。中国现代戏剧家黄佐临在抗日战争前留学英国，是萧伯纳唯一的中国弟子。在 1937 年“七七事变”爆发后，英国的报纸也进行了报道，萧伯纳在看过报纸上的消息后，接待了来拜访他的中国学生黄佐临。萧伯纳以为黄佐临是为了免于回到战争中的中国、能永久留在英国而拜托他帮助。但意外的是黄佐临是来和他辞行的，而且辞行的目的是回到中国。萧伯纳非常不理解，因为中国当时已经成为战场，且战争规模会不断升级扩大，黄佐临不是将军、不是士兵，一位文艺工作者回到战争中的故乡又能做什么呢？在萧伯纳充满震惊和迷惑的神情下，黄佐临平静坦然却坚毅地回答：“赴国难。”

在课堂上，当我用“赴国难”这三个字结束这个故事的时候，课堂上寂静无声，每位学员神情严肃且动容。这堂课不仅将《白马篇》这首创作与两千年前的古诗文学价值和意义讲述清楚，同时也将这首诗中所饱含的民族家国情怀带进了当代。但是，我仍然感到这一事例虽然能诠释出《白马篇》可歌可泣的英雄临危舍身的精神，却由于发生时代依旧与当今生活有一定距离，课堂上这些青年们仍然会把这个事例当作是历史，在接受程度上还有提升的空间。

大学学员未来工作性质特殊：服从的是祖国利益高于一切的大局，干的是挺民族脊梁、铸大国重器、壮国威军委的大事。但是，所属部队大多坚守在人迹罕至之地，从黄土高原到东海之滨，从大漠戈壁到深山密林。这样艰巨的使命和艰苦的环境需要我们的学员，胸怀“国之大者”，以听党指挥、祖国需要为至上大局，以祖国利益为最高价值追求，把对党和国家的深厚热爱之情，转化为精诚团结、持之以恒的强军报国之举。

这段铁骨铮铮的论述以我看来恰如其分地与曹植《白马篇》中的青年战士在文化精神上产生了古代与当代的同声回应。大学语文课堂上这些青春洋溢的学员们毕业后绝大多数

都会到祖国的边疆、高原、深山、大漠、海岛……这些人迹罕至的地区去履行人民子弟兵保家卫国的光荣使命。作为传播中国优秀文化的教员，我能做的是将中国文化的精神注入每一位学员的心中，使学员在学习大学语文时在古代优秀文学作品与当今个人价值实现上得到双向的认可；另外，在送别他们奔赴一线岗位时，我希望通过大学语文的每一节授课，能让学员们怀抱着对祖国悠久壮丽文化的自豪感与自信心，斗志昂扬地面对未来的一切挑战。

3 将课程思政与现地教学资源结合，增强学员文化认同感

北京，这得天独厚的地理位置赋予其数量庞大、质量一流的教育资源。北京历史悠久，在浩瀚的历史长河中，给后人留下了灿若繁星的文化遗迹和精神遗产。北京的历史最早可以追溯到 70 万年前，而北京建城的历史也有三千多年，春秋战国时期的北方强国燕国建都于蓟，就位于北京市的西南，现在北京市海淀区仍然有蓟门桥这一地名。其后历史的发展更是为北京镌刻下众多笔墨。对于大学语文而言，在教员和学员脚下这片土地选取课程思政的案例，可谓是占有“天时、地利”，如果教员善于利用这座宝藏传授学员相关的知识，与现地教学资源灵活结合，以增强新时代学员的文化认同感，无疑也占有了“人和”。

目前，全军院校通用的《大学语文 · 大纲》中要求有 4 个学时的现地教学任务。大学基础部人文与社会科学教研室大学语文组的教员们已经带领学员成功进行了现地教学活动。活动地点选取在北京市朝阳区的中国现代文学馆。选择这里的原因在于，中国现代文学馆目前是世界上规模最大的文学博物馆，展品内容涵盖新民主主义时期、抗日战争时期、解放时期、新中国成立后这百余年里中国最重要的文学成就。带领学员参观中国现代文学馆，等同于亲临中国现当代文学研究的阵地。例如：馆内设有鲁迅、郭沫若、茅盾各处书房的实景还原；尤其复原了 20 世纪 30 年代诞生与上海的中国左翼作家联盟实景。参观“左联”可以让学员真切体验到在我党的发展历程中是如何运用文化之翼宣传中国共产党的使命和宗旨的。此外，馆内还设有“红军不怕远征难——文学中的长征”专题展览、“回望手写时代——中国现代文学馆馆藏 80 年代手稿展”“初心与手迹——中国现代文学馆馆藏红色经典手稿大展”……学员在参观后对大学语文的现地教学表达出发自内心的文化认同感。

在首都北京选取像现代文学馆这类革命爱国主义教育的现地教学场所数量尚为可观。然而从 2020 年年初席卷而来的新冠疫情改变了进行现地教学的条件。近两年，为配合防疫工作、保障学员健康，大学取消了疫情期间学员集体外出的参观教学活动。尽管无法带领学员进行校外的现地教学，但如果教员能充分利用大学的现有资源，在大学语文课堂上与课程思政元素灵活结合，也能达到与现地教学一致的教学效果。

例如：大学语文第二专题讲授秦汉文学。汉代在前中期的文学代表形式是汉大赋，其在创作过程中作者要采取空间无限延伸式描述、品种类别穷尽式描述、发展不同过程式描述、至高至美竞赛式描述。以至于汉大赋的作者司马相如、班固常常会把同一偏旁的字无限制地排列出来，甚至作者会自创所需要的汉字。在授课过程中学员多数不理解汉大赋的行文特点，在读汉大赋时表示不耐烦、认为文章没必要写这么烦琐复杂、不知道像比赛一样罗列出数不清的物品名称是为了什么……身为教员，我抓住教学中的这一突出问题，以课程思

政的方式进行学术的回答与解决。

首先，我向学员们介绍汉大赋的兴起背景：汉代建立于秦朝末年暴政留下的混乱时局中，并且在短暂的秦王朝建立起统一帝国之前，古代的中国已经经历了整整550年的战乱与分裂。在西汉达到武帝鼎盛时段后，以及东汉光武中兴期间，汉王朝成为当时世界上最强大的帝国。并且，张骞开通西域、开辟横贯东西方亚欧两大板块的丝绸之路；班超31年里经营西域55国、稳定中国西部与中亚地区。这些前无古人的创举不仅使得汉王朝的国力大增，同时也给百姓的物质生活和精神生活带来巨大飞跃。此时汉代社会累积起巨额的物质资源，学馆林立、儒术昌盛，来自西域和欧洲的各种族人民带来新奇的食物、服饰、植物、动物、文字、音乐、绘画、建筑、宗教信仰……转瞬间充斥进曾经像古潭一样沉寂的中原地区。汉代的文学家把握住时代的脉搏，以体量巨大的汉大赋记录下中华民族大发展时期各阶层的生活实录、汉朝百姓积极进取的生活态度、蓬勃肆意的民族自豪感。正如《文心雕龙·时序》中所总结：“文变染乎世情，兴废系乎时序。”汉大赋就应时代而生，成为汉代最具盛世代表性、最能彰显盛世精神的一种文学样式。

讲到这里，学员们终于理解汉大赋为什么有冗长的篇幅、繁复的文风、刻板的字词。如果，关于汉大赋的形成背景就此讲授完毕，其中也已包含了“繁荣昌盛的国力可以增进民族自信心与自豪感”此类传统的课程思政元素。但是，这样思政的力度无疑尚有很大提升的空间。

因此，我用一张汉代鼎盛时期的疆域图作为这一知识点的总结，同时进行一项课程思政的讲授。通过展示历史地图使学员们直观地了解汉代鼎盛时期面积超过600万平方千米：最北到达河西走廊；最南端在交趾郡，今红河流域；最东至朝鲜半岛；而最西端则到达葱岭，就是现在我国西部帕米尔高原上的喀喇昆仑山——我军五位戍边英雄倒下的地方！喀喇昆仑山自汉代开始便是中国神圣不可侵犯的领土，我们中国军人舍生忘死、保家卫国、捍卫每一寸国土的光荣使命，已经在我们的血液里流淌、传承了两千年。

讲到喀喇昆仑山的五位戍边英雄，课堂上的学员们表情肃穆，有的学员甚至眼含热泪。学员们之所以会有这样激动的反馈，原因在于上课前几个月，也就是2021年2月20日，中央电视台军事频道公布了发生在2020年6月喀喇昆仑山中国军人英勇战斗保卫边疆的视频。为了守卫祖国神圣的领土，我军团长祁发宝用双臂捍卫边境线、身负重伤，营长陈红军，战士陈祥榕、肖思远、王焯冉壮烈牺牲。大学响应上级号召，第一时间就在校园宣传栏里制作了专题教育内容，以大篇幅文字描述和图片展示战斗细节，向全体师生进行了一场爱国主义教育：“清澈的爱，只为中国！”“面对人数远远多于我方的外军，我们不但没有任何一个人退缩，还顶着石头攻击，将他们赶了出去！”“我们就是祖国的界碑，脚下的每一寸土地，都是祖国的领土。”……

由此，紧抓时代脉搏，关注时局动态，灵活利用现地教学资源，结合课程思政元素，从而抢占“天时、地利、人和”的高地，将大学语文中的古代文化与发生在眼前的当代文化事件紧密连接在一起，以增强新时代学员的文化认同感。

4 结语

纵观古今，不难发现，当前我国在高等教育院校开展的课程思政建设、我军在军队院校落实新时代军事教育方针，实际上有着充分的理论基础与历史实践做正确指导。早在中华人民共和国成立前，中国仍处在战火硝烟的危急时刻，毛泽东同志就在 1928 年提出建立一所专门培养军事政治类人才院校的主张。1938 年、1939 年，毛泽东同志连续发表了关于中国共产党军事教育工作的重要部署：《在抗大应当学习什么》《抗大三周年纪念》。“以史为鉴，可以知兴替”，时至今日，我们再次阅读这两篇文章时，从中依然能体会到加强课程思政建设、深化新时代军事教育方针的重要意义。近百年的时光转瞬即逝，我党从民生凋敝、烽火连天的岁月走进当下民族复兴、傲视全球的新时代，军队院校坚守的红色初心始终未曾褪色，并永远薪火相传。

新时代军队院校的教员，不仅肩负着培养人才的光荣使命，更需要牢记立德树人、为战育人的艰巨任务。在三尺讲台上要坚定做到：讲自己所信，信自己所讲。大学语文是课程思政的历史文化的不竭源泉，更是课程思政的重要战场。在教学的过程中，教员首先要尊重知识、客观如实地授课。同时更要以身作则：“严以修身、严以律己，坚定理想信念是根本。”[3]以培养出专业能力优秀、政治理论过硬、兼具深厚文化素养的全能型军官，为新时代中国特色社会主义的强军之路输送人才。

参考文献

[1] 卢卫红．毛泽东论教育方针［J］．北京行政学院学报，2009（03）：102－106.
[2] 李国娟．课程思政建设必须牢牢把握五个关键环节［J］．中国高等教育，2017（Z3）：28－29.
[3] 韩娜娜．新时期军校学员思政教育创新实践研究［J］．大学，2021（48）：116－118.

改革背景下军校学员思想政治教育面临的现实问题与对策建议

解晓静　白建武　杨　艳
（基础部）

摘　要：军队改革给思想政治教育带来新问题新挑战，社会新形势和部队新任务对思想政治教育提出了新思路新要求，军队院校作为部队干部生长的摇篮和人才培养基地，必须坚持目标导向和问题导向，在充分发挥思想政治教育主渠道作用的基础上，创新合力育人、协同育人的教育理念、内容方法和长效机制，实现知识传授、能力培养和价值引领的有机统一。在新起点上构建军队院校思想政治教育新体系，实现军队院校思想政治教育大提升。
关键词：军队改革；军校学员；思想政治教育

1　引言

军队院校思想政治教育关系“立德树人、为战育人”这一根本问题，决定军事人才培养的方向和效能，关乎军事院校能否成为坚持党的领导的坚强阵地。思想政治教育必须紧跟教育对象的思想实际，增强教育的针对性和感召力。国防和军队改革启动以来，特别是新的军官制度等政策实施以来，学员思想也产生一些新的困惑和问题，思想政治教育必须及时跟进，加强对学员思想的引导和教育疏导。

2　学员思想现状分析

立足新一轮国防和军队改革大背景，对学员思想现状分析，发现其主要有如下几个方面特点：

2.1　对改革强军战略决策坚决拥护，但心存担忧

广大学员一致认为，改革强军决策英明正确，意义重大深远；感到深化军队改革，一定能够积极稳妥推进，实现预定目标。特别是新近颁布的军官制度，顺应军队改革发展大势，振奋党心军心。从调研了解情况看，绝大多数学员心思和精力比较集中，学习热情比较高，特别是受政策激励，在职干部来校参加任职培训、岗前培训的积极性明显提高，广大学员在抓课上学习、课题研究等工作中，都积极主动、成效较好。存在的问题主要有三个方面。

2.1.1　对新政策理解把握不准

新出台的“12 个文件”相互衔接，彼此呼应，形成体系。但不少学员存在着对一些文

件精神理解不深、理解不准，甚至出现“断章取义”“一知半解”的问题，对涉及切身利益的政策改革产生思想顾虑。

2.1.2 担心成长进步受限

部分学员对新军官制度中关于岗位设置、晋升机制、考核机制等存在认识误区，导致有的学员自我定位不准、自我认知不全、自我发展不明，进而产生恐慌心理。有的生长干部学员感到毕业以后需要从少尉干起，想早转业又因有年限要求，以后晋职晋衔会更加困难、更加漫长，从而对军旅之路产生怀疑；有的全日制研究生学员看到不参加工作超过一年的将被单位免职，后悔当初来校读研。

2.1.3 担心待遇保障落后

目前，学员们普遍关注福利待遇问题，大家期盼的是能够解决“后顾之忧”，但在新政策中没有进行明确，致使学员们有一定的忧虑情绪。有的担心逐月领取退役金的待遇保障不如以前的自主择业；有的担心部队待遇逐渐被地方赶上，失去了原有的比较优势；有的学员期待针对个人家庭、父母医疗的福利待遇政策尽快出台。

2.2 军人职业荣誉感明显增强，但对军改政策仍存较高期待

随着强军目标的确立、强军兴军实践的强力推进、军队全面深化改革的展开、事关军人切身利益政策的出台，整个社会对国防和军队建设的关注度明显上升，军人荣誉感自豪感增强，有效激发了广大学员投身强军实践的政治热情。但仍有个别现实思想顾虑和矛盾问题，主要表现为“三盼”。

2.2.1 盼军改配套政策全面落地

不少学员希望这次改革能够把分散在《国防法》《中华人民共和国兵役法》《中华人民共和国现役军官法》和相关条例、规章中的涉军法规整合起来，形成一部专门的军人权益保障法律。

2.2.2 盼军官职业化制度早日推行

部分学员表示，希望早日建立以军官职业化为核心的军队人事制度，解决好当前“无差别”的人才培养模式、“一刀切”的选人用人制度和“零起点”的二次择业现状等现实问题，真心期待改革后职务晋升不再被条条框框卡住、只为打仗忙碌、严格考评标准只留能干事的、不再为后顾之忧分心走神。

2.2.3 盼军人社会地位显著提升

大家普遍感到，过去讲“一人当兵、全家光荣”，但现在军人的社会地位和以前相比有落差。有的学员说，军队干部也是组织层层选拔培养起来的，但转业后大多安排在边缘化岗位、普遍降职使用，也让学员们献身国防的积极性受挫。

2.3 积极投身改革强军实践，但存在思想、学习问题

学员们能够认识到，军队改革就是要革故鼎新、推陈出新、继承创新，必须改头换面、脱胎换骨，以全新的姿态和标准建设全新的军队。他们满怀强军报国的远大志向，坚决拥护改革、自觉支持改革、积极投身改革。但调研发现，仍有现实思想问题存在，主要表现在：

2.3.1 参军入伍矢志军营的信念不坚定

部分学员是出于“解决家庭经济困难”“服从父母安排”等考虑才参军入伍，自身对“为谁扛枪、为谁打仗”缺少思考，对军人的职业认同感不是太高，职业荣誉感不是很强，献身国防扎根军队的信念不够坚定。

2.3.2 刻苦学习提升素质的动力不足

部分学员学习动机功利化，未树立正确的学习观，内心信奉在部队发展“学习好不如关系硬”的信条。学习兴趣情绪化，在课程选择及专业课学习态度上多以自己的主观喜好为转移。学习心理偏激化，自我定位不准确，一味地将学习上的迷茫和困惑归咎于外界环境，往往把责任推给教员、队干部或所在学校。

2.3.3 依法管理遵规守纪的自律意识不强

部分学员没有系统学习共同条令、《军队基层建设纲要》等法规制度，组织纪律观念淡薄。一日生活制度落实不够严格，“两个以外”管理存在盲区。某些学员甚至存在不明底线、不知敬畏、不守规矩的情况，违规违纪隐患增多。

2.3.4 争先创优建功军营的热情动力不够

军队调整改革是全方位的，体制上真改，管理上真严，备战上真抓。有的学员害怕吃苦，不愿接受严格的挑选和考验；有的学员对将来的分配心里没谱，对个人职业发展心里没底，对自己当初的职业选择产生怀疑。由于缺少争先创优建功军营的热情动力，部分学员在校期间长期表现出学习不专心、强能不积极的思想行为特点，走上工作岗位之后往往出现适应岗位慢、畏难情绪大、发展进步慢等情况。

3 学员思想政治教育存在的主要问题

造成以上现象的原因是多方面的，其中，最主要的是政策制度改革方兴未艾，一些关键领域的法律法规需要进一步明确，相信随着许多配套的政策制度相继出台，大家的思想疙瘩会迎刃而解。其次，学员自身受信息网络、市场经济、多元文化思潮和意识形态斗争的影响较大，对学员思想产生消极影响。再次，院校思想政治教育滞后形势发展，与时代要求和学员实际有差距。

3.1 知军知兵有盲区

3.1.1 部分政治教员经历阅历较为单一

从院校毕业直接进入院校工作，部队任职经历缺乏，对部队了解不够深入，教学经验不足。

3.1.2 掌握基层实情不够精准

随着《军队思想政治教育规定》等3个法规文件相继出台，部分思政教员忙于教学准备和教学改革，加之受“新冠”疫情影响，亲自下基层部队实地调研机会较少，无法及时掌握军改大背景下的部队官兵思想底数，对学员所思所想所盼回应不够及时彻底。

3.1.3 文职人员对军队的理解认同还不够

近年来，院校政治教员队伍引入了大量文职人员，是对政治教员队伍的有益补充。但是文职人员普遍对部队缺乏基本的了解，更不用说基层部队建设与发展中的矛盾问题，因而难以承担现职军官学员的政治理论课程或与政治工作密切相关的课程。即便是承担生长军官的几门政治理论课，文职教员也由于不能准确把握军校学员的认知特点、思想问题和常见困惑，理论讲授往往不接地气，难以紧贴学员思想、学习和训练实际，从而难以实现教学目标。此外，部分机关人员和领导干部对各层次学员情况也缺少细致的调查研究和动态的跟踪掌握。

3.2 教育内容有不足

3.2.1 突出现实问题教育还不够

问题是时代的声音，是工作的导向。改革期间一些学员容易受到社会不良媒介的错误诱导，在及时回应热点问题、批驳错误观点、引领价值观念层面还有欠缺。

3.2.2 关注学员个体教育还不够

随着时代的发展，年轻学员的现实需求发生了变化，个体价值更加强烈。在把握他们的思想脉搏，主动融入学员“朋友圈”，充分了解他们的所思所盼，从而将他们带入正确轨道的意识上还有欠缺，与政策激励解难帮困结合还不够。

3.2.3 精准分层教育还不够

院校专业类别复杂，人员类型多样，有生长干部学员、研究生学员、任职培训学员等，他们对改革政策的理解、关注和认知有很大不同。有的理论层次高，道理一说就明白；有的像一张白纸，需要从基础抓起。在施教中，有的教员对不同对象成长规律，认知能力分析不够，有的教员在突出分层教育的内容上缺乏设计，与成长成才结合不够。

3.3 施教方法有短板

3.3.1 在课堂理论灌输方面原则性、战斗性、灵活性不强

有的干部在教育时简单迎合搞庸俗化，大道理不会讲、正道理不敢讲、实道理不愿讲，少数干部一上讲台净讲一些上不了台面的歪道理，导致教育效果扭曲。另外，在理论灌输时，一味地强塞硬灌，不讲究方式方法，用行政命令压服方式搞教育，不够接地气，学员缺乏兴趣爱好，存在抵触情绪，受教育积极性不高。

3.3.2 利用信息网络平台开展正面教育不够广泛深入

一些院校没有成立专门的网络教育队伍来及时全面地开展红色教育、宣扬优良传统、解读学员关心关注的时事政策和军队改革消息，有的即使开通了公众号、App，由于更新慢、内容无味等原因，形同虚设、无人问津。一些学员管理单位认为信息网络平台存在失泄密风险，对于学员上互联网、使用手机、建微信群等方面管理过于严格，致使学员没有充分的时间和便捷的手段接受网络教育，从而导致思政教育没有充分利用好信息网络这块主阵地。

3.3.3 日常引导和关心关注还不够经常有力

有的教育管理者平时对学员不管不问、放任自流，出了问题不找准问题症结、对症下药，而是一味地批评指责；有的单位日常组织小交流、小演讲、小晚会等小型教育活动不经常，没有让学员成为主体发表声音、展现自我、熏陶精神；有的教育者谈心交心不经常，

不了解学员所思所想所盼，有的即使谈心却不交心、不走心，不设身处地、不换位思考，不了解学员的实际困难，不尽力帮助解决，致使学员感受不到思想政治教育的温度，没有达到润物细无声的效果。

3.4 身教示范有差距

3.4.1 领导干部、机关人员、基层干部骨干责任意识还不够

面对改革带来的改变，因为涉及自身进退走留、发展进步的切身利益，少部分同志对改革政策制度期望过高，存在思想波动，给学员的教育引导带有个人倾向性。

3.4.2 缺乏解决复杂困难问题的“多面手”

有的教员理论素养较为过硬，有的教员基层实践锻炼充分，但是难有集理论素养深厚和实践经验丰富于一身的“多面手”，难以从理论和实践、思想和行动两个层面对学员形成帮教。

3.4.3 自身“兵味”“战味”不浓

有的教员长时间从事教学工作，缺乏基层一线岗位锻炼，对战斗、战争、战场缺乏身临其境的切身感受，致使当兵打仗、带兵打仗的血性胆气不足；部分教员主动思战谋战、备战研战、进入实战的机会较少，致使军事素质、统筹协调、指挥能力存在短板弱项。

4 加强学员思想政治教育的对策建议

军校作为部队干部生长的摇篮和人才培养的基地，必须坚持目标导向和问题导向，紧盯学员思想政治教育现状，紧贴学员现实思想，紧跟政策改革进程，在新的起点上构建军队院校思想政治教育新体系，实现军队院校思想政治教育大提升。

4.1 坚持政治统领，不断强化思想认识

军队院校是党领导下的院校，面对改革“大考”，必须把强有力的思想政治教育贯穿于深化改革的全过程，为改革顺利推进提供强大精神动力和思想保证。

一是固牢思想根基。把准改革脉搏，击准改革鼓点，坚持用党的声音统一思想认识，凝聚改革共识、坚定改革信心。要强化马克思主义指导思想统领地位，从理论源头把灌输方向把正，持续开展“学经典、读哲学”活动，让军校学员在改革大潮中做到心中有“马列”、行动有指南。要强化思想方向的引领，规范引领院校思想政治教育方向，把思想政治教育作为举旗铸魂的根本，持续固牢学员思想根基。使军校学员深刻认识到军队改革的时代背景、军队改革对于强军兴军的重要推动作用，以端正的思想态度保证高度的行动自觉。

二是聚焦为战育人。要积极适应新体制新职能新变化，厘清职责定位，突出思想政治教育的服务保证作用，找准为战育人目标方向。要牢记“能打仗、打胜仗的过硬基层”建设标准。军队的职能是打仗，院校的任务是培养能打仗、打胜仗的军官，教育学员牢记改革中强调的新使命新要求，不断提高自主学习、指挥管理等能力素质，胜任改革需要。

三是突出主体地位。坚持以党的新时代军事教育方针为指导，以学员为中心，不断激发学员创造力和活力。善于分析学员新特点新需求，不断厚植理论深度，增加情感温度、

拿出真诚态度。强化群众性自我教育，使学员充分认识到，军校学员是“准军官”，是军队未来建设发展的中坚力量和希望所在，必须在改革大潮中找准角色定位；他们肩负着强军兴军的历史重任，越是改革任务繁重，越要严格自律，强化责任担当，在管理、学习、生活上不断提升修养和境界。

4.2 着眼立德树人，着力优化内容体系

优化军校思想政治教育内容，让军校学员所思所想与教育所讲所答对接起来，是抓好思想政治教育针对性、有效性的重要一环。

一是不断充实课程内容。坚持用习近平新时代中国特色社会主义思想和习近平强军思想铸魂育人，跟进充实马克思主义中国化最新成果，充实坚持和发展中国特色社会主义最新经验，充实党、国家和军队建设最新成就。开展军魂教育、忠诚教育，围绕学员在改革中的认知难点、思想困点和关注焦点，动态调整补充教学内容，夯实基础知识点，对新出台的与改革相关的文件加强整体性、系统性、连贯性等分析，回应好重大理论和现实问题。

二是大力抓好教育统筹。把深化改革的目标、举措、焦点突出出来，帮助学员深化学习理解，着力强化思想认同、情感认同和行为认同。以教学中心工作为牵引，根据不同类型学员特点，区分学业课程阶段，结合改革背景、改革内容、形势变化、个人境况改变等给学员思想带来的深刻影响，坚持教育跟着形势任务走，内容根据实际需要定。统筹抓好主题教育、基础教育和经常性思想教育，着重打牢献身国防和军队事业的思想政治基础。让学员认识到，新的军官制度更加注重以人为本，体现了先进性、科学性和完备性，干部的成长路径更明、军人荣誉更受尊崇。

三是积极推动动态革新。强化各级领导干部、机关人员、军校教员、基层干部骨干都是政治教员的责任意识。深入探究思政课程与课程思政同向同行的协同育人特点、规律及模式，探索学科资源、学术资源转化为育人资源的方法路径。在扎实开展调整改革专题教育的基础上，广泛开展谈心交心活动。经常对学员思想反映调查摸排和汇总分类，开展好“双四一”“三互”活动，让教育内容始终与改革背景下的学员思想实际同频共振，确保官兵思想观念率先进入“改革轨道”。

4.3 紧跟时代发展，鲜活教育形式方法

实践中，既要坚持灌输马克思理论教育的基本方法，积极发挥课堂教育主渠道作用，还要不断改进教育模式，更新教育方法手段，不断激发学员参与热情。

一是用好课堂教育灌输。注重发挥课堂教育主渠道作用，联系改革强军的生动实践，讲好中国故事、强军故事和官兵身边的先进典型故事，从理论与实践的结合上提高灌输质效、厚植理想信念；要奔着现实问题和活思想去，注重从时代之变分析思想之变，将总体“漫灌”与精准“滴灌”结合起来，切实把好箭射到靶子上、工作做到心坎上；要增强说理性和战斗性，坚持旗帜鲜明，用大道理管住小道理、用正道理批驳歪道理、用实道理戳穿伪道理。

二是借助教育实践平台。树牢“红蓝融合”新型理念，借助“传统＋互联网”教育模式，确保思想政治教育形式更加多样。综合采用线上线下混合式教学方法，推广翻转课堂、

“雨课堂”等形式，推动教学改革因时而进、因势而新。走开院校、社会、部队“三维一体”实践教学路子，建立现地教学、社会调查、当兵锻炼、野外训练“四位一体”实践教学模式，引导学员学思践悟、知行合一，帮助学员强化政治工作素养、适应军队改革需要。

三是拓展微教育模式。紧随时代发展，充分利用好多功能会议平板、VR技术终端、多媒体影音设备、网络视频教育终端，提升教育科技含量。广泛采用微课、精品课等形式，着眼改革中的热点、焦点问题，以小课堂牵引大教育，以小问题启发大思考，实现教育共享、有趣互动。围绕“宣传改革精神、讲好改革故事、激发改革热情”主题，善于以数据事实为依据，用数据资源进行说理论证。强化网络舆论引导，净化用网环境，加装安全数据链，让大数据为改革背景下的思想政治教育插上腾飞的翅膀。

4.4 突出激励导向，注重厚植教育保障

坚持以院校整体和教育全局的维度，创新合力育人、协同育人的教育理念，探索构建教育保障新做法。

一是细化完善教育制度。对照全军思想政治教育工作会议要求，围绕贯彻军委思想政治教育“十个必须”指示精神，对教育统筹、计划管理、组织实施、条件建设、检查考评等各个环节进行细化明确。针对改革阶段转换、重大政策出台等时机，及时做好政策规定解读阐释工作，尤其是对学员普遍关注的进退走留、福利待遇等热点敏感问题要深入解答，对改革期间必须严格遵守的纪律规矩要反复重申，让学员不留疑惑、“轻装上阵”。在改革大背景下，确保教育的系统性、整体性和科学性。

二是统筹好“教员力量”。把握身教示范是思想政治教育的内在要求，引导政治教员认识到知之深、信之笃、行之实的价值逻辑和实践需求，不断激发思政教员的内在活力。用好现有力量，以教学需求为牵引推进政治教员队伍调整，围绕改革政策相关规定，加大对现有教员的培训力度。壮大新生力量，向社会公开招聘高水平文职人员，将能够献身国防教育事业的优秀文职思政教员招进来、用起来。借助外部力量，摸索引进部队指挥军官改任或兼任思政教员的办法，配齐建强思政教员队伍。

三是健全考核评价机制。适应时代环境变化，科学合理地确定思想政治教育的效果预期和评价标准，搞好督导检查。推动学员思想政治教育检查考评从重形式向重效果、重痕迹向重实绩转变，既看人员、时间、内容，更看现实问题的解决和单位建设效果，形成良好检查评估导向。对思想政治教育方面取得成绩的个人或单位，与“双争”评比、“创先争优”活动和个人成长进步挂钩，立起重视教育、抓好教育的鲜明导向。

5 结语

总之，军队院校作为部队干部生长的摇篮和人才培养基地，必须坚持目标导向和问题导向，着眼于改革大背景，充分发挥思想政治教育主渠道作用，创新合力育人、协同育人的教育理念、内容方法和长效机制，实现军队院校思想政治教育大跃升。

弹道与轨道基础课程思政探索与实践

张学阳[1]　张雅声[1]　王　训[2]
（1. 航天指挥学院；2. 宇航科学与技术系）

摘　要：本文在分析弹道与轨道基础课程特点的基础上，提出了课程思政的四个主要目标，从课程团队建设、课程思政设计及课程思政典型示例等方面介绍了弹道与轨道基础课程思政实践举措，探讨了理工科尤其是航天专业课程思政实施方法。课程思政元素提升了课程内容的趣味性与人文内涵，提高了学员的学习兴趣，实现了育人与授业的融合。

关键词：弹道与轨道基础；课程思政；航天专业课；教学改革

1　引言

在新时代全国高等学校本科教育工作会议上指出，加强课程思政、专业思政十分重要，要提升到中国特色高等教育制度层面来认识，高校要明确所有课程的育人要素和责任，推动每一位专业课老师制订开展“课程思政”教学设计，做到课程门门有思政，教师人人讲育人[1]。所谓“课程思政”，即对于除思想政治课以外的其他专业课程，亦可通过挖掘其中所蕴含的思政元素、发挥其思政育人功能[2]。当前，全国高校推进课程思政建设如火如荼，航天专业课程具有很强的专业性、理论性、实践性，面对融入思政元素这个课题，以弹道与轨道基础课程为例，探讨专业课程如何与课程思政结合。

2　弹道与轨道基础课程特点

弹道与轨道理论是从事弹道导弹和航天器发射、测控与运行管理的工程技术人员，以及航天指挥人员所必须掌握的专业基础知识。课程针对航天发射、测控工程与航天指挥等实践需要，旨在系统阐明弹道导弹、运载火箭和航天器这类飞行器运动所涉及的基本概念和基础知识，以时空系统为基础，以航天飞行器的发射段、运行段、返回段为主线，依次进行飞行器的受力分析、动力学方程构建和运动特性研究，建立实际应用与理论知识的映射，构建教学内容体系（见图 1）。

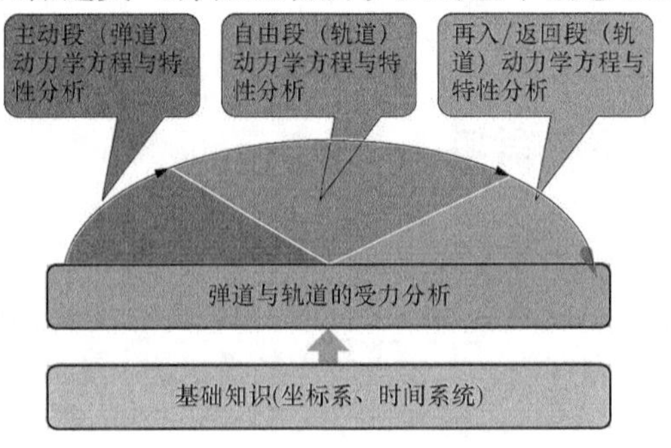

图 1　弹道与轨道基础教学内容

弹道与轨道基础课程已开设 20 余年，现为全校各专业本科学员必修的专业基础课，是全军唯一一门系统讲授弹道和轨道基础知识的专业基础课程。该课程开设在大二下学期，是学员从基础文化课到专业课的一个承上启下的课程，是学员第一门系统学习航天知识的课程，也是学员学习后续专业课程的重要基础，因而在各专业的课程体系中处于非常重要的地位，被遴选认定为本科核心课程，入选“双重”精品课程建设工程以及航天工程大学首批重点建设课程。

弹道与轨道基础课程基础性、理论性和实用性都非常强，涉及的基本概念、理论公式与推导都非常多，是一门难度较大的课程，同时又是后续很多专业课程的基础，授课内容无法精简，如何借鉴现有教学研究成果，通过优化教学设计、创新教学方法手段、更新课程教学内容、加强课程师资队伍，凸显航天特色，将课程思政内容有机融入课堂教学中，成为迫切需要解决的问题。

3 弹道与轨道基础课程思政目标

课程思政建设的重点在“思政”。没有好的“思政”教育功能，课程教学就会失去“灵魂”，迷失“方向”，导致教书与育人“两张皮”[3]。弹道与轨道基础课程具有鲜明的航天特色,课程的思政目标主要体现在以下四个方面。

3.1 激发对航天的好奇心与兴趣

大二的学员正处于学习能力、创造能力的黄金时期，弹道与轨道基础是第一门系统学习航天知识的课程，为学员打开认识航天、理解航天的一扇窗户，去激发、呵护、培养学员对航天的好奇心与兴趣，就成了本门课程的重要目标。

3.2 坚定文化自信

我国是世界上天文学起步最早、发展最快的国家之一，拥有世界上最早、最完整的天象记载，天文学也是我国古代最发达的自然科学之一，屡有革新的优良历法、令人惊羡的发明创造、卓有见识的宇宙观等[5]。在课程教学中，可通过介绍我国古代天文学的辉煌成就，坚定学员们的文化自信，激发学员们的爱国热情。同时，在教学中也要指出，我国古代在天体物理理论方面缺乏成果，这份缺憾需要由我辈共同努力来补足。

3.3 铸牢军魂意识、弘扬中国航天“三大”精神

坚持党对军队的绝对领导，是我军建军的根本原则和永远不变的军魂。作为一所军事院校，加强军魂教育是我们责无旁贷的责任。在中国共产党的坚强领导下，经过几代航天人的接续奋斗，我国航天事业创造了以“两弹一星”、载人航天、北斗工程、月球探测为代表的辉煌成就，走出了一条自力更生、自主创新的发展道路，积淀了深厚博大的航天文化[6]，形成了中国航天的“三大精神”——航天传统精神、“两弹一星”精神、载人航天精神。在课程教学中，通过展示在党的领导下我国航天事业所取得的辉煌成就，铸牢军魂意识、弘扬中国航天“三大”精神，激励学员们继承前辈们的衣钵，自力更生、勇往直前。

3.4 强化战斗精神

课程教学中，我们要紧密结合军事应用、岗位需求，培养学员们保家卫国的责任感和

使命感，树立克敌制胜的坚定信念。

4 弹道与轨道基础课程思政实践

围绕弹道与轨道基础课程思政的四个目标，课程组主要从团队建设等几个方面展开探索实践。

4.1 课程团队建设

课程团队的建设，既要提高团队成员的课程专业水平、教学水平，还要提高团队成员的思想政治素质、师德修养。每一位团队成员都必须转变认识，自觉肩负起立德树人的责任，通过专家听课、老教员帮传带新教员等方式完成每一位团队新成员的蝶变。

课程团队建设可依托教学团队，通过集体备课共同挖掘教学内容中的思政点，基于这些课程思政点重新组织教学内容，不断优化教学设计，实现授业与育人的融合。

4.2 课程思政设计

课程思政不是"课程＋思政"，也不是课程"思政化"或"去知识化"[7]，而是要将思政元素有机融入课程教学全过程中，提升专业课内容的趣味性、人文内涵，在润物无声中实现教学效果和育人效果的双收，这是弹道与轨道基础课程思政设计的基本原则。

具体到每一堂课，围绕弹道与轨道基础课程思政的四个目标挖掘教学内容的思政点（见表1）时，不求全、不生硬，不是每一堂课都要有思政设计，而是根据教学内容自然而然地生发出思政点，切忌空洞说教，否则只会适得其反。一般来说，每一讲的引入、知识点的背景及知识点的应用，都能挖掘出相关的思政点，有机融入课堂教学中；同时结合我国航天事业的辉煌成就、航天事业独立自主的发展历程、航天先驱的鲜活事例，更新教学内容，加入中国故事。例如在时间系统中加入北斗授时的内容，实现育人与授业的统一。对于实践学时，则是在问题背景上下功夫，与岗位需求紧密结合，突出军事对抗，既提高了学员分析问题、解决问题的能力，又培养了学员的战斗精神、克敌制胜的信心。

表1　　弹道与轨道基础课程思政设计

序号	章节（专题）名称	授课方式	学时	思政设计
1	力学基础	精讲	2	1. 课程开始从传统文化和热点航天事件，激发学员的学习兴趣，突出本门课程的重要性。 2. 回顾开普勒三大定律时，介绍第谷、郭守敬的成就，长期坚持不懈地观测数据，熏陶科学的严谨求实精神
2	方向余弦阵	精讲	2	通过动画展示不同坐标系下的运动特征，说明"运动是绝对的，静止是相对的"辩证唯物主义，同时启迪学生要学会换个角度看世界
3	常用坐标系及其转换	精讲	2	通过教学过程，告诉学生"授人以鱼，不如授人以渔"的道理
4	地球及其引力场	精讲	2	通过引力场的测量卫星引出我国在引力场测量方向上的不足，激发学员建设航天强国的使命感

续表

序号	章节（专题）名称	授课方式	学时	思政设计
5	推力、控制力与控制力矩	精讲	2	1. 通过火箭发动机的性能指标体现我国与国外的差距，增强学员的紧迫感。 2. 推力、控制力都是人的主动控制，突显人的主观能动性
6	空气动力及空气动力矩	精讲	2	环境是可以被利用的，作战时要有效利用作战环境条件，同时体现战场环境保障的重要性
7	飞行器的主动段运动	精讲	2	介绍我国导弹发展历程、射程图谱，增强学员对我国航天成就的荣誉感，同时让学生体会我国周边安全形势，增加学员的危机感
8	空间弹道计算方程	精讲	2	通过方程简化过程，让学员学会关注矛盾的主要方面
9	主动段运动特性分析	精讲	2	介绍导弹技术发展的新动向，激发学员们课后拓展学习的动力
10	弹道部分复习	精讲	2	教导学员善于总结，及时发现不足，夯实基础
11	天球与球面三角形	精讲	2	从球面三角形内角和大于180°入手，介绍其中的数学故事，启迪学员科学要敢于打破陈规
12	天球坐标系	精讲	2	从古代天文仪器星盘、子午圈的命名介绍我国古代天文学的辉煌成就，使学员坚定文化自信，增强民族自豪感；从知识点在地面测站的应用，点出测站工作对准确性的高度要求，差之毫厘，谬以千里，培养学员严谨细致的作风
13	时间系统	精讲	2	传达时间和空间密不可分的哲学思想
14	二体运动	精讲	2	从开普勒发现三大定律、牛顿证明二体运动原理的过程，提高学员“大胆猜测，小心求证”的科学素养
15	轨道方程及其特性	精讲	2	从关机点参数预推轨道的原理，引申出其重要应用——弹道导弹防御系统，指出美国预警全球的能力，增强学员的紧迫感
16	轨道要素及其转换	精讲	2	1. 通过介绍北斗的成功增强学员对我国航天事业成就的认同感、荣誉感。 2. 通过轨道上的追及问题，帮助学员理解“欲速则不达”的做人做事道理
17	飞行器的轨道运动特点	精讲	2	从我国试验弹道设计受领土范围限制激发学员创新弹道设计的兴趣
18	飞行器的返回与再入	精讲	2	从载人航天返回舱设计、嫦娥返回轨道设计等，介绍我国航天事业的巨大成就、航天人的聪明才智
19	星下点轨迹与轨道类型	精讲	2	从地球静止轨道争夺引出太空局势的紧张与维护国家太空权益的紧迫感和责任感，也让学员认识到太空已成为新的战略制高点
20	轨道部分复习	精讲+研讨	2	教导学员善于总结，及时发现不足，夯实基础
21	上机实践	实践	8	将实践题目与岗位需求紧密结合，激发学员运用所学知识解决问题的主观能动性与战斗精神，也让学员深刻认识到“纸上得来终觉浅，绝知此事要躬行”

此外，思政元素要有机融入课程教学的全过程，既通过教员的言传，也包括教员的身教，例如上课从不迟到，认真备课，就是对“爱岗敬业”社会主义核心价值观的传递。此外，在讲评作业、课程考核时，进行诚信教育；课后在课程微信群中推送课程相关新闻热点、科学家事迹，实现立体的课程思政教育。

4.3 课程思政典型示例

下面以第12讲“天球坐标系”为例，介绍课堂教学中的思政设计。

“天球坐标系”是弹道与轨道基础课程轨道部分内容的重要基础知识，也是从事测控、导航时频、测绘地理等岗位工作的基础，该讲内容包括天球坐标系的构成、天球上的圈和点（13个点、8个圈）、地平坐标系、时角坐标系、赤道坐标系、黄道坐标系等，主要是基本概念，传统教学中主要以灌输为主，学员普遍反映内容枯燥、概念太多、太散，学习效果不佳。近年来，课程团队从知识点间的联系入手，辅以口诀帮助学员记忆，如用“两圈两点两坐标”记忆天球坐标系的构成知识，较好地提升了教学效果，课程团队结合课程思政建设，挖掘课程内容的思政点，围绕思政点与课程内容的融合，进一步优化教学设计。

4.3.1 挖掘思政点

本讲内容为基础概念，课程组从知识点的历史内涵出发，挖掘出“子午圈”“卯酉圈”等概念名称背后的古代天文积淀，同时发现古代天文仪器星盘的工作原理正是本讲内容，当前地面测站工作也是本讲内容的直接应用。

4.3.2 将思政点与课堂教学内容有机融合

找到思政点后，如果仅在课上单纯地额外介绍，那只是增加了学员负担，甚至可能令学员反感，因此在课堂教学中，必须将思政点与教学内容有机融合，这些思政知识能够帮助学员理解、掌握、应用知识点，才能受到学员的欢迎。首先在课堂的引入上，将原先引入的“如何确定星星的方位”问题更新为“古代天文仪器星盘是如何工作的”，虽然同样是问题驱动，但后者的人文底蕴要更加厚重，更能吸引学员的兴趣。在讲解“子午圈”“卯酉圈”概念时，进一步解释名称由来，“子午”和“卯酉”都是十二地支，而古代的方位就是通过十二地支表示，“子午”表示南北，“卯酉”表示东西。知道“子午圈”“卯酉圈”的名称由来，就同时记住这两个圈与地平圈的交点分别是南北点和东西点，帮助学员更好地理解掌握了这两圈、四点。在讲解坐标系应用时，首先回到课程开始的问题——星盘的工作原理，这样既体现了我国古代天文学的辉煌成就与精巧构思，又帮助学员进一步掌握知识的应用。最后，讲解相关知识点在地面测站的应用，同时点出测站工作对准确性的高度要求，差之毫厘，谬以千里，紧密联系工作实际，既能帮助学员认识到本讲内容的重要性，也能培养他们严谨细致的作风。

5 弹道与轨道基础课程思政效果

通过两年多的课程思政实践，首先课程教学团队的教员们都受到了深刻教育，自身修养和思政素质都得到了提高；课程思政元素的引入提升了课程内容的趣味性、人文内涵，明显提升了学员学习兴趣，直接表现是课堂抬头率、课堂讨论参与的积极性的提高，而从作业完成情况、考试成绩分布看，也要优于往届学员。在课程后期的复习讨论中，学员们也对课程思政元素给予好评，近两年课程的学员评教优秀率都为100%。

6 结语

以弹道与轨道基础课程为例，挖掘课程教学内容中的思政元素，探索航天专业课程如何与课程思政结合。在分析弹道与轨道基础课程特点的基础上，提出了课程思政的四个主要目标，从课程团队建设、课程思政设计及课程思政典型示例等方面介绍了弹道与轨道基础课程思政的探索实践举措。本课程通过将我国航天辉煌成就、航天事业独立自主的发展历程、航天先驱的事迹以及两弹一星和载人航天精神等思政元素有机融入教学过程，激发学员航天兴趣，坚定航天强国信念，树立航天报国志向，传承和弘扬中国航天精神，在润物无声中实现了教书与育人的“双丰收”。

参考文献

[1] 陈宝生．在新时代全国高等学校本科教育工作会议上的讲话 [J]. 中国高等教育，2018 (Z3)：4-10.

[2] 朱广琴．基于立德树人的“课程思政”教学要素及机制探析 [J]. 南京理工大学学报（社会科学版），2019，32 (6)：84-87.

[3] 谢辉，刘玮璠．关联·介入——以研究方法为媒介的建筑教育实践 [J]. 新建筑，2018 (6)：138-141.

[4] 赵风华，陈立秀．关于中国古代科技的探析 [J]. 科技风，2018 (33)：242.

[5] 徐振韬．中国古代天文学词典 [M]. 北京：中国科学技术出版社，2010.

[6] 刘童．从卫星上天看自主创“芯” [N]. 解放军报，2018-4-26 (2).

[7] 韩宪洲．课程思政方法论探析——以北京联合大学为例 [J]. 北京联合大学学报（人文社会科学版），2020，18 (02)：1-6.

高校课程思政效果评价浅析

陈维高[1]　柴　华[1]　唐晓婧[2]　王　阳[3]
（1. 航天指挥学院防卫指挥教研室；2. 教学考评中心；
3. 航天指挥学院态势感知指挥教研室）

摘　要：本文针对课程思政建设质量效果评价问题，从高校通识类和专业类非思政课程的角度，以航天概论课程为例，围绕课程价值塑造、思政元素挖掘、教学内容契合、教员教学实施、学员情感获得等方面，分析了评价要点，设计了贯穿课程建设与教学全过程的课程思政效果评价指标和主要观测点，为推进构建科学、完善的课程思政质量效果评价方法提供参考。

关键词：课程思政；效果评价；教育教学

1　引言

为推进新时代大学思想政治教育创新发展，切实把思想政治教育贯穿人才培养体系，落实立德树人根本任务，让学员成为德才兼备、全面发展的人才，必须将思政工作贯穿教育教学全过程，充分发挥课程教学主渠道作用，大力推动课程思政建设，使各类课程与思政课程形成协同效应，构建“大思政”“大教育”的格局。

实际上，自2014年上海大学和上海中医药大学进行课程思政试行探索以来，全国部分高校已经着手开展课程思政的建设工作，学术界也掀起了讨论热潮。2020年5月，教育部印发了《高等学校课程思政建设指导纲要》，从课程思政的内涵、定位、作用、目标要求、教学体系、评价激励以及各专业分类建设要点等方面做出了指导，并将课程思政这一战略举措的重要性提升至接班人问题、国家长治久安、民族复兴和国家崛起的高度。经过教育工作者们持续的推动，课程思政建设发生了令人欣喜的变化，高校层面纷纷出台相关规定与建设方案，将课程思政建设作为深化教育教学改革的一项重要工作。在学术层面，越来越多的学者探索课程思政建设问题，戚静开展课程思政协同创新研究，从学科、专业、课程协同，思想课、通识课、专业课协同的角度探索了课程思政全程育人体系[1]。韩宪洲围绕课程思政建设中“是什么、为什么、怎么干、怎么看”这几个基本问题进行了深入探讨[2]。李国娟聚焦课程思政建设中的基础、重点、关键、重心、成效五个环节，辨析了课程思政改革需要把握的要点[3]。这些研究和探讨对推进课程思政建设提供了有益的参考。

当前全国高校的通识类和专业类课程都在有意识地融入课程思政内容，这类非思政类课程经过课程思政改革后，在课程价值塑造、思政元素挖掘、教学内容契合、教员教学实施、学员情感获得等方面具体效果如何，需要展开有针对性的系统评价。同时，课堂教学评价作为教学过程重要的一环，也是不断优化教学活动、提升教学质量的重要依据。文章

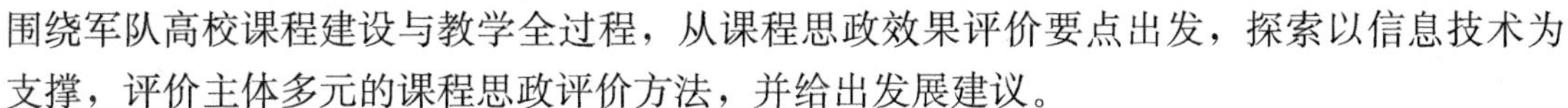

围绕军队高校课程建设与教学全过程，从课程思政效果评价要点出发，探索以信息技术为支撑，评价主体多元的课程思政评价方法，并给出发展建议。

2　课程思政效果评价要点

聚焦高校通识类和专业类课程思政效果评价问题，围绕课程建设与教学全过程，分别从课程设计、教学团队、教学资源、质量效果四个方面探索课程思政的评价要点。

2.1　课程设计

课程设计是发挥课程思政隐性育人作用的核心，是课程立德树人之“根”，根基扎得深不深，根脉扩得广不广，关键在于课程设计中有没有明确的价值引领，有没有深入地挖掘剖析，有没有恰当的契合融入，有没有高效的方式方法。

（1）在课程设计上要有明确的价值塑造目标。这个目标要紧紧围绕坚定理想信念，以政治认同、家国情怀、文化素养、法治意识、道德修养为牵引，根据人才定位，结合课程性质进行优化设计。如地方高校工学专业课程，在设计价值塑造目标时可突出大国工匠精神与家国情怀；而军队高校工学专业课程，由于培养人才定位不同，在目标设计时还要重点把握忠诚奉献与血性担当。

（2）在教学内容上要根据课程的价值塑造目标，进行深入的教育素材挖掘与内容重塑。在教育素材挖掘方面，重点把握三个要点：一是“广”，即思政元素的取材面广，不仅限于与课程知识点相关的历史背景、典型案例、先进人物等，还应进一步拓展至相关现状发展、时政时事、效益影响等；二是“精”，即思政元素的选取要既要有代表性，又要突出价值引领，还应该具有一定深度，值得学员回味深思；三是“聚”，即各个思政元素点并不是一盘散沙，而是向着课程价值塑造目标聚拢，拧成一股绳，形成思政教育合力。在内容重塑方面，核心是能否将思政元素合理地融入教学内容，能否做到与内容结合紧密，不生硬不突兀。

（3）在教学策略上要精心设计，发挥协同育人功效，既能够将隐性教育和价值引领贯穿教学、实践与网络这三个课堂，进行横向协同。又能够给予正向情感于课堂的课前、课中和课后，在引导学员预习、思考与复习的过程中，潜移默化地提升学员获得感，进行纵向协同。

以航天概论课程为例，该课程是航天工程大学为在读本科生开设的一门通用基础课程，课程设置的目的是在进入专业课程学习之前，从基本概念、系统原理及航天应用的角度向学员介绍航天系统的基本知识，使学员初步建立对航天系统的整体认识，具备一定的知天用天能力。本科学员正处在世界观、人生观、价值观形成和发展的关键时期，自身经历浅薄、积淀不够、鉴别和认知能力有限，在面对多种价值观冲突和交锋的时候，难以清晰辨别正确取舍。为进一步贯彻习近平总书记“各类课程与思想政治理论课同向同行，形成协同效应”的讲话精神，聚焦“传承红色基因、担当强军重任”主题开展“铸魂”教育，将军队高校思想政治教育融入课程教学的各环节、各方面，灵活施教，实现立德树人、润物无声的目的。

结合航天概论课程具体内容，课程组分析梳理了远大理想、家国情怀、科学精神、创新精神、工匠精神、奉献精神等六个方面具备鲜明特色的价值塑造目标，并围绕这些价值塑造目标进一步挖掘有力的思政元素。例如，进行“远大理想”价值塑造课程设计，将“航天器系统”专题与节目《开学第一课》紧密融合，一方面通过讲授“天宫空间站”结构组成与功能特点，与课程内容较好贴合；另一方面强调在我国自己的空间站进行授课，树立民族自豪感，同时给出航天员寄语“人生之路很长，你不要因为艰难险阻而放弃梦想，人生需要不断进步，而未来也总是充满希望。我相信，在不久的将来，我们都能遇见更好的自己。”号召大家要树立远大理想，不怕险阻、勇于进取。再如进行“家国情怀”价值塑造课程设计，在“太空环境及其影响”专题引入搜救“海空卫士”英雄飞行员王伟事例，通过对搜救期间爆发的太阳耀斑进行分析，强化课程内容要点——太阳活动给人类带来的影响。同时，通过讲述王伟烈士因海疆为国殉难、勠力报国的事迹，开展“铸魂”教育，让学员感受王伟烈士基因中闪耀着的不屈血色和无畏忠贞，培养学生的家国情怀。

在教学策略上，航天概论课程依托“超星学习通”平台，采用线上线下混合教学模式，以问题牵引为主线，综合运用资源推送、课堂签到、问题抢答、随机选人、课堂投票、讨论交流等功能，在激发学员兴趣的同时，将思政元素有效地融入课前、课中、课后教学活动，进一步提升隐性育人功效。

2.2　教学团队

教学团队是课程思政建设的关键，是课程立德树人之“茎”,“茎”是否壮硕，重点在于四个方面：一是师德师风是否高尚，能否通过模范的品质与行为传播正能量，影响和带动学员；二是教学团队是否重视课程思政建设，在集中备课、教学研究、教学改革等方面是否将课程思政作为一项重要教学工作来开展；三是具体执教过程中是否关注学员的全面发展与个性成长，能否主动了解学员的学习与生活，并能有针对性地优化教学方法；四是具体执教过程中是否注重思政元素表现形式的创新，能否运用新技术、新工具来创新思政元素的表现形式，提升德育效果。

2.3　教学资源

教学资源是发挥课程思政作用效果的强大助力，是课程立德树人之“叶”,“叶”是否繁茂，关键在于教材、资料库、素材库、试题库等教学资源能否围绕课程价值引领目标，构建课程思政教学资源体系。课程教学资源通过合理地融入思政元素，并及时更新，与教师言传身教形成协同效应，增强隐性育人功效，达到润物无声的目的。

2.4　质量效果

质量效果是检验课程思政建设成效的重要参考，是课程思政建设之“果”“果”是否丰硕，重点在于两方面：一是通过本课程的学习，学员的价值获得感是否明显。具体既可以反映在学员对课程学习后的认同与感受，也可以反映在学员学习、生活行为的改变，还可以反映在学员对待相关时事、形势态度的转变等，由于学员价值塑造的叠加效应，这是开展课程思政效果评价的难点；二是整体思政建设是否具备一定的优势与特色，尤其是在课程思政整体设计、教学方法与手段等方面是否特色鲜明、优势突出，是否具备一定的推广价值。

3 课程思政效果评价指标

基于层次分析法，结合航天概论课程线上线下混合式教学探索，按照评价要点，区分学员与教员两类评价主体，对原有精品课程评价指标进行优化调整，探索贯穿课程教学全过程的课程思政效果评价指标，设计的一、二级指标如图 1 所示，其中加 * 的指标代表需要学生参与测评。在指标分值设置方面，按照指标与思政关联的重要性，建议将教学内容、教学策略、执教能力和学习感受等四个重点指标设置较高分值，价值塑造与师德师风设置中等分值，其余指标设置较低分值。下面简述各指标的主要观测点。

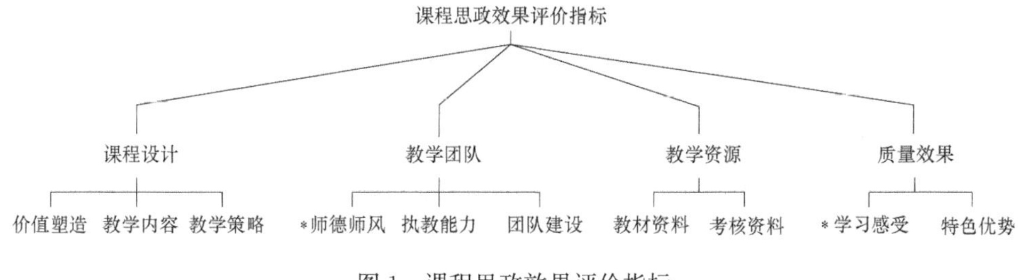

图 1 课程思政效果评价指标

（1）课程设计一级指标包括价值塑造、教学内容和教学策略三个二级指标。

1）价值塑造。制订明确的课程思政价值塑造目标；坚持立德树人，重视忠诚奉献和血性担当等正向情感教育。

2）教学内容。能够合理地融入课程思政；思政元素多元、与课程内容结合紧密，与思政课程同向同行；能够结合时政、时事、军事要讯，挖掘与本课程相关的教育素材。

3）教学策略。教学、实践和网络课堂设计合理，在引导学员预习、复习和深度思考过程中，能潜移默化地提升学员正向情感获得。

（2）教学团队一级指标包括师德师风、执教能力和团队建设三个二级指标。

1）师德师风。师德师风高尚，能通过模范行为与品质引领和传播正能量，学员对师德师风满意度≥90%。

2）执教能力。注重学员全面发展和个性成长，能够利用信息技术了解学员线上、线下的学习生活成长轨迹，并能有针对性地优化教学策略；注重课程思政表现形式上的创新，能够主动运用新技术、手段、工具，创新思政元素表现形式，提升德育效果。

3）团队建设。热爱教育事业，重视课程思政建设，在集中备课、教学研究、教学改革等方面能够将课程思政作为一项重要教学工作来开展。

（3）教学资源一级指标包括教材资料和考核资料两个二级指标。

1）教材资料。教材、素材库、资料库等能够合理融入思政内容，更新及时，引领的价值情感丰富。

2）考核资料。思政内容能够合理地融入对学员知识、能力与素质的过程和终结考核中。

（4）质量效果一级指标包括学习感受和特色优势两个二级指标。

1）学习感受。学员对课程教学和对教员授课质量满意度均≥85%；通过本课程学习能够主动关心相关的时事、政策，学员对本课程学习的价值获得感明显。

2）特色优势。整体思政建设具备一定的优势与特色，在课程思政整体设计、教学方法与手段等方面特色鲜明、优势突出，具备一定的推广价值。

4 结语

军队高校课程思政建设是深入贯彻习近平强军思想，深入贯彻新时代军事教育方针，立足“培养什么人、怎样培养人、为谁培养人”根本问题，全面落实立德树人、为战育人根本任务的重要手段，关乎社会主义接班人、民族复兴层面和强军兴军层面的国家战略。在开展课程思政建设的探索征程中，由于德育的综合性，对建设效果的评价是相对困难的，一些具体可行的方法，如利用信息技术创新评价方法、设计适用于多元主体的综合评价体系等方面还缺少进一步的探索与实践。本文围绕课程教学的全过程，探讨了课程思政评价的要点，设计了评价指标与关注点，希望能为逐步建立科学、完善的课程思政效果评价机制与方法提供参考。

参考文献

[1] 戚静．高校课程思政协同创新研究［D］．上海：上海师范大学，2020.

[2] 韩宪洲．论课程思政建设中的几个基本问题——课程思政是什么，为什么，怎么干，怎么看［J］．北京教育（高教版），2020（5）：48-50.

[3] 李国娟．课程思政建设必须牢牢把握五个关键环节［J］．中国高等教育，2017（15/16）：28-29.

军队院校遥感数字图像处理课程思政建设探索

李轶南　姜明勇
（航天信息学院航天遥感教研室）

摘　要：思政教育是军队院校培养德才兼备、专业化新型军事人才的重要组成。在以“东升西降”为主要特征的“百年未有之大变局”中，如何将思政教育有机融入日常专业课的授课过程，培养面向未来的合格军事人才，是军队院校工作者必须思考的重要课题。本文以“遥感数字图像处理”课程为例，研究了相关课程融入思政内容的发展现状，探讨了适合军队院校的思政元素融入点，旨在为本课程面向融入思政内容的改革提供借鉴和思考。

关键词：思政教育；军队院校；遥感数字图像处理

1　引言

当前，世界格局和全球秩序正在加速重塑。在新旧世界秩序和格局的交替之际，“东升西降”的趋势已日趋明显，特别是新冠疫情肆虐全球以来，“中国之治”与“西方之乱”形成了鲜明的对比，发达国家周期性的经济危机频率不断上升，资本主义国家标榜的自我调节机制不断失控，政治极化、贫富分化、族群细化、阶层固化等诸多棘手问题使得美国等发达国家罔顾“人类命运共同体”的大局需要，不断逃避责任，拉帮结派，转嫁风险，甩锅中国，导致思想舆论和意识形态方面的斗争日趋激烈。

军队院校作为承载部队官兵教育的载体和基石，思政课程建设责任重大，使命光荣，内涵丰富，承载着培养维护世界和平，拱卫发展改革成果，应对未来挑战的德才兼备、专业化新型军事人才的历史使命，可谓使命在肩，责无旁贷。本文以遥感数字图像处理课程为例，探究在军队院校环境下思政元素的切入和开展。

2　遥感数字图像处理课程思政的研究现状

遥感数字图像处理课程是遥感科学与技术专业重要的组成部分，涉及遥感原理、高等数学、计算机科学、机器视觉、人工智能等多个学科的知识和内容，是一门典型的理工科专业课。遥感数字图像处理课程作为学员在专业课学习阶段最先接触的课程之一，塑造正确人生观和价值观的重要性，甚至远高于单纯的专业知识学习，可能会很大程度上影响青年学员走向未来部队的价值取向，军旅生涯的扣子必须从开始的第一颗就要扣好。然而，理工科的专业课程比较讲究知识的系统性和逻辑性，与传统思政课程的讲授方式似乎天然“泾渭分明”。如何在教学过程中最大限度地减少思政内容融入的刻意性，使思政元素能够潜移默化，“随风潜入夜、润物细无声”地融入授课过程，已经成为亟须解决的问题。

遥感数字图像处理课程专业课的内容主要集中在数字图像处理技术在遥感领域的应用，属于数字图像处理的分支内容。目前，针对遥感数字图像处理课程思政的研究还比较有限，仅有少量初步的探索研究，更多的研究是探讨数字图像处理中的思政内容。例如，张虹分析了遥感数字图像处理课程实施思政教学的必要性[1]，列举了一些遥感数字图像处理课程的思政元素融入点，并给出了一些简略的实施方法。酒明远和王成对于数字图像处理课程教学方法进行了探索[2]。认为要从三个方面进行改进：一是融入中国传统文化和爱国强国精神的图片；二是本科就业角度进行切入思政内容；三是实验课程中尽可能应用国产软件平台。刘红毅等以南京理工大学本科生必修课数字图像处理的课程思政建设为例，探讨了图像变换单元中思政内容的融入[3]，其使用的思政内容主要为中国传统哲学思想和“感动中国”“大国工匠”等人物和事件。邓运生等探索了在新工科背景下数字图像处理课程的思政教学[4]，认为可以从课前准备、授课手段和工程应用等几个方面对思政元素进行挖掘和提炼，使思政内容充满整个教学环节。宣秀元结合北京城市学院表演学部摄影专业数字图像处理课程的实际需要，开展思政案例设计的引入研究[5]。黄洁慧等认为需要从修改教学大纲、改变传统课堂授课形式，提高课题组教员自身思想道德素养，确立科学的课程思政考核模式等方面进行教学改革，使思政教育融入数字图像处理课程的教学之中[6]。

上述探索和研究均为地方院校，已经取得了一些有益经验，然而地方院校所承担的使命和军队院校毕竟存在很大的差别。地方院校学生更多考虑的是就业和服务社会问题，而军队院校学员则需要服从分配命令和献身国防事业。因此，地方院校给出思政案例更多地侧重于民用领域，进行思政的目的主要是提高学生的爱国精神和文化认同感，了解行业规范和法律法规，实现服务社会的宗旨，这与军队院校的人才培养目标是存在一定差异的，只能借鉴吸收，不可盲目照搬。进行军队院校遥感数字图像处理课程思政建设探索需要有专门的考量和思考。

3 军队院校遥感数字图形处理课程的思政元素切入

军队院校遥感数字图像处理课程的思政内容需要和人民解放军的使命责任密切联系，因此，需要更紧密地与武器装备、重大活动、抢险救灾等思政元素联系起来。经研究和思考，对一些适合军队院校的思政内容点进行了梳理和总结，列举在表 1 之中。下面对其中具有代表性的三个教学内容进行展开和说明。

表 1　　军队院校遥感数字图像处理课程思政元素融入

课程知识点	思政内容融入点	传授形式	预期成效
遥感数字图像的基本概念、遥感图像	中国遥感技术和事业的发展，高分专项的发展和实施	课堂讲授	培养学员的民族自信和爱国主义
遥感图像显示与人类视觉系统的工作原理	“色弱”的杨伟是如何走向歼—20 总设计师岗位的	播放网络视频	培养学员的民族自豪感

续表

课程知识点	思政内容融入点	传授形式	预期成效
遥感图像的获取方式和数字化过程	光学大师王大珩院士的家国情怀以及我国“863”计划的诞生	课堂讲授 加视频播放	培养学员的家国情怀以及严谨做事的精神
遥感图像的读取、存储和显示	中国高端制造业的“缺芯少屏”到京东方的破局	课堂讲授	树立民族自信心和自豪感
遥感数字图像处理的几何校正、辐射校正以及匀色镶嵌	谷歌卫星地图关于“三峡大坝变形”谣言与高分六号照片的辟谣	课堂讲授、实验	能够用所学的专业遥感知识反制西方媒体的谣言
遥感数字图像处理变换域处理方法	讲述我国数学家华罗庚和陈景润与高斯之间的关系	课堂讲授、实验	使学员能够保持开放的态度对外学习，保持探究热情
遥感数字图像的多源数据融合	汶川地震中堰塞湖激光雷达扫描图像和遥感图像的数据融合	课堂讲授	培养遥感专业的认同感和专业自豪感，树立家国情怀
遥感数字图像处理中的变化检测	新冠疫情的突然暴发与遥感技术的助力	课堂讲授 加视频播放	体会我党为人民服务，人民至上的宗旨
遥感数字图形处理的前沿研究	俄乌战争中商业遥感卫星在军事斗争中的应用	课堂讲授	培养学员的责任感、使命感，投身我国遥感事业的发展

3.1 遥感图像显示与人类视觉系统的工作原理

理解遥感图像的显示需要结合人类视觉系统的工作原理来进行阐述，人类视觉系统中的光感受器分为两类：锥状体（视锥细胞）和杆状体（视杆细胞）。其中视杆细胞主要负责感知光线强弱，对色彩不敏感。而对色彩敏感的视锥细胞又可以进一步细分为三种，即分别对 420nm 的蓝色、534nm 的绿色和 564nm 的红色敏感的三类视锥细胞。如果某一类视锥细胞受损或者功能不全，就会产生色弱的现象。我国的杨伟院士，却因为色弱，机缘巧合之下走向成为歼-20 战斗机总设计师的道路。

杨伟院士曾说，“我初中毕业考试的时候是 6 门课，我 5 门 100，1 门 99。所以我就在上高中的两个星期后破格参加了高考，到了填报志愿的时候也什么都没准备，清华、北大随便一填，结果成绩下来了离北大、清华的少年班录取也就差个一两分。可当时由于我是色弱，只能学数学和力学，不符合我报考专业的录取要求”“其实在一年前，我就参加了招飞行员的考试，也是在那个时候我知道我是色弱，但我眼睛不合格，就没有办法。但当时西工大的老师不忍心放弃，直接向系主任请示了，当时系主任罗时钧老师说：‘招啊，我也是色弱，就招到我的专业。’就这样上了一个月高中的我，圆了大学梦。”

可以说，遇到罗时钧老师是杨伟最大的幸运，如果没有这个机缘巧合也许就没有现在的歼-20。通过此部分思政内容的讲述，一方面深化了学员对于人类视觉系统感知色彩原理的认识，另一方面通过杨伟院士的故事使学员了解了我国尖端武器装备重器背后的故事，坚定了投身国防事业的决心。此外，杨伟院士的故事暗合了“塞翁失马，焉知非福”的古代哲理。

3.2 遥感数字图像处理的几何、辐射校正及匀色镶嵌

几何畸变是指遥感图像上各地物的几何位置、形状、尺寸、方位等特征与参照系统中的表达要求不一致时，即表明发生的几何畸变。卫星运行过程中，姿态、地球曲率地形起伏、地球旋转、大气折射及传感器自身性能均有可能引起几何位置的偏差。

在介绍此部分内容时，可以结合 2019 年 7 月“三峡大坝扭曲变形”恶意炒作事件融入思政教育。该事件的经过为：一些网友用谷歌地图显示三峡大坝时，发现大坝已经发生了肉眼可见的变形。一些别有用心的人在社交平台上传了“歪了”的三峡大坝卫星照片，声称“三峡大坝已经变形，一旦溃堤，半个中国将生灵涂炭”，引起了一定的恐慌情绪。

俗话说眼见为真，那么为什么谷歌地图上的这张照片会如此扭曲呢？这是由于几何畸变现象所导致的。事实上，用户所看到的谷歌卫星图，并非经由卫星直接拍摄得到的，而是经过一系列复杂算法处理后所得的结果。处理过程之中，如何应对卫星影像的几何畸变就是需要专门考虑的内容。良好的几何校正算法会使处理结果接近真实情况，而不合理的算法则会导致处理之后的结果与现实存在较大的偏差。由于谷歌地图和我国地图的处理算法不同，导致呈现给用户的卫星图像并非真实情况的客观呈现。

然而，“造谣一张嘴，辟谣跑断腿”。社交媒体上谣言的传播客观上还是造成了一定的恐慌情绪，为了正本清源，中国航天科技集团动用高分六号卫星拍摄了一张三峡大坝的卫星图片（见图 1）发布在互联网上进行辟谣，可谓是“杀鸡用牛刀”。

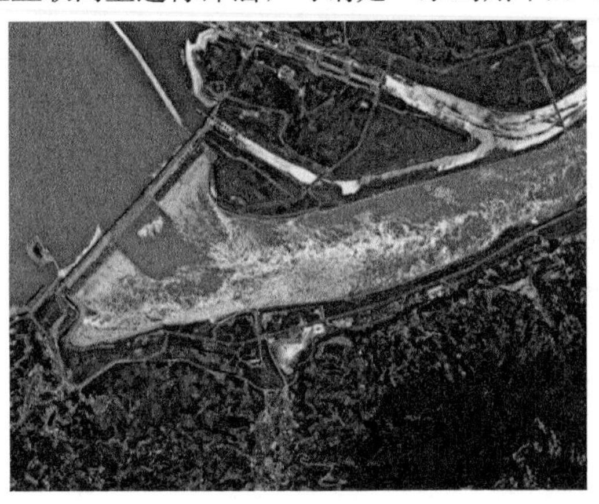

图 1　高分六号卫星拍摄的三峡大坝图像

高分六号是我国高分专项中的卫星，是一颗低轨光学遥感卫星。高分专项的实施，使我国卫星数据由原来的 85%依赖国外，发展到现在的 85%自力更生[7]。正是得益于高分专项，使得我们在关键的时候能发得出声，不会受制于人。

通过此部分思政内容的引入，能够显著加深学员对于辐射畸变的理解，以及针对辐射畸变进行几何校正必要性的认识。同时，还能够使学员以专业的眼光去对待网络上不时出现的各类不实谣言，让学员认识到要坚定地去相信权威媒体的官方消息，而不是人云亦云，让别有用心的媒体带节奏，牵着鼻子走；要掌握足够的专业背景知识，能够自觉同不实的虚假谣言作斗争。与此同时，加深遥感科学与技术专业本科学员对于我国独立自主发展高

分系列卫星重要性的认识。任何时候在专业方面做到不受制于人，不被别人卡脖子都是非常重要的。

3.3　遥感数字图像处理中的变化检测

遥感变化检测研究的内容是利用多时相遥感数据，采用多种图像处理和模式识别方法提取变化信息，并定量分析和确定地表变化的特征与过程。它涉及变化的类型、分布状况与变化量，即需要确定变化前、后的地面类型、界线及变化趋势，进而分析这些动态变化的特点与原因。此部分专业内容的讲授可以融入我国抗疫的相关思政内容。

2019 年新冠疫情肆虐，党中央决定调集力量，驰援武汉抗疫，其中最具有代表性的为火神山医院和雷神山医院的建设工程项目。党中央的坚定决心使得两个医院的建设工程开展神速，中国陆地观测卫星数据中心发布的不同时间卫星视角下的火神山医院的建设（见图 2）、雷神山医院的建设就可以看作是遥感变换检测的典型案例。将大国抗疫融入遥感变化检测知识的传授过程之中，也是一个很好地融入思政元素的切入点。

图 2　卫星视角下火神山医院的建设

此部分思政元素的融入，在具象化遥感数字图像变化检测专业内容的基础之上，还潜在地加强了学员的家国情怀，坚定了为人民服务的根本宗旨，明确了自身承担的历史使命。

4　结语

思政元素融入专业课教学对师资力量提出了更高要求。本文结合所处的时代背景分析了军队院校开展课程思政的必要性和迫切性，分析总结了地方院校近年来与遥感数字图像处理课程思政相关的探索和研究，在此基础之上，结合军队院校的独特特点和现实需要，研究梳理了遥感数字图像处理中适合军队院校融入思政元素的一些知识点，并就其中的三个知识点展开了详细论述，以期为培养德才兼备、专业化的新型军事人才提供一些借鉴和思考。

参考文献

[1] 张虹．遥感数字图像处理课程的思政教学探讨 [J]. 科教文汇．2021 (30)：95 - 97.
[2] 酒明远，王成．“数字图像处理”课程思政教学方法的探索 [J]. 现代职业教育，2021

(11)：70-71.
[3] 刘红毅，张军，张峥嵘．“数字图像处理”课程思政教学实践——以图像变换单位为例［J］．教育教学论坛，2021（50）：129-132.
[4] 邓运生，王艳春，薛大为，等．新工科背景下《数字图像处理》课程思政教学探索［J］．廊坊师范学院学报（自然科学版），2021（2）：112-115+119.
[5] 宣秀元．数字图像处理课程中思政案例的引入——以北京城市学院表演学部摄影专业数字处理课程为例［J］．中国民族博览，2021，08（16）：106-108.
[6] 黄洁慧，秦勇，郭宝云，等．思政教育融入“数字图像处理”教学中的探索［J］．地理空间信息，2020（10）：116-127+128.
[7] 门雪娇．中国科学院院士、中国工程院院士李德仁：秀出遥感技术的力量［J］．中国高新技术，2020（11）：5-10.

大学计算机基础课程思政体系设计与探索

王　琳　张学波　李晋丽
（航天信息学院计算技术基础教研室）

摘　要：当前，全国各大高校都在如火如荼地开展课程思政建设。由于课程性质不同，思政设计与效果也不同，如何结合课程特点，建设具有自身特色的课程思政体系，从而达到潜移默化、润物无声的育人效果，是每个教育工作者都在探索的问题。本文从大学计算机基础课程的教学目标出发，多角度设计课程思政体系，并结合教学内容进行了融合式课程思政探索。

关键词：课程思政；大学计算机基础；思政设计

1　引言

大学计算机基础作为大学本科教育的第一门计算机公共基础课程，从使用计算机、理解计算机系统和计算思维三个方面培养学员的计算机应用能力。课程的教学目标分为知识目标、能力目标、素质目标。知识目标是要帮助学员建立系统的计算机科学体系，掌握信息编码、计算机系统、计算机网络、数据库技术、程序设计语言等计算机领域的综合知识。能力目标除了使学员具备一定的计算机基础知识和应用能力外，课程更注重计算思维能力的培养，强调从解决问题的角度出发，培养学员利用计算思维分析问题解决问题的能力。素质目标是课程在知识传授的过程中不断融入理想信念层面的精神引导，以树人不忘立德为先，实现育才与育德相统一、知识传授与价值引领相统一，帮助学员塑造军人素养，激发学员奋发图强、报效国家的家国情怀[1]。

根据大学计算机基础课程教学目标，本文从爱国情怀、严谨学风、担当精神等多个角度设计课程思政内容体系，并与课程内容紧密结合，精心设计各章节的思政元素、案例和切入点，确保课程内容和思政教育无缝衔接。

2　突出素质教育，设计课程思政体系

大学计算机基础课程的思政目标是坚持全面贯彻党的教育方针，把立德树人作为教育的根本任务，发展素质教育，培养爱国情怀、社会责任感、创新精神。

2.1　学习辉煌成就，厚植爱国主义情怀

爱国主义是中华民族的民族心、民族魂，培养社会主义的建设者和接班人，首先要培养学员的爱国情怀。爱国情怀激发了数代人，成就了两弹一星、探月计划、载人航天、北

斗导航系统、天眼等奇迹。在教学中，结合专业知识，引入计算机发展史和我国科学家报效祖国、无私奉献的先进事迹，将爱国主义内涵传递给学员，增强学员的民族自信心和自豪感，厚植爱国主义情怀，培养时代新人。

例如，教师在讲解超级计算机时，可以先介绍超级计算机的概念、特点及应用领域，然后通过屈辱的“玻璃房”事件，介绍我国超级计算机的研发之路[2]，向学员展示从1986年至今我国在超算领域的成就，列举曾一度霸榜世界第一的银河、天河、神威·太湖之光，让学员体会到作为中国人的骄傲，以增强民族自信和自豪感；再介绍国防科技大学一代代银河人40年来从银河到天河的奋斗史，让学员学习他们“胸怀祖国、团结协作、志在高峰、奋勇拼搏”的银河精神，培养学员的使命感和爱国情怀。

2.2 以典型案例为鉴，培养科学严实学风

大学计算机基础课程涉及计算机多个领域的知识，范围广泛、理论抽象、操作性强，在培养学生的逻辑思维能力和创新意识方面具有一定的优势。因此，课程在传授知识的同时，更应该结合自身特点，强化计算机体系的逻辑性、抽象性，注重研究方法、揭示科学规律，培养学员科学的思维方式、严谨细致的学习态度以及科学探索、追求真理、勇攀高峰的使命感和责任感。

例如在讲解二进制时，首先通过讲解二进制的优点，让学员理解为什么计算机内部采用二进制对数据进行存储和处理，同时也要让学员明白二进制存在缺陷（数值计算未必都能等值转换），并举例说明，在Python中输入0.1＋0.1＋0.1算式，得到近似数0.300 000 000 000 000 04，计算结果存在误差，这和计算机内部用于数据表示和存储的位数有关，这也证明了计算机存在一定的局限性。只有认识到这一点，才可以尽量避免误差带来的隐患。

然后通过美国爱国者导弹发射失败的案例，告诉学员爱国者导弹采用24位存放数据，计时器以0.1为步长进行累加，而计算机无法精确地表示0.1，从而导致拦截失败。以典型案例为鉴，告诉学员战场上无小事，任何一个细微的错误，一个细节的疏忽都有可能导致流血牺牲，甚至整个战局的改变。让学员明白细节决定成败的道理，培养学员一丝不苟、科学严谨的学习态度。再如，我国的航天事业一次又一次取得成功，也是因为细节到位，启发学员学习中国航天人严肃认真、周到细致、稳妥可靠、万无一失的优良品质。

2.3 结合复杂国际形势，激励自强担当精神

思政教育还应及时关注科技前沿和当前复杂多变的国际形势，积极引导学员正面思考，培养学生正确的价值观。可以通过介绍我国近几十年来在科技领域的进展，让学员看到我国的自主创新能力有大幅提升，为经济社会发展注入强劲动力，列举鸿蒙、5G、人工智能等自主创新技术，增强学员“四个自信”。同时，也要清醒地认识到，我国在某些关键领域依旧存在“卡脖子”的问题，而解决问题的关键是要把技术和发展的主动权牢牢掌握在自己手中，激励学员自强自立、勇担科技大任。

例如，在讲解中央处理器时，首先通过播放视频，让学员了解CPU的制造工艺和制造技术，再通过讲解CPU的概念、结构和工作原理加强学生的认知，并结合国产芯片的现状

和当前复杂严峻的国内外形势，告诉学员芯片虽小，却是国之利器，想要彻底破解“缺芯”之痛，必须在高科技领域自立自强，激励学员要心系国家命运，放眼世界，牢记使命、不懈努力，勇攀科技高峰。

3 课程内容体系与思政元素的融合实践

课程性质不同，思政设计的角度也不同。大学计算机基础课程可结合自身特点，从芯片、网络安全、操作系统、数据库等多个方面深度挖掘思政元素，寻找思政切入点，全方位渗透思政教育，打造具有自身特色的课程思政。

大学计算机基础课程体系涉及七个章节：第一章计算与社会，主要讲解计算装置的发展史、算法概念及计算技术的应用领域等内容；第二章 Python 简介，主要讲解 Python 语言的基本语法与编程方法；第三章计算思维，内容涉及计算思维的核心概念、数据结构以及一些典型算法的讲解；第四章信息编码及数据表示，主要讲解数值、字符、声音和图像的数字化，以及数据压缩技术；第五章计算机系统，包括计算机硬件系统和软件系统两部分，涉及中央处理器、存储系统、总线、I/O 系统和操作系统等内容；第六章计算机网络及应用，主要讲解计算机网络的发展史、计算机网络系统结构、Internet 基础及应用等；第七章数据库技术应用基础，主要涉及数据库概念、数据模型、数据库技术应用等内容。

下面以部分章节知识点为例设计课程思政教学。

3.1 操作系统

操作系统这一章节是要帮助学生了解操作系统的发展史，掌握操作系统的概念、功能及应用。教员在讲解操作系统的发展现状及重要地位时，向学员介绍我国操作系统的“卡脖子”情况。一方面，微软的 Windows、Linux，苹果的 ios，谷歌的安卓等，在国内的操作系统市场占据着主导地位，我国随时面临着各种病毒、漏洞、后门等风险；另一方面，操作系统的国产化是软件国产化的根本保障，在整个 IT 国产化中扮演着承上启下的重要作用，实现操作系统自主化势在必行。我国经过 30 多年的努力，涌现出一批优秀的国产操作系统，如华为鸿蒙、统信、麒麟，它们正在从可用走向好用。以麒麟系列为代表的国产操作系统已经全面应用于银河、天河计算机、嫦娥工程等重要项目，国产操作系统已进入提速状态。通过这些内容的讲解，增强学生的自信心和自豪感，激发学生科技报国的家国情怀和使命担当。

除了上述思政理论授课外，实验环节也可以随时融入思政元素，例如通过引导学员安装和使用麒麟操作系统，壮大国产操作系统的用户群体，实现系统研发到消费使用再到规模扩张的一个良性循环。

3.2 Internet 基础

Internet 基础是第六章的重要内容，通过 TCP/IP 协议、万维网、电子邮件、搜索引擎等知识强化学生对计算机网络方面的认知。教员除了讲解知识层面的内容外，更重要的是告诉学员，要科学用网、正确用网，牢记“安全就是政治，政治就是安全”理念，要坚决做到“两个绝不能”和“五个都不能有”，用实际行动守牢安全稳定底线。

在网络安全方面，教员也可以借助社会热点举例说明，例如北京冬奥会的网络安全保障是由奥组委和政府相关部门共同参与的，奇安信也作为历史上首个冬奥网络安全和杀毒软件官方赞助商，全面承担了北京冬奥会的网络安全保障任务，从而保障了本届奥运会更安全，让线上线下观众体验到了奥运精神和体育精神。

同时，也提醒学员多关注国际形势，以美国为首的西方国家对我国不断实施打压，网络战、信息战、舆论战、贸易战接踵而来，在当前复杂多变的国际形势下，我们必须牢固树立政治意识、大局意识、核心意识、看齐意识，自觉在思想上政治上行动上同党中央保持高度一致。

3.3 数据库技术应用基础

这部分内容帮助学员理解数据库相关概念、数据模型及数据库管理系统，要求学员学会使用数据库管理软件管理数据、分析数据。在数据库具体应用时，教员可以选取和思政相关的数据，比如新冠疫情数据，让学员利用第六章中的网络爬虫技术获取卫生健康委最新发布的新冠疫情数据，然后利用数据库软件对疫情数据进行统计与对比，并对国内外疫情数据进行多角度、多形式的可视化显示。通过数据对比与分析，让学员体会到中国的抗疫斗争充分展现了中国精神、中国力量、中国担当，彰显了中国共产党和中国特色社会主义制度的显著优势，展现了中国人民和中华民族的伟大力量，增强学员的民族自信，培养学员的爱国情怀，激励学员在新时代新征程上奋勇前进。

借助数据寻找思政案例，这样的例子还有很多，因此，在思政教学设计上，教员可以采取类似的方法进行思政教育，给学员传递正能量，潜移默化地影响学员的“三观”。

4 结语

思政教学永无止境，需要教员在教学中不断探索与实践，将专业知识与课程思政有机融合，充分发挥课程的思政优势，让学员在知识的学习中潜移默化地获得理想信念层面的精神引导，以形成正确的世界观、人生观和价值观。

参考文献

[1] 陈慧女，马曾，史珂．军事院校《大学计算机基础》“课程思政”教学思考［J］．计算机工程与科学，2019（12）：190－192.

[2] 施江勇，付绍静，谷松林．大学计算机基础课程中的思政教育［J］．计算机教育，2020（1）：9－15.

思政元素融入航天测控系统与应用课程的教学改革实践

张　威　吴　涛
（电子与光学工程系测控工程教研室）

摘　要： 理工科航天类专业课程开展课程思政时，如何挖掘课程思政元素及其与授课知识点的有机融合一直是教学改革中的难点问题。本文在分析课程思政的教学目标与内涵的基础上，提出课程思政元素的挖掘包含教员品德示范、学科前沿与应用、航天时事特点、科学发现与名人事迹、科学方法与哲理、航天测控精神等六个主要方面，并对课程思政的实践做法进行了举例，以期为同类理工科专业课程的课程思政实施提供思路和借鉴。

关键词： 专业课程；课程思政；思政元素；教学改革

1　引言

高等教育改革迈入新时代以来，高校课程育人的使命更加凸显，党和国家多次进行部署。2017 年，中共中央、国务院印发的《关于加强和改进新形势下高校思想政治工作的意见》提出：高校要把立德树人作为根本任务，把思想政治工作贯穿教育教学全过程，把思想价值引领贯穿教育教学全过程和各环节，坚持全员全过程全方位育人。2020 年教育部印发的《高等学校课程思政建设指导纲要》指出：全面推进课程思政建设是落实立德树人根本任务的战略举措。习近平主席多次强调，要把立德树人作为教育的根本任务，要把立德树人的成效作为检验学校一切工作的根本标准，发挥专业教师课程育人的主体作用，使各类课程与思想政治理论课同向同行，形成协同效应[1]。

课程实践中发现，理工科专业课程内容包含大量的基本概念、原理和计算，具有很强的逻辑性和抽象性，很少直接体现思想政治教育的属性。航天测控系统与应用课程就是一门典型的理工科专业课程，是航天测控专业的必修课程，对培养学员认识掌握航天测控系统的基本概念、原则、方法，分析本专业工程技术问题等能力，胜任航天测控第一任职岗位都具有至关重要的作用。如何在教学改革中针对航天测控系统与应用课程的特点，设计课程思政元素，并融入课程教学过程具有不小的挑战。为了实现“坚持育人导向，突出价值引领”的课程思政目标，课程组经过充分调研、研讨，梳理和挖掘出一些体现“身教”、立德树人、价值观的塑造、能力素质培养的思政元素，并结合教学内容进行了整合、融入和实践，以期为航天类理工科专业课程的思政教育提供思路。

2 课程思政的内涵与目标

德育是整体的，是对人的“熔炉”式全方位、立体式影响。课程思政的实质是一种课程观，不是增开一门课，也不是增设一项活动，而是将高校思想政治教育融入课程教学和改革的各环节、各方面，实现立德树人润物无声。

课程组认为，课程思政的内涵至少包含如下几个方面。①课程思政在本质上是教育的重要组成部分，根本目的在于更好地立德树人。育人与育德是相辅相成、左膀右臂的关系，需要注重两者的有机统一。②专业课程的课程思政要与思想政治理论课同向同行，两者相互协同实现育人、育德的目的。“三全育人”正是指明协同育人的方向。③课程思政体现了人才培养方案、课程设计中常常提到的知识传授、价值塑造和能力培养的多元统一。④课程思政的思维是教学方法的创新。在全国高校思想政治工作会议上，习近平总书记提出了提高学生思想政治素质的明确要求，即“四个正确认识”[2]，其要义就在于要学会用正确的立场、观点和方法分析问题，把学习、观察、实践同思考紧密结合起来，善于把握历史和时代的发展方向，善于把握社会的主流和支流、现象和本质，养成历史思维、辩证思维、系统思维和创新思维。对于课程思政来说，其思政元素挖掘、教学实施过程、思政教学评价就是一种教学方法的创新。

总结梳理课程思政实践中的经验，课程组认为：课程思政是教员通过教学设计、课堂实施，来实现育人目标、传输正确的价值观和世界观的教学过程。课程教学的过程是课程知识传授的最重要途径，是整体学科与专业实现育人的最主要环节。“课程思政”，从其字面含义不难看出，需要将思想、品德、精神的教育渗透到课程的理论或实践教学过程中。进一步，“课程思政”应是教员在教学设计、课堂实施的基础上，引导学员将所听、所学、所悟转化为内在的品德，融入自己的思想认识，帮助学员形成积极向上的人生观、价值观和世界观。

在仔细研究关于课程思政与思政课程的同向同行的指示要求后，课程组设计了航天测控系统与应用的课程思政目标：引导学员认可航天测控岗位在航天任务中的关键地位和作用，树立为测控事业勤奋学习和工作的信心，形成严谨求实、勤于思考、勇于攀登、主动探索的学习态度，培养学员对党忠诚、奉献部队的信念，以高远的志向砥砺奋斗，在人生的道路上刚健有为、自强不息。为了实现这一目标，课程组还制订了航天测控系统与应用课程思政的实施原则：①思政内容价值观要正确，符合社会主义核心价值观；②要针对学员心理分析、知识储备和军政素质量身打造思政内容；③要采用多样化的思政元素，多措并举；④要注意巧妙渗透，显隐结合，把思政之“盐”溶于课程之“水”。

3 课程思政元素的挖掘

课程思政的关键之处在于找准“契合点”，恰当地生成思想政治教育与专业课程之间的融合关系，达到无缝对接和有机融合的效果。思政元素的挖掘，是专业课程实施课程思政前最重要的工作之一。围绕和遵循教育部印发的《高等学校课程思政建设指导纲要》，我们梳理了理工科航天测控类课程思政元素的主要挖掘点，如图 1 所示。

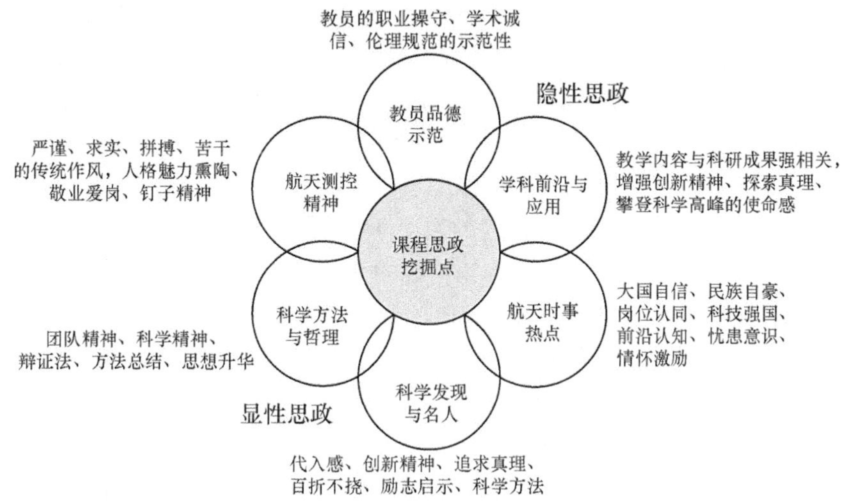

图 1　航天测控类课程思政元素的主要挖掘点

在图 1 中，课程组认为，航天测控类课程思政元素的挖掘点至少包括以下六个主要方面。①教员的品德示范。学员在校期间，除了同学关系外，最常接触到、受影响最大的就是教员的职业操守、学术诚信和伦理规范。教员不但要在教学内容上以德育人，更要严格要求自身，做到以身示范。②学科前沿与应用。教学内容是课程思政之基，要注重实时更新教学内容，做到教学内容与科研成果强相关，进而从中培养学员的创新精神和探索真理、勇攀科学高峰的使命感。③航天时事热点。匹配教学内容，可以经常性引入近期的航天时事。我国航天事业的飞速发展能够增强学员的大国自信、民族自豪与岗位认同，扩充学员对前沿知识的认知。欧美等航天大国的先进航天发展又能引发学员的忧患意识，激励其科技强国的情怀。④科学发现与名人事迹。在讲述原理时，挖掘一些具有代入感的科学发现故事，讲述科学方法、分享励志事迹，培养学员追求真理、百折不挠的创新精神。⑤科学方法与哲理。对个别教学内容，可以进一步升华思想，总结其中的科学精神、科学方法、团队精神、马克思主义的辩证法等，形成方法论与哲学思想的层次提升。⑥航天测控精神。很多课程内容都可以挖掘其背后的测控岗位故事，宣贯其中的严谨、求实、拼搏、苦干的传统作风，利用故事中的人格魅力对学员进行熏陶，培养其敬业爱岗的“钉子”精神。这六个重要的思政挖掘点，既可以以显性思政的方式体现，又可以以隐性思政的方式体现，表现多样。

结合航天测控系统与应用课程的航天特色及多批次的课程实践，课程组总结了思政元素挖掘中的三个“注重”。这里通过举例来进行分析。

（1）注重通过“身教”来立德树人。教员认真对待教学的积极态度，既是潜移默化的课程思政，也恰恰是最直接最深刻的课程思政。课前充分备课、比学员早到教室、不拖堂、细致批改作业、热心回答学员问题、积极组织答疑，都是最好的“身教”方式。

（2）注重学员价值观的塑造。针对这个注重，课程组打造了很多抓手方向，譬如，厚植爱国主义情怀，从正向引导、反向激励两方面均可以实施。在讲到我国航天测控技术重大发展的知识点时，我们会顺势进行爱国主义教育；在讲到系统仿真工具包 STK 软件对我国禁运时，又能反向激励学员为中华崛起而奋斗。在讲述国内外测控系统发展时，不可避免会对比中美航天发展差距。这时，我们引导学员实事求是、全面地看待问题。我们还会经常结合授课内容融入体现航天测控人“严谨、求实、拼搏、苦干”传统作风的小故事，既提升了课堂的趣味性和吸引力，又培塑学员价值观。当然，体现我国航天科技由弱到强发展大型工程，也是我们经常会用到的价值观思政元素。

（3）注重学员能力素质的培养。著名的教育学家蒋南翔先生曾经发问，是给学生猎枪还是给学生干粮？不言而喻，能力的培养比知识的传授更重要，有限的干粮很快就会吃完，但得到能力素质的猎枪之后，就会有吃不完的干粮。关于注重能力素质培养，我们主要的做法如下：①在理论讲授时，会经常采用启发式、问题式的教学方法，变句号为问号，常常以测控系统为什么这样设计、换种方法行不行的方式引发学员思考、探索；②涉及著名科学家和他们的定理时，我们又常常会以故事的形式呈现给学员，让学员感受定理发现的过程，找到契合点，激发他们的探知欲和创新精神；③科研成果进课堂，也是我们常采用的方法，我们不但会分享与课程内容相关的最新成果，还会分享科研过程中的团队合作、勇于创新、精益求精的科研精神。此外，我们还会有意识地引导学员形成良好的职业操守、学术诚信和伦理规范，摒弃弄虚作假、唯利是图、学术不端等行为。

4 课程思政的实践

课程思政的教学实施不是一蹴而就的，更不能想到就实施，想不到就置之度外。需要在课程实施前结合课程内容深入挖掘思政元素，提前排兵布阵，以问题逻辑将知识传递转变为理论思维和价值引领。经过多轮实践，课程组认为最佳的方式是建立课程思政的元素库。我们的实际做法是，从目标和原则出发，对各章节的思政内容进行精心设计，形成课程思政教学设计表。每次课程实施前，只需要对照课程思政表，稳步实施，就能获取良好的效果。这里摘取了部分思政教学设计表作为示例，见表 1。

表 1　航天测控系统与应用课程思政教学设计(部分)

课程知识点	思政切入点	思政元素	融入方法	育人目标
第 1 节　绪论	航天测控系统的地位作用	航天测控系统是“天地唯一连线”，是风筝与风筝线的关系。例如在卫星工程、载人航天工程、深空探测、导弹试验中均扮演重要作用	引导学员认识自己未来的岗位的重要性，激发学员从事测控事业的热情和岗位意识	根植学员从事航天测控事业的自豪感和使命感
第 2 节　测控时空基准	航天测控系统中常用的坐标系统	我国自主创新，建立自己的 CGCS 2000 国家大地坐标系，争夺大国话语权	引申至测控网发展、载人航天、5G 标准等，激发学员的创新潜意识和爱国热情	增强学员的爱国情怀和文化自信

续表

课程知识点	思政切入点	思政元素	融入方法	育人目标
第 3 节　测控系统组成与功能	统一载波测控系统的发展历程	陈芳允院士十几年专注统一载波测控系统研制；正确看待中美航天发展差距问题；我国统一载波测控系统自主创新之路；本教研室的科研成果——××记录设备	通过显性思政和隐性思政相结合的方式，讲述系统研制历程，对比中美差距	创新精神、励志启示、忧患意识

譬如，讲到统一载波测控系统的发展历程时，教员可以迅速从教学设计表中找到课程思政实施的具体元素、融入方法和课程目标。

在讲述从分离测控系统向统一载波测控系统发展的过程中，可以用一两句话（隐性思政）提到陈芳允院士十几年如一日，专注统一载波测控系统的研制，培养学员的创新精神、追求真理的态度，给学员以励志启示。

在讲解我国统一载波测控系统的发展时，叙述（隐性思政）我国统一载波测控系统的自主创新之路，增强学员的前沿认知、岗位认同和大国自信。

在讲到我国统一载波测控系统的研制借鉴美国而发展时，引申讲述（显性思政）如何正确看待中美航天发展差距问题，培养学员辩证看待问题的态度，增强学员的忧患意识及科技强国的决心。

在讲述统一载波测控系统的新型设备时，提到（隐性思政）本教研室的科研成果——××记录设备，科研成果进课堂，增强学员的创新精神，培养学员探求真理、勇攀科技高峰的使命感。

由此可以看出，一个知识点可以综合采用隐性思政、显性思政手段，融入多重思政元素来完成课程思政，既讲述知识点，又完成德育的目的。实践中发现，通过课程思政的实施，活跃了课堂，调动了学习积极性，拓宽了学员的视野，培养了学员的综合素质。

5　结语

本文从航天测控系统与应用理工科航天类课程的特点出发，分析了课程思政的教学目标与内涵，总结了同类课程思政元素的挖掘包含教员品德示范、学科前沿与应用、航天时事特点、科学发现与名人事迹、科学方法与哲理、航天测控精神等，对课程思政的实践做法进行了举例，在实施课程思政融入课程的教学改革中，实现了思想政治教育与专业知识传授的有机结合，以期为同类理工科专业课程的课程思政实施提供思路和借鉴。

参考文献

[1] 高德毅，宗爱东．课程思政：有效发挥课堂育人主渠道作用的必然选择［J］．思想理论教育导刊，2017（01）：31-34.

[2] 王学俭，石岩．新时代课程思政的内涵、特点、难点及应对策略［J］．新疆师范大学学报（哲学社会科学版），2020，41（02）：50-58.

军队院校专业实践课程思政建设方法探讨与实践

杨　柳　丁　丹　王红敏
（电子与光学工程系测控新技术与应用研究中心）

摘　要：本文针对军队院校专业实践课程如何开展课程思政问题展开探讨，在深入剖析军队院校专业实践课程特点的基础上，提出课程思政的基础在课程、课程思政的重点在融合、课程思政的关键在教学设计、课程思政的根本在教员四个方面的课程思政建设方法，以航天测控技术与指挥专业学员的重要专业实践训练科目——“卫星测运控技能综合训练”为例，介绍开展课程思政的具体做法，以期为军队院校专业实践课程思政建设提供参考。

关键词：军队院校；专业实践；课程思政

1　引言

新时代军事教育方针不仅对军队人才的专业能力提出了要求，更将对军队人才的德育要求放在了首位。士有百行，以德为先，军校学员要树立正确的理想信念，坚持党的领导，坚持马克思主义指导地位，不断强化政治理论修养，用于指导自身的学习和工作实践。然而，随着互联网和计算机技术的飞速发展，来自世界范围的不稳定、不确定因素增多，我国意识形态领域面临着越来越严峻的挑战，如何令学员时刻保持清醒头脑、增强忧患意识和底线思维是军校教员面临的重要课题。课程思政的理念在这样的时代背景下被提出。

当前，针对专业理论课和专业实践课课程思政建设方法的探讨相对较多[1-5]，而对于军队院校的专业实践类课程思政建设该如何开展的讨论相对较少。本文在深入剖析军队院校专业实践课程思政特点的基础上，探讨军队院校专业实践课程思政建设的途径方法，最后以“卫星测运控技能综合训练”实践授课为例，剖析开展课程思政的教学实践方法，以期为军队院校专业实践课程思政建设提供参考。

2　军队院校专业实践课程思政特点分析

2.1　向战为战导向突出

有别于地方院校，军队院校的专业实践课程要更加突出姓军为战的基本属性，教员要向战而教，学员要向战而学。因此，在教学目标上首先要强化学员作为军人的使命担当，确立时刻谋打仗、为打仗的思政目标，将解决战场实际问题、胜任部队岗位任职作为检验实践教学成果的重要标准。其次，要努力为学员创设实战化的教学训练环境，围绕新型作战能力、新型作战装备设置实战化教学内容，在此基础上，以实战化教学内容为载体、深入挖掘思政元素，开展向战为战导向突出、具有军队院校专业特色的课程思政。

2.2 具有开展课程思政的天然优势

军队院校专业实践课程重在引导学员牢记军人使命任务、向战而学，将理论转化为实际，知行合一，提升分析、解决实际问题的能力，培养创新精神。这些价值观念和行为模式的渗透可以在实践教学开展的过程中以润物无声的方式开展，而无须理论课灌输式的融合。因此，实践教学具有开展课程思政的天然优势，学员可以在实践的过程中发现问题、研讨问题、解决问题，教员则需要适当地进行提问、点评、指导和纠错。在实践的过程中，教学双方均得到挑战和激发，学员于无形之中得到世界观、方法论、能力品质和情操等方面的熏陶、培养和塑造，也实现了实际意义上的课程思政。

2.3 对教员队伍要求更高

与专业理论课不同，专业实践课的开展往往需要配备多名教员，这就需要每一位参与授课的教员都具有课程思政能力，且教员之间需要进行相互沟通和协调以达到最优的课程思政效果。而每名教员本身的专业能力和个人素养具有差异性，实践课的集体思政相对于理论课的个人思政对教员队伍提出了更高要求。

3 军队院校专业实践课程思政建设方法

3.1 课程思政的基础在课程

课程思政要与思政课程同向同行，共同发挥立德树人的重要作用，但两者有着本质不同。思政课程的本质是讲道理，把道理讲深、讲透、讲活，是将思想政治观念和社会道德规范通过有目的、有组织、有规划的方式传输给受教育者，是一种显性教育；而课程思政是以课程为载体，在讲好专业学理的基础上从课程中挖掘出能够对学员的人生观、价值观和行为习惯产生影响的思想道德规范等思政元素，是一种隐性教育。课程承载思政，思政隐于课程，课程建设是开展课程思政的基础。军队院校专业实践课程，既发挥着与地方高校实践课程相类似的作用，又具有姓军为战的特有属性。军队院校实践课程内容的设计要更加贴近实战化，能够充分体现军味、战味，以研究和解决战场中可能会遇到的实际问题为根本出发点，围绕新型作战能力培养和军人使命任务要求打造训练条件、设置教学内容，做到未来的仗怎么打，现在的课就怎么教。以实战化的课程设计为载体，在不脱离课程内容、不影响专业实践课程教学效果的基础上，挖掘具有向战为战价值导向的思政元素。

3.2 课程思政的重点在融合

课程思政不是课程＋思政，不是机械添加、生搬硬套，而是课程体系与思政体系的有机融合。军队院校专业实践课程要引导学员谋打仗、为打仗，将理论所学应用于战场实际，注重学思结合、知行统一，增强学生勇于探索的创新精神和善于解决问题的实践能力。这些价值引领要在教学实践的过程中进行渗透，要在不破坏原有专业实践课程教学开展的前提下，将课程思政融合于教学过程中的各个环节。同时，要瞄准军兵种特性和任职岗位需求，根据所属学科专业特性进行课程与思政的相互融合，做到因地制宜、彰显个性。此外，课程思政要注重立足生活、贴近生活，基于专业实践课程的天然优势，通过实践讲道理，而不是照本宣科讲道理，这样更有利于将思政教育与课程本身融为一体。

3.3 课程思政的关键在教学设计

课程思政是有计划、有目的的实践活动。这就要将课程思政设计体现在课程教学设计和教案等教学要件中，体现在教学目标、教学内容、教学方法和教学过程等教学设计要素中，形成指导教员授课的纲领性文件。课程思政的实施要润物无声，但课程思政的设计要有的放矢。教学目标上要在坚持知识与技能、过程与方法、情感态度与价值观三位一体育人理念的基础上进一步强化立德树人的主体地位，突出对学员的德行、态度、价值观等精神引导，注重培养全面发展的人。对于军队院校专业实践课来说，要将培养政治素质过硬、向战而学、能够将理论转化为实际、知行合一的专业人才作为首要目标。要在教学内容中深度挖掘思政元素，并在教学过程中通过问题融入、叙事融入、疏导融入等实现方式进行渗透，形成包涵知识点、思政元素和实现方式的课程思政教学设计。

3.4 课程思政的根本在教员

教员是课堂教学的主导，教育者的思政能力对于搞好课程思政、提高思政效果具有决定性作用。著名教育家梅贻琦说："学校犹水也，师生犹鱼也，其行动犹游泳也。大鱼前导，小鱼尾随，是从游也。从游既久，其濡染观摩之效，自不求而至，不为而成。"教员内在的综合素养所外化而成的行为举止、思想高度对学员来说本身就是一种价值引领。在开展专业实践课程教学的过程中，两个基本理念应该被深入贯彻，以研究和解决实际问题为根本出发点，以挑战和激发教学双方现有能力水平为根本遵循，这也是对实战化教学的基本要求，中青年教员自身是否具备解决战场实际问题的基本能力、是否愿意迎接战场不确定性所带来的挑战，并在此基础上挖掘思政元素、讲好课程思政是每一位中青年教员需要认真思考的问题。总之，教员要成为所传授知识的拥有者，所培养能力的展示者和所倡导价值的体现者，对教员综合能力素质的培养是开展课程思政的根本。

4 军队院校专业实践课程思政实践案例

毕业实习课程是航天测控技术与指挥专业本科毕业班首次任职培训中的一门实践课程，主要培训学员完成航天测控岗位任务所需的基本技能，培养学员运用测控专业知识解决岗位实际问题的能力，为适应首次任职岗位奠定素质和能力基础。本课程是理论联系实际的重要教学环节，培训对象经过了航天测运控专业知识的学习，即将奔赴部队的工作岗位，急需本门课程作为大学和部队之间的重要衔接。"卫星测运控技能综合训练"是毕业实习课程中的重要教学科目之一，学员主要围绕卫星测运控的重要岗位技能开展训练，其教学过程和思政融入设计如图1所示。

在导言部分，教员阐明本次课与前序课程之间的关系：在前序课程中，学员已经完成

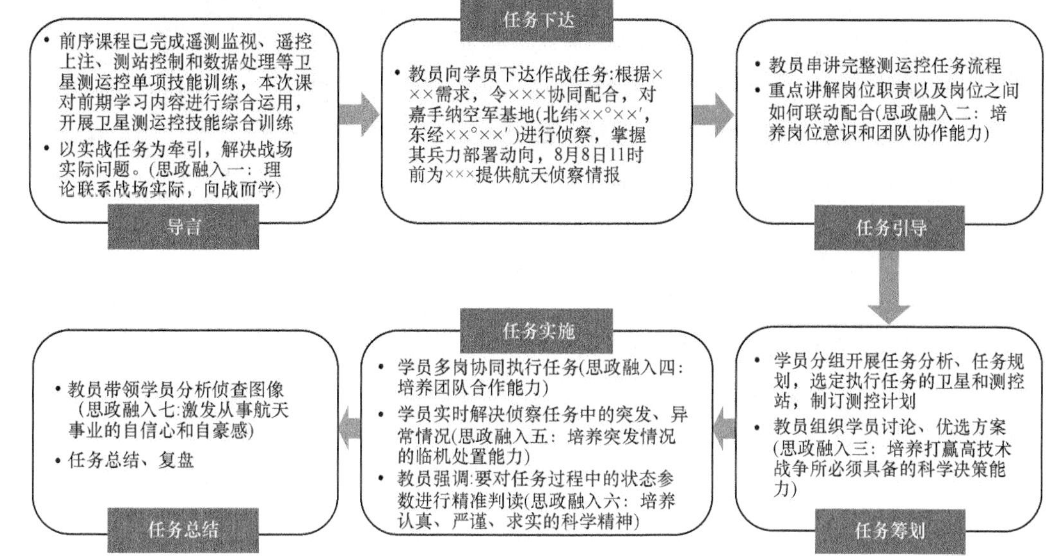

图 1 “卫星测运控技能综合训练”教学过程与思政融入设计

了卫星遥测监视、遥控上注、测站控制等测控相关的单项技能训练和载荷控制、数据处理等运控相关的单项技能训练，本次课的目的在于对前期训练的单项技能进行综合运用，开展卫星测运控技能综合训练。具体来说，本次课将以实战任务为牵引，利用在轨卫星和真实测控系统完成卫星侦察任务。在此融入本次课的第一个课程思政点，即号召学员要将理论所学应用于战场实际，敢于迎接复杂的战场环境所带来的严峻挑战，作为军校学员，要不忘强化自身的使命担当，时刻谋打仗、为打仗。

本次课按照任务下达、任务引导、任务筹划、任务实施和任务总结的流程令学员沉浸到实际测控任务当中，以研究和解决战场实际问题为根本出发点，以挑战和激发教学双方现有能力水平为根本遵循，既契合了实战化教学的内涵和要义，又充分调动了学员训练的积极性。首先，教员向学员下达任务要求：“根据×××需求，令×××协同配合，对嘉手纳空军基地（北纬××°××′，东经××°××′）进行侦察，掌握其兵力部署动向，8 月 8 日 11 时前为×××提供航天侦察情报。”这一环节的设置战味突出，可以令学员快速沉浸到实际作战任务中去。

在任务引导阶段，教员进行重要训练要点的讲解和示范，串讲完整测运控任务流程，为后续学员独立制作测控计划、实施测控任务做铺垫。在这个过程中，教员需重点强调各个岗位之间如何进行联动配合才能够完成一次测控任务。此处融入本次课的第二个课程思政点，即多人多岗密切协同是航天任务的重要特点，岗位之间默契配合的程度将直接影响任务的成败，借此培养学员的岗位意识和团队协作能力。

任务筹划是本次课的第一个教学重点。在这个阶段，学员以小组为单位现场召开小型作战筹备会进行任务需求分析，之后开展任务规划。在这个过程中，学员们需要履行好任务规划的岗位职责，深入剖析任务需求，精确计算各卫星对目标区域成像可见的时间窗口，以及卫星过境各测控站的时间窗口，并在此基础上细算一些重要的任务参数，如太阳高度角、卫星侧摆角和测控站天线仰角等。最后，需要综合考虑卫星轨道、测控窗口和站网资源任务、能力等多维因素，选定执行任务的卫星和测控站，形成测控方案。教员组织学员进行讨论，并引导学员从多组方案中推选出最优方案。在此融入本次课的第三个课程思政点——培养学员打赢高技术战争所必须具备的科学决策能力。

任务实施是本次课的第二个教学重点。在这个环节，学员按照任务筹划阶段所制订的测控计划，综合运用遥测监视、遥控上注、测站控制和数据处理等测运控单项技能，多岗位协同执行侦察任务。在任务执行的过程中，学员需要具备对高技术装备状态参数的精准判读能力。此外，真实任务的特点在于会面临传统仿真系统难以模拟的、突发的异常情况，如测控站信号丢失、测控站天线跟踪失锁、卫星遥测数据传输不畅等，学员需要具备思考、分析、解决问题的能力。可见，要保证任务的成功实施，对学员的岗位协同配合、突发情况的临机处置能力要求是比较高的。此外，还需要学员具备认真、严谨、求实的科学精神，这三个方面可以分别作为第四、第五和第六个课程思政点融入本次实践教学过程中。

遥感图像生成完毕后，本次侦察任务即宣告结束，教员带领学员判读分析侦察图像，提取出图像背后隐藏的关键信息。在此可以融入本次课的第七个课程思政点，让学员看到其亲手操控卫星所得到的重要成果，从而激发学员从事航天事业的自信心和自豪感。

在以上思政要素融入实践课程的过程中，要特别注意方式方法，充分发挥实践类课程的天然优势，在实践的过程中发现问题、研讨问题、解决问题，课程思政也可以就势展开。

5 结语

军队院校专业实践课程是引导学员将理论所学应用于战场实际，养成解决实际问题能力，从而胜任岗位任职的重要渠道，课程本身蕴含着诸多思政元素，是开展课程思政的重要战场。军队院校专业实践课程向战为战导向突出，对教员的整体思政水平要求更高。本文着重从课程思政的基础、重点、教学设计和根本四个方面探讨了军队院校专业实践课程思政建设的基本方法，并以“卫星测运控技能综合训练”实践授课为例，从军人使命任务、理论联系实际、团队协作、科学精神、航天情怀等方面融入课程思政教学设计，做到教员有意思政、学员感受不到思政而又成就事实上的思政。下一步将针对军队院校实践课程的专业特色，持续优化课程教学内容，深入挖掘课程思政元素，创新课程思政融入方法，提升教员整体思政能力，实现军队院校专业实践课程同思政课程的协同育人。

参考文献

[1] 费腾，张立毅，孙云山．课程思政建设的方法途径初探［J］．教育教学论坛，2020（35）：48-49.

[2] 张新科．新时代高校课程思政话语哲学视域分析［J］．江苏高教，2022（04）：90-95.

[3] 周利方，沈全．“课程思政”理念融入专业实践教学研究［J］．教育教学论坛，2021（19）：177-180.

[4] 李大舟，高健．课程思政融入数据科学与大数据技术专业实践教学探索［J］．中国教育信息化，2021（20）：93-96.

[5] 李子杨，李竟然，李荣．军队院校专业基础课程开展思政教育探索与实践［J］．现代职业教育，2021（48）：186-187.

中晋高军士学员计算机应用技能课程思政探索与实践

李春彦　王　珍　刘世睿
（士官学校基础部基础科学教研室）

摘　要： 本文针对如何在计算机应用技能课程中融入思想政治教育问题，结合课程思政建设现状及中晋高军士学员特点，深入挖掘课程思政元素，提出计算机应用技能课程思政的目标，将学员思想政治教育与计算机应用技能操作训练无缝融合，最后给出课程思政建设的效果和持续改进的方向。

关键词： 课程思政；中晋高军士学员；计算机应用技能

1　引言

推进课程思政建设，是深入学习贯彻新时代军事教育方针的重要抓手，旨在使德育与智育相统一，把思想政治教育贯穿到人才培养全过程，推动实现全员全过程全方位育人。

2　课程思政建设现状及学情分析

中晋高人才培养方案的培训目标指出，培养具有一定信息技术基础，会使用多媒体设备及配套软件的专业技术士官人才……使学员能够适应新型军事斗争准备需要，适应新质作战力量建设发展需求。计算机课程在增强学员的计算机应用能力、培养学员计算思维，提升学员信息素养方面发挥着重要作用[1]。为此，为中晋高军士学员安排了计算机应用技能课程。

2.1　课程思政现状

当前，学员的思想政治教育主要依靠思想政治课程，思政课程在培养合格军校学员的过程中发挥了巨大作用[2]。但是网生一代军士学员多数认为原始的思政课程枯燥乏味，上课时昏昏欲睡，对教员讲授的东西一知半解，没有进行深入思考，更没有入心入脑、落地落实。因此，单靠思政课程进行思政教育还远远不够，需要各类课程与思政课同向而行，将思政教育融入各类课程教学，不突出思政教育，但处处蕴含思政元素，以此才能达到润物无声、潜移默化的功效。

计算机课程思政就是结合计算机课程特点和学员实际情况，在课堂教学中探索如何将立德树人与教育教学有机结合[3]。针对计算机课程思政，地方高校和军队院校许多老师都进行了深入的研究[1-5]。但是针对中晋高军士学员的计算机课程思政研究还是空白，同时，文章大多从宏观层面对计算机课程思政进行探究，缺乏相关课程思政元素及思政教育融入课程教学内容方法的详细介绍。

2.2 中晋高学员的特点

中晋高军士学员的任职岗位分布较广、学历水平差异较大，培训结束后常常面临着一两年内非升即走的情况，无论是晋升高级军士还是退伍后到地方单位工作，都需要提升自身的信息技术基础，增强计算机操作技能，因此他们的求知欲很强。通过课前问卷调查发现，中晋高军士学员对计算机应用技能课程的兴趣度很高，迫切希望通过本课程的学习提升计算机操作能力。通过课堂表现可以看出，中晋高军士学员学习的自发性、能动性非常强，经常主动要求利用自习时间去教室操作练习，课后经常到教员办公室探讨问题，能够积极地与教员进行沟通交流。

3 计算机应用技能课程思政目标

结合课程特点及学情分析，提出了本课程思政的建设目标，包括但不局限于以下内容。

3.1 增强家国意识，厚植爱国情怀

中晋高军士学员在部队历练多年，具有较强的爱国主义精神，课程思政要实现的就是厚植学员的爱国情怀，让学员将热爱祖国、报效国家融入自己的血脉之中，形成一种自觉自愿的心态，建立与国共存亡的深刻认识，自觉践行社会主义核心价值观，树立正确的世界观、人生观、价值观。

3.2 强化法规教育，敦促遵纪守法

计算机是一把双刃剑，用得好可以带来便利，用得不好就会成为达摩克利斯之剑。在计算机安全上尤为明显。比如，可以利用掌握的技术找到系统中的漏洞并提醒相关部门修补，做白帽黑客；也可以利用安全漏洞发动网络攻击，做黑帽黑客。在享受信息化带来便利的同时，需要学习相关法律法规，严格遵守各项规章制度，时刻将保守国家秘密放在第一位，自觉做到不“翻墙”、不网赌网贷、不泄密卖密，遇到违反法律法规的行为积极举报。

3.3 增强创新意识，树立科技强国理想信念

创新是引领发展的第一动力。抓创新就是抓发展，谋创新就是谋未来。近年来发生的“中兴”“华为”事件时时提醒着我们要注重科技创新，创新是一个民族和国家发展的不竭力量之源。虽然目前我国各项技术在各方面进步很大，但是核心技术受制于人的现状没有变，这就要求我们要常怀忧患意识，创新精神，奋起直追。作为新时代军士学员，虽然可能不从事计算机专业，但是在各自的工作岗位上也要增强创新意识，积极开拓创新，这样才能逐渐摆脱西方国家在关键核心技术上对我国“卡脖子”，真正做到科技兴军、科技强国。

3.4 提升职业素养，强化工匠精神

中晋高军士学员要想成为“军中工匠”，就要提升职业素养，形成干一行、爱一行的思想自觉，强化干一行、钻一行的行动自觉。除了具有胜任岗位的工作能力，还要有崇高的职业道德，具有精益求精、追求卓越、甘于奉献、不断创新的职业素养，以实际行动诠释工匠精神。

3.5 培养哲学思维，强化思辨能力

一切事物的发展变化都蕴含有一定的哲学道理，无论是唯物辩证法还是意识能动性，在计算机应用技能课程教学中都有所体现。在课程中融入相应的案例，使学员加深对哲学道理的思考，培养哲学思维，强化思辨能力，增强辩证法思想。

4 计算机应用技能课程思政探索实践

计算机应用技能课程是面向所有专业中晋高军士学员开设的一门基础技能应用提升课程，主要安排了计算机基础知识、办公软件应用提升、网络信息安全三大模块，在每个模块的教学中都非常注重思政教育，从课程导入到案例选取、从任务布置到任务实施，使学员在掌握技能的同时头脑受到洗礼，增强爱国主义精神，培育团队意识、大局意识、合作意识和工匠精神，树立正确的世界观、人生观和价值观。

4.1 课程思政实施途径

基于人才培养方案，结合课程教学计划，设置融入课程思政的教学设计，在教案编写、课堂教学实施过程中渗透思政教育，不同于专业课程多是技术知识讲解后的思政感想，而是将课程知识、能力训练与课程思想政治教育融为一体，既提高了学员的思想政治水平，也促进了计算机知识学习和操作技能提升，力求将学员培养成为“四有”新时代革命军人。

4.2 课程思政实践方法

为了达到“润物细无声”的效果，依据课程内容，安排了相关思政元素，设计思政案例，通过在课堂教学中采取任务驱动式教学、理实一体化教学、启发式教学、讨论式教学、演示法及头脑风暴等多种教学方法融入思政案例，并指出了预期达到的教学效果，见表1。

表1　　计算机应用技能课程教学内容与思政元素对照表

课程内容	思政元素	思政案例	融入方法	教学成效
计算机基础知识——导入	学习强国科技强军	二战时期图灵破解德军密码系统	通过介绍“计算机界的诺贝尔奖”——图灵奖，引出对图灵的介绍，重点讲解在二战时期图灵利用所掌握的计算机技术破解德军密码系统，加速二战结束的故事，指出科技对战争的积极作用，进而提出科技改变世界的结论	激发学员学习强国的热情，培养学员科技兴军的意识，强化以实际行动报效祖国的意志和信念

续表

课程内容	思政元素	思政案例	融入方法	教学成效
计算机基础知识——计算机的发展	哲学思维 创新精神 科技强国	神威·太湖之光超级计算机 九章量子计算机	在讲授计算机的发展简史时指出事物总是在不断发展变化的，从我国古代的算盘、第一台电子计算机 ENIAC 的发明到如今的超级计算机，含有对前一代技术的继承和发展，也展示了事物的发展总是有前进性和曲折性，蕴含了哲学规律。 在讲到超级计算机时重点介绍我国在世界上运算速度最快的超级计算——神威·太湖之光，它曾经连续 6 次蝉联世界冠军，目前也处于世界领先行列，其国产化程度达到了 100%。在 2015 年美国开始对我国实行技术封锁，禁售高性能的处理器芯片，由此倒逼我国自主创新，发明了申威 26010 国产芯片，由此指出只有创新才能摆脱核心技术受制于人的局面。同时讲解超级计算机在新冠疫苗研制过程中发挥的重要作用，由此体现科技的力量。 简单介绍我国量子计算机——九章的一些情况。九章的问世，使我国成为世界上第二个实现量子优越性的国家	从计算机的发展过程中助推学员感悟辨证法思想，锻炼哲学思维能力。 激发学员的民族自信心和自豪感，厚植学员的爱国情怀，树立创新强国、科技强国的意识
Word 表格的使用	法律法规教育	“主要失泄密途径及对策”表格案例	在使用 Word 制作常用表格时，让学员通过录入“主要失泄密途径及对策”文字，在编辑、美化表格的操作过程中潜移默化掌握相关制度规定。此部分通过布置任务的方式完成，教员不过多讲解	培养学员的法治观念，加强学员的自律意识，敦促学员自觉遵纪守法
Word 文档的使用	工匠精神 强军报国 爱国忠党 筑牢军魂	老一辈科学家的爱国故事 著名的航天故事	使用 Word 文档对“两弹一星”精神、“两弹一星”元勋、“两弹一星”故事等文字内容进行编辑，对相关页面进行设置等，完成规定的训练任务，在操作训练的过程中潜移默化地进行思政教育。此部分通过布置任务的方式完成，教员不过多讲解	强化学员的爱国主义精神，培养学员严谨求实、一丝不苟、爱岗敬业、无私奉献、精益求精的工匠精神，增强为祖国、为人民奉献的决心和意志，塑造正确的世界观、人生观和价值观
PowerPoint 的使用	团队精神 协作意识 大局思维	“载人航天八大系统”案例	结合“神舟十三号”载人飞船从升空到降落的过程中需要用到哪些系统，使学员深刻了解到一件事情的做成单靠一个系统是无法实现的，需要各方面的协调配合。 根据给定材料，从整体脉络出发设计作品思路，制作 PPT 演示文稿	锻炼学员的大局思维能力，在选用相关材料的过程中潜移默化地培养学员的团队精神与协作意识

续表

课程内容	思政元素	思政案例	融入方法	教学成效
Excel 的使用	提升职业素养 工匠精神	建立数据图表	通过利用已经完成的学员成绩表，根据要求建立相应的数据图表。 讲解数据图表的分类及各自的应用场景，数据处理过程中图表的重要性和有效性，使学员明白每个人都有自己擅长的领域，形成使用图表处理问题的意识	养成使用数据图表处理工作中遇到的问题的意识和习惯，增强数据处理能力，提升职业素养，强化工匠精神
思维导图的使用	时政教育 大局思维	《中共中央关于党的百年奋斗重大成就和历史经验的决议》思维导图	根据给定时政材料，自行设计思路，利用 Xmind 绘制思维导图	了解时政，学习党的创新思想和理论，从中体悟思想价值，培养大局思维能力
网络信息安全	辩证法思想 团队精神 精益求精 一丝不苟	信息安全的基本规律	通过讲解信息安全基本规律中的相对安全定律、安全两难定律、墨菲定律、木桶原理、冰山原理等内容，使学员在了解相关定律内容的同时感悟其中蕴含的哲学思想、工作态度及生活理念	锻炼思辨能力，增强忧患意识，培养团队精神，工作中不放过任何一点细节问题，将安全问题防患于未然等
网络信息安全	法律法规教育	“徐玉玉”案例失泄密案例警示教育视频	通过讲解生活中常见的隐私泄露场景（如网购快递包装随意丢弃）及“徐玉玉”事件使学员明白保护个人隐私信息，提高防诈思想的重要性；观看失泄密案例警示教育相关视频使学员树立时刻将保守国家秘密放在第一位的意识，任何时候都不能心存侥幸，筑牢安全保密防线	加强法律法规教育，增强法治观念，强化自律意识和隐私保护意识

4.3 课程思政建设效果

从课堂表现来看，学员对课程兴趣很大，都能积极融入课堂，发挥主体作用；从课终考核成绩来看，多数学员对课程操作的技能掌握情况较好，能够满足培养目标的需要；从课程满意度调查问卷来看，几乎全部学员对本门课程非常满意，认为本课程的教学内容和授课形式易于掌握和接受，对岗位助力很大。

5 结语

课程思政不能生搬硬套、牵强附会，这样只会让学员反感，不仅不利于课程知识讲授及技能训练的开展，更会让学员产生抵触情绪。针对中晋高军士学员情况及计算机应用技能课程特点，分析了计算机应用技能课程思政建设的目标，结合课程内容融入思政教育，不仅提高了学员的信息技术基础，还在潜移默化中增强了学员的爱国情怀，培养了其思辨能力，实现润物细无声，德育与智育的完美融合。下一步将继续深入挖掘计算机应用技能课程蕴含的思政元素，持续更新思政案例内容，使用更加便于中晋高军士学员接受的授课方法融入课程思政，凝练形成具有课程特色的思政教学模式。

参考文献

[1] 施江勇，付绍静，谷松林．大学计算机基础课程中的思政教育［J］．计算机教育，2020（1）：9-15.

[2] 肖楠，蒋玉玺．课程思政对军校教学的启发［J］．潜艇学术研究，2018，36（5）：63-65.

[3] 何松，陈新．大学计算机基础课程教学中的课程思政探索与实践［J］．教育观察，2019，8（39）：123-125.

[4] 刘丽军．思政教育融于计算机专业课课堂的思考［J］．教育现代化，2019（73）：135-136.

[5] 卢玲，杨武，陈媛，等．数据结构课程思政路径探索与实践［J］．计算机教育，2022（2）：30-33.

教学管理与其他

优化教学管理机制，聚焦全面提高教学质量

储啸晗　陈冒银　张书雅
（航天指挥学院）

摘　要：在全面实现科技兴军、人才强军的大背景下，如何培养能够适应部队、适应实战，同时又技术水平过硬的新型高素质军事人才是军队院校在新时代必须思考和回答的问题。具体到军事航天部队，特色鲜明的“技术＋政治”人才需求也对人才培养提出了更高的要求。为回答军事人才培养体系改革之问，本文对我国军队院校现行学员管理模式进行了细化分类和深层剖析，而后从学员组织模式、培养环境局限以及实施主体三个方面深挖了新形势下管理模式的冲突与影响，最后通过借鉴他国先进经验提出了符合我军特色实际的有效解决方案，为我军院校新型高素质军事人才培养调整提供一定的借鉴和指导意义。

关键词：人才培养；管理模式；优化机制

1　引言

确保新时代信息化条件下的军事管理水平不断提升、紧贴实际，就必须充分认清形势，不断完善传统军校人才培养模式，向着紧贴实战和军事职业需求转变刻不容缓。我们既要注重归纳总结我军的优良传统和历史经验，又要注重学习和借鉴外军的有益经验和成功做法。因此，无论是剖析我军军事院校人才培养管理模式的现状和面对新形势下的不足，还是借鉴先进的管理教育理念，提出贴合我军实际、具有我军特色、符合我军需求的有效解决方案都具有重要的现实意义。

2　组合管理模式、剖析模型特点

我国军队院校现行学员管理主要按照学员集中方式、学员管理归属、教学与管理关系的标准分为三种机制，而每种机制又可细分为两种模式，经查阅资料及调研发现，每种管理模式都存在其独特的优势和局限性，见表 1。

表 1　　学员管理模式特点

机制	模式	含义	优势	局限性
学员集中方式	分散式	学员按专业分配到相应学院	学员管理与教学联系较为紧密，教学任务下达更加明确	同年级学员分配到不同学院，军政训练教育方面难以统一管理，使得训练标准、训练效果存在差异并导致军政训练效率降低，考核具有一定难度
	集约式	学员集中由专司教育训练管理保障的学院统一管理	不同专业学员交流充分，有助于形成良好的学习氛围	单一学院管理全体本科学员使得竞争性环境形成困难

续表

机制	模式	含义	优势	局限性
学员管理归属	年级优先式	将不同年级的学员划分到不同学员队	同年级学员学习训练中心一致、训练管理标准统一，有利于军政素质的培养	不同年级学员之间缺乏交流，低年级学员从高年级学员处学习经验教训的机会有限
	专业优先式	将同一专业的所有年级的学员编入同一学员队	加强了同专业内不同年级学员之间的交流，能够帮助新学员规划好本科阶段的学习训练；贴近部队编组模式，能培养适应部队管理的人才	不同学科专业的学员、教员接触较少，不利于学员拓宽知识面；学员队管理任务太多太杂，难以统筹兼顾；人员变动频繁不利于培养学员的凝聚力和集体荣誉感
教学与管理关系	教管集约式	由学员专业所在系领导管理学员队	有利于统筹安排学员的军政训练与学习任务，学员管理与教学联系较为紧密	在军政训练教育方面，不同学院的训练效果、训练标准有所差异，难以统一管理，导致军事体能训练效率降低
	教管分离式	由某一学院领导学员大队；教务统一安排教学任务	学员管理标准统一，组织形式简单，便于组织安排教学计划和训练任务。学校可以有针对性地设计长期的、连贯的培养目标和培养方案	教学院系与学员队领导之间联系较少，教管联系不够紧密，教学部门对学员学习生活训练的实际情况了解较少，可能导致教学工作与其他工作的冲突、教与学效果脱节等问题

任何模式都无法单独实现学员管理，需要以其所属的机制为出发点，排列组合才能形成一套完整的管理模式。

通过排列组合，理论上共可产生八组管理模式组合。其中，军队院校可采取的管理模式组合包含以下五种组合模式：分散式-年级优先-教管集约式管理、集约式-年级优先-教管分离式管理、分散式-专业优先-教管集约式管理、分散式-专业优先-教管分离式管理和集约式-专业优先-教管分离式管理。除此之外，还有以下二种组合管理模式：分散式-年级优先-教管分离式管理、集约式 年级优先 教管集约式管理、分散式-专业优先-教管集约式管理。该三种模式都由于自身存在冲突而无法实施。

3 深挖问题影响、解析矛盾冲突

军校本科学员管理模式中存在的问题和冲突突出表现在以下三个方面。

3.1 学员组织模式单一

在集约式-年级优先-教管分离式的管理模式下，教学线与管理线之间的联系不够紧密的问题较为明显。教员与学员队干部、课代表之间的联系不够畅通，使得教学任务的落实大打折扣：直接管理学员的学员队干部对教学任务把握不准确容易造成管理的同质化；学员与教研室联系不够紧密导致相对拔尖的学员的发展需求无法得到满足，而水平相对较低的学员无法得到及时的帮助，学员的个性化发展受到一定程度限制。尽管在该领域的一些尝试已经进入实践，例如设立钱学森空间技术实验班，用小班培优的模式来实现人才拔高等，但是现行模式对学员的培养仍缺乏系统、及时的辅导和答疑体系。

同时，年级优先的管理模式使得不同年级学员隶属不同学院管理，这导致不同年级学员之间交流较少。事实上，无论是在学习经验、科研竞赛等方面，还是在管理能力提升培养等方面，高年级的帮带是低年级学员得到锻炼、取得迅速进步的极佳途径。如果能够形成高低年级互相交流帮带的循环效应，对学员在各阶段的个性化自主发展都有着较好的促进作用。

3.2 培养环境成效局限

3.2.1 领导力培养欠缺

基层部队往往对学员的领导力、执行力、意志力和军事基础素质有着极高的要求[1]，而学校现行的连队化管理模式以部队连队模式为依据，旨在构建贴于部队、严于部队、高于部队的新型学员编组模式。但事实上，模拟连制度的实施效果不尽如人意。这一制度的问题主要体现在模拟连骨干任用和任期的随意性。调查显示，约有30%的大四学员在本科期间没有担任过任何骨干职务；约54%的学员认为所在学员队学员自主管理程度有限，队干部才是学员队各方面的全权负责人，而学员骨干很大程度上仅仅是队干部命令的执行者。在这样的情况下，学校对学员领导力的培养存在很大的局限性。

3.2.2 学术实践力培养欠缺

军队院校人才培养应牢牢定位和整合于培养未来军队需要的人才这一目标上，着力研究科学高效、贴合实际的培养体系。基于这一认知，军校知识技能的教育和培训除了围绕领导指挥能力方面外，也应在其学术能力上下功夫。

从技术层面来说，现行本科学员培养体系存在对学员学术实践能力培养重视度较低的问题，细化到课程实施和考评机制，则表现为实践课程安排较少、考评过分注重理论考试等。同时，对学员学科竞赛、科技创新等学术实践项目上的培养有力举措不够。

从任职需要来看，战略支援部队高技术队伍的特点以及未来岗位技术化的趋势对学员的学术实践能力提出了较高的要求。过分依赖硕博阶段强化学员的实践能力会导致本科学员毕业后的岗位能力不足、培养周期拉长，减缓了学员将所学知识向战斗力的迅速转化。

3.3 实施主体特点影响

管理模式的设计影响着学员培养的方向，管理办法的实施和执行也是影响培养效果的重要因素。在管理的实施过程中，“人”作为主体是直接作用于管理的关键环节，无论是学员队干部还是学员，他们自身的特点都将影响对学员的培养。

学员队干部是学员主要的直接管理者，担负着学员日常学习训练的管理任务。队干部的人格品行和管理特点对学员培养至关重要，而这类干部的来源是影响干部管理特点的重要因素，主要包括硕博毕业直接任职、基层选调任职及本单位内调任三种类别。三者特点鲜明，各具优劣，可分别对学员专业能力、接轨任职、适应管理等方面的培养产生不同影响，见表2。

表 2　不同队干部来源任职特点对比

干部来源	硕博毕业直接任职	基层选调任职	本单位内调任
优点	在学术指导方面更有利，能够帮助新学员规划好本科阶段的学习训练	了解一线部队需要，管理方式更贴近基层，能够培养学员基层工作的能力	能够帮助学员快速适应管理，在教学和行政方面有利于学院管理模式的传承
缺点	缺乏基层和管理经验，在学员管理和能力培养上，相对于基层需要脱轨	容易在管理上过于片面，可能出现注重管理训练而忽视学术能力培养的现象	容易形成惯性思维，对第一任职能力把握不足

军校本科学员大多来自地方高中生，经过新训后基本完成了从地方青年向军校学员的转变，但在思想和行为上依然存在思想活跃个性张扬但集体意识不够强、渴望成才上进心强，但内心脆弱易彷徨，以及片面追求民主讲自由但“眼高手低不自醒”等共性特点[2]。具体来说，本科学员普遍想搞技术，不想搞指挥；想到机关，不想到基层；领导力、实践能力不足，无法顺利融入适应岗位。

综上所述，教与管的冲突，领导力、实践力的欠缺，不同干部管理特点和学员自身特征等问题都可以成为影响军校本科学员培养效果的因素。从更深层次来看，造成军校本科学员培养问题与冲突的根源是人与制度之间的冲突：干部与学员自身的特点与如今的学员培养模式、学员培养目标之间的矛盾正在影响学员培养的效果。随着这种影响不断积累，在未来甚至可能对我军战斗力的生成造成阻碍。

4　优化机制管理、改革创新模式

结合我国军校教育管理现实情况，借鉴发达国家军事教育训练先进经验[3]，特别是人才培养的改革前沿，可以为我军军事教育训练提供启发。

4.1　加强顶层设计，明确培养目标

我军院校在多年实践中形成的一套军校本科学员培养体系是用于实现学校培养未来军队领导者职能的框架，代表了我军院校教育文化的变革。在这一体系下，要求把对学员领导力、专业技术能力的培养和教育训练活动有机结合在一起，保证学员通过实在管用的方式运用所学知识。而这一以标准为导向、以个体为中心、以发展为目的的本科学员培养体系应为管理人员、教员履行各自的责任提供明确的指导。因此，必须加强对该体系的顶层设计，明确军校本科学员培养目标。新形势下的人才培养目标是“学者型战士、科学家指挥员”。他们必须兼具两个总体属性：拥有能够立足长远发展的基础理论、思维能力和格局视野；应积累其职业生涯中所需要的各种知识。因此，军队院校本科教育还要培养学员以下几种能力：对知识不断求索、推崇创新、透过现象看本质的能力；探究、分析、发现和预测未来的各种可能并对其进行评估和系统选择的能力；始终坚持按照正确的道德伦理价值观和自己所掌握的信息做出对国家发展最有利决策的能力。

综上所述，以为军队培养领导人才为方向，军校现有的课程体系要围绕实现毕业生培养的总目标进行精心协调和整合，即未来的职业军官必须成为在智力、道德、社交、体能方面满足军事职业领域的广泛挑战需求的勇士领导者。

4.2 优化培养环境，锻炼综合能力

4.2.1 注重学员领导力培养

通过查阅文献资料可知，学员领导才能的开发在美军陆军军官学校的整个教学计划中的地位举足轻重，其拥有一套完整的学员指挥系统，能够高度模拟部队真实管理模式。在这点上，美军陆军军官学校的学员培养模式于我军院校可以起到一定的参考作用。

院校为学员提供更多贴近部队真实环境的实践机会，是院校培养学员领导力、工作能力的重要途径。在模拟连机制之外，培养学员领导力的活动应与发展其智能、体能和军事才能的活动融会贯通，使所有学员都有机会在某一时间担任某一特定职务或组织者，努力发展领导才能。除了担任正式确定的指挥系统职责外，学员还应共同承担隐含的、未具体规定的责任，在这方面，学员队干部应有系统的筹划和具体措施。在这种学员高度自治、高度模拟真实部队且等级任务划分明确的环境下，每一个学员的领导能力、决策力和军事素养都能够得到充分而有效的锻炼。

4.2.2 系统化培养学术技能

在课程设置方面，军队院校与地方院校之间的差异小，都设有基础课程、专业课程和选修课程，但是统一的课程设置方式容易导致学员个性化发展和学术实践能力受到一定程度限制。面对这样的普遍不足，美国陆军军官学校的经验可以提供一定程度的启发。

首先，为满足学员更高的学术发展需求，该校在夏季学期为学员提供参加“学术个人高级发展计划”的机会，即学员自主选择通过免修、预修或课程过载等方式适量减少学年课程，同时学员在通过正式学习获得一个专业的学分的基础上，还可以自由选择辅修专业。其次，为了帮助学员克服学术弱点并开拓学术优势，该校在每学期还提供专门训练和培训课程，如设立“成绩提高中心”来帮助学员免遭退学，设立“成绩突破项目”提供心理和智力技能培训以帮助学员发挥全部潜力，设立“学员成功课程”在时间管理、记忆、做笔记等技能培养方面帮助学员终身学习。最后，该校为学员协调提供由教员负责的“学术咨询计划”，设置咨询处辅导员值班和为学员连配备学术志愿导师的制度，架起教学相促的桥梁，在学术答疑等问题上为学员提供即时服务。

4.3 善用人员特点，注重科学管理

在军队院校教育管理中，学员队是集教育、管理、服务于一体的基层单位。学员队直接面对学员，既是院校教育方针的执行者，又是学员学习生活的管理者。作为学员课堂教学外的育人主阵地，学员队在人才培养中发挥着独特而重要的作用，是院校管理的基石。因此，学员队管理育人水平是影响院校教育质量的重要因素。

对于工作在学员管理一线的学员队干部，要结合学员培养的需要，根据不同类型的干部特点科学搭配、合理组合，完善干部的任用。同时，应强化学员队干部的管理者使命意识。在以培养素质过硬、符合我军人才需求的未来军官为使命的思想引导下，完成科学化、

人性化的日常管理工作。要经常深入到学员中查实情、办实事，在符合培养目标的基础上尽可能地满足学员个性化需求，使学员能够卸下各种思想包袱，全身心地投入学习和训练。

强化人本意识，实施现代科学型管理[4]。新时代军校学员特点突出，要归纳总结学员个性特点，在帮助他们发挥优势的同时及时认识并纠正不足。同时，充分发挥心理学、教育管理学等现代管理科学和管理技术在院校管理中的作用，坚持纪律约束与心理疏导相统一、继承与创新相统一，坚持以理服人、以德感人，讲求管理方法和管理艺术，提高学员的思想觉悟。另外，针对新时代学员思想活跃但军人素养不高的特点，在管理中避免单一的强制式管理：既要保留学员思想活跃的宝贵特点，有利于学员在学习、生活和训练中不拘一格、积极创新，也要注重学员思政教育工作的开展，建设学员的忠诚品格、使命担当和过硬作风。

5 结语

积极探索研究贴合我军实际、具有我军特色、符合我军需求的军事院校人才培养管理模式具有重要的理论和实践意义。我军院校对新形势下人才培养管理的机制优化需充分考虑自身的现实状况，结合现存的“人”与制度之间的冲突、干部和学员的自身特点与如今的学员培养模式和学员培养目标之间的矛盾，围绕人才培养转型，以切实增长才干为最终目的，从顶层设计、培养环境、人本意识三方面向人才培养的改革前沿看齐。

参考文献

[1] 朱国祥，王晓棠，张莉莉．对军校学员执行力培养的思考［J］．价值工程，2013，32（20）：274－275.

[2] 顿占锋，李灿，唐昆，等．浅析 90 后军校学员的心理管理［J］．职业时空，2012，8（6）：84－85.

[3] 曾明，杨自文，范玉芳．外军院校教育体系的类型结构特点及其启示［J］．大学教育科学，2004（4）：79－82.

[4] 胡贻友，侯增辉．试论科学发展观指导下的军校学员管理教育［J］．南京政治学院学报，2007（3）：116－118.

直招军官学员培养管理方法浅析

付远明　谢天意
（航天指挥学院）

摘　要：直接选拔招录普通高等学校应届毕业生是军民合育军事人才背景下，党和国家为拓宽现役军官选拔途径进行的一项重要创新举措。目前，地方大学生直招军官正处于首次任职培训后期。本文通过直招军官学员与生长军官学员的对比，发现两者在管理方式、体制机制和教学资源上存在明显差异。这些差异导致直招军官学员及现行的培养管理方案优点和不足共存。针对现存的问题，本文提出相关优化建议，从前期基础军事训练和人才发展动力进行分析，共同促进直招军官人才培养管理工作高质量发展。

关键词：直招军官；军民合育；培养管理

1　引言

军民合育军事人才是世界军事强国的共同选择。这一选择既符合现代化军队建设的客观需求，也在一定程度上反映出高等教育发展的内在要求[1]。例如，后备军官训练团ROTC（Reserve Office Training Corps），作为美国军队依靠高等教育机构培养后备军事人才的重要组织，被认为是军民合育军事人才的典范，为美军输送了大量高素质军事人才[2]。我国自20世纪90年代以来，为应对新军事变革，对军民合育军事人才进行了一系列的尝试[3]。其中，自2021年3月开始的直接选拔招录普通高等学校应届毕业生工作，在中央军委政治工作部统一部署下，根据《现役军官管理暂行条例》《现役军官选拔补充暂行规定》及有关文件精神，在全国范围内有力展开。这一举措是继国防生政策和强军计划之后，我国军民合育军事人才的又一次重要改革和结构调整。其目的是充分利用社会公共资源充实现役军官选拔途径，加快高素质新型军事人才队伍建设的步伐，为应对突如其来的军事变革潮流对世界格局和各国军队建设带来的巨大冲击做好准备。

目前第一批直招军官学员正处于首次任职培训后期，从全国各地广泛选拔招录的高校优秀人才集结于定点军事院校进行系统的学习培训。本文以首批地方院校直招军官为研究对象，拟通过地方院校与军事院校在管理方式、体制机制、教学资源等不同角度的分析对比，结合实际培训情况，对目前直招军官培养管理工作中表现出的优势和存在的不足进行分析，并进一步提出相关优化建议，以期为我国军民合育军事人才工作和进一步迎接新军事变革的挑战提供参考。

2 地方院校与军事院校的区别

2.1 管理方式

地方院校以培养全面发展，能满足社会就业需要的人才作为培养目标，更加注重专业技能的培养。而军事院校则需要培养“政治、知识、专业、指挥能力”的复合型军事人才，实质就是在培养优秀后备军官。培养目标的差异，决定了地方院校和军事院校管理方式各有不同[4]。地方院校在管理方式上相对宽松，提倡多元化、人性化的成长环境。而军事院校的管理方式则相对严格，个体空间小、时间少，强调令行禁止。此外，军校还会设置专门的职能部门负责统筹规划、集中管理、军政训练等工作的标准化。总之，地方院校和军事院校完全不同的教育理念与管理方式下培养出的人才，正式进入军营后，在适应时间和程度上差异较为显著。相关调查研究表明，部分地方院校入伍的人才，进入部队后需要1～2年融入部队，有的甚至要3年以上，比同期毕业的军校学员平均要长1～2年[5]。

2.2 体制机制

地方院校和军事院校的区别在体制机制方面也有所体现。军事院校的教育主要采取的是依照指令性计划进行管理的模式，其总体规模和各类结构（包括层次、专业、管理）的设计按照中央军委的意志进行，是典型的“国家承办”模式。制订出的各类规章制度通常具有以下特征：①有明确的军事人才需求牵引人才培养的发展方向；②有健全的法规制度保障军事人才培养体系的建立；③有完善的体制机制推动军事人才培养工作有力运行；④有严格的考核评价促进军事人才培养效益的提升。

相比而言，地方院校所承担的国民教育虽然也是在国家的管理体制下运行的，但受市场经济的影响较明显，社会力量的支持和参与使得各界人士在办学与投资体制方面有了较大的自主权。总之，军事院校与地方院校在管理、教育、教学等制度建立和运行规则上差异较大。这种体制机制的差异使得军事教育与国民教育在融合中出现信息共享难、组织协调难、统一标准难、消除壁垒难等机制问题[6]。因此，如何围绕共同的培养目标统筹融合、优化设计，是亟待解决的问题。

2.3 教学资源

教学资源是教育目标实现的基础和先决条件。地方院校和军事院校在人才培养目标上各有侧重，导致其在与师资队伍和教学设施相关的教学资源的分配上也存在较大差异。

首先，地方院校尚未形成与军事人才培养特点相匹配的师资队伍。一方面，专业技术教师通常无法了解部队装备情况，教学中涉及的专业知识缺乏深度的拓展，培养的人才与部队岗位实际需求间的关联性较弱。另一方面，在地方高校中通常不会有针对性地配备与军事相关的体育教师和心理教师，这就使得地方院校和军事院校培养出的人才在军事体能素质和专项心理素质方面差异较为明显。

其次，在硬件方面，地方院校也未能建成有效的军事训练教学设施。很多地方高校都存在训练不规范、教材不统一的问题，而且训练器材、模拟软件和专用设施甚至训练场地缺少等现象也较为常见。

综上所述，和军事院校相比，地方院校在优化军事人才教学资源配置上，还有很大拓展空间。

3 首批直招学员优缺点分析

综合前文比较结果可知，地方院校和军事院校在人才培养的管理方式、体制机制和教学资源分配上存在不同程度的差异。这些差异导致明显的“双刃剑”效应，即优点和不足并存。

3.1 直招学员的优点

第一，思想纯粹正能量，从军报国信念坚定。直招军官的准入门槛较高，通过考核的个体拥有相对较强的综合素质，在社会就业面中可选择空间较大。但是在众多选择中，依然坚定地选择携笔从戎，代表着其纯粹的正能量和坚定的报国信念。

第二，理论知识丰富，学术研究经验充足。直招军官在招录时的硬性要求是双一流高校或者双一流建设学科的应届毕业生，并且大多是理工学科。这类群体通常在某类领域具有较强的知识储备或技能积淀，在现代化信息技术发展或研究方面具有较强的潜力。

第三，气氛活跃，爱好广泛。直招军官的补充渠道对年龄有一定限制，不同学历层次对年龄要求均做了说明，该年龄段的特点是活泼生动，爱好广泛，具有较强的可塑性。

第四，借助地方高校资源优势，拥有更加多元化的视野和阅历，能为部队的创新发展提供思路、注入活力。

3.2 直招学员的不足

第一，思维过于活跃，管理相对困难。地方院校的人才培养模式和直招军官本身的年龄特点，注定该类群体具有思维活跃，以及个性化、多元化的特征，不愿接受部队条令条例的严格管理和拘束。因此在强调标准化和集体概念的部队生活中，管理存在一定的难度。

第二，集体意识偏低，作风有待加强。在地方大学，军人素质的培养意识不够，管理相对宽松，多数个体对部队集体生活的了解不充分，习惯了地方大学的相对宽松舒适的环境，对自身要求不严。对军人有令必行、令行禁止等职业要求理解不深，不能很好地进行心态调节，作风相对不够严谨。

第三，荣誉意识不强，难以积极主动。由于先前的非理性认知和到部队后的实际感知之间存在差异，部分个体难以将个人发展目标和部队发展期望有机统一。面对具体工作时可能存在好高骛远心态，缺乏脚踏实地的老黄牛精神；甚至还会有怕苦怕累思想，缺乏主动担当的实干精神等。这些问题导致的行为结果是轻视表彰奖励，难以调动自身的主观能动性。

总之，来自地方大学的直招学员及其相应的教育培养工作，在环境和个体共同因素的影响下，优点和不足并存，如何才能更好地发挥“双刃剑”的优势，一方面提高军人素质和军人的使命感，另一方面优化教育管理工作的顶层设计和操作流程，具有重要的研究及实用价值。

4 前期基础军事训练初步塑造

结合上述地方院校与军事院校在人才培养上的差异，在首批直招学员正式进入军校学习培训前，组织短期入伍培训、当兵锻炼等基础军事训练进行初步塑造，是非常有必要的。

4.1 体能训练，提高战斗力

无论战争形态如何演变，军人的体质永远是军队战斗力的重要基础[7]。在战争形态不断演变的今天，高科技信息化战争对军人的体质提出了更高的要求。直招军官作为从地方院校入注军营的新鲜血液，其体质水平的高低直接关系部队未来战斗力的发展，因此当兵锻炼阶段的初步塑造对直招军官们的体能乃至体质改善都具有极为重要的意义。郭小溪（2021）对 87 名 2019 年度秋季入伍新兵集中基础军事训练前后的体质状况进行测量及比较分析，结果发现集中基础军事训练对新兵身体形态、身体机能和身体素质指标有促进和改善作用[8]。

4.2 心理建设，提高适应度

研究者认为，个体进入新环境后的 2 周至 2 个月为心理适应期，如果出现适应不良的状况，会诱发心理障碍，对部队战斗力、安全稳定造成严重影响[9]。因此，在基础军事训练期间，组织相关活动进行心理建设，提高环境适应度就显得非常重要。朱清（2012）采用自陈式量表对 525 名参加入伍训练前后新兵的心理健康状况和干预效果进行了对比研究，结果显示，新入伍官兵在适应新环境阶段受多种因素影响，极易发生心理问题，部队积极组织包括心理健康教育和心理干预在内的入伍培训或当兵锻炼对维护新兵的心理健康，增强部队的战斗力具有重要意义[10]。

4.3 观念培养，提高能动性

军事人才，必须拥有合格坚定的政治立场，敏锐的政治鉴别力和洞察力，在大是大非的问题上与党中央保持一致，保证思想观念上的绝对忠诚、绝对纯洁、绝对可靠。直招军官源自地方院校，学习环境中的观念态度相对多元，因此在基础军事训练阶段进行思想观念上的初步塑造也是非常重要的。通过这一过程的训练，需要其逐步由教育的客体转变为主体，提高主观能动性的同时，提升政治理论素养理论水平，并初步具备一定的政治工作能力和理论功底。

通过上述理论分析，结合本轮院校学习的实际情况来看，首批直招学员中，在军校学习培训前，进行了短期入伍培训、当兵锻炼等基础军事训练的个体，与未经过任何学习教育、当兵锻炼的个体相比，在培训期间的表现普遍相对较好。

5 直招学员的教育管理方法

基于对首批直招学员的来源差异、培养管理现状和优缺点分析，如何提高学员的培训管理工作质量是一线教育者、管理者和研究者要重点解决的问题。人才的教育培养是一项复杂的工作，促进此类工作的高质量发展是一项系统工程。依据系统理论分析，动力因素是推动系统发展的不竭源泉，要激发直招军官培养工作的创新活力，关键在于需明确影响直招军官成长和发展的动力因素。根据新时代军民合育军事人才的特点和现状，本文将影响直招军官学员培养工作高质量发展的主要动力因素分为成长需求、制度建设和机制创新三个方面（见图 1）。

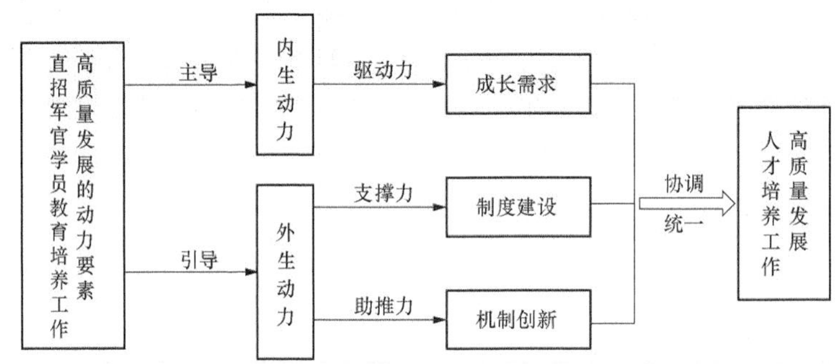

图 1 直招军官学员人才培养工作高质量发展的动力结构

5.1 成长需求驱动力

直招军官在较高准入门槛的背后，反映出的是具有较强综合能力背景的潜力。根据马斯洛需求层次理论，该类群体本身对于自我价值实现的成长需求较为强烈，这种成长需求是个体发展的强大驱动力，对于行为调节和目标实现具有重要作用。因此，如何利用成长需求动力，调动其发挥自身主观能动性，进而充分挖掘其潜在行动力，实现个体和集体目标的双赢，是非常重要的切入点。

5.2 制度建设支撑力

和内生动力相对应，相应的政策制度无疑是强有力的支撑力。应加快建立有针对性的直招军官评价机制。和普遍意义上的军事院校培养出的军事人才不同，直招军官的人才培养需要更加注重科研、管理、成果转化等方面的引导和奖惩机制。需要注意，这些支撑性制度和奖惩政策的制订，需要遵从渐进性原则，在合乎规定的前提下，在合情合理的基础上，充分激发个体发展动力。

5.3 机制创新助推力

创新是社会发展和提高国家综合竞争力的重要助推。直招军官这一举措，本身就代表着党和国家在军民合育军事人才方面的创新尝试。然而在这一举措之后，如何加深机制创新，加强教育培训模式和管理方式办法的创新，进而更好地发挥已经纳入的优秀人才的创新活力，真正为现代化军队建设作出实质性创新贡献、有效提升部队战斗力，仍值得进一步思考。

6 结语

本文首先分析直招军官学员的特点，然后从管理方式、体制机制、教学资源对直招军官学员与生长军官学员进行对比。重点针对出现的不足，主要从两方面提出相关优化建议，从基础军事训练入手：强化体能训练、心理建设和观念培养。从直招军官的人才发展动力结构因素出发：挖掘成长需求，增强驱动力；应用制度引导，增强支撑力；加速机制创新，增加助推力。共同促进直招军官人才培养管理工作高质量发展，以期为我国军民合育军事人才工作和进一步迎接新军事变革的挑战提供参考。

参考文献

[1] 张建卫，王健，李海红，等．大学生后备军官的社会支持对其旺盛力的作用机制：军民合育视角的实证研究 [J]. 黑龙江高教研究，2018（5）：1-7.

[2] 曾凡龙，张婷婷，张媛媛．对美国 ROTC 培养的系统研究 [J]．黑龙江科技信息，2012（36）：165.

[3] 郝晓蔚．我国和美国依托普通高校培育军事人才对比研究 [J]. 中国军转民，2021（09）：59-60.

[4] 徐芳．军民教育融合式军事人才培养问题研究 [D]. 长沙：国防科学技术大学，2013.

[5] 籍琛．地方院校国防生第一任职能力培养问题与对策 [D]. 保定：河北大学，2015.

[6] 徐勇，马全洲，雷军．军事教育与国民教育融合式发展的效益关系及其优化 [J]. 军事经济研究，2010，31（9）：5 8.

[7] 刘德佩．军人体质与战斗力构成的演变 [J]. 解放军体育学院学报，1999（1）：29-30.

[8] 郭小溪．武警某部新兵集训前后体质变化的比较研究 [D]. 哈尔滨：哈尔滨体育学院，2021.

[9] 亢丽，钟文．新兵心理适应不良诱发心理障碍归因问策 [J]. 政工学刊，2022（2）：57-59.

[10] 朱清．边防某部新兵入伍训练前后心理健康状况调查及心理干预效果评价 [J]. 临床心身疾病杂志，2012，18（3）：245-246.

航天器飞行动力学教学云平台建设与实践

王　斌[1]　张亚坤[1]　黄双芹[2]
（1. 电子与光学工程系航天器飞行控制教研室；2. 教研保障中心信息技术室）

摘　要：本文为了满足航天器飞行动力学教学和竞赛需要，分析当前现状和教学实验需求，提出了基于云计算环境的教学平台架构，梳理了基础数据、基础模型、仿真场景、计算驱动和综合显示等系统组成、运行流程和内外接口，结合航天器轨道控制课程进行了初步实践，验证了航天器飞行动力学教学云平台技术可行性和应用效果，对大学双重成果转化具有重要的推动作用。

关键词：航天动力学；云平台；教学实践

1　引言

航天器飞行动力学是航天器发射入轨、在轨运行、执行任务、再入返回等全寿命周期内飞行活动遵循的基本物理规律，包含航天器飞行轨道、飞行姿态等动力学理论和空间机械臂、飞网等机构运动动力学理论，是大学航天测控技术与指挥、太空态势感知技术与指挥、太空防卫技术与指挥等本科专业学员，以及控制科学与工程、宇航科学与技术等研究生专业学员，必须掌握的理论知识。

航天器飞行动力学教学云平台，是基于云计算环境，整合动力学模型、最优化算法、机器学习算法、计算机视觉模型等各类资源，为广大学员提供教学实践和科技创新的多学科公共教学平台。在大学重点学科“信息通信（航天测控）”建设的专业模型和算法基础上，进一步根据教学需要，将软件由单机向云计算环境迁移，初步探索出一条可行路径，并不断完善功能，在教学实践中应用和检验。

2　建设需求

2.1　当前现状

多年来，航天器飞行动力学相关课程的教学主要依托国外 STK、GMAT、Orbiter、Celestia 等专业软件组织实施教学实践活动。这些软件封装了轨道动力学、姿态动力学等模型，提供了只有输入、输出的“黑盒”，虽然可以帮助学员感性认识航天器的运动过程，但和课程教学内容不相匹配，学员需要深入掌握的时空基准、二体运动、轨道摄动、轨道设计、轨道确定、轨道控制、姿态确定、姿态控制、机械臂运动等知识点，难以通过软件操作与课堂原理讲授相链接，使学员止步于“应用层”而难以深入到“原理层”。

航天器飞行动力学是高年级本科生和研究生参加创新活动的重要基础知识。近年来各类竞赛活动通常需要多学科专业交叉，将数学、力学、光学、机械、控制、信息等多专业知识融合，依托某个单一专业软件支撑比赛是不够的。航天领域多学科的特点，决定了航天器飞行动力学相关软件必须是开放的、弹性的。例如全国空间轨道设计竞赛（CTOC），就需要将精确的轨道计算模型与高效的最优化算法有机融合才能提交有效的计算结果。“工欲善其事、必先利其器”，打造一流的航天器飞行动力学教研平台，是助力学员创新，从各类竞赛“浅水区”走向“深水区”的关键支撑。

2.2 教学需求

以航天器轨道动力学课程教学为例，梳理航天器飞行动力学教学云平台建设的教学实验需求包括以下内容：

（1）初轨确定实验，选择定轨方法（吉布斯三位置定轨法、两位置矢量和时间间隔的兰伯特方法、根据距离和角度及其变化率确定轨道的方法）并根据该方法所需的观测数据的类型输入观测参数，选择力学模型（地球引力场模型、大气模型、太阳光压模型等），完成航天器初始轨道的确定。

（2）轨道参数估计实验，在已有初值的基础上，选择测量数据类型（包含外测数据和GNSS数据）来改进初始轨道根数的轨道改进（轨道参数估计），选择轨道参数估计算法（批处理最小二乘法、Kalman滤波法）和力学模型（地球引力场模型、大气模型、太阳光压模型等）等，完成轨道参数轨迹。

（3）典型轨道设计实验，典型轨道包括圆轨道设计、椭圆轨道设计、地球同步轨道设计、回归轨道设计、太阳同步轨道设计、闪电轨道设计和星座设计等。本实验通过设置轨道根数来设计不同的轨道类型，并对典型轨道的空间形状、星下点轨迹和回归特性进行仿真演示，了解和分析不同类型轨道的特性。

（4）霍曼转移实验，位于初始圆轨道的航天器通过一次脉冲轨道机动进入一个椭圆转移轨道，在半个椭圆轨道转移周期之后再进行一次脉冲轨道机动，航天器从椭圆轨道进入最终的圆形轨道，通过设计变轨时间和变轨速度增量大小完成从初始轨道转移到最终轨道的霍曼转移实验。

（5）调相机动实验，位于初始轨道的航天器通过一次脉冲机动进入转移轨道，在一段时间之后再进行一次脉冲轨道机动，使航天器从轨道的初始相位转移至目标相位，通过设计变轨时间和变轨速度增量完成从初始相位到最终相位转移的调相机动。

（6）交会对接实验，交会对接是使两个航天器在同一个时间以同一速度到达同一位置的轨道机动任务，根据轨道机动次数的不同，交会对接可以通过分为两次轨道机动和多次轨道机动，根据相对动方程建模方法的不同，可以分为基于运动学的建模方法和基于动力学的建模方法。设计追踪航天器和目标航天器的轨道根数，对相对运动进行建模，根据交会任务要求的时间或者设计指标计算交会机动的速度增量矢量，并进行仿真演示。

3 总体结构

为深入满足建设需求，符合基础性实验、开放性实验的特点要求，全系统部署在大数据云平台之上，与其他系统共享底层资源，上层应用服务通过服务编辑进行功能组合。系统采用前后端分离模式设计，后端服务以标准服务接口API形式按需动态为用户的各类计算、分析、仿真模拟任务提供服务。前端展示完全独立进行设计，提供标准化的态势展示组件，能够为各类数据显示、场景展示和对抗模拟提供基础的航天效果显示，并支持各类基础效果的灵活组合。教学云平台功能组成见图1。

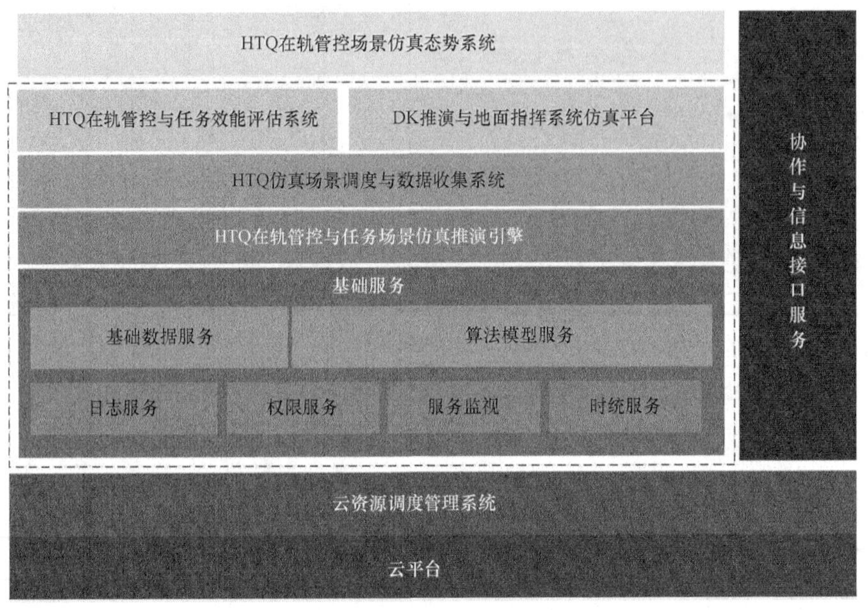

图1　教学云平台功能组成

3.1　微服务架构与基础服务平台

在底层云平台和大数据存储平台基础上，通过微服务构建协同创新平台的基础服务层，实现全系统统一的日志服务、权限管理、时统控制及服务监控功能，见图2。上层应用不需要再对基本软件功能进行实现，系统统一完成。日志服务主要完成所有后台服务运行日志的集中采集、存储与分析，权限管理为整个系统提供用户身份验证与权限分配，时统控制功能实现仿真时间的统一，服务监控功能对所有后台运行的微服务状态进行监控，满足系统长期可靠运行的需求。

系统微服务采用Docker技术封装基础服务，并利用Kerbunetes架构进行微服务集群管理和资源调度。系统将按照微服务架构必需的功能进行构建，包括微服务注册、配置与监控中心、API网关集群、限流与熔断服务、微服务自动发布系统、统一的日志管理系统等。在这样的架构下，底层硬件可以随着云平台的扩展能力进行动态在线扩展，上层的微服务完全有管理节点动态地进行资源分配与管理。

微服务平台对所有微服务均公平对待，无论是实时的运行控制服务还是仿真验证服务，均统一按需进行资源分配。因此系统完全具备的动态扩展能力，能够按需进行资源的调配，而由于API网关的支持，在统一的架构下，用户可灵活地实现服务更新与升级维护任务，对外层应用可以完全做到透明实施，极大地提升了巨型星座日常管理与运行任务所需要的灵活性与扩展性。服务的并发能力由微服务集群的总体资源决定，更多的资源投入会获得更多的并发处理能力。

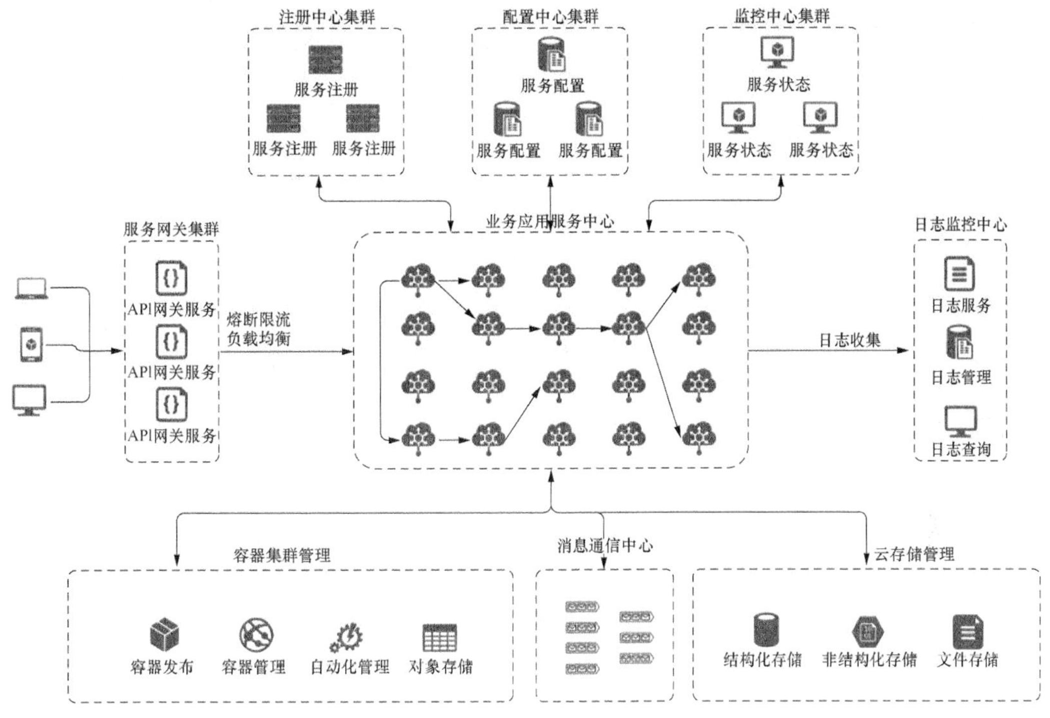

图 2 微服务架构示意图

3.2 航天器飞行动力学基础数据与算法模型服务

航天器飞行动力学基础数据与算法模型服务是整个平台的数据与计算基础。所有航天器的元数据、空间环境数据、地面 GIS 数据、天体引力场与磁场数据都由基础数据服务进行管理并对外提供获取服务接口。算法模型服务通过对所有算法模型进行统一的管理、加载调度和结果管理，实现系统所有算法模型的集中管理、按需调度运行、动态资源回收、灵活扩展的需求。

3.2.1 基础数据管理服务

基础数据的管理与分析主要基于底层云平台的大数据存储与分析平台，完成所有基础数据的管理与分析任务。系统通过数据流处理服务完成所有数据的导入、预处理、整理、分析和融合分析任务。为了有效地提高不同类型数据分析和查询的效率，系统提供多种不同的数据存储与查询技术，能够满足结构化数据、非结构化数据、数据文件以及时序数据的查询任务。

3.2.2 算法模型服务

算法模型服务主要通过微服务集群实现算法的加载运行和动态扩展。系统提供统一的算法调用接口实现所有算法的集中管理任务。算法模型服务如图 3 和图 4 所示。

基础数据服务
算法模型
信息协同接口
在轨卫星数据
测控数传站数据
数据导入接口
GIS数据
空间环境数据
数据分析
数据显示
数据分析工具
人工智能分析平台
数据导入与预处理
数据处理
实时数据管理
数据查询接口服务
数据整理
数据处理流程定制
处理流程管理
处理流程执行
计算服务
航天专业计算服务
仿真模型
航天操控仿真
场景模拟仿真
应用系统
效能评估算法
人工智能算法
用户自定义算法

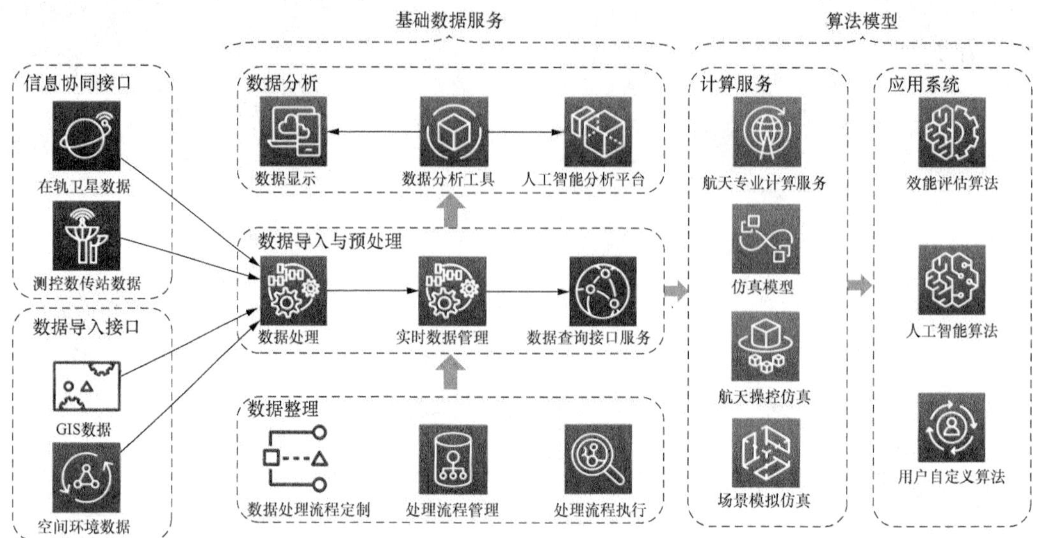

图 3　数据与算法模型服务功能示意图

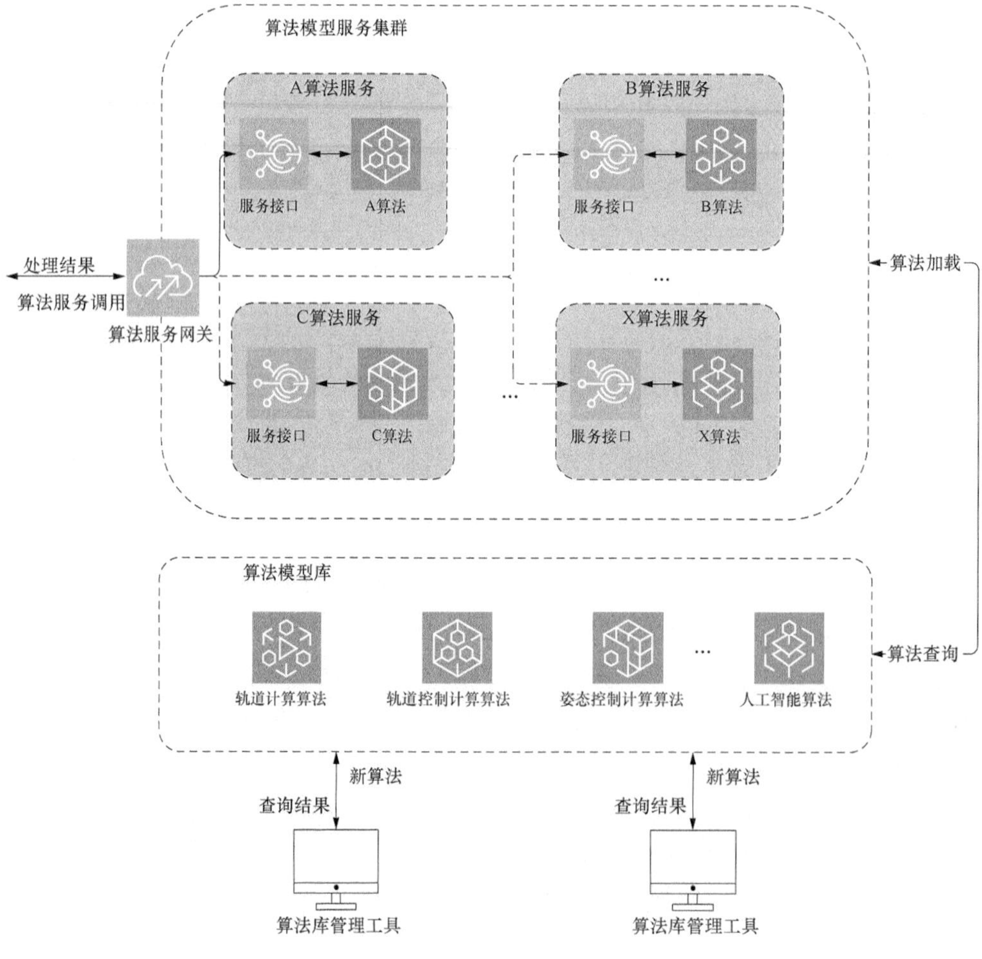

算法模型服务集群
A算法服务
服务接口
A算法
B算法服务
服务接口
B算法
C算法服务
服务接口
C算法
X算法服务
服务接口
X算法
处理结果
算法服务调用
算法服务网关
算法加载
算法模型库
轨道计算算法
轨道控制计算算法
姿态控制计算算法
人工智能算法
算法查询
新算法
查询结果
算法库管理工具
新算法
查询结果
算法库管理工具

图 4　算法模型服务运行示意图

3.2.3 基础数据管理模块

基础数据管理模块提供航天器飞行动力学教学实践过程中所需要的基础数据，包括（但不限于）：①星体数据，即太阳系中各行星及其卫星的重力数据、大气数据、星历数据等；②航天器数据，即航天器的轨道信息、工程信息、载荷信息等；③空间碎片数据，即空间碎片的轨道信息、形状及大小数据等；④地面测站数据，即测站位置信息（经度、纬度、高度）及约束信息等。

3.2.4 3D模型管理模块

3D模型管理模块提供航天器飞行动力学教学实践过程中所需要的所有实体模型，包括（但不限于）：①星体模型，即太阳系中各行星及其卫星的3D模型；②航天器模型，即各类航天器的3D模型；③空间碎片模型，即不同大小及形状的空间碎片模型；④地面测站设备模型，即各种类型的测站设备模型。

3.2.5 事件编辑与管理模块

事件编辑与管理模块为航天器飞行动力学教学实践过程提供事件编辑模板，包括（但不限于）：航天器轨道机动事件；航天器姿态调整事件；航天器载荷工作事件；航天器遥测数据下传事件；地面测站运控指令上注事件。

事件按触发方式又可以分为以下三种类型：①定时触发类型，即到指定的时刻自动执行该类事件；②条件触发类型，即满足某些条件后自动执行该类事件；③人工触发类型，即在仿真扮演过程中，可以由用户临时触发某些事件执行。

3.2.6 场景编辑与管理模块

场景是一系列事件、模型与数据的有机组合。航天器在轨管控是一件复杂的事情，需要综合考量太空环境、所有在轨航天器、所有地面测站的实时状态。同时，考虑到系统之后可能会向月球、火星乃至太阳系外进行扩展，在不同的阶段所使用的数据、模型及事件类型都会有很大的不同。因此，针对不同的视角、不同的任务建立各自的场景并进行管理是有必要的。场景与场景之间可以进行关联、组合，多个场景可以组成更大的仿真场景。

3.2.7 仿真驱动与管理模块

无论是基础数据、3D模型还是事件或场景，本质都是对在轨管理任务的一种信息、约束及关系的静态描述。仿真驱动与管理模块加载上述信息，按照仿真设定的物理法则及约束，按事件触发条件，驱动场景中的事件一一执行，完成在轨管控任务的仿真推演。该模块应包括（但不限于）以下功能：数据、模型、事件及场景加载功能；驱动事件执行功能；人工触发事件响应及执行功能；仿真步长设置功能；仿真速率动态调整功能；仿真过程及结果数据收集及存储功能；仿真过程回放功能。

3.2.8 显示与交互模块

显示与交互模块负责将用户构建的场景按仿真进程，以二维或三维的方式，多方面多角度地展示给用户，并接受用户的临时输入事件，影响整个仿真推演进程。在推演结束后，可以将整个仿真过程中产生的数据及结果以图、表等多种形式进行展示，供用户分析。

3.2.9 脚本编辑与管理模块

系统除提供图形化的编辑界面供用户进行事件及场景编辑外，也提供使用脚本来编辑事件与场景。相比于图形化的编辑界面，脚本功能更为丰富强大，高级用户可以利用脚本构建出更为复杂的任务场景。

4 教学实践

基于重大学科“信息通信（航天测控）”项目“航天器与地面站网资源数字化信息库”建设成果，在研究生航天器轨道控制课程中进行试点应用。

该平台的轨道星历计算、星下点计算、轨道控制计算、仿真推演和可视化显示等功能，初步满足了课程教学的需要。

5 结语

航天器飞行动力学教学云平台是满足课程教学、科技创新的重要支撑环境，基于现有条件初步验证了平台建设的技术可行性，并在课程教学中得到初步检验。目前，轨道动力学相关模型已经集成到系统，姿态动力学、机械臂运动动力学、人工智能算法、计算机视觉算法等相关模型还需要进一步完善，平台容量还需要进一步扩容。

参考文献

[1] 理查德．微服务架构设计模式［M］. 喻勇，译．北京：机械工业出版社，2019.

[2] 龚正．Kubernetes 权威指南：从 Docker 到 Kubernets 实践全接触［M］. 北京：机械工业出版社，2018.

基于校园大数据下的学生行为智能分析系统

安雪华　寇艳梅　刘　瑞
（士官学校教研保障中心信息技术室）

摘　要： 本文基于机器学习及大数据处理技术，以学生学科成绩、图书借阅、日常消费等特征数据为基础，通过对业务对象的调研、数据资源的采集及存储模式的评估，构建出学生行为智能分析系统，完成对学生学习行为、生活行为、个人特征信息三个维度的行为特征分析，直观展示学生的行为特征分布，从而根据学生的行为特点和规律，对学生行为进行预测与预警，为学校深层管理、学生个性化培养提供决策支持和智慧服务，探索军队院校教育改革创新的新思路。

关键词： 校园大数据；学生行为；智慧服务；个性化教学

1　引言

中共中央，国务院印发的《中国教育现代化 2035》明确指出，加快信息化时代教育变革。建设智能化校园，统筹建设一体化智能化教学、管理与服务平台。利用现代技术加快推动人才培养模式改革，实现规模化教育与个性化培养的有机结合[1]。校园大数据的出现，为支持个性化教学、管理与服务提供了强大的技术支撑，既可以促进教育理念的及时更新，也能够为教育质量提升提供有力保障[2]。采集分析每一名学生的学科成绩、图书借阅、日常消费等特征数据，初步构建出科学管理、个性服务、智慧应用的校园治理新模式[3]，为军队院校教育改革创新提供了新思路。

随着校园数字化、信息化建设的开展，校园一卡通系统已经成为掌握校园师生行为规律和学校整体运行水平的有机组成部分。然而，为了进一步提高教学师资质量和学生综合素质能力，推进教师教学思路和方法的全面性、有针对性，校园一卡通系统涵盖的资源又实在有限，无法做到全面评估“教”与“学”[4]，需要结合校园内其他的系统平台。学校内现分布的系统平台较多，越来越多的应用系统也应业务需求不断出现[5]，教务处等业务单位为了改善教学方式及教学保障，需要通过多个平台整合相关数据进行分析，在此方面消耗了过多的时间和精力。为了更好地提高教学质量、升级教学管理模式，提升教学服务以及完善教学保障相关设施，产生了基于校园大数据搭建学生行为智能分析系统的初衷。本文主要围绕学生行为智能分析系统的构建以及需要的功能模块展开，实现在数字校园的整体构建下，将各类业务明朗化、简约化和流程化，精细化、准确化地定位需要关注的学生群体，并实施有效的管理方法。

2 学生行为智能分析系统的构建

基于校园一卡通数据信息及教务教学系统的基础数据，针对非结构化数据进行筛查过滤，通过搭建学生行为智能分析系统，从学生学籍管理、个性化学习行为、生活行为三个维度进行挖掘分析，结合非结构化的数据进行归类，从而构建出学生行为特征库。并且可以通过渲染生成的可视化图形、线型、表格等方式更加直观地展示学生的行为特征分布，为学校深层管理、学生全面培养提供决策支持和智慧服务。

2.1 学生行为智能分析系统的构建

学生行为智能分析系统的构建主要是从业务对象的调研、数据资源的采集及存储模式的评估三个重点模块进行建模，细化功能分类，形成学生行为智能分析系统的架构模型，如图 1 所示。

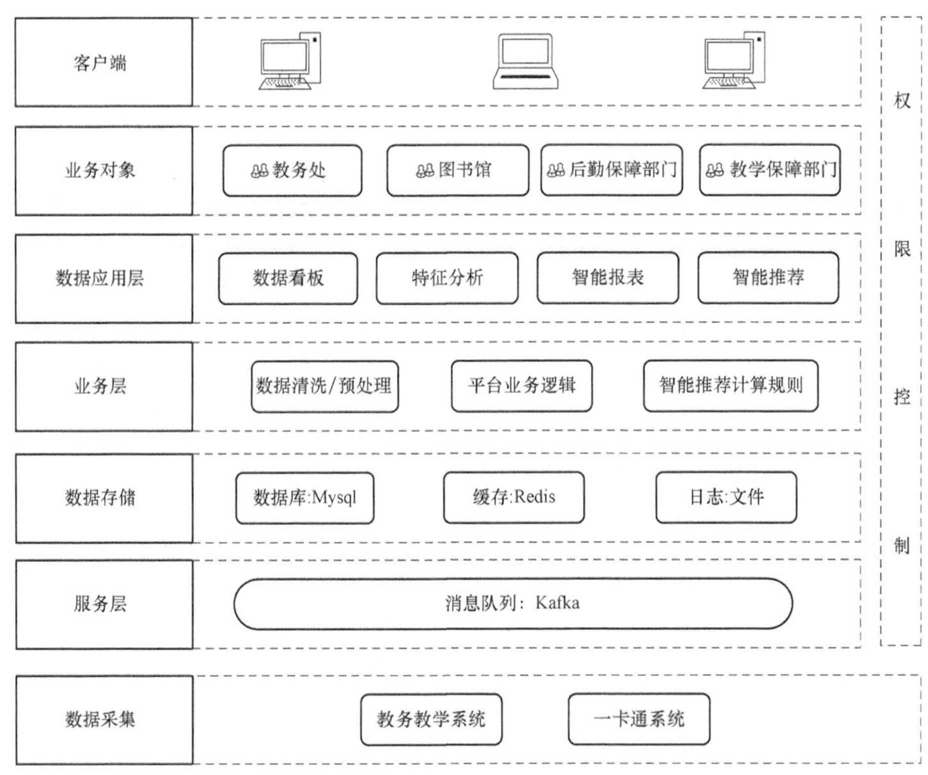

图 1 学生行为智能分析系统架构模型

2.1.1 业务对象的调研

教务处作为教学计划、教学改革及教学管理的组织与实施部门，使用学生行为智能分析系统的主要用途在于以下方面：

（1）在教学改革方面。根据数据可视化图形界面展示出全体学生的学科成绩分布、作业完成程度分布及考勤分布，更加直观地了解教学成果，促进完善学科建设改革。

（2）在制订个性化人才培养方案方面。根据每名学生的学科成绩分布、作业完成程度分布及考勤分布，可分析每名学生的学习情况、学科偏重及学科喜好情况，制订分类选拔培养的人才模式。

（3）在教师教学评估方面。可以根据必修课程及选修课程中每名教师教授科目下的学生成绩分布，初步分析出教师授课的被接受程度。且对于选修课方面，科目类别及科目成绩，不仅可以反映出教师教学水平的被接收程度，又可以反映出学生的学科偏好。

图书馆是学生学习的重要场所，在图书馆里学生需要能够通过检索获取到所需的各种学习资源。在书籍阅览方面，图书馆管理人员使用学生行为智能分析系统的主要用途在于高效订阅书籍以及根据学生阅读情况上架书籍。学生行为智能分析系统可以按照图书分类展示学生的阅读量，图书管理员可以根据图书分类的受欢迎程度进行相应类别书籍的订阅来给学生提供更多的书籍选择，还可以根据图书阅览的榜单分类，将热门、常用以及冷门等分类下的书籍分配放置到合理位置，以方便学生高效查找阅读；在图书馆的时间利用方面，学生行为智能分析系统可以将图书馆的日常学生流量、学期考试前后学生流量以及学生在图书馆学习的时长等相关信息进行整合，并通过所约定的规则计算出推荐学生到馆阅读的时间区间，合理分散学生流量，提高自习室的利用率以及阅读和学习体验。

后勤保障部门应用学生行为智能分析系统主要涉及食堂保障方面。此系统可以生成学生在食堂和超市的消费金额分布，保障部门根据每周或每月的金额分布情况，可以结合食堂餐饮菜单进行相应调整以达到更高质量的保障目的。

教学保障部门也是学生行为智能分析系统的重要使用对象。教学保障部门可以利用学生行为智能分析系统分析学生一段时期内的学习情况、课外活动情况、消费情况以及上网情况，跟踪学生的行为偏差轨迹，感知学生的心理变化，及时发现问题并进行心理干预以及疏导，促进学生在校身心健康的发展。

2.1.2 数据资源的采集

学生行为智能分析系统所需要的基础数据信息来源于学生校园一卡通系统和学校教务教学系统。

（1）校园一卡通系统。其应用场景较为复杂且历史数据积累较多，产生的冗余数据也就相对较多。为了提取有效数据，对校园一卡通系统的数据处理提出三个步骤。①需要对校园一卡通系统数据进行预处理，对数据进行有效清洗[7]，数据清洗的主要目的是剔除冗余数据、补足部分缺失的数据，确保对学生行为分析所使用的数据具有有效性。②对数据格式进行统一转换，由于校园一卡通使用场景的多样且校园一卡通系统中各种功能数据结构不统一，在对其进行数据清洗后，还需对其进行数据格式转换，将数据格式转换成学生行为智能分析系统兼容的数据结构，使其更加规范化。通过相应的数据转换，让数据更有意义。③对转换后的数据进行分类，由于校园一卡通系统已经经过数次升级更新，其中必然会产生很多重复属性的数据或与学生行为分析无关的数据，通过数据分类，降低数据复杂度，确保分析所使用的数据有效准确。

（2）教务教学系统。它集中了教师与学生的教学情况、学习情况、个人信息等数据，虽然历史记录较多，数据量庞大，但是由于其系统具有较强的结构性，因此对于所需数据单元的提取相对容易。

根据学生行为智能分析系统所需数据，分别从校园一卡通系统及教务教学系统中提取有效历史数据并做关联，存储于学生行为智能分析系统相应的数据表中，并定时从校园一卡通系统及教务教学系统中拉取增量数据存储于消息队列中，定时进行数据分类整合存储。

2.1.3 存储模式的评估

学生行为智能分析系统的数据存储主要应用了三种模式，分别是关系型数据库、非关系型数据库、文件。

（1）关系型数据库。它主要存储的是结构性较强的数据单元，可根据建立数据表的不同属性进行相应的数据关联操作。关系型数据库中的数据主要来自由教务教学系统和一卡通系统清洗并格式化后的数据，是以表结构存储，表与表之间存在关系，且最重要的特点在于支持事务控制，数据安全性较强。虽然关系型数据库在保持数据的一致性方面具有很大优势，但是由于其不擅长处理高并发读写需求，且对数据的结构性要求较强，所以在处理学生行为分析模块相关数据时，引入了非关系型数据库模式。

（2）非关系型数据库。其最大优点在于效率高，针对大量的数据计算以及操作都可以相对轻松地处理，可扩展性强，且可以存储数据类型不固定、无规律的数据。在学生行为智能分析系统上，存储的数据单元主要分两个部分：一是以学生维度存储相应的个人信息、学习行为、消费行为等记录，以教师维度存储课程记录以及所教授专业、班级成员等；二是存储已通过相关计算而生成的用于学生行为智能分析系统输出的数据看板、图、表等所需的数据单元，节约关系型数据库读写资源。

（3）文件。它主要用于存储日志记录，日志主要分为三类：一是将教务教学系统课程相关信息、校园一卡通系统中的学生消费信息及在图书馆学习信息等每日增量数据拉入到消息队列的行为日志中；二是将消息队列中的数据格式化后导入到关系型数据库的操作日志中；三是管理员在学生行为智能分析系统上的操作日志。

2.2 学生特征行为模型的构建

学生特征行为模型按照分类汇聚学生在校期间的各项信息单元，最终整合成为学生的学习行为、生活行为及个人特征信息三个维度。学生的学习行为主要涉及课堂学习与课外学习，其中课堂学习又关联到选修课程及必修课程的考勤、作业、成绩等相关属性；学生的生活行为在校园一卡通中的体现主要表现在消费、门禁、娱乐活动及上网情况；学生的个人特征信息主要是依托于教务教学系统中涉及的个人情况及学籍专业信息等。最终生成的学生特征行为模型如图 2 所示。学生特征行为模型中的每个分析维度都可以形成相应的评价指标，同时可对后续搭建的学生行为智能分析系统提供数据支撑。

从学习行为方面考虑，依托上课数据、作业完成质量、平时及期末考试成绩、选课数据等数据资源，初步将学生知识掌握水平、综合素质、科目类别偏好和成绩评价等作为学生学习行为分析指标。

从生活行为方面考虑，食堂、超市的消费金额分布可以协助后勤保障部门更好地了解学生需求，提供更优的保障；门禁、娱乐设施、健身器材使用情况，以及体育馆进出情况等数据，可以更有助于教导员了解学生近期身心状况，跟踪学生行为偏差轨迹、感知学生心理变化，在遇到问题时及早进行心理干预。

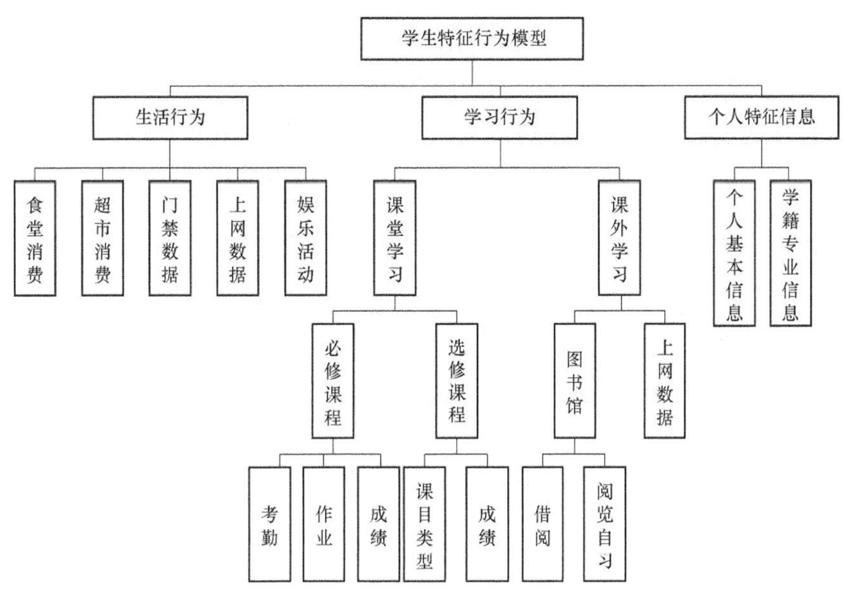

图 2　学生特征行为模型

3　学生行为智能分析系统的数据分析

根据学生特征行为模型，下面通过建立理论模拟数据来进行模型分析、验证。

3.1　学生学习行为

3.1.1　课堂学习行为

分课程学科、分学生专业查看学生成绩的分布人数情况及分数分布饼图，可以更加直观地了解学科成绩分布情况，如图 3 所示。老师能够直观地看到学生成绩的分布及授课效果。

分数区间	分布人数
90分以上	30
80~90分	121
70~80分	151
60~70分	57
60分以下	19
总　计	378

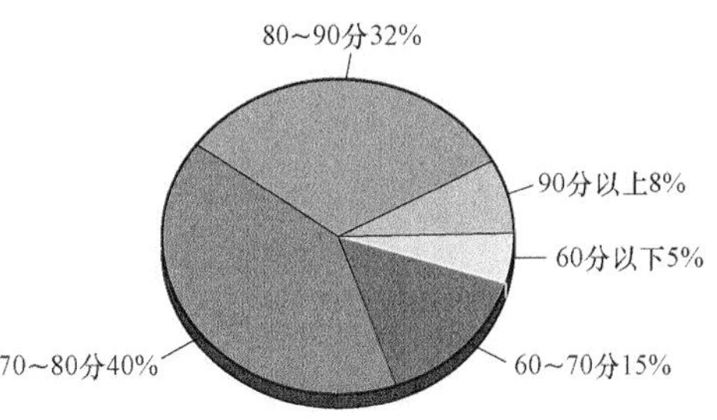

图 3　某个学年某个科目下的成绩分布图

每名学生的各科考勤、作业以及期中期末成绩等指标可按各类筛选条件进行选择性分布展示，部分数据如图 4 所示。

进行学生学习行为异常预警提醒。如果学生考勤缺席次数、作业未提交次数占比达到

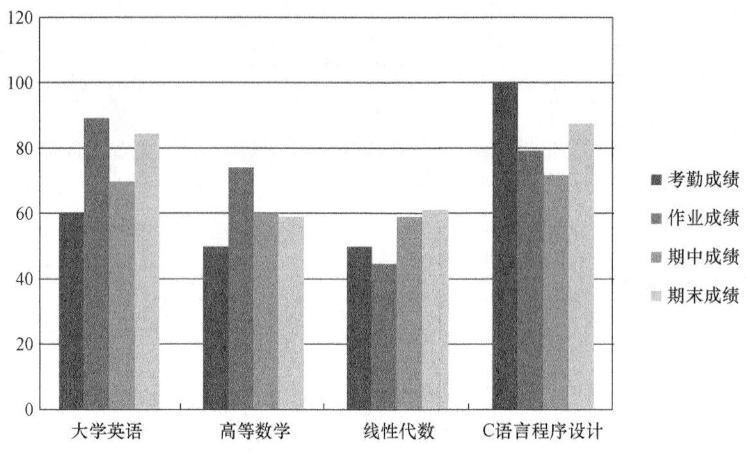

图 4　单个学生成绩分布图

教务所设定的阈值或已完成的学分未达到指定标准系统会向教师与学生发送预警短信并在学生行为智能分析系统中标记显示，协助教师更好地了解学生的学习情况，更好地敦促学生完成学业，如图 5 所示。

课程	高等数学	线性代数	大学英语	C语言程序设计	大学物理	预警短信
学生A	3	2	3	4	5	已发送
学生B	0	1	2	0	1	未发送
学生C	1	0	1	1	0	未发送
学生D	4	0	1	1	1	已发送
学生E	5	1	2	3	4	已发送
学生F	0	0	0	0	1	未发送

图 5　学生缺勤次数预警

3.1.2　课外学习行为

图书馆借阅图书方面，图书馆管理人员根据学生行为智能分析系统按图书阅读量、图书分类的阅读分布情况，对热门书籍、常用书籍及冷门书籍进行特定书架位置上架。学生可直达指定位置进行图书查找，节约学生在图书资源管理的操作台上进行图书检索的时间。TOP 榜单可按月度、季度以及年度进行查询。

自习室及自习时间智能推荐方面，根据日常学生流量、学期考试前后学生流量以及学生在图书馆自习时长等分布情况，通过计算规则推荐给学生到馆阅读时间范围，合理安排开闭馆时间，分散学生流量，避免造成人员密集，防范聚集性疫情。图 6 所示为某年 3～4 月学生在馆平均人数分布，可知上午 9 点至 10 点为学生流量高峰期，可按照日常流量横向对比推荐。

3.2　教师教学评估

可以根据必修课程以及选修课程中每名教师教授科目下的学生成绩分布，初步分析出教师授课的被接受程度。根据必修课成绩、作业提交率和出勤率鼓励优秀教师开设选修课程。根据学生选修课教师、课目类型、出勤率和成绩评估学生感兴趣的课程类型，增设或

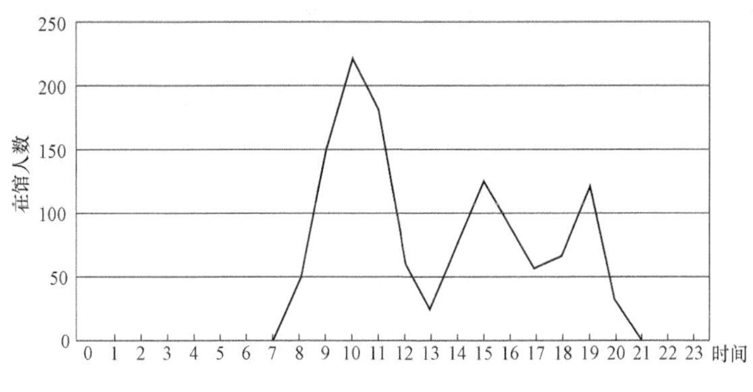

图 6 某段时间内学生在馆平均人数分布曲线图

减少选修课，提高教师授课率。

3.3 学生消费行为

根据周度、月度、季度等学生消费行为及偏重程度，适当调整食堂、超市等的供给、服务情况。

3.4 学生其他行为

学生行为智能分析系统将根据学生一段时期内的学习情况，结合娱乐设施使用情况、健身器材使用情况、体育馆停留时长、消费情况、上网时长等曲线分布，感知学生行为偏差轨迹。若判定数据异常，将会推送消息给教导员，提醒教导员及早进行心理干预及疏导。

例如，某学生一段时间内，课堂学习行为的考勤、作业等达到教务告警阈值，该学生的生活行为异常明显，学生行为分析平台判定该学生的综合情况异常，需要教导员进行人为干预。通过图表对比显示，该学生的异常行为和上网情况密切关联，教导员可以这个方面为切入点做好学生心理疏通引导。

4 结语

作为教育管理者和教育信息化建设的实践者，智慧校园建设要求我们具有战略眼光和实践精神，直面挑战，把握机遇。本文基于校园大数据，通过学生行为智能分析系统，一方面结合学生行为智能分析系统各功能模块在使用中积累的过程性数据，另一方面结合学校功能全面的各类信息化系统数据，根据现有建设环境分析整合学校学生学习与生活中的行为数据，使得个性化、智能化、精细化教学成为可能，实现个性化教学，真正做到因材施教，以对“教”“学”的数据进行整合分析及精准把握，来促进教学创新，优化教学方法，提高教学质量。

参考文献

[1] 李冀红，万青青，陆晓静，等．面向现代化的教育信息化发展方向与建议——《中国教育现代化 2035》引发的政策思考［J］. 中国远程教育，2021（04）：21－30.

[2] 洪海兵，刘星．基于大数据技术的高校学生行为分析［J］．电子元器件与信息技术，2021，5（11）：131-132.

[3] 李有增，曾浩．基于学生行为分析模型的高校智慧校园教育大数据应用研究［J］．中国电化教育，2018（07）：33-38.

[4] 周晶，白志刚．基于云计算的学生行为大数据分析研究［J］．现代经济信息，2017（22）：324.

[5] 何鑫．基于大数据的学生行为趋势挖掘系统设计与实现［D］．成都：电子科技大学，2018.

[6] 李铁波．基于校园大数据的学生行为特征分析与预测方法［J］．重庆理工大学学报（自然科学），2019，33（7）：201-206.

[7] 葛昆，武丁杰，邹德龙，等．基于校园卡数据的学生行为分析的研究［J］．现代计算机，2021，27（29）：55-58+62.

[8] 段晨辉，张小女．大数据时代传统关系数据库与 NoSQL 数据库的对比与分析［J］．信息与电脑（理论版），2021，33（15）：172-174.

[9] 宋果昇，苗文婧．浅谈大数据在“智慧校园”信息系统建设中的应用［J］．数字通信世界，2021（8）：173-174.

国内外教育优先和院校优先主要做法及启示研究

王金苗[1]　胥　霖[2]
（1. 研究生院；2. 教务处）

摘　要：本文系统分析美俄等国家和军队关于教育优先发展的思维理念、主要做法和具体举措，深度挖掘我军长期以来院校优先发展优良传统，系统总结了推进教育优先和院校优先发展的“六条重要启示”，为新时代落实院校优先发展战略策略研究提供了理论基础和实践支撑。

关键词：教育优先；院校优先；主要做法；启示

1　引言

世界许多国家把优先发展教育作为面向新时代的基本国策，无论是发展中国家还是发达国家，都结合自身的实际情况采取了一系列的政策及措施。尤其是欧美等发达国家和军队，以及我国在促进教育优先、推动院校优先发展的一些主要做法，对新时代我军院校优先发展战略的实施有启示借鉴作用。

2　国外教育优先发展的主要做法

纵观世界各强国，特别是西方发达国家，一直把教育作为国家发展的基础和人才培养的关键，把发展教育作为国家的战略重点。主要做法表现在五个方面。

2.1　强调教育的基础性和决定性作用

在日趋激烈的国际竞争压力下，各国普遍认为谁赢得了教育，谁将赢得世界领先地位的主导权，把发展教育作为首要任务和基本国策。各国政府能够清晰地认识到，教育可以为本国的社会、科技、经济等诸多领域发展提供高质量、高效益的服务，是促进国家长远健康发展的最有效手段，是国家发展的基础性和决定性因素，教育必须先行。

2.2　强调“教育优先”“投资于人”[1]

世界许多国家普遍把发展教育作为国家的战略重点，在研究和制订国家长远战略规划时，始终把教育放在优先位置，大力实施人才战略，以提升国家竞争力。

2.3　强调用法律制度保障教育优先

教育优先战略要得到有效的贯彻落实，必须要有健全的法律制度和管理机制来保障。

欧美的发达国家制定和颁布了多项有关教育的法律，提高教育地位，从制度上保障教育的全面发展。

2.4 强调加大经费投入支持教育优先

教育经费的优先投入是成功实施教育优先发展战略的重要前提与关键。美国是世界上教育经费投入最多的国家。自 20 世纪 90 年代以来，美国的教育经费一直维持在 GDP 总量 7%～10%的水平上，并从法令层面详细规定了教育优先领域的经费投入，辅助教育优先政策的贯彻实施[2]。

2.5 强调用教育优先引领国防和军队建设

随着世界新军事变革的推进，世界各主要国家为了应对时代挑战，有一个共同的做法，就是把高素质人才培养作为战略制高点，把军校建设放在重要的战略地位。通观外军建设历程，各国军队高度重视和优先发展院校教育，既是历史经验的昭示，也是时代发展的呼唤；可以预见，随着战争技术含量的不断提高和军队建设现代化不断深化，军队院校在今后国防和军队建设中的地位和作用将更加突出，重视并优先抓好军队院校建设，将是世界各国提高军队建设质量，维护和拓展国家利益的战略选择。

3 我国教育优先发展的主要做法

教育优先发展，是党和国家提出并将长期坚持的一项重大方针。中华人民共和国成立后，特别是改革开放以来，党对教育地位和作用的认识不断深化，在推进中国特色社会主义伟大事业征程中，探索和形成了一些有益做法，丰富和拓展了教育优先发展的实践路径。

3.1 坚持战略摆位从未动摇

党和国家高度重视教育，在不同历史阶段，克服各种困难，始终把教育摆在优先发展的战略地位。特别是党的十八大以来，我国教育事业发展取得显著成就。党的十九大报告中指出，建设教育强国是中华民族伟大复兴的基础工程，必须把教育事业放在优先位置。这一重要论述，指明了我国教育事业改革发展的总方向，把教育优先发展提升到新的战略高度。

3.2 强化政府职能集聚优势

我国充分发挥社会主义制度优势，强化政府教育责任和义务，各级党委和政府切实将教育优先作为战略任务，落到实处，将教育优先放到了社会经济发展的全局，对符合教育发展规划的建设项目，优先安排、优先立项、优先保证；各政府部门在制订公共政策时，充分考虑教育发展和人力资源开发，优先保障教育在经费、人才和规划方面的需求。国家先后颁布《中国教育改革和发展纲要》《国家中长期教育改革和发展规划纲要（2010—2020 年）》《中国教育现代化 2035》等纲领性文件，在不同历史时期有力指导推动教育改革发展。

3.3 深化综合改革促进发展

改革创新是中国特色社会主义教育事业发展的力量之源。党的十八大以来，以立德树人为根本，以内涵式发展统领，以依法治教为引领，全面深化教育领域综合改革，推进教育治理体系和治理能力现代化，积极回应人民群众在新时代对更好教育的强烈期盼，着力办好人民满意的教育。近年来，教育支撑服务经济社会发展能力显著增强，教育取得重要进展，为社会主义现代化建设作出重要贡献。我国高校在世界多项大学排行中位次整体大幅前移，我国教育的国际竞争力和影响力显著增强[2]。

3.4 用好重大工程牵引推动

用好重大工程牵引推动的作用，这是中国特色社会主义制度优势的集中体现，长期的实践证明，这一政策是行之有效的，具有迅速动员社会资源、使教育主动按国家需求发展的优点，是在资源有限条件下引领示范，推动发展的一项有效措施。从 20 世纪 90 年代国家正式启动的“211 工程”建设到“985 工程”，有力地带动了我国高等教育事业的整体发展，引领我国教育事业跨入世界中等偏上行列。近年来启动实施的“统筹推进两个一流”战略，经过首轮建设，在培养一流人才、产出一流成果上取得了重大阶段性成就，推动一批高水平大学和学科进入世界一流行列或前列，为教育强国建设奠定坚实基础。

3.5 配套政策制度及时跟进

目前，我国保障教育事业优先发展的法律制度正在逐步形成和完善。在国家教育责任优先方面，《中华人民共和国宪法》第十九条规定“国家发展社会主义的教育事业，提高全国人民的科学文化水平。”在国家保障教育事业优先发展方面，《中华人民共和国教育法》《中华人民共和国高等教育法》等法律相关条款，分别就财政拨款优先、教育教学设备供应优先、教育基本建设优先等方面进行了明确，其中《中华人民共和国教育法》特别强调教育经费坚持“三个增长”的原则。此外，在国家关于教育税收优惠和保障受教育权优先等方面，先后下发了有关指导意见进行了明确。

3.6 加大经费投入强力保障

落实教育优先发展的战略地位，就必须把增加财政性投入作为建设公共财政制度的重点。近年来，党和国家一直在稳定增加教育投入，2012 年我国财政性教育经费支出占当年国内生产总值比例首次超过 4%，突破 2 万亿元，并且连续保持在 4%以上；2017 年，国务院印发的《国家教育事业发展“十三五”规划》进一步明确了保证国家财政性教育经费支出占国内生产总值的比例一般不低于 4%；2021 年首次突破 4 万亿元，年均增长 8.2%。根据国际经验数据，财政性教育经费占 GDP 比例达到 4%左右时，其财政收入占 GDP 比例一般为 30%～40%，我国是在财政收入占 GDP 比例不到 30%的情况下达到了 4%[3]，有力地说明党和政府对教育的重视是空前的。

4 我军院校优先发展的优良传统

坚持院校优先发展是我党我军的优良传统，从我军办学建校之初的聚力保障，到 20 世纪 80 年代中央军委提出的“四个舍得”，到《2020 年前军队院校教育改革和发展规划纲要》提出的“四个优先”[4]，再到关于院校优先发展的系列指示要求，无不体现我军始终把院校优先发展摆在战略位置。

4.1 立起政治标准引领院校

坚定正确的政治方向，立起严格的政治标准，是我党兴办院校、优先发展院校的宝贵经验，也是强军强校的优良传统和重要保证。革命战争时期，红军教导队、院校相继诞生，及时有效地提高了红军干部的军政素质。抗战时期，中共中央和中央军委就把办学校作为训练和储备干部的重要途径，逐渐发展到以抗大总校为核心，辐射各抗日根据地的各级各类学校的院校体系。解放战争和现代化军队建设时期，我军院校建设发展始终坚持正确的政治方向，为新中国成立和发展培养了大批政治合格、素质过硬的军政人才。进入新时代，我们要坚持新时代军事教育方针，总结历史经验，紧扣时代脉搏，前瞻未来发展。军队院校教育必须把坚持党对军队的绝对领导作为根本政治要求，以党的方向为方向，始终为党育才、为国树人、为军铸将。

4.2 瞄准战争需求建强院校

我军院校教育诞生于人民军队的初创时期，是直接为作战需求服务的，在战火硝烟中不断发展壮大，始终紧跟战争发展，建设打仗院校，培养打仗人才。革命战争年代，毛泽东提出边打仗边办学的军事人才培养路子，将“从战争中学习战争”视为一项主要学习方法，创建红军随营学校，明确要求红军学校要直接为战斗服务，要理论联系实际，要在战争实践中学习战争。中华人民共和国成立后，为适应战争急需和军队建设需求，我军在战争年代创办的军校的基础上，按照建军先建校的思想，举国之力改建和新建了一大批正规院校，形成了比较完整的院校教育体系。21 世纪初，随着我军军事战略方针调整，军队院校办学指导思想确定为“为打赢信息化战争、建设信息化军队培养高素质军事人才”[5]。党的十八大以来，全军院校赓续传承为战抓教的光荣传统，坚持一切办学活动向能打仗、打胜仗聚焦，为推动为战抓教贯彻落实奠定了坚实基础。

4.3 坚持改革创新驱动院校

从我军军队院校建设发展的实践来看，我军院校教育随着军队发展不断壮大，得益于紧盯时代脉搏不断转型发展，得益于始终坚持改革创新。改革开放以来，为了适应国防和军队建设新要求，我军院校先后进行多次院校体制编制调整改革，优化了院校规模结构，减少数量，理顺关系，提高效益。进入新世纪新阶段，军队院校教育步入了健康、快速发展的轨道，逐步建立以任职教育为主体的新型院校体系。进入新时代，为了深化国防和军队改革，我军院校进行了整体性、革命性重塑，整体布局和内部编成得到优化，新型院校体系基本构建，坚持用改革创新的思路和办法解决发展中的矛盾和问题，推进院校建设加快转型升级，为培养德才兼备的高素质、专业化新型军事人才奠定基础。

4.4　实施重大项目支撑院校

抓重点、带全局、促提升，是我军院校建设高质量快速发展的实践经验。进入新世纪以来，全军按照“工程化”思路推进院校教学重点建设，先后实施了现代化教学改革工程，军队“2110 工程”一期、二期、三期建设，历经 15 年的持续投入和重点支持，院校教育优先发展战略得以有效落实，院校教育水平实现了新的历史性跨越，对推进中国特色军事变革，做好军事斗争准备，促进战斗力提升，确保能打仗打胜仗，产生了重大影响和深远意义。进入新时代，为适应新形势、满足新要求，全军院校推行“建设重点院校、重点学科”的“双重”建设工程，为贯彻落实新时代军事教育方针，推动新时代军队院校教育迈上新高度提供了新的推动力。

4.5　选拔优秀人才办好院校

我军在办学育人的院校教育实践中，始终把选拔优秀人才办好学校作为院校建设的重中之重。红军学校初建时期，毛泽东就极为重视校长、教员的选配，曾指出“一个军事学校，最重要的问题，是选择校长教员和规定教育方针”。我国创办的第一所高等军事技术院校军事工程学院——中国人民解放军军事工程学院，由陈赓任院长兼政治委员。改革开放后，邓小平强调“要选好办学校的干部，包括教师，这个很重要”“要选最优秀的，特别能深入实际，努力工作，以身作则的干部”[6]。进入新世纪，实施军队院校领军拔尖人才培养工程，积极参与国家人才建设工程项目，推行军队科技创新重点岗位首席专家制度；改进和推广教官制度，用于选拔部队优秀指挥军官到院校任教。进入新时代，注重选齐配强院校领导干部，常态化开展院校领导干部培训；加大领军拔尖人才、中青年骨干人才培养力度，着力打造实战名师，探索走开高中级优秀指挥员到院校讲课的路子。

5　主要启示

5.1　广泛的思想认同是院校优先发展的根本

思想引领实践、认识影响行动，思想认同是做好一切工作的前提。发展教育事业因为周期长、见效慢，需要长期不懈的持续努力和投入，短时间难以看到政绩上的效果，往往容易被忽视，教育优先、院校优先的思想难以转化为具体的行动。从国内外、军内外办学实践看，哪个国家、哪个军队越重视教育，对教育优先、院校优先的科学性、紧迫性、必要性、有效性有广泛的社会认同和统一的思想意志，教育事业和院校建设就越蓬勃发展。

5.2　坚强的组织领导是院校优先发展的关键

越是重要事业，越是需要建强组织、强化领导。从历史上看，我国地方高校和军队院校快速发展的时期，都是党的领导人高度重视，院校统筹领导指导最为有力的时期，院校组织领导机构和工作运行机制健全顺畅的时期。党的十八大以来，推行了一系列教育改革，核心是加强党对教育事业的集中统一领导。落实院校优先发展战略，关键是强化责任意识，通过强有力的组织领导，推动优先发展理念、各项改革举措贯通落地。

5.3 优秀的师资队伍是院校优先发展的前提

办好院校，一靠校长二靠教员。高水平师资队伍，是立校之本、兴教之源。纵观国内外、军内外一流院校发展历史，名师造就名校，名校成就名师，都非常重视挖掘人才、吸引人才、培养人才。一支师德师风高尚、深谙战争制胜机理、熟悉部队战备训练、专业造诣精深的高素质教员队伍，对一流军事院校建设具有不可替代的重要作用。只有尊重教师、重视教师，让教师拥有崇高的地位，让教师成为最受欢迎和最受尊重的职业，才能实现院校真正的优先发展。

5.4 一流的人才产出是院校优先发展的至要

一流大学因学生而伟大。人才培养是院校最重要的职能之一，能否培养出杰出人才是评价院校办学质量的核心指标。从办学实践看，一流大学都培养出了一大批具有远见卓识和开拓精神的一流人才。中国人民解放军军事工程学院办校17年培养出40多余位院士，数百位省部级领导和将军。实践证明，只有院校优先发展，才能培养出一流人才；只有培养出一流的人才，才能体现院校优先发展的价值所在。

5.5 充足的经费投入是院校优先发展的基础

对教育的持续投入，是支撑国家长远发展的基础性、战略性投资，日益成为评价一个国家、一个地区、一支军队教育事业是否优先发展的一项重要指标。用最优质的资源、最充足的经费支撑一流人才培养，是世界各国和军队通行的做法。实践证明，院校教育经费投入规模、投向和投量，反映的是国家和军队对院校建设的重视程度，体现的是人才建设的重点和方向，越舍得在教育上投入经费的国家和军队，院校就发展得越好，国际竞争力就越强。

5.6 完善的政策制度是院校优先发展的保证

院校优先本质是教育优先，离不开体制优先、政策优先。院校建设面临的矛盾和问题，很多要从制度机制上加以解决。一体谋划和推进军事教育政策制度建设，是解决制约院校建设和人才培养的深层次矛盾问题的治本之策。从各国和军队情况看，许多宪法和教育法律以及其他法律，对于教育优先发展都予以规定，保证了在国家和军队各项事业中确认教育事业的优先地位，哪个国家和军队的配套政策制度越完善、执行力越强，教育优先就落实得越好、成效就越大。

6 结语

党的二十大报告指出，教育、科技、人才是全面建设社会主义现代化国家的基础性、战略性支撑。军队院校教育作为我军人才培养的主渠道，在国防和军队建设中更是具有基础性、先导性、全局性作用。我们要充分借鉴国内外先进经验做法，继承和发扬我军优良传统，始终坚持教育优先、院校优先发展，着眼建设一流军事院校，深化改革创新，努力推动军队院校建设实现高质量发展。

参考文献

[1] 吴江．人才强国战略概论［M］．北京：党建读物出版社，2017.

[2] 张锦涛，孙红卫．外军院校建设发展战略概览——聚焦外军名校教育训练［M］．南京：南京大学出版社，2015.

[3] 曹寄奴．教育优先发展的理论与实践［M］．北京：人民出版社，2014.

[4] 王海洋．军队院校发展战略研究［M］．北京：解放军出版社，2010.

[5] 袁文先．军队院校教育学［M］．北京：国防大学出版社，2011.

[6] 陈勇．军队院校教育改革发展的回眸与思考［M］．北京：军事科学出版社，2008.

太空安全学学科建设研究

丰松江　张占月　何　苗　王　鹏　王勇平　薛　武
（太空中心）

摘　要：国家安全学（太空安全）学科建设，坚持以总体国家安全观为指导，以太空安全体系设计、太空安全力量运用、太空地缘政治、太空经济、太空外交政策法规、太空舆论法理等为主要方向，系统开展教学改革、教研创新、师资队伍与教研条件建设，对培养太空安全领域高素质人才、建成国家太空安全智库具有重大战略意义。

关键词：太空安全学；学科建设；体系论证

1　引言

太空是国际战略竞争和未来战争的制高点。维护太空安全、建设航天强国，事关国家总体安全，事关中华民族伟大复兴。国家安全学（太空安全）学科（以下简称太空安全学）建设，以总体国家安全观为指导，重点从国家安全战略高度，从太空安全体系设计、太空安全力量运用、太空地缘政治、太空经济、太空外交政策法规、太空舆论法理等方面，开展教学改革、教研创新、师资队伍与教研条件建设，对于培养太空安全领域高素质人才、建成国家太空安全智库具有重大战略意义。

2　背景意义

2.1　贯彻总体国家安全观，维护国家太空安全的客观要求

太空安全与国家各领域安全息息相关，对国家整体安全至关重要。当前，世界战略格局正处在整体转型重塑的新时代，主要国家围绕进出太空、利用太空、探索太空、控制太空展开激烈角逐，太空军事化日益扩大、太空武器化步伐加快。与世界太空强国相比，我国太空安全体系还不完善，太空安全风险应对和国际战略博弈能力与我国的大国地位还不相称。面对日益严峻的太空安全形势，拓展太空利益、维护太空权益已成为我国实现强国梦航天梦的必然要求。总体国家安全观将太空作为国家安全必须重点关注的新领域，党的十九大进一步确立了建设航天强国和世界一流军队的奋斗目标。在这一背景下，持续加强太空安全学学科专业建设，聚焦国家太空安全重难点问题，开展研究、培养人才、壮大队伍，建立先进、集约、高效的先进实验室，是贯彻落实总体国家安全观、加快推进我国太空安全领域全面创新的具体举措。

2.2 践行航天强国强军目标，建设太空安全体系的现实需求

太空安全是国家安全学科的重要领域和新兴领域，在国家安全学科建设中占有重要地位，推进国家安全学科建设必须重视太空安全学的研究和创新。实现航天强国，安全是保证，战略是先导，推进太空安全体系建设是赢得太空领域战略竞争的首要保障。在太空领域，军队作为维护国家太空安全的重要支柱，在开展国家太空安全学科建设和人才培养上必须发挥国家队、正规军作用。持续加强太空安全学学科建设，集成军、民、商优势，深入、全面、持久地开展太空安全体系设计和布局研究，科学统筹创新方向和重点，对于提高我国太空安全总体布局、提升太空安全体系设计与论证水平、抢占国际博弈战略主动权具有重大意义。

2.3 突出人才培养，提升太空安全人才支撑能力的紧迫需要

太空是现代作战体系的重要支撑，是国家新型战略威慑体系的重要组成。加速培养高素质的太空安全人才，是新时代维护太空安全、建设航天强国对学科建设和人才培养提出的战略要求。太空安全力量是维护国家安全的新型力量，与其他领域力量具有显著区别，其建设无法照搬已有的理论和经验，需要加快自身理论与实践创新，快速融入和有效支撑总体国家安全力量体系。当前，我国的太空安全力量体系尚未完全形成，太空安全力量建设与国家安全战略需求呈现“倒挂”现象，体制性、结构性缺陷明显。建设太空安全学，推动维护太空安全的理论创新、方法创新、技术创新、人才创新，适应构建国家新型战略威慑体系、加速新质战斗力生成的急需，可为中国特色现代战争体系构建和建设世界一流军队提供强有力人才和智力支撑。

2.4 发挥理论引领与决策支撑作用，建成太空安全智库的紧前任务

当前，航天工程大学（以下简称大学）正在紧前筹建国家太空安全智库。智库建设与运行将深入贯彻关于维护太空安全、建设航天强国系列决策指示，以总体国家安全观为统揽，坚持党的领导和中国特色社会主义方向，坚持国家利益至上，聚焦太空安全战略需求，以政策研究、战略分析和前沿探索为核心，积极开展前瞻性、针对性、储备性政策研究，提出专业化、建设性、切实管用的咨询建议，充分发挥理论创新、科技引领、技术支撑作用，为制订落实国家太空安全战略、规划、政策和方案等提供智力支撑，有效推动构建一体化的国家太空安全体系和能力。长期以来，智库相关专家在太空安全相关理论研究方面储备了较好基础，可为太空安全学学科建设提供强力支撑。然而，相对而言，在太空安全体系建设、太空安全力量运用、太空地缘政治、太空外交政策法规、太空舆论法理等方面的理论研究还需持续深入，完善相关研究环境基础，为建设一流太空安全学科、充分发挥理论引领、决策咨询、人才培养等支撑作用奠定坚实基础。

3 功能定位设计

我们应以总体国家安全观为指导，以国家太空安全理论和实践方法研究为核心，重点

围绕太空安全体系设计、太空安全力量运用、太空地缘政治、太空外交政策法规、太空舆论法理等方向，通过开展理论创新、队伍培育、条件建设、科技研发、政策机制研究等方面科研教学探索，将太空安全学学科建设成为国家和军队太空安全领域的思想理论创新高地、专业人才孵化平台、前沿技术牵引基地、政策咨询服务中心。建成国家太空安全智库，有力支撑国家太空安全重大现实问题研究和太空安全战略能力建设实践，为上级首长机关决策提供重要支撑，为人才培养、理论创新、重大演训等提供直接支撑。

3.1 打造专业人才队伍培育基地

我们应以基础理论、教学团队和教研条件为支撑，建成覆盖军地、政府、民商、院所的太空安全人才培育体系，建设以多名院士牵头、首席科学家、领军人才为核心骨干的创新团队和教研队伍，建立国内外衔接、横跨军地、纵向覆盖高中初级培训对象的培训体系，为国家、军队和民商提供体系化的人才培养服务，提升我国太空安全专业人才培育能力，深度巩固太空安全领域交叉学科特色优势。

3.2 开展太空安全综合集成论证环境建设

我们应聚焦太空安全重大现实问题和焦点，在国际层面，支持太空安全战略博弈、国际太空行为秩序和重大法规政策出台影响研判，为中央战略决策提供支撑；在国内层面，支持太空安全领域跨域影响分析，为国家出台相关政策法规、维护国家总体安全提供支撑；在安全发展层面，牵引太空安全战略、发展战略、太空体系建设方案等制订与优化，开展太空安全体系设计和战略论证推演。

3.3 牵引太空安全工程发展

我们应从形成太空安全能力体系角度，重点聚焦太空安全体系工程、太空安全风险评估、太空资源共享共用等领域，开展太空安全体系设计、工程需求论证、政策与工程集成等研究，为太空安全工程化发展方向、发展路线、技术途径提供牵引支撑。

3.4 面向太空安全领域提供政策咨询服务

我们应紧贴维护国家太空安全战略需要，在国际层面，评估太空安全态势，提出太空安全管理规则和实施途径，支持外空军控和外空谈判；在国家层面，支持国家太空安全战略和政策制度制订；在力量建设与发展层次，支持太空力量建设、航天力量发展战略制订；为国家和军队维护太空安全提供决策支持。

3.5 围绕太空安全助推军民商航天能力融合发展

我们应围绕国家总体太空能力建设和生成，充分挖掘和利用国内外和军民商航天力量与资源效能，研究国家航天机构、航天部队、科研院所、民商工业企业融合发展的平台机制和方法途径，助推国际和军民商太空资源共享共用共建，提升多方对话能力，提升国家层面太空安全整体筹划和运用效益。

3.6 开展太空安全国内外交流与合作

我们应建强国家太空安全智库，将太空安全学科建设成为国家级定位、学术域权威、全球级影响的国际合作交流平台，凝聚国内外太空领域科研资源和力量，从发达国家吸引人才、引进技术，向欧洲与东亚地区、“一带一路”沿线国家传播推广中国特色太空安全理念、产品和服务，增强我国太空安全能力战略效应和对主要国家及地区的影响力，提升我国在太空安全领域的国际影响力。

4 建设思路

我们应着眼太空安全的国家队使命任务和形势发展现实，围绕维护国家安全和太空安全的新需求，紧盯世界太空安全新形势和航天科技新变革，按照“紧贴需求、注重创新，突出特色、优势发展，整体布局、重点建设”的思路，在“双重”与战支配套等相关项目建设基础上，重点围绕太空安全体系设计、太空安全力量运用、太空地缘政治、太空外交政策法规、太空舆论法理等方向，一体设计、系统谋划，建立太空安全创新研究与实践体系，构建国家太空安全智库综合集成研究环境，密切理论与技术、军事与应用交叉培育、融合创新，结合一流大学建设统一规划，整体推进、系统建设、全面发展，努力建设成特色鲜明、优势明显的太空安全学学科专业。

4.1 体系架构

我们应重点围绕太空安全体系设计、太空安全力量运用、太空地缘政治、太空外交政策法规、太空舆论法理等方向，以打造国内领先、国际知名的国家太空安全智库为主线，在教学改革（联教联训）、教研创新、师资队伍、教研条件方面进行规划和研究。学科建设体系架构设计如图 1 所示。

4.2 思路措施

4.2.1 教学改革

围绕建设具有中国特色的新兴交叉领域太空安全学科体系，瞄准搭建培养新型专业人才的平台需求，建立联教联训机制，组织开展联教联训活动。广泛开展调研活动，针对不同人员培训等需求，建立以大学和科研院所、工业部门等为主体的联教联训协调机制，明确教学形式、教学保障、考评事宜，为联教联训活动开展提供依据。持续强化与航天工业部门、军队和地方院所等单位的培训教学协作关系，采取现地教学或开展专题讲座方式开展联教联训活动。

4.2.2 教研创新

注重教学理论创新与成果培育。着眼太空安全新体系理论，面向人才培养前沿高端定位，开展教学理论和教学方法研究，科学设计教学培训模式，创新教学观念，打造学用结合、模式灵活、形式多样的课程教学模式方法，重点开展美国太空战略研究、外空与军控问题研究、太空安全法律问题研究、太空安全体系设计理论与运用研究、太空安全力量运

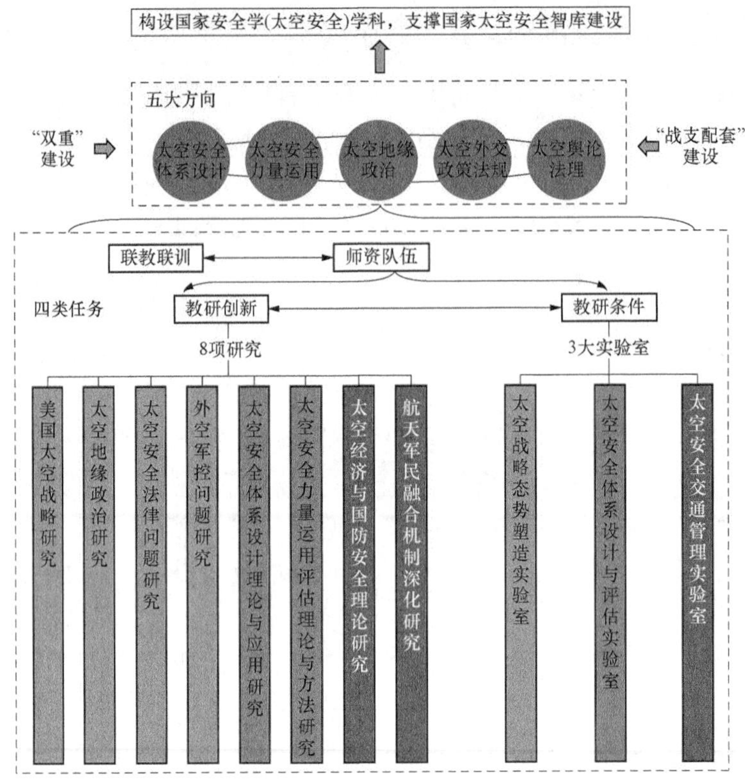

图 1　学科建设体系架构设计

用评估理论与方法研究、太空经济与国防安全研究、航天军民融合机制研究、太空地缘政治研究 8 项研究，牵引太空安全学学科专业创新发展，为相关课程与教材建设、实验室建设等提供支撑。

4.2.3　师资队伍建设

充实并优化学科人才队伍。充实并改善学科教学科研队伍规模结构，从地方高校、科研院所、工业部门和部队吸收引进学科相关、专业交叉、理技融合的军地优秀人才，从学历、年龄、职务职称、领域相关交叉方向等方面梯次配备学科教研队伍。培育学科创新团队。在充实完善学科教研队伍的基础上，围绕核心能力、核心任务、核心问题，开展关键突破、难点攻关。在太空安全学教学创新团队基础上，打造 1 个聚焦核心实力的太空安全学科创新团队，健全团队科研创新机制，建立并孵化一批学科方向核心教研主力。提升教研队伍教学科研能力。大力支持中青年教员瞄准学科专业现实问题和未来发展前沿，开展政策理论、体系建设、机制创新、技术研发、形势研判、应用发展等教学科研活动。

4.2.4　教研条件建设

在太空中心原有条件建设基础上，根据学科教研保障需求，建设太空战略态势塑造实验室、太空安全体系设计与力量运用评估实验室、航天产业军民融合研究实验室 3 大实验室，形成比较先进的太空安全教学科研条件，支持太空安全学教学科研创新和太空安全人才培养创造有利环境。

（1）太空战略态势塑造实验室。着眼世界太空战略新形势，针对培养新型作战力量人才需要，以现有卫星、宇宙飞船、空间站、临近空间飞行器等航天器数据情报为基础，构建太空战略态势，通过计算机建模、仿真分析技术手段，系统地构建太空战略态势塑造系统，形成可以让指挥员能快速、全面地领会战场敌、我力量对比情况，太空力量运用方式、方法、时机等要素，准确掌握敌我双方太空战略态势。为国家安全战略和军事战略、太空战略辅助决策，陆、海、空、火箭军的天基信息支援行动，太空战役兵棋推演提供实验环境。

（2）太空安全体系设计与评估实验室。依据太空战略发展趋势和人才培养需要，建设具备体系设计、方法学习、作业练习、信息查询、运用评估等功能于一体，能够实现太空安全体系设计与评估的实验室，能够支持太空安全体系设计与评估相关教学科研工作，为我国航天力量发展与太空安全评估理论研究提供实验验证、推演评估手段，为参训学员理解太空安全体系构建创造科学计算与评估分析条件，为航天战略人才培训和航天领域研究生培养等提供太空安全体系设计推演评估环境和研讨平台。

（3）太空安全交通管理实验室。面向维护国家太空资产安全、太空交通管理军民融合等现实亟须，打造能够支撑太空安全交通管理军民协同感知体系概念演示、太空安全交通态势感知载荷机理演示验证、多源太空安全交通态势信息智能处理与融合应用等需求的一流实验环境，服务于太空安全学科教学科研和人才培养，牵引未来国家太空资产安全维护、太空交通管理等领域军民融合发展。

5 预期效益与特色

预计经过 3～5 年的培育建设，太空安全学学科师资队伍、教研条件建设等体系会更加完备，太空安全领域法规理论、安全体系论证和安全技术发展等方向教学科研创新成果、人才培养质量效益、服务国家太空安全能力建设等将取得较为明显效益。

5.1 太空安全领域教学创新成果取得重要突破

通过教学科研的基础理论与应用创新，在太空安全体系设计与论证、太空安全评估应用等方向形成较完善的交叉学科支撑性成果，学科交叉效应得到充分体现，研究成果具备国际前沿水平，在国内外形成重要学术影响，极大提升大学和太空中心的学科领域地位。

5.2 建成高层次太空安全人才培育的孵化基地

形成以面向太空安全领域国际国内高层次管理、科研和应用人才培训体系，国内太空安全人才培养基础、环境条件和质效水平得到明显改善，人才培训教学方法成为专业领域人才培育方案的典型样例，专业人员素质水平大幅提升，交叉领域专业人员队伍大幅增加，国家太空安全领域交叉学科人才现状有较大改善，专业人员任岗任职与发展局面良好。

5.3 服务国家太空安全能力决策上具有权威影响效益

打造教学科研与学术平台、扩大学科专业领域成果应用效益，一批应用型代表成果在国家太空安全能力建设与管理部门等得到应用或参考，为国家太空安全能力规划论证、建设发展、实践运用提供重要支撑，科研成果应用在国际国内太空安全领域产生重要影响，为解决国家太空安全领域突出矛盾和现实问题提供关键咨询，在国内形成权威学术影响。

6 结语

太空安全学学科建设尚处于起步阶段，存在人员少、基础弱、建设场地紧张等制约因素。下一步，将对标国家安全学一级学科标准要求，结合太空安全领域人才培养特点与需求，面向世界航天发展前沿，面向国家重大战略需求，加强统筹设计与规划论证，理技融合、战技结合、军民联合，全方位加快学科建设，力争早日为人才培养、备战打仗、决策咨询等提供有力支撑。

参考文献

[1] 肖天亮．战略学［M］．北京：国防大学出版社，2020.
[2] 王桂芳，陈广灿．国家安全战略学［M］．北京：军事科学出版社，2018.
[3] 潘友木．新兴领域战略概论［M］．北京：军事科学出版社，2018.

略论美军航天职业教育理论与实践

常　壮　王　鹏　丰松江
（太空安全研究中心太空安全评估研究室）

摘　要： 21世纪以来，美军航天职业教育历经近二十年不懈探索，从启篇开局到成熟应用再到转型发展，走出了一条成效斐然的创新实践之路，为航天力量由发展壮大走向独立成军奠定了深厚根基，也为他国航天职业教育和人才培养提供了重要借鉴。

关键词： 航天；军事职业教育；培训；美军

1　引言

随着美国4号航天政策令的颁签，航天力量再次备受世界瞩目。大力发展航天职业教育、培育航天人才队伍，成为世界各航天国家全力以赴的战略新工程。新世纪以来，美军航天职业教育历经近20年的不懈探索，走出了一条成效斐然的创新实践之路，为航天力量由发展壮大走向独立成军奠定了深厚根基。

2　基本概念与目标

军事职业教育、训练（培训）和岗位任职经历是美军军事人员职业发展的三大支撑。根据美空军指示AFI36-2640《全力量培养》[1]，教育主旨培养教育（DE），包括职业军事教育、高等学术学位教育和职业继续教育，军事院校以职业军事教育（PME）为主体，按战术、战役和战略层级培养对象分为基础（BDE）、中级（IDE）和高级（SDE）培养教育，旨在提升学习者理解并运用战争科学与艺术的综合素质。

在军事航天领域，美国防部以航天职业战略为总纲，依托空军航天职业化培养计划（SPDP）全面推行航天人才职业教育体系。根据美国防部《航天人力资源战略》[2]和《空军航天职业战略》[3]，美军航天职业教育是面向航天职业人员（space professionals）的航天教育（space education），旨在通过更为科学系统的职业教育与培训，支持军事航天领域的研发、计划、采办、集成、应用、作战、维护等职业人员完成航天资质认证和职业发展。

3　主要政策与机制

美军航天职业教育的全面发展得益于以SPDP为核心的人才政策机制。从人力资源战略、职业战略到人才职业培养和职业教育政策，一整套系统性政策机制为职业教育组织实施提供保证，从而支撑美军航天职业人才培养体系高效流畅运转。

3.1 航天人才培养与职业教育政策

航天人力资源战略和航天职业政策是航天职业教育的指导性政策。2004 年，美国防部《航天人力资源战略》启动航天职业人才培养新工程。美空军先行一步，于 2003 年 4 月颁布《空军航天职业战略》并提出航天职业培养计划构想[3]，确立围绕航天职业资质认证组织航天职业教育的新思路框架。2010 年 5 月，《航天职业培养计划》正式明确以航天职业资质认证为机制的航天职业教育体系，成为持续指导美军航天人才职业培养的基本遵循[4]。航天采办领域，在美国防部《国防采办、技术、后勤人力的教育、训练与职业培养计划》指导下，依托 SPDP 与采办职业培养计划（APDP）同步集成航天采办应用人才职业教育工作。

航天职业教育政策将航天职业政策落实为人才职业化培养行动。2007 年 4 月颁布《1C6X1 航天系统行动运用职业教育与训练计划》并在 2012 年 4 月第二版修订，明确规定航天士兵职业教育实施计划、措施与标准[5]；2008 年 11 月颁布《高级航天教育与培训》并在 2011 年 11 月第二版修订，系统规定航天军官 SPDP 教育培训详细实施计划[6]。2015 年前后，美军航天职业教育进入新一轮转型。2016 年 5 月第三版修订《1C6X1 航天系统行动运用职业教育与训练计划》[7]，2018 年 11 月第三版修订《高级航天教育与培训》[8]，分别改进转型后士兵、军官和文职人员航天职业教育的组织实施方案。

3.2 航天资质认证与培训准入机制

为确保航天职业教育在 SPDP 中发挥应有作用，美军建立了入口关和出口关，即课程参训资质和航天职业资质，增强了航天职业教育的对象和功能针对性。

3.2.1 职业资质认证机制

航天职业资质认证以航天职业教育作为衡量要素，体现航天职业教育的功能。作为航天人员职业晋升的“敲门砖”，美陆、海、空军都有明确的航天职业资质认证标准规范。根据空军 AFI36-3701 号《航天职业培养计划》[4]，航天职业资质分别按军官、士兵和文职人员分类设立初、中、高三级，资质条件由学位教育与职业教育情况、在职训练经历和岗位任职经历等组成。在挂钩航天职业教育上，根据人员的教育培训、任职经历和服役年限，确定所需 Space100/200/300、高级航天课程等职业教育层次。完成 Space100 教育可获得 1 级认证，在 8～11 年职业阶段通过 Space200 教育、具备航天应用和集成能力可完成 2 级认证，在 13～18 年职业阶段参加并通过 Space300 课程、具备航天政策条令制订与运用能力可获得 3 级认证[4]。

3.2.2 教育培训准入机制

航天职业教育是面向明确对象的定制式培训，职业教育的重点项目均设有特定的准入门槛。为配合 SPDP 的航天职业资质认证机制实施，美空军明确了 381 训练大队（TRG）本科航天培训或 Space100、国家太空安全研究院（NSSI）的 Space200 和 Space300 等三级航天职业教育培训课程的参训资质条件（见表 1），内容要素包括入选对象、专业领域、已获职业资质、服役时长、岗位经历等[4]。SpaceX00 教育课程每财年开班 5～18 期，由航天与网电空间管理办公室（SCPMO）从符合申报条件的人员中选择资质条件合格的参训对象分批逐期参训，培训合格后授予资质并颁发勋章，作为更上层级资质认证的依据。

表 1　　美空军航天职业课程资质条件

职业课程	军官类	士兵类
Space300 （NSSI）	资质要求： （1）通过中级层次资质认证； （2）军官总服役期达到 13～15 年的校级和入选校级军官； （3）72 个月航天岗位经历。 入选对象：部队从航天职业管理办公室（SPMO）生成的合格人员名单中选择	资质要求： （1）通过中级层次资质认证； （2）总兵役时间达到 14～18 年的三级军士长、二级军士长与入选二级军士长； （3）72 个月航天岗位经历。 入选对象：部队从 SPMO 生成的合格人员名单中选择
Space200 （NSSI）	资质要求： （1）通过初级层次资质认证； （2）军官总服役期达到 8～10 年； （3）24 个月航天岗位经历。 入选对象：部队从 SPMO 生成的合格人员名单中选择	资质要求： （1）通过初级层次资质认证； （2）总兵役时间达到 9～11 年的中士与上士、入选上士； （3）48 个月航天岗位经历（交叉受训的上士必须具备 24 个月航天任职经历）。 入选对象：部队从 SPMO 生成的合格人员名单中选择
本科航天培训 UST/Space100	资质要求： （1）13S：参考职业指南。 （2）61X、62E、63A 专业领域。 入选对象： （1）13S：初级空间岗位待分配。 （2）6X、33S：航天职业管理办公室（SP-MO）计划	资质要求： （1）1C6：参考职业指南。 （2）注释 2 条件。 入选对象： 1C6：自动进入航天职业领域
说明	（1）UST 和 Space200/300 的资质要求与入选对象标准可按 SPMO 最新要求变更。 （2）情报人员的航天情报规范培训单元（SIFTU）经历可等同于 UST；气象与通信人员可为高级太空作战学校基础课程或 UST。入选对象由各部队按照 SPMO 规定进行确定。 （3）各资质条件项为并列关系，需同时具备	

3.3　航天教育与培训管理机制

为增强教育培训效益和质量，美军加强了教育培训的精细管理。根据美空军航天司令部《高级航天教育与培训》，NSSI 和高级太空作战学校（ASOpS）配备的课程职能主管（CFM）与 SCPMO、航天教育训练委员会、航天职业监管委员会等协调确立培训课程需求，并依据课程需求文件（CRD）、课程培训标准（CTS）等规范课程管理[6]。另外，美空军大学（AU）文件 AUI36-2306《空军大学教育计划审查》[9]详细规定了 NSSI 航天教育课程审查程序与要求，每两年全面审查教学实施和评估计划等。

3.3.1　课程制订流程

课程制订的目标是对接培训需求和资源。课程职能主管具体执行航天教育培训课程管理工作，内容包括制订课程需求、确定课程目标、确保资金保障、实施课程审查及评估学员状况等。根据《高级航天教育与培训》文件规定，ASOpS 课程制订以课程需求文件和课程训练标准为依据，NSSI 课程制订以空军 19 号申请表（AF Form19）为依据[6]。如图 1 所示，ASOpS 和 NSSI 的课程制订与修订流程，每个节点左上角注释的部门是该工作的执行单位。

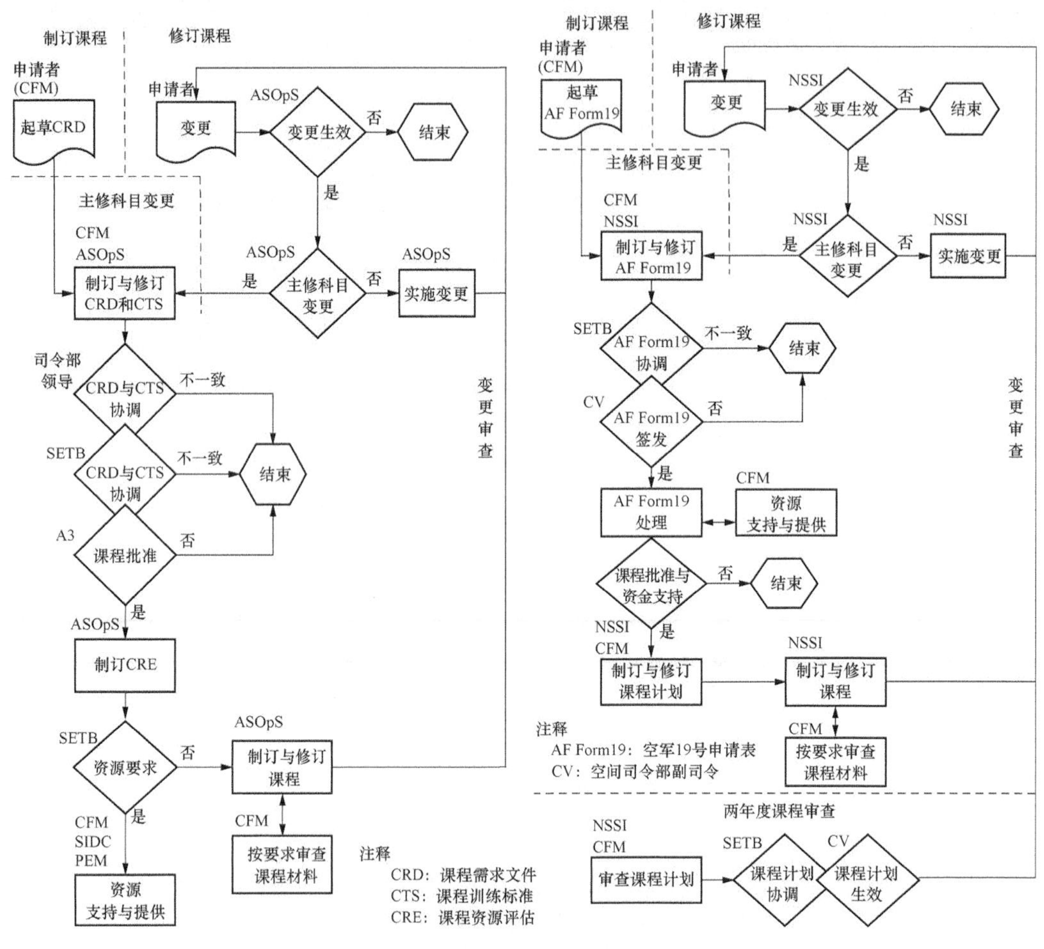

图 1　ASOpS（左）和 NSSI（右）课程制订与修订流程

3.3.2　课程标准与质效评估

课程标准是培训质量和的教学质效保障。培训质效上，美空军以参训课程熟练度规范航天职业课程质量标准与施训要求[7]，熟练度由低到高分为科目知识、任务知识和任务执行三个层次，每个层次由浅入深细分为数字或字母表述的四个等级并给出每个等级的描述界定，作为施训机构衡量和评定参训者受训水平的依据。组织方式上，培训评估由 ASOpS、NSSI 配合 SCPMO 实施，每季度向 SCPMO 报告培训组织实施、承训数量及学员情况等统计信息，SCPMO 依据 SPDP 确定培训的任务需求满足度和参训人员的受训质效。

4　典型计划与内容

美军航天职业教育以空军和陆军为主体，培训机构和项目计划是典型代表。除国防采办大学承担采办职业教育计划外，空军 381 训练大队、NSSI、ASOpS、指挥与参谋学院、空军职业学院和陆军战略司令部未来作战中心等机构是主要施训单位。典型项目计划有：空军最早期的航天发射教育与转型计划（SLEC _ P），入选对象需在军工企业（波音或洛马等）学习 10 个月、发射计划或指挥岗位任职 3 年；空军大学的 Space 100/200/300 或 Space X00 资质课程组合和陆军未来作战中心的陆军航天作战军官资质课程（SOOQC）、联合战术地面站资质课程以及海军研究生院航天系统资质课程等组合，是职业资质认证计划的重点课程；空军指挥与参谋学院 2015 年启动多域战战略家（MDOS）计划、核威慑高级研修（SANDS）计划，2018 年 7 月启动施里弗学者计划（SSP），是美军首个整学年时长并授予军事作战艺术与科学硕士学位的中级培养教育课程和一级联合职业军事教育计划[10]；2016 年 2 月和 2018 年 2 月空军航天司令部制订并修订更新航天队员战备计划（RSP），通过高级职业课程集成航天队员战备能力、制订战术技术与规程并建立决策层战斗文化实施改变博弈规则的作战行动[11]。

5 基本特点与借鉴

他山之石，可以攻玉。美军航天职业教育体系从启篇开局到成熟应用再到转型发展，成效斐然、经验丰硕，为他国航天职业教育和人才培养提供了重要借鉴。

（1）制订配套战略与政策法规，确保训用机制规范有序。航天职业教育体系必须为国防部“培育维护太空安全所需人才”，从整体战略到方案计划、从标准规范到实施措施，美军始终注重围绕形成长效管用的创新型机制，建立系统严密、指导性强、具体实用的战略、政策和法规制度，并持续保持政策机制在机构调整、任务变更、训练转型等新形势下的继承性和系统性，以统一思想认识、规范工作落实、促进训用一致。

（2）推行职业资质认证，对接教育训练与岗位能力需求。岗任所需是航天职业化培养计划的宗旨。美军将航天职业教育、训练和任职经历纳入职业资质认证机制，作为受训后岗位分配和职衔晋升的必要依据，使教育培训、专业训练和岗位经历都与每阶段的晋升成长挂钩衔接，通过职业资质体现岗位对职业履历的要求，同时，在资质培训后期还专门安排受训学员与用人单位主管对话交流，促使航天职业教育培训与目标岗位供需匹配，从而培养真正可堪重用的职业人才。

（3）逐步丰富培训项目，内容渐趋系统综合。为适应航天力量飞速发展带来的培训需求变迁，美军紧密结合部队岗位、装备更新、理论发展等因素，在沿承经典课程的同时，根据部队转型新架构和培养目标新导向增设转型培训项目计划，保持职业课程与时俱进、推陈出新，使各层次培训日益完备和细化，内容全面覆盖从理论思想到作战应用、从系统基础到能力集成，目标导向从操作应用技能向战场综合运用拓展深化。

（4）持续优化组织方式，形式紧贴重点需求。为充分挖掘现有资源的潜在效能，美军围绕打造 SpaceX00 课程、航天资质课程、施里弗学者计划等特色培训项目，多次调整和变更各军兵种培训资源的组合形式，同时以多形式多类模块丰富项目结构，形成结构合理、衔接紧密、运转流畅、科学管用的成熟模式，既合理满足主体任务需要又积极切合多军兵种特殊要求；为增强培训针对性，核心培训项目设立了参训资质条件，对入选对象综合资格作出要求，使培训紧密结合职业成长需求。通过改进优化培训形式内容，美军航天培训的施训效果和育人质量持续提升，训为所需成为常态效益。

6 结语

美军航天人才职业教育培训建立了较为成熟完善的政策机制，构设了随力量转型发展而更新调整的多类培训计划和与时俱进的培训项目内容。太空军成立之后，整套培训教育体系具备良好的延用和迁移基础，也为太空军职业人才培养和新军种建设提供了有力支撑。

参考文献

[1] Headquarters U. S. Air Force，Force Development Integration Division. AFI36-2640：executing total force development [M]. Washington DC：Air Force Pentagon，2008：16 - 18，6.

[2] Department of Defense Executive Agent for Space. Space human capital resources strategy [M]. Washington DC：US Department of Defense，2004.

[3] Air Force Space Command. U. S. Air force space professional strategy [M]. Peterson Air Force Base，Colorado：Air Force Space Command，2003：2 - 6.

[4] US Air Force Space Command. AFI36-3701：personnel—space professional development program [M]. Peterson Air Force Base，Colorado：Air Force Space Command，2010：1 - 33.

[5] US Air Force Space Command. AFSC 1C6X1 space systems operations career field education and training plan [M]. Peterson Air Force Base，Colorado：Department of the Air Force，2012：1 - 55.

[6] US Air Force Space Command. AFSPCI 36-221：advanced space training and education [M]. Peterson Air Force Base，Colorado：Air Force Space Command，2011：1 - 25.

[7] US Air Force Space Command. AFSC 1C6X1 space systems operations career field education and training plan [M]. Washington DC：Department of the Air Force，2016.

[8] US Air Force Space Command. AFSPCI 36-221：management of space education and training [M]. Peterson Air Force Base，Colorado：Air Force Space Command，2018.

[9] Air University. AUI 36-2306：personnel—air university educational program review [R]. Maxwell AFB，Alabama：Air University，2007. 9.

[10] BRENT Z. The coming revolution in military space professionalism [J]. Air-Space Power Journal，2018：9 - 19.

[11] US Air Force Space Command. AFSPC guidance memorandum（GM）AFSPCGM2016 - 13 - 01：ready spacecrew program [M]. Peterson Air Force Base，Colorado：Headquarters Air Force Space Command，2017.

太空军控研究与信息化建设

陈凌云　王　谦　姜　荣
（太空安全研究中心太空战略研究室）

摘　要：太空军控成为太空战略竞争与规则博弈的核心内容，更是大国博弈的重要抓手。本文站在维护国家太空安全的角度，阐明了太空军控研究工作对赢得太空军控斗争、夺取太空外交主动权、突破规则围剿的重大作用和现实意义，从情况分析、态势研判、问题研究、体系构建、策略支持等方面详细阐述了太空军控研究工作的方向与内容。并提出了太空军控信息化研究平台建设构想。

关键词：太空军控；军控履约；信息化建设；智能分析

1　引言

太空军控是国际军备控制与裁军的新领域和新方向，国际社会主要围绕限制太空武器、增强太空行为透明度、限制不负责任的太空行为、赋予太空自卫权等方面开展太空军控工作，世界各国为夺取太空军控斗争中的先发优势，在太空战略竞争、军控规则制定等方面进行军控博弈和斗争。太空军控履约信息化建设为开展太空军控工作提供重要的信息保障平台。太空军控工作离不开国际条约、相关议题进展、各国立场与理念、相关战略政策、军备发展情况等大量信息数据的支持与保障。本文对太空军控相关条约、议程、主要国家相关政策法规制定以及太空军控履约实践进行梳理、整编，构建相应数据库和检索分析系统，对相关信息进行实时收集、快速处理、智能化分析和可视化展示，为太空军控工作的规划、运筹、决策和行动提供及时有效的数据支持和平台保障，为太空军控领域教学和科研提供数据支撑。

2　太空军控研究工作的重大现实意义

太空军控面临着太空武器化、战场化的巨大挑战和压力，已经成为世界各国开展太空霸权和反霸权斗争的重要抓手。太空军控态势受到太空安全形势、太空军备发展、国家太空战略、太空政策法规、各国太空军控立场与态度等各种因素的影响[1]，需要紧密跟踪太空军控形势的发展变化，研判太空军控态势，及时调整太空军控斗争方向与策略，为太空军控斗争决策提供强有力支撑。

一是太空军控态势研判及对策研究是赢得太空军控斗争的坚强后盾。为赢得新太空时代的先发优势，应克服太空军控研究碎片化、较为分散的不足，按照从概念到理论再到实践指导的思路，系统梳理太空领域的军控体系，分析现有军控条款制定的原因、历史条件及当代适用性，厘清其规定的责任权利义务及美俄等国是如何履约的，并对新的军控规则进行前瞻性研究。

二是太空军控态势研判及对策研究是占据太空军控多边谈判主动权的坚实基础。当前国际上与太空军控议题相关的议题主要有“防止在太空放置武器、对太空物体使用或威胁使用武力条约”（PPWT）、“透明与建立信任措施”（TCBMs）、“承诺不首先在太空部署武器”（NFP）等、欧盟的《太空行为准则》（ICOC）、《太空活动长期可持续性》（LTS）、《负责任太空行为准则》等。虽然上述议题尚未达成一致形成具有法律约束力的条约案文，但对未来太空军控谈判的影响不容忽视。通过开展上述议题对我的利弊分析，提前开展太空军控前瞻性研究和力量布局，为有效开展太空军控多边谈判提供有力支撑。

三是太空军控态势研判及对策研究是破解太空军控谈判僵局的必然要求。当前中俄共提的 PPWT 谈判陷入僵局。俄罗斯和中国分别于 2008、2014 年向裁判会提交了“防止在太空放置武器、对太空物体使用或威胁使用武力条约”（PPWT），草案要求各缔约国承诺不在环绕地球的轨道放置任何携带任何种类武器的物体，不在天体上安置此类武器，不以任何其他方式在太空放置此类武器；不对太空物体使用或威胁使用武力；不协助、不鼓励其他国家、国家集团或国际组织参与本条约所禁止的活动。美方持反对态度，认为PPWT只关注在轨部署的武器，不能解决地基反卫星武器问题，特别是地基动能反卫星武器，而且缺乏有效的核查手段。2015 年 12 月，联合国通过了中俄等国共同提案的“不首先在外层空间部署武器”（NFP）的政治倡议，已有二十多个国家作出 NFP 政治承诺，但由于缺乏美欧等航天强国的认同，该倡议的军控效果大打折扣。通过研判太空军控态势，开展太空通报、太空透明、太空行为核查评估、太空碰撞规避、太空争端处置等军控措施研究，破解太空军控谈判僵局，抑制太空霸权，有效应对太空可持续安全面临的风险挑战。

四是太空军控态势研判及对策研究是有效开展太空军控履约的基本保证。在太空军控履约方面，研究主要集中在太空军控规则制定、规则谈判以及规则评析等方面，缺乏对各国履约能力的深入研究，尚未专门开展针对有关国家太空军控政策与策略研究，难以挖掘影响他们军控政策的动因及其薄弱环节，从而影响太空军控履约对策建议的针对性和实效性。通过开展太空军控履约策略与能力研究，提出遵守国际法相关条款以及在新军控规则博弈中的策略建议，既能展现负责任大国形象，在太空领域推行人类命运共同体理念，又能防止 TCBMs、LTS 等太空透明措施对我造成不利干扰和制约。

3 太空军控研究方向与内容

太空军控研究能够为太空军控斗争提供情况分析、形势研判和策略选项支持。在情况分析方面，重点跟踪美、俄、欧洲等传统航天强国和地区，以及日、印、韩等新兴航天国家太空军控政策、太空安全动向的最新发展；在形势研判方面，研判太空安全战略环境对太空军控产生的影响，形成太空军控态势的基本判断；在策略选项方面，重点提出国家在未来太空军控规则制定与相关国际法履约中的策略建议。通过定期开展太空军控情况跟踪研判，针对太空军控现实和前沿问题开展创新性研究，掌握其他国家立场、意图，提供应对措施策略建议，逐步形成适合形势发展的太空军控体系理论框架。建议着重抓好以下四

个方面的研究工作。

3.1 常态化太空军控情报跟踪与态势研判

定期开展太空军控情报跟踪研判工作，具体内容如下：

（1）开展美、俄、欧洲等的太空军控政策跟踪研究，摸清其军备发展、军控目的、意图、手段、技术支持能力等情况。重点细化主要国家的太空军控政策，理清其军控体系、理念与脉络，研判对太空安全形势的影响及挑战。

（2）开展美、俄、欧洲等主要国家的太空军控履约策略研究。针对国际法适用太空军控的相关条款，考察美、俄、欧洲等主要国家的履约情况，分析其利用法律空白、规避敏感法律地带的策略与做法。

（3）研判太空军控总体态势，分析太空军控环境，挖掘影响太空军控的因素，重点提出在未来一段时间的太空军控斗争策略建议及发展路线。

3.2 太空军控基本问题研究

开展太空军控概念、作用、措施方式和安全与军备的互动关系等基本问题的研究工作，具体内容如下：

（1）开展太空军控概念的演化研究，理清太空军控的内涵与外延。太空军控不仅仅是狭义上的太空武器的约束，已经由限制武器级军备部署与使用延伸到限制太空实体的恶意部署与使用，军控的外延已然扩大。梳理国内外的太空军控的主要观点、立场及发展变化，明确太空军控的概念内涵。

（2）开展太空军控与太空安全的互动关系研究。重点研究太空军备的效应与效能、太空军备竞争、安全困境、技术创新发展、安全决策偏好、政党政治等因素对太空军控的影响[2]，同时考察太空军控对太空安全发展走势的影响。

（3）开展太空军控的措施方式研究。重点从对某种武器的数量和质量进行控制、对某种武器的使用进行控制、对某种太空技术的管控以及对太空行为管控四个方面研究太空军控措施可能的选项。着重对太空通报与透明度、太空信息共享与合作、太空行为核查评估、太空风险监测与预警、太空碰撞规避、太空争端处置等军控措施开展深入研究。

3.3 太空军控体系构建研究

开展由法规、平台、制度机制、措施、技术支撑平台等构成的太空军控体系构建研究，具体内容如下：

（1）从国际视角，开展太空军控国际体系构建研究。建立由军控条约、联合国宪章中有关条款、联合国大会与安理会相关决议、防扩散机制下相关协定以及当事国单方面措施等共同构成的太空军控国际体系。重点研究太空军控的国际法适用范围、适用条件、合法性解释等内容，对太空平时行为和战时行为作出适法解释，深入剖析解决太空武器问题的潜在突破点。

（2）从国家视角，开展太空军控国家体系构建研究。建立由国家政策法规、领导管理体制、参与的单边/双边/多边太空军控措施以及技术支撑平台等共同构成的太空军控国家体系。重点研究美、俄、欧洲等航天强国和地区的太空军控体系的构成与运行机制，深入提炼他们规避法律风险、维护自身太空安全利益的举措和做法。

3.4 太空军控现实与前沿问题研究

开展防止太空军备竞赛、太空透明与建立信任措施、太空行为规范、人工智能军事化影响等现实与前沿问题研究，具体内容如下：

围绕防止太空军备竞赛，重点开展“防止在太空放置武器、对太空物体使用或威胁使用武力条约”（PPWT）、“不首先在外层空间部署武器”（NFP）、“太空活动中的透明度和建立信任措施”（TCBMs）以及“负责任太空行为准则”等现实问题研究。

面向太空安全全球治理，前瞻性开展太空行为国际准则、太空交战规则、太空智能伦理规则等前沿问题研究。

4 太空军控信息化研究平台构建

立足太空军备控制领域限制与反限制、遏制与反遏制的斗争形势要求，建设太空军控履约的信息化研究环境，研制太空军控管理系统。对太空军控相关条约、议程、主要国家关于太空军控的政策法规制度，以及太空军控履约实践进行搜集、整理、智能化分析，初步得出太空军控形势和发展趋势，支持太空军控理论研究、太空军控相关教学活动，太空安全战略和太空军控前沿热点研究。

太空军控履约信息化平台建设，以太空军控数据的汇聚、存储和利用为主，通过汇总建设门类齐全、格式规范、彼此关联的基础元数据，构建能够支持数据逻辑关系分析的多类型数据库和知识图谱，为太空军控教学科研工作、太空军控形势分析研判提供基础数据服务和情报分析支撑，为我国军控政策的制定提供决策支持。平台模块组成如下：

4.1 太空军控数据采集模块

信息采集模块主要用于通过模板数据导入、手工数据录入和外部系统导入等多种渠道方式采集太空军控数据，作为后续处理的基础。该功能模块主要包括数据导入、信息提报和接口管理等功能。其中数据导入功能用于导入符合既定模板要求的批量数据；信息提报功能用于业务人员手工录入数据；接口管理功能用于注册和注销接受外部系统导入数据的接口，这些外部系统通过预先拟定的合作协议，提供太空军控数据导入。

4.2 太空军控数据管理模块

信息管理模块主要用于添加、删除、修改、在线阅读、下载、收藏、设置标签和批注，太空军控数据管理的数据库包括太空军控条约数据库、太空军控相关议程数据库、太空军控履约事实数据库、主要国家太空军控相关规定数据库、太空军控动态数据库等。库中存储的主要信息包括[3]：

（1）太空军控条约。包括太空军控条约中英文全文、制定和生效时间、失效时间、缔约国、缔约国加入时间、退出时间、退出原因、失效的标志性事件等。

（2）太空军控谈判议程。包括谈判议程的中英文全文、谈判平台、谈判国家、进展程度等。

（3）与太空军控条约相关的其他条约。包括相关条约中英文全文、生效时间、缔约国、各国缔约时间和退出时间、与太空军控相关的内容部分。

（4）主要国家关于太空军控履约的相关政策规定。包括政策规定的出台时间、全文、涉及太空军控履约的主要内容。

（5）主要国家履约工作。包括履约内容、履约时间、履约效果等内容。

（6）太空军控条约禁止的武器装备数据。包括武器装备的名称、性能、对其进行约束的太空军控条约名称。

（7）太空军控条约禁止的武器试验数据。包括太空军控条约禁止的武器试验的种类、危害等内容。

4.3 太空军控数据智能化分析模块

对太空军控条约和相关谈判议程、主要国家太空军控履约情况、武器研制和试验情况进行关联分析，初步得出国际军控形势和各国太空军控履约态势。该功能模块主要包括实体识别、关系抽取、语义分析、知识维护和图谱搜索等功能，形成太空军控形势的可视化。

4.4 太空军控知识图谱模块

知识图谱模块主要用于从太空军控数据建立、维护和使用知识图谱信息。该功能模块主要包括实体识别、关系抽取、语义分析、知识维护和图谱搜索等功能。其中，实体识别功能用于通过识别算法从太空军控数据中识别实体信息；关系抽取功能用于通过关联挖掘算法从太空军控数据中挖掘实体的关联信息；语义分析功能用于从太空军控数据中抽取对实体和实体间关联的描述说明信息；知识维护功能用于手工编辑维护已有知识信息；图谱搜索功能用于通过条件组合方式可视化的查询实体及其关系信息。

4.5 系统管理模块

系统管理模块主要用于管理配置本系统运行所需全局参数和数据字典，主要包括用户管理功能、角色管理功能、权限管理功能、数据管理功能、系统日志功能和系统配置功能。其中，角色管理功能用于建立维护角色信息，为用户分配不同的角色，角色可以对应配置多个权限；权限管理功能用于建立维护权限信息，为不同的角色分配不同的权限，权限可以对应配置多个功能模块；数据管理功能用于维护本系统运行所需数据字典信息；系统日志功能用于查询系统日志信息；系统配置功能用于配置系统运行所需全局参数。

4.6 数据搜索模块

数据搜索模块主要用于响应用户搜索查询和主动推荐太空军控数据。该功能模块主要包括索引管理、接口配置、结果推荐、用户行为和搜索排序等功能。其中，索引管理功能用于建立和维护搜索索引；接口配置功能用于配置接入搜索引擎的接口；结果推荐功能用于在搜索到结果的同时，主动推荐类似数据；用户行为功能用于分析用户搜索记录，为用户维护一段时间内感兴趣的数据内容标签；搜索排名用于结合用户等级、搜索频次、评论内容等多方面因素，对太空军控数据进行搜索热度排序。

4.7 数据翻译模块

数据翻译模块主要用于对于太空军控条约、谈判议程以及主要国家太空军控政策法规进行翻译。能够实现对英、俄、日等语种的全文翻译。

5 结语

太空军控离不开现代化军控理论的指导，需要突破传统军控的局限性，充分发挥太空军控预防性功能和有效塑造态势作用，深入开展太空军控基础理论和应用理论研究。同时充分发挥数字化、信息化、智能化等先进技术的赋能作用，加强太空军控信息化建设，为太空军控工作提供现代化保障手段和支撑平台。

参考文献

[1] 陈凌云，王谦．太空军控形势分析［C］//2019年中国航天大会·外层空间新兴问题国际法治研讨会，2019.

[2] 李彬．军备控制理论与分析［M］．北京：国防工业出版社，2006.

[3] 冯书兴，陈凌云，王谦，等．航天法律汇编［M］．北京：北京航空航天大学出版社，2021.